O PRIORADO DA LARANJEIRA — A MAGA

SAMANTHA SHANNON

O PRIORADO DA LARANJEIRA

VOLUME I

A MAGA

Tradução
Alexandre Boide

PLATA
FORMA21

TÍTULO ORIGINAL *The Priory of the Orange Tree*
© 2019 Samantha Shannon-Jones
Publicado originalmente em inglês por Bloomsbury, Londres, sob o título *The Priory of the Orange Tree* (páginas 1-404).
Edição brasileira © 2022 VR Editora S.A.

Plataforma21 é o selo jovem da VR Editora

DIREÇÃO EDITORIAL Marco Garcia
EDIÇÃO Thaíse Costa Macêdo
PREPARAÇÃO Laura Pohl
REVISÃO Fabiane Zorn e João Rodrigues
DIAGRAMAÇÃO Gabrielly Alice da Silva
ILUSTRAÇÕES E MAPAS © 2019 Emily Faccini
ARTE DE CAPA Isabelle Hirtz, Inkcraft, baseado na arte original de Bloomsbury
              Publishing Plc.
DESIGN DE CAPA Ivan Belikov
ADAPTAÇÃO DE CAPA Gabrielly Alice da Silva

Dados Internacionais de Catalogação na Publicação (CIP)
(Câmara Brasileira do Livro, SP, Brasil)

Shannon, Samantha
O priorado da laranjeira: a maga / Samantha Shannon ; tradução
Alexandre Boide. – Cotia, SP : Plataforma21, 2022.

Título original: The priory of the orange tree
ISBN 978-65-88343-30-2

1. Ficção inglesa I. Título. II. Título.

22-109827   CDD-823

Índices para catálogo sistemático:
1. Ficção: Literatura inglesa 823
Cibele Maria Dias – Bibliotecária – CRB-8/9427

Todos os direitos desta edição reservados à
VR EDITORA S.A.
Via das Magnólias, 327 – Sala 01 | Jardim Colibri
CEP 06713-270 | Cotia | SP
Tel.| Fax: (+55 11) 4702-9148
plataforma21.com.br | plataforma21@vreditoras.com.br

Nota da autora

Os lugares fictícios desta obra literária são inspirados em acontecimentos e lendas de diversas partes do mundo. Nenhum deles tem intenção de ser uma representação fiel de qualquer país ou cultura, em qualquer momento histórico.

Sumário

Mapas   8

I   Histórias de tempos antigos   13
II Não ouso declarar   327

Personagens da trama   519
Glossário   535
Linha do tempo   541

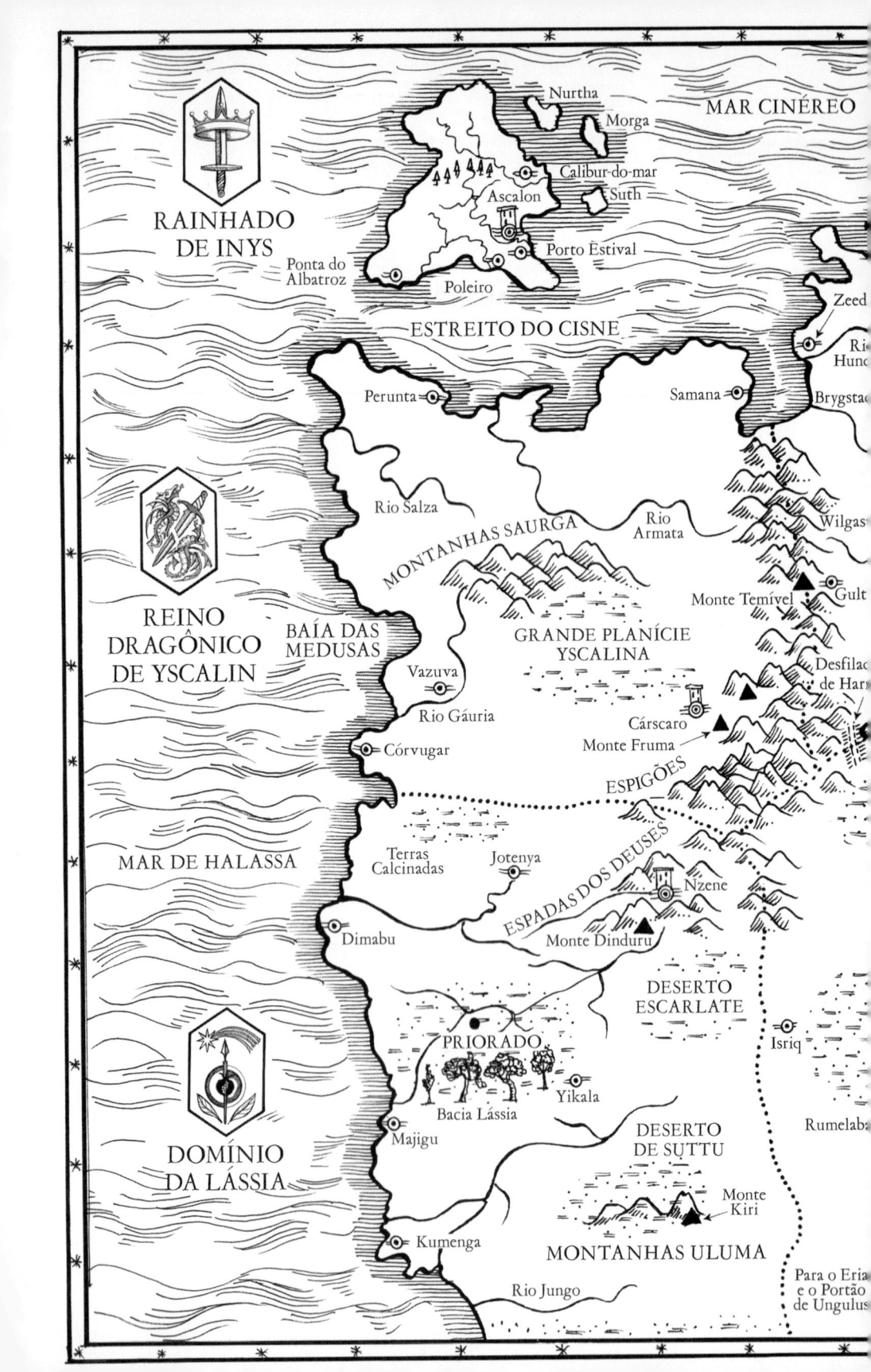

MAR CINÉREO

RAINHADO DE INYS

Nurtha
Morga
Calibur-do-mar
Ascalon
Suth
Porto Estival
Ponta do Albatroz
Poleiro

ESTREITO DO CISNE

Perunta
Samana
Zeed
Rio Hund
Brygstad

REINO DRAGÔNICO DE YSCALIN

Rio Salza
MONTANHAS SAURGA
Rio Armata
Wilgas

BAÍA DAS MEDUSAS
GRANDE PLANÍCIE YSCALINA
Monte Temível
Gult

Vazuva
Rio Gáuria
Córvugar
Cárscaro
Monte Fruma
Desfiladeiro de Har

MAR DE HALASSA

ESPIGÕES

Terras Calcinadas
Jotenya
ESPADAS DOS DEUSES
Nzene

Dimabu
Monte Dinduru

DESERTO ESCARLATE
Isriq

DOMÍNIO DA LÁSSIA

PRIORADO
Bacia Lássia
Yikala

Majigu

DESERTO DE SUTTU
Rumelaba

Monte Kiri

Kumenga
MONTANHAS ULUMA
Rio Jungo
Para o Eria e o Portão de Ungulus

Elding

Kantmarkt
Rozentun

REINO DE
HRÓTH

ESTADO LIVRE
DE MENTENDON

Spilda

O ABISMO

GOLFO DE EDIN

Ostendeur

Fratãma

DESERTO
O SONHO
RANQUILO

Drayasta

auca

DESERTO DE
DARANIYA

N

s de Gaudaya

Zirin

O

L

MONTES
BAIXOS

S

BURLAH

ERMOS BRANCOS

O ERSYR

MONTANHAS
SARRAS

Apata

MAR DE CARMENTUM

PARTE I
Histórias de tempos antigos

Vi um anjo descer das alturas dos céus,
com a chave do Abismo e segurando nas mãos
uma grande corrente. Capturou o dragão, aquela
antiga serpente, que é o demônio, ou Satanás, e
aprisionou-o por mil anos.

Ele arremessou-o no Abismo, e trancou-o com
chave e selo, para impedi-lo de enganar os povos
outra vez quando os mil anos se passassem.

— Revelação 20.1-3

Leste

O estranho saiu do mar como um fantasma d'água, descalço e mostrando as cicatrizes da jornada. Caminhou como se estivesse embriagado por entre a névoa que se agarrava como seda de aranha ao ar de Seiiki.

As histórias de tempos antigos diziam que os fantasmas d'água eram condenados a viver em silêncio. Diziam que suas línguas haviam secado, junto com a pele, e que os ossos eram revestidos apenas por algas marinhas. Diziam que vigiavam as águas rasas, onde ficavam à espreita para puxar os incautos para o coração do Abismo.

Tané não tinha mais medo das lendas desde que era garotinha. Sua adaga reluzia diante dela, curva como um sorriso, e ela cravou os olhos no vulto que emergira no meio da noite.

Quando a figura a chamou, ela se retraiu.

As nuvens libertaram o luar que haviam escondido. O suficiente para que ela pudesse vê-lo como era de fato. E para que ele a visse.

Não era um fantasma. Era um forasteiro. Ela o tinha visto, e não poderia voltar atrás.

Ele estava queimado de sol, com cabelos cor de palha e uma barba ensopada. Os contrabandistas deviam tê-lo abandonado na água e o mandado nadar o restante do trajeto. Era óbvio que ele não conhecia o idioma local, mas ela entendia o dele o suficiente para saber que estava pedindo ajuda, que queria ver o Líder Guerreiro de Seiiki.

O coração de Tané retumbava como um trovão. Ela não ousou falar, pois se mostrasse que conhecia o idioma, isso acabaria forjando um elo entre os dois, o que a denunciaria. Denunciaria o fato de que ela era a testemunha do crime dele, e ele, do seu.

Ela deveria estar reclusa. Em segurança atrás dos muros da Casa do Sul, pronta para emergir, purificada, no dia mais importante de sua vida. Agora estava contaminada. A alma manchada além da redenção. Tudo porque quis mergulhar no mar uma última vez antes do Dia da Escolha. Havia boatos de que o grande Kwiriki favoreceria quem tivesse a coragem para dar uma escapadela a fim de ver o mar durante o recolhimento. Em vez disso, ele a mandou para aquele pesadelo.

Durante toda sua vida, ela teve sorte demais.

Aquele era seu castigo.

Ela manteve o forasteiro à distância brandindo a adaga. Diante da morte, ele começou a estremecer.

A mente de Tané se transformou em turbilhão de possibilidades, uma mais terrível que a outra. Se entregasse o desconhecido às autoridades, teria de revelar que violara o recolhimento.

O Dia da Escolha poderia não seguir como era devido. O honorável Governador de Cabo Hisan — esta província de Seiiki — jamais permitiria a presença dos deuses em um lugar que poderia estar maculado com a doença vermelha. Poderia levar semanas até que a cidade fosse proclamada segura, e a essa altura já se teria concluído que a chegada do forasteiro era um mau presságio, e que os aprendizes da geração seguinte, não a de Tané, é que deveriam receber a oportunidade de se tornarem ginetes. Ela perderia tudo.

Denunciá-lo estava fora de questão. Tampouco poderia abandoná-lo. Caso ele fosse *mesmo* portador da doença vermelha, permitir que vagasse livremente colocaria a ilha inteira em perigo.

Só havia uma opção.

Ela enrolou um pedaço de tecido em torno do rosto dele para evitar que exalasse a doença. As mãos dela tremiam. Quando terminou, Tané o conduziu pela areia preta da praia na direção da cidade, mantendo-se o mais próxima que sua coragem permitia, com a lâmina pressionada contra as costas dele.

Cabo Hisan era um porto que nunca dormia. Ela guiou o forasteiro pelos mercados noturnos, passando por altares entalhados com madeira de naufrágios, sob as fileiras de lamparinas azuis e brancas penduradas para o Dia da Escolha. Seu prisioneiro observava tudo em silêncio. A escuridão obscurecia as feições dele, mas mesmo assim ela bateu com a parte plana da lâmina em sua cabeça, obrigando-o a abaixá-la. Durante todo o trajeto, manteve-o tão distante das demais pessoas quanto possível.

Tinha uma ideia de como isolá-lo.

Havia uma ilha artificial no cabo. Chamava-se Orisima, e era considerada uma curiosidade pelos residentes locais. O entreposto comercial fora construído para abrigar alguns mercadores e estudiosos do Estado Livre de Mentendon. Além dos lacustres, que ficavam do outro lado cabo, os mentendônios eram os únicos com permissão para continuar fazendo negócios em Seiiki depois que a ilha fora fechada para o mundo.

Orisima.

Era para lá que ela levaria o forasteiro.

A ponte iluminada por tochas do entreposto comercial era protegida por sentinelas armadas. Poucos seiikineses tinham permissão para entrar, e Tané não era uma dessas pessoas. A única outra entrada disponível era o portão de desembarque, que se abria uma vez por ano para receber as mercadorias trazidas pelas embarcações mentendônias.

Tané conduziu o forasteiro pelo canal. Não tinha como levá-lo a Orisima sozinha, mas conhecia uma mulher que poderia fazer isso.

Alguém que sabia exatamente onde escondê-lo dentro do entreposto comercial.

———

Fazia muito tempo que Niclays Roos não recebia visitas.

Ele estava se servindo de um pouco de vinho — uma parcela da cota miserável que recebia — quando bateram na porta. O vinho era um dos poucos prazeres que ainda lhe restavam no mundo, e ele estava concentrado em absorver o aroma, saboreando aquele momento glorioso antes de levá-lo à boca.

Agora, vinha a interrupção. Claro. Com um suspiro, ele se levantou, resmungando ao sentir o latejar repentino no tornozelo. A gota estava voltando mais uma vez para atormentá-lo.

Outra batida.

— Ah, já chega *disso* — ele resmungou.

A chuva batucava o telhado enquanto ele tateava em busca da bengala. *Chuva fértil*, era como os seiikineses a chamavam nessa época do ano, quando o ar ficava úmido e carregado, e as nuvens se acumulavam no céu e as frutas nas árvores. Ele manquejou por cima das esteiras, praguejando baixinho, e abriu uma pequena fresta na porta.

Na escuridão do lado de fora estava uma mulher. Tinha cabelos escuros até a cintura, e usava uma túnica estampada com flores de sal. A chuva não poderia tê-la deixado tão encharcada quanto estava.

— Boa noite, eminente Doutor Roos —falou ela.

Niclays ergueu as sobrancelhas.

— Eu tenho uma aversão forte a visitantes a esta hora. Ou a qualquer hora — respondeu ele. Deveria fazer uma mesura, mas não viu nenhum motivo para querer causar uma boa impressão à desconhecida. — Como sabe o meu nome?

— Me disseram. — Nenhuma outra explicação foi fornecida.

— Estou com um compatriota seu. Ele vai passar a noite aqui, e eu volto para buscá-lo amanhã ao anoitecer.

— Um compatriota meu.

A visitante mexeu a cabeça um pouco para o lado. Um vulto apareceu de trás de uma árvore próxima.

— Ele foi deixado por contrabandistas em Seiiki — a mulher falou.

— Vou levá-lo ao honorável Governador amanhã.

Quando a figura se aproximou da luz da casa, Niclays sentiu seu sangue gelar.

Era um homem de cabelos dourados, ensopado como a mulher. Um homem que ele nunca tinha visto em Orisima.

Apenas vinte pessoas moravam no entreposto comercial. Ele conhecia a fisionomia e o nome todos. E nenhuma embarcação mentendônia viria com um recém-chegado assim tão cedo.

De alguma forma, aqueles dois conseguiram entrar sem serem vistos.

— Não. — Niclays a encarou. — Em nome do Santo, mulher, está tentando me envolver em uma operação de contrabando? — Ele estendeu a mão para fechar a porta. — Eu *não posso* esconder um invasor. Se alguém souber…

— Uma noite.

— Seja uma noite ou um ano, nossa cabeça seria separada dos ombros da mesma forma. Tenha uma boa noite.

Quando ele fez menção de fechar a porta, a mulher enfiou o cotovelo na abertura.

— Se fizer isso — ela falou, agora tão próxima que Niclays conseguia sentir seu hálito —, vai receber uma recompensa em prata. Tanto quanto for capaz de carregar.

Niclays Roos hesitou.

A prata era, *sim*, uma tentação. Ele havia exagerado na bebedeira e nos jogos de azar com os sentinelas, e estava devendo provavelmente mais do que conseguiria ganhar durante toda sua vida. Por ora, vinha evitando as ameaças com promessas de joias que chegariam no próximo carregamento de Mentendon, mas sabia que, quando as mercadorias viessem, não haveria uma joia sequer entre elas. Não para alguém como ele.

O ímpeto juvenil dentro dele o incentivou a aceitar a proposta, senão por outra coisa, no mínimo pela emoção do perigo. Antes que sua sabedoria mais madura pudesse intervir, a mulher já estava indo embora.

— Voltarei amanhã à noite — disse ela. — Não deixe que ninguém o veja.

— Espere aí — Niclays sibilou, irritado. — Quem é você?

Ela já havia desaparecido. Com uma olhada de um lado ao outro da rua e um grunhido de frustração, Niclays arrastou o homem de olhar assustado para dentro de sua casa.

Aquilo era loucura. Se os vizinhos descobrissem que estava abrigando um invasor, ele seria levado ao furioso Líder Guerreiro, que não era conhecido por sua clemência.

Ainda assim, lá estava Niclays, naquela situação.

Ele trancou a porta. Apesar do calor, o recém-chegado tremia sobre as esteiras. Sua pele marrom-clara estava queimada nas bochechas, e seus olhos azuis, vermelhos por causa do sal. Tentando se acalmar, Niclays encontrou um cobertor que trouxera de Mentendon e entregou para o homem, que o pegou sem falar nada. Ele tinha bons motivos para estar com medo.

— De onde você vem? — Niclays perguntou, seco.

— Perdão — o hóspede sussurrou. — Eu não entendo. Está falando seiikinês?

Inysiano. Uma língua que Niclays não escutava havia um bom tempo.

— Isso não é seiikinês — Niclays respondeu no idioma do homem.

— É mentendônio. Pensei que também fosse um.

— Não, senhor. Sou de Ascalon — disse ele, a resposta tímida. — Posso perguntar o nome de quem eu devo gratidão por ter me acolhido?

Um inysiano típico. As boas maneiras vinham sempre em primeiro lugar.

— Roos — Niclays resmungou. — Doutor Niclays Roos. Mestre cirurgião. A pessoa cuja vida no momento está em perigo por sua causa.

O jovem o encarou.

— Doutor... — Ele engoliu em seco. — Doutor Niclays Roos.

— Muito bem, rapaz. A água do mar não danificou seus ouvidos.

O hóspede soltou um suspiro trêmulo.

— Doutor Roos, só pode ser a providência divina — disse ele. — A Cavaleira da Confraternidade ter me trazido justamente até *você*...

— Justamente até mim. — Niclays franziu a testa. — Já nos conhecemos?

Ele vasculhou a memória para relembrar o tempo que passou em Inys, mas estava certo de que nunca tinha posto os olhos naquele indivíduo. A não ser que estivesse embriagado na ocasião, claro. Era algo que fazia frequentemente em Inys.

— Não, senhor, mas um amigo mencionou seu nome para mim. — O homem enxugou o rosto com a manga da roupa. — Eu tinha certeza de que morreria no mar, mas ver você me trouxe de volta à vida. Graças ao Santo.

— Seu santo não tem poder aqui — Niclays murmurou. — Pois bem, e por qual nome você atende?

— Sulyard. Mestre Triam Sulyard, senhor, ao seu dispor. Eu era escudeiro da casa de Sua Majestade, Sabran Berethnet, Rainha de Inys.

Niclays cerrou os dentes. Aquele nome atiçou as chamas da ira em suas entranhas.

— Um escudeiro — disse ele, se sentando. — Sabran se cansou de você, assim como se cansa de todos os súditos?

Sulyard endureceu.

— Se insultar minha rainha, eu...

— Você o quê? — Niclays o encarou por cima da armação dos óculos. — Talvez eu deva chamá-lo de Triam Toloyard. Você tem ideia do que fazem com os estrangeiros por aqui? Sabran o mandou para cá a fim de lhe dar uma morte especialmente cruel?

— Sua Majestade não sabe que estou aqui.

Interessante. Niclays serviu uma taça de vinho para ele.

— Aqui — disse ele, a contragosto. — Beba tudo.

Sulyard virou a taça de um gole.

— Pois bem, Mestre Sulyard, isto é importante — continuou Niclays. — Quantas pessoas viram você?

— Fui obrigado a nadar até a praia. Cheguei a uma enseada primeiro. A areia era preta. — Sulyard tremia. — Uma mulher me encontrou e me guiou pela cidade, apontando uma faca para mim. Ela me deixou sozinho em um estábulo... então uma outra mulher chegou e me mandou segui-la. Ela me levou até o mar, e nadamos juntos até um atracadouro, onde havia um portão.

— E estava aberto?

— Sim.

A mulher provavelmente conhecia um dos sentinelas. Deve ter pedido para deixarem o portão de desembarque aberto.

Sulyard esfregou os olhos. O tempo que passou no mar maltratara seu corpo, mas Niclays agora estava vendo que se tratava de um jovem que não chegava a ter 20 anos.

— Doutor Roos, eu vim para cá com uma missão da maior importância — ele disse. — Preciso falar com o...

— É melhor parar por aí, Mestre Sulyard — interrompeu Niclays. — Não me interessa o motivo de estar aqui.

— Mas...

— Sejam quais forem seus motivos, está aqui sem permissão das autoridades, o que é tolice. Se o Oficial-Chefe descobrir sua presença e eu for interrogado, quero pelo menos poder dizer com toda honestidade que não faço a mínima ideia do que o trouxe à minha porta no meio da noite, imaginando que seria bem-vindo em Seiiki.

Sulyard piscou.

— Oficial-Chefe?

— O oficial seiikinês encarregado deste ferro-velho flutuante, embora pareça se considerar uma espécie de semideus. Você sabe que lugar é este, pelo menos?

— Orisima, o último entreposto ocidental no Leste. É a existência do entreposto que me deu a esperança de ser recebido pelo Líder Guerreiro.

— Garanto a você que em nenhuma circunstância Pitosu Nadama vai receber um invasor em sua corte — disse Niclays. — O que ele *vai* fazer, se ficar sabendo da sua presença, é dar fim à sua vida.

Sulyard não respondeu.

Niclays cogitou brevemente a ideia de contar a seu hóspede que a pessoa que o resgatara voltaria em breve, talvez para alertar as autoridades de sua presença, mas optou por não dizer nada. Sulyard poderia entrar em pânico, e não havia para onde fugir.

No dia seguinte. Ele iria embora no dia seguinte.

Naquele momento, Niclays ouviu vozes do lado de fora. Passos subindo pelos degraus de madeira das outras habitações. Ele sentiu um frio na barriga.

— Esconda-se — ele disse, pegando a bengala.

Sulyard se abaixou atrás de uma divisória. Niclays abriu a porta com as mãos trêmulas.

Séculos antes, o Primeiro Líder Guerreiro de Seiiki assinou o Grande Édito e fechou a ilha para todos, com exceção dos lacustres e dos mentendônios, para proteger seu povo da peste dragônica. Mesmo depois que a praga arrefeceu, o isolamento permaneceu. Qualquer forasteiro que chegasse sem permissão era executado. Assim como qualquer um que lhe oferecesse abrigo.

Na rua, não havia sinal de sentinelas, mas vários de seus vizinhos estavam reunidos. Niclays se juntou a eles.

— Em nome de Galian, o que está acontecendo? — ele perguntou ao cozinheiro, que olhava para um ponto acima de suas cabeças, com a boca aberta a ponto de ser capaz de engolir uma borboleta. — Eu recomendaria não repetir essa expressão facial no futuro, Harolt. As pessoas podem achar que você é abobalhado.

— Veja, Roos — o cozinheiro murmurou. — Veja!

— É melhor que isso seja...

Ele interrompeu o que dizia quando viu.

Uma cabeça enorme pairava acima do muro de Orisima. E pertencia a uma criatura nascida de pedras preciosas e do mar.

Vapores se elevavam de suas escamas — escamas de pedras-da-lua, tão resplandecentes que seu brilho parecia emanar de dentro. Uma crosta com gotas que pareciam joias reluzia sobre cada uma. Os olhos eram como estrelas flamejantes, e os chifres eram como mercúrio, fulgurando sob a luz pálida da lua. A criatura fluía com a elegância de uma peça ondulante de cetim por sobre a ponte e subiu aos céus, leve e silenciosa como uma pipa.

Um dragão. No momento em que ele decolava de Cabo Hisan, outros emergiam da água, deixando uma névoa gelada em seu rastro. Niclays levou a mão ao peito e ao coração disparado.

— Ora — murmurou ele. — O que *eles* estão fazendo aqui?

2

Oeste

Ele estava mascarado, é claro. Sempre estavam. Apenas um tolo invadiria a Torre da Rainha sem garantir seu anonimato e, se conseguiu acesso à Câmara Privativa, então aquele degolador certamente não era um tolo.

Na Grande Alcova logo adiante, Sabran estava em sono profundo. Com os cabelos soltos e os cílios escuros em contraste com a pele do rosto, a Rainha de Inys era a imagem do repouso. Naquela noite, era Roslain Crest quem dormia ao seu lado.

Ambas ignoravam que uma sombra movida pelo desejo de matança espreitava por perto naquele instante.

Quando Saban se recolheu, a chave de seu espaço mais íntimo foi confiada a uma de suas Damas da Alcova. Katryen Withy estava encarregada de sua posse, na Galeria dos Chifres. Os aposentos reais eram protegidos pelos Cavaleiros do Corpo, mas a porta da Grande Alcova nem sempre era vigiada. Afinal, só havia uma chave.

O risco de invasão era nulo.

Na Câmara Privativa — a última barreira entre o leito real e o mundo exterior — o assassino olhou por cima do ombro. Sir Gules Heath voltara a seu posto do lado de fora, ignorante da ameaça que havia se instalado em sua ausência. Ignorante também que Ead, escondendo-se entre os caibros do telhado, observava tudo enquanto o assassino chegava à porta que o levaria até a rainha. Em silêncio, o invasor tirou a chave do manto e colocou na fechadura.

A chave virou.

Por um bom tempo, ele ficou imóvel. Esperando pela oportunidade ideal.

Aquele era bem mais cauteloso que os demais. Quando Heath teve um de seus acessos de tosse, o invasor abriu a porta da Grande Alcova. Com a outra mão, desembainhou uma lâmina. Era do mesmo tipo que os outros tinham usado.

Quando ele se mexeu, Ead entrou em ação. Ela saltou em silêncio da viga onde estava.

Seus pés descalços aterrissaram no mármore. Quando o assassino entrou na Grande Alcova, empunhando a adaga, ela cobriu a boca dele e cravou a lâmina entre suas costelas.

O peso do assassino cedeu. Ead segurou firme, tomando cuidado de não deixar nem uma gota de sangue respingar nela. Quando o corpo ficou imóvel, ela o baixou até o chão e levantou a anteface forrada com seda, a mesma que todos os outros usavam.

O rosto sob o tecido era jovem demais, mal acabara de sair da infância. Os olhos da cor da água de um lago estavam voltados para o teto.

Não era ninguém que ela reconhecia. Ead o beijou na testa e o deixou caído no chão de mármore.

Quase no mesmo momento em que se ocultou novamente nas sombras, ouviu um grito de socorro.

Quando o dia raiou, ela ainda se encontrava nas dependências palácio. Seus cabelos estavam presos com uma trama de fios de ouro, adornado com esmeraldas.

Todas as manhãs, ela mantinha a mesma rotina. Previsibilidade era sinônimo de segurança. Primeiro ia até o Mestre dos Correios, que confirmava não haver nenhuma carta para ela. Depois, seguia até os portões para observar a cidade de Ascalon, imaginando que algum dia poderia atravessá-la e continuar andando até chegar a um porto e encontrar uma embarcação que a levasse de volta para a Lássia, sua casa. Às vezes, via alguém que conhecia no percurso, com quem trocava um discretíssimo aceno de cabeça. Por fim, dirigia-se até o Pavilhão de Banquetes para fazer o desjejum com Margret, e então, às oito, seus deveres começavam.

Naquele dia, sua primeira tarefa era encontrar a Lavadeira Real. Ead logo encontrou a mulher atrás da Grande Cozinha, em um recesso coberto de hera. Um ajudante dos estábulos parecia estar contando as sardas em seu colo com a língua.

— Um bom dia para vocês — Ead falou.

O casal se afastou com respirações ofegantes. Com os olhos arregalados, o ajudante dos estábulos saiu em disparada como um de seus cavalos.

— Mestra Duryan! — A lavadeira ajeitou as saias e flexionou os joelhos em uma mesura, vermelha até a raiz dos cabelos. — Ah, por favor, mestra, não conte para ninguém, ou vai acabar em minha ruína.

— Não precisa me fazer mesuras. Eu não sou uma lady. — Ead sorriu. — Pensei que seria útil lembrar-lhe que é preciso servir à Sua Majestade *todos* os dias. Você anda mostrando certo desleixo ultimamente.

— Ah, Mestra Duryan, eu confesso que minha cabeça tem estado distraída, mas é que estou muito ansiosa. — A lavadeira retorceu os dedos calejados. — Os criados andam comentando, mestra. Dizem que um wyvernin pegou uns animais de rebanho nos Lagos menos de dois dias atrás. Um wyvernin! Não é assustador que os lacaios do Inominado estejam despertando?

— Ora, exatamente por essa razão que você deve se dedicar ainda mais ao seu trabalho. Os lacaios do Inominado querem Sua Majestade fora do caminho, pois a morte dela traria o senhor deles de volta a este mundo — disse Ead. — É por isso que seu papel é *crucial*, boa mulher. Você deve verificar os lençóis todos os dias em busca de veneno, e manter as roupas de cama limpas e cheirosas.

— Sim, é claro. Prometo que vou prestar mais atenção aos meus deveres.

— Ah, não é a mim que você precisa prometer. Você precisa prometer ao Santo. — Ead apontou com o queixo para o Santuário Real. — Vá ter com ele agora. Talvez devesse pedir perdão também por sua... indiscrição. Vá com seu amante e rogue por clemência. Agora mesmo!

Enquanto a lavadeira se afastava às pressas, Ead conteve um sorriso. Era quase fácil demais constranger os inysianos.

O sorriso logo se desfez. Um wyvernin de *fato* chegara ao ponto de roubar animais dos humanos. Embora as criaturas dragônicas estivessem aos poucos despertando de seu longo sono há anos, suas aparições continuavam incomuns — mas, nos últimos meses, houve várias. Era um sinal de problemas que aquelas feras estivessem ficando ousadas o suficiente para caçar em áreas colonizadas.

Mantendo-se nas sombras, Ead percorreu o longo caminho até os aposentos reais. Passou pela Biblioteca Real, desviou de um dos pavões brancos que circulavam por lá e entrou no claustro.

O Palácio de Ascalon — um triunfo colossal de pedra calcária clara — era a maior e mais antigas das residências da Casa de Berethnet, a linhagem de rainhas que governava o Rainhado de Inys. O dano sofrido durante a Era da Amargura no palácio, quando o Exército Dragônico travara sua guerra contra a humanidade durante um ano, não era mais visível havia tempos. As janelas exibiam vidros em todas as cores do arco-íris. Dentro de seus limites ficavam o Santuário das Virtudes, jardins com extensos gramados sombreados, e a imensa Biblioteca Real, com sua torre do relógio revestida em mármore. Era o único lugar onde a corte de Sabran se instalava durante todo o verão.

Havia uma macieira no meio do pátio. Ead parou ao vê-la, sentindo um aperto no peito.

Fazia cinco dias que Loth desaparecera do palácio na calada da noite, junto com Lorde Kitston Glade. Ninguém sabiam para onde foram, ou por que deixaram a corte sem pedir permissão. Sabran não escondia sua inquietação, mas Ead mantinha a sua apenas para si.

Ela se lembrava do cheiro da fumaça que se desprendia da lenha em seu primeiro Festim da Confraternidade, onde conhecera Lorde Arteloth Beck. No outono, a corte se reunia para trocar presentes e celebrar sua união na Virtandade. Fora a primeira vez que se viram pessoalmente, mas Loth contou a ela depois que já estava curioso fazia tempo em relação à nova dama de companhia da rainha. Tinha ouvido boatos sobre uma sulina de 18 anos que não era nobre ou plebeia, recém-convertida às Virtudes da Cavalaria. Vários cortesãos estiveram presentes quando fora apresentada à rainha pelo Embaixador do Ersyr.

Não trago joias nem ouro para celebrar o Novo Ano, Sua Majestade. Em vez disso, trago uma dama para o Alto Escalão de Serviço, Chassar dissera. *A lealdade é o maior dos presentes.*

A rainha, na época, tinha apenas 20 anos. Uma dama de companhia sem sangue nobre era um presente peculiar, mas a cortesia a forçara a aceitar tal oferta.

O evento poderia até ser chamado de Festim da Confraternidade, mas a camaradagem que esse nome sugeria tinha seus limites. Ninguém abordara Ead para convidá-la para uma dança naquela noite — a não ser Loth, com seus ombros largos, pelo menos uma cabeça mais alto que ela, pele negra retinta e um sotaque nortista caloroso. Todos na corte o conheciam. O herdeiro da propriedade de Goldenbirch — o local de nascimento do Santo — e amigo próximo da Rainha Sabran.

Mestra Duryan, dissera ele, com uma mesura, *se me der a honra desta dança para que eu possa me desvencilhar da conversa bastante tediosa da*

Chanceler do Tesouro, ficaria em dívida. Em troca, posso buscar um jarro do melhor vinho de Ascalon, e metade é seu. O que me diz?

Ela precisava de um amigo. E de uma bebida mais forte. Então, apesar de ele ser o Lorde Arteloth Beck, e de ela ser uma desconhecida, os dois dançaram três pavanas e passaram o resto da noite ao pé da macieira, bebendo e conversando sob a luz das estrelas. Quando Ead se deu conta, uma amizade sincera havia nascido.

No entanto, agora ele estava desaparecido, e só havia uma explicação. Loth jamais deixaria a corte por iniciativa própria — e muito menos sem avisar à irmã ou pedir a permissão de Sabran. A única explicação era que ele fora forçado a isso.

Tanto ela como Margret haviam tentado alertá-lo. Disseram que sua amizade com Sabran — que vinha desde a infância — em algum momento o tornaria uma ameaça aos olhos de futuros pretendentes da rainha. Ele precisava demonstrar menos intimidade com ela agora que estavam mais velhos.

Loth nunca ouvia a voz da razão.

Ead interrompeu seu devaneio. Ao sair do claustro, abriu passagem para um grupo de atendentes a serviço de Lady Igrain Crest, a Duquesa da Justiça. Eles levavam a insígnia dela bordada em seus tabardos.

O Jardim do Relógio Solar estava resplandecente pela luz da manhã. Seus caminhos eram adornados pelo sol, e as roseiras que ladeavam os gramados exibiam uma coloração vermelha suave. O local era guardado pelas estátuas das Cinco Rainhas da Casa de Berethnet, que ficavam em um lintel sobre a entrada da Torre da Solidão. Sabran gostava de fazer caminhadas em dias como aquele, de braços dados com uma de suas damas de companhia, mas os caminhos estavam desertos. A rainha não estaria disposta a um passeio depois de um cadáver ser encontrado tão próximo de sua cama.

Ead se aproximou da Torre da Rainha. As trepadeiras na superfície da pedra estavam cobertas de flores roxas. Ela subiu os muitos degraus internos até chegar aos aposentos reais.

Doze Cavaleiros do Corpo, vestidos com armaduras douradas e mantos verdes para o verão, ladeavam as portas da Câmara Privativa. Padrões floridos ornamentavam seus braços, e a insígnia da Casa Berethnet era ostentada orgulhosamente no peito. Eles se voltaram todos na direção de Ead quando ela se aproximou.

— Um bom dia — disse ela.

A postura de precaução foi abandonada, e eles abriram caminho para a Dama da Câmara Privativa.

Ead logo encontrou Lady Katryen Withy, sobrinha do Duque da Confraternidade. Aos 24 anos, era a mais jovem e mais alta entre as três Damas da Alcova, e tinha uma pele marrom uniforme e bonita, lábios grossos e cabelos cacheados de um ruivo tão intenso que era quase preto.

— Mestra Duryan — disse ela. Como todo mundo no palácio, estava vestida de verde e amarelo para o verão. — Sua Majestade ainda está deitada. Encontrou a lavadeira?

— Sim, milady. — Ead fez uma mesura. — Ao que parece... os deveres familiares a distraíram de sua função.

— Nenhum dever pode estar acima de nosso serviço à Coroa. — Katryen olhou na direção das portas. — Houve outra invasão. Dessa vez, o maldito não era só um trapalhão. Não só conseguiu chegar à Grande Alcova como tinha uma chave.

— A Grande Alcova! — Ead torceu para que de fato parecesse chocada. — Então alguém do Alto Escalão de Serviço traiu Sua Majestade.

Katryen assentiu.

— Nós acreditamos que ele veio pela Escada Secreta. Isso deve ter possibilitado que se esquivasse da maioria dos Cavaleiros do Corpo e chegado diretamente à Câmara Privativa. E considerando que a entrada da Escada Secreta está lacrada desde... — Ela soltou um suspiro. — O Sargento Porter foi demovido do posto por desleixo. De agora em diante, a porta da Grande Alcova *nunca* ficará desprotegida.

Ead assentiu com a cabeça.

— O que há para nós hoje?

— Tenho uma tarefa especial para você. Como já sabe, o embaixador mentendônio, Oscarde utt Zeedeur, chega hoje. A filha dele anda bastante descuidada em sua maneira de se vestir ultimamente — disse Katryen, franzindo os lábios. — Lady Truyde sempre se mostrava impecável quando chegou à corte, mas agora... ora, ela estava com uma *folha* no cabelo nas rogatórias de ontem, e se esqueceu do cintilho no dia anterior. — Ela deu uma boa olhada em Ead. — Você parece saber como se paramentar de acordo com sua posição. Certifique-se de que Lady Truyde esteja pronta.

— Sim, milady.

— Ah, Ead, e não fale sobre a invasão. Sua Majestade não que causar preocupações na corte.

— É claro.

Quando passou pelos guardas pela segunda vez, Ead examinou seus rostos inexpressivos.

Fazia um tempo que sabia que alguém da casa estava deixando assassinos entrarem no palácio. E agora alguém tinha dado uma chave para que chegassem à Soberana de Inys enquanto ela dormia.

Ead descobriria quem era o responsável.

A Casa de Berethnet, como a maioria das casas reais, sofrera sua cota de mortes prematuras. Glorian I bebera de uma taça de vinho envenenada. Jillian III só governara durante um ano antes de ser esfaqueada no coração por um de seus criados. A própria mãe de Sabran, Rosarian IV, fora morta com vestido embebido em veneno de basilisco. Ninguém nunca descobriu como o traje foi parar no Guarda-Roupa Privativo, mas se desconfiava que tinha sido uma trama dos yscalinos.

Agora, os assassinos estavam atrás da última descendente da Casa de Berethnet. Chegavam mais perto da rainha a cada atentado contra sua vida. Um deles fora descoberto ao esbarrar em um busto. Uma outra fora vista entrando na Galeria dos Chifres, e um terceiro gritara palavras odiosas diante das portas da Torre da Rainha até que os guardas chegassem até ele. Não parecia haver nenhuma ligação entre os candidatos a assassinato, mas Ead estava certa de que respondiam à mesma pessoa. Alguém que conhecia bem o palácio. Alguém que podia ter roubado a chave, feito uma cópia e devolvido dentro de um dia. Alguém que sabia como abrir a Escada Secreta, que estava trancada desde a morte da Rainha Rosarian.

Se Ead fosse uma das Damas da Alcova, uma pessoa íntima e de confiança, proteger Sabran seria mais fácil. Ela esperava por uma chance de assumir essa posição desde sua chegada a Inys, mas estava começando a aceitar que nunca aconteceria. Uma convertida sem título de nobreza não era uma candidata aceitável.

Ead encontrou Truyde na Câmara Lacunar, onde dormiam as damas de companhia. Havia doze camas posicionadas lado a lado. Seus aposentos eram mais espaçosos ali do que em outros palácios, mas desconfortáveis para moças nascidas em famílias nobres.

As mais jovens estavam brincando com os travesseiros, rindo, mas pararam assim que viram Ead entrar. A dama que procurava ainda estava na cama.

Lady Truyde, Marquesa de Zeedeur, era uma jovem séria, sardenta, branca como leite e com olhos bem pretos. Tinha sido mandada para Inys aos 15 anos, havia dois verões, para aprender os modos da corte até herdar o Ducado de Zeedeur do pai. Havia algo em seu jeito atento que lembrava a Ead um pardal. Era vista com frequência na Sala de Leitura, pendurada em escadas ou folheando livros com páginas que já estavam se desmanchando.

— Lady Truyde — Ead falou, fazendo uma mesura.

— O que foi? — a garota respondeu com um tom de tédio. Seu sotaque ainda era pesadíssimo.

— Lady Katryen me pediu para ajudá-la a se vestir — explicou Ead. — Se me permite.

— Eu tenho 17 anos, Mestra Duryan, e inteligência o suficiente para me vestir sozinha.

As outras damas de companhia prenderam a respiração.

— Infelizmente, Lady Katryen não compartilha dessa opinião — Ead falou, sem se alterar.

— Lady Katryen está enganada.

Mais respirações se prenderam. Ead se perguntou se por acaso havia acabado o ar dentro do recinto.

— Ladies, encontrem uma criada e peçam para encherem o lavatório, por favor — ela disse para as meninas.

Ela se foram, mas sem mesuras. Ead estava acima delas na hierarquia da casa, mas aquelas jovens eram nobres de nascença.

Truyde ficou olhando para os vitrais da janela por alguns instantes antes de se levantar. Ela se sentou no banco ao lado do lavatório.

— Perdoe-me, Mestra Duryan — ela falou. — Estou mal-humorada hoje. Não tenho dormido bem ultimamente. — Ela colocou as mãos sobre o colo. — Se Lady Katryen assim deseja, pode me ajudar a me vestir.

Ela de fato parecia cansada. Ead foi esquentar algumas toalhas junto ao fogo. Quando a criada trouxe a água, ela ficou em pé atrás de Truyde e juntou seus cachos abundantes, que chegavam até a cintura e eram de um vermelho vivo. Esse tipo de cabelo era comum no Estado Livre de Mentendon, do outro lado do Estreito do Cisne, mas pouco habitual em Inys.

Truyde lavou o rosto. Ead esfregou seus cabelos com cremegralina, enxaguou e penteou até desembaraçar todos os nós. Durante todo esse tempo, a garota ficou em silêncio.

— Está tudo bem, milady?

— Está, sim. — Truyde girou o anel que usava no polegar, revelando a mancha esverdeada por baixo. — É que... estou irritada com as outras damas e suas fofocas. Me diga, Mestra Duryan, você ouviu falar alguma coisa sobre o Mestre Triam Sulyard, que era escudeiro de Sir Marke Birchen?

Ead enxugou os cabelos de Truyde com a toalha aquecida junto ao fogo.

— Não muito — respondeu ela. — Apenas que ele deixou a corte no inverno sem permissão, e que tinha dívidas de jogo. Por quê?

— As outras garotas ficam falando sem parar da ausência dele, inventando histórias absurdas. Eu queria que elas parassem com isso.

— Sinto muito por não poder ajudar.

Truyde a encarou por entre os cílios ruivos.

— Você já foi dama de companhia.

— Sim. — Ead pendurou a toalha. — Por quatro anos, depois que o Embaixador uq-Ispad me trouxe para a corte.

— E então foi promovida. Quem sabe a Rainha Sabran não pode me nomear como Dama da Câmara Privativa um dia também — especulou Truyde. — Assim eu não precisaria dormir nesta jaula.

— O mundo inteiro é uma prisão aos olhos de uma jovem menina. — Ead pôs a mão no ombro dela. — Vou pegar seu vestido.

Truyde foi se sentar ao lado do fogo, passando os dedos nos cabelos. Ead a deixou se secando.

Do lado de fora, Lady Oliva Marchyn, Matrona das Damas, estava distribuindo os afazeres com sua voz de trombone. Quando viu Ead, falou com uma voz tensa:

— Mestra Duryan.

Ela pronunciou seu nome como se fosse o de uma doença. Ead já esperava aquilo de certas pessoas da corte. Afinal, era uma sulina, nascida fora da Virtandade, o que a tornava suspeita para os inysianos.

— Lady Oliva — ela falou sem se alterar. — Lady Katryen me mandou ajudar a vestir Lady Truyde. Pode me entregar as roupas dela?

— Hum. Venha comigo. — Oliva a conduziu por um outro corredor. Uma mancha grisalha escapava de sua coifa. — Eu queria que essa menina comesse. Ela vai definhar como uma flor no inverno.

— Há quanto tempo está sem apetite?

— Desde o Festim do Início da Primavera. — Oliva lançou para ela um olhar de desdém. — Faça parecer que ela está bem. O pai dela vai ficar furioso se achar que a filha está sendo mal alimentada.

— Ela não está doente?

— Eu conheço os sinais de doença, mestra.

Ead abriu um sorrisinho.

— O problema é o coração, então?

Oliva franziu os lábios.

— Ela é uma dama de companhia. E eu não admito fofocas na Câmara Lacunar.

— Perdão, milady. Foi uma brincadeira.

— Você é uma dama de companhia de nossa Rainha Sabran, não a boba da corte.

Fungando alto, Oliva pegou a roupa do armário e entregou para Ead, que fez uma mesura e se afastou.

Ela abominava aquela mulher com as profundezas da alma. Os quatro anos que passou como dama de companhia foram os mais infelizes de sua vida. Mesmo depois de sua conversão pública às Seis Virtudes, sua lealdade à Casa de Berethnet continuou a ser questionada.

Ela se lembrava de ficar deitada na cama dura na Câmara Lacunar, com os pés doloridos, e ouvir as outras garotas zombarem de seu sotaque sulino e especular que tipo de heresia ela praticara no Ersyr. Oliva nunca moveu uma palha para fazê-las parar. No fundo, Ead sempre soube que aquilo passaria, mas ser ridicularizada feria demais seu orgulho. Quando uma vaga se abriu na Câmara Privativa, a Matrona das Damas ficou mais do que contente por se livrar dela. Em vez de dançar para a rainha, Ead passou a esvaziar seu lavatório e limpar os aposentos reais. Tinha direito a um quarto só seu e recebia um pagamento melhor.

Na Câmara Lacunar, Truyde estava com uma bata limpa. Ead a ajudou a vestir o espartilho e a anágua de verão, e por cima um vestido de seda preta com mangas bufantes e uma gorjeira de renda no pescoço. Um broche com o escudo de seu padroeiro, o Cavaleiro da Coragem, brilhava sobre seu coração. Todos os filhos da Virtandade escolhiam um cavaleiro padroeiro quando chegavam aos 12 anos de idade.

Ead também usava um. Um feixe de trigo para representar a generosidade. Ganhara o seu quando fizera sua conversão.

— Mestra, as outras damas de companhia dizem que você é uma herege — Truyde comentou.

— Eu recito todas as rogatórias no santuário, ao contrário de certas damas de companhia — Ead respondeu.

Truyde a observou por um instante.

— Ead Duryan é seu nome de verdade? — ela perguntou de forma repentina. — Não parece um nome muito ersyrio para mim.

Ead pegou um rolo de fita dourada.

— Então você sabe falar ersyrio, milady?

— Não, mas já li histórias sobre o país.

— Leituras — Ead falou em um tom de leveza. — Um passatempo perigoso.

Truyde a encarou, estreitando os olhos.

— Você está zombando de mim.

— De forma alguma. As histórias têm grande poder.

— Todas as histórias ganham corpo a partir de uma semente da verdade — Truyde falou. — Existe conhecimento por trás da representação figurada.

— Então acredito que usará o seu conhecimento para o bem. — Ead passou os dedos entre os cachos ruivos da garota. — E, como perguntou: não, esse não é o meu nome verdadeiro.

— Achei que não mesmo. E *qual* é o seu nome de verdade?

Ead pegou duas mechas de cabelo e as trançou com a fita.

— Ninguém aqui nunca ouviu.

Truyde levantou as sobrancelhas.

— Nem mesmo Sua Majestade?

— Não. — Ead virou o rosto da garota para ela. — A Matrona das Damas está preocupada com a sua saúde. Tem certeza de que está tudo bem?

Truyde hesitou. Ead pôs a mão no braço dela, em um gesto de irmã para irmã.

— Você conhece um segredo meu — disse Ead. — Estamos unidas por um voto de silêncio. Você está esperando um bebê, não é?

Truyde endureceu os ombros.

— Não estou, não.

— Então o que é?

— Não é da sua conta. Meu estômago anda sensível, só isso, desde que...

— Desde que o Mestre Sulyard se foi.

Truyde pareceu ofendida como se tivesse levado um tapa na cara.

— Ele se foi na primavera — continuou Ead. — Lady Oliva disse que você perdeu o apetite desde então.

— Você faz suposições demais, Mestra Duryan. Muito mais do que deveria. — Truyde se afastou dela, as narinas bufando. — Eu sou

Truyde utt Zeedeur, da linhagem dos Vatten, Marquesa de Zeedeur. Só de pensar que eu iria me rebaixar a esses impulsos com um escudeiro de nascimento inferior... — Ela virou as costas. — Suma da minha frente, ou vou dizer a Lady Oliva que está espalhando mentiras sobre uma dama de companhia.

Ead abriu um sorrisinho e se retirou. Estava na corte havia tempo demais para se deixar abalar por uma criança.

Oliva observou enquanto ela se afastava pelo corredor. Quando voltou à luz do sol, Ead sentiu o cheiro da grama recém-cortada.

Uma coisa estava clara. Truyde utt Zeedeur se encontrara em segredo e trocara intimidades com Triam Sulyard — e Ead fazia questão de conhecer todos os segredos da corte. Se a Matrona quisesse, ela também tiraria aquela história a limpo.

3

Leste

A alvorada irrompeu como uma garça saindo do ovo no céu de Seiiki. A luz pálida se infiltrou no recinto. As venezianas foram abertas pela primeira vez em oito dias.

Tané mantinha os olhos cansados voltados para o teto. Tinha passado a noite sentindo-se inquieta, ora sentindo frio, ora calor.

Ela jamais acordaria naquele quarto novamente. O Dia da Escolha havia chegado. O dia que aguardava desde menina — e que se arriscara a perder quando decidira violar o recolhimento como uma tola. E, ao pedir a Susa que escondesse o forasteiro em Orisima, tinha colocado em perigo a vida das duas.

Seu estômago dava voltas como um moinho d'água. Ela pegou seu uniforme e seus artigos de banho, passou por Ishari, que ainda dormia, e saiu do quarto.

A Casa do Sul ficava ao sopé da Mandíbula do Urso, a serra que se elevava sobre Cabo Hisan. Junto com as outras três Casas de Aprendizagem, era usada para treinar aprendizes da Guarda Superior do Mar. Tané vivia em suas dependências desde os 3 anos de idade.

Sair ao ar livre foi como entrar em uma estufa. O calor envolveu sua pele e fez os cabelos pesarem sobre a cabeça.

Seiiki possuía um cheiro bem peculiar. O perfume do cerne dos troncos das árvores, desprendido pelas chuvas, e do verde de cada uma das folhas. Em geral, produzia um efeito tranquilizador sobre Tané, mas nada seria capaz de confortá-la naquele dia.

As fontes termais fumegavam sob a névoa matinal. Tané se despiu, entrou na piscina natural mais próxima e se esfregou com um punhado de farelo de cereais. À sombra das ameixeiras, vestiu o uniforme e penteou os cabelos compridos na lateral da cabeça, deixando visível o dragão azul em sua túnica. Quando voltou, notou uma movimentação nos quartos.

Seu desjejum foi frugal, apenas chá e um caldo. Alguns aprendizes lhe desejaram sorte quando passaram.

Quando chegou a hora, foi a primeira a ir.

Do lado de fora, os serviçais aguardavam com os cavalos. Em um movimento simultâneo, fizeram uma mesura. Enquanto Tané montava, Ishari saiu correndo lá de dentro, parecendo agitada, e subiu na sela.

Tané a observou e sentiu um nó na garganta. Tinha sido colega de quarto de Ishari por seis anos. Depois da cerimônia, talvez as duas nunca mais se veriam.

Elas cavalgaram até o portão que separava as Casas de Aprendizagem do restante de Cabo Hisan, passando pela ponte e pelo córrego que descia das montanhas, para se juntarem aos aprendizes de outras partes do distrito. Tané viu Turosa, seu rival, encarando-a com um sorrisinho debochado da fileira onde estava. Ela sustentou o olhar até que ele esporeou o cavalo e saiu a galope na direção da cidade, seguido dos amigos.

Tané olhou por cima do ombro uma última vez, observando a paisagem de morros verdejantes e as silhuetas dos lariços contra o céu azul-claro. Em seguida, voltou seu olhar para o horizonte.

Foi uma lenta procissão por Cabo Hisan. Vários cidadãos tinham acordado cedo para assistir à cavalgada dos aprendizes até o templo. Eles jogavam flores de sal nas ruas e preenchiam cada espaço livre, esticando o pescoço para ver aqueles que em breve seriam os escolhidos divinos. Tané tentou se concentrar no calor exalado pela montaria, pelo som dos cascos — qualquer coisa que desviasse seus pensamentos do forasteiro.

Susa havia concordado em levar o inysiano para Orisima. Claro que concordara. Ela faria qualquer coisa por Tané, assim como Tané faria qualquer coisa por ela.

Por acaso, Susa tivera um caso com um dos sentinelas do entreposto comercial, que estava tentando reconquistá-la. Como o portão de desembarque ficaria destrancado, Susa pretendia ir nadando até lá com o forasteiro e entregá-lo ao mestre cirurgião de Orisima, com a promessa vazia de uma recompensa em prata caso cooperasse. Aparentemente, o homem tinha dívidas de jogo.

Se o invasor tivesse a doença vermelha, a praga ficaria restrita a Orisima. Quando a cerimônia terminasse, Susa faria uma denúncia anônima sobre a presença do estranho ao Governador de Cabo Hisan. O cirurgião receberia chibatadas até sua pele ficar crua quando encontrassem o homem na casa dele, mas Tané duvidava que fossem matá-lo — aquilo colocaria em risco a aliança com o Estado Livre de Mentendon. Se a tortura afrouxasse sua língua, o invasor diria às autoridades que duas mulheres o haviam ajudado na noite de sua chegada, mas não teria muito tempo para apresentar sua defesa. Ele seria entregue à espada, para evitar qualquer risco de transmissão da doença vermelha.

Aquele pensamento fez Tané olhar para as próprias mãos, onde as manchas apareceriam primeiro. Ela não o tocara, mas qualquer tipo de proximidade física já representava um grande risco. Ela tinha cometido uma loucura. Se Susa contraísse a doença vermelha, Tané jamais se perdoaria.

Susa arriscara tudo para garantir que naquele dia Tané conseguisse o que sempre sonhou. Sua amiga não questionara seus escrúpulos nem sua sanidade. Simplesmente concordara em ajudar.

Os portões do Grande Templo do Cabo foram abertos pela primeira vez em uma década. Eram ladeados por duas estátuas colossais de dragões, as bocas abertas em rugidos eternos. Quarenta cavalos trotaram entre as estátuas. Outrora feito de madeira, o altar fora queimado até virar cinzas durante a Grande Desolação, e mais tarde reconstruído em pedra. Centenas de lamparinas de vidro azul ficavam penduradas em seus beirais, emitindo uma luz fria. À distância, pareciam boias de pesca.

Tané desceu da sela e foi andando ao lado de Ishari até o portão de madeira de naufrágio. Turosa emparelhou com elas.

— Que o grande Kwiriki sorria para você hoje, Tané — disse ele. — Seria uma pena se uma aprendiz de seu talento fosse mandada para a Ilha da Pluma.

— Seria uma vida respeitável — respondeu Tané, entregando as rédeas para um cavalariço.

— Sem dúvida é o que você dirá a si mesma quando estiver lá.

— Talvez você também dirá o mesmo, honorável Turosa.

O canto da boca dele se contorceu antes que ele apertasse o passo para se juntar a seus amigos da Casa do Norte.

— Ele deveria ser mais respeitoso com você — murmurou Ishari. — Dumu diz que você se sai melhor que ele na maioria dos combates.

Tané ficou em silêncio. Seus braços se arrepiaram. Ela era a melhor em sua casa, mas Turosa também era o melhor em sua própria casa.

Havia uma fonte com a imagem entalhada do grande Kwiriki — o primeiro dragão a aceitar um ginete humano — no pátio externo do templo. De sua boca, vertia água salgada. Tané lavou as mãos e levou uma gota aos lábios.

Tinha um gosto límpido.

— Tané — disse Ishari. — Espero que tudo saia conforme seu desejo.

— Espero o mesmo para você. — Todos desejavam o mesmo resultado. — Você foi a última a sair da casa.

— Eu acordei tarde. — Ishari também fez suas abluções. — Imaginei ter ouvido a divisória do seu quarto abrir ontem à noite. Fiquei perturbada… Demorei para conseguir dormir de novo. Você saiu alguma hora do quarto?

— Não. Talvez tenha sido nosso eminente professor.

— Sim, talvez.

Elas prosseguiram para o enorme pátio interno, onde o sol brilhava sobre os telhados.

Um homem de bigode comprido estava no patamar da escadaria com um elmo debaixo do braço. Seu rosto era queimado de sol e envelhecido. Com suas braçadeiras e manoplas, uma couraça leve por cima de um casaco de um azul profundo e uma sobrecota de veludo preto e gola alta com bordados de seda, era claramente uma pessoa de alta hierarquia e um guerreiro.

Por um instante, Tané esqueceu-se do medo. Voltou a ser uma criança que sonhava com dragões.

Aquele homem era o ilustre General do Mar de Seiiki, o chefe do Clã Miduchi, a dinastia dos ginetes de dragões — uma dinastia unida não pelo sangue, mas por um propósito. Tané também queria ostentar aquele nome.

Diante dos degraus, os aprendizes formaram duas filas, ajoelhando-se, e encostaram a testa no chão. Tané conseguia ouvir a respiração de Ishari. Ninguém se levantou. Ninguém se mexeu.

Ao ouvir o atrito das escamas contra a pedra, cada tendão em seu corpo pareceu se contrair.

Ela ergueu o olhar.

Havia oito deles. Fazia anos que rezava para estátuas de dragões, e os estudava, e os observava a distância, mas nunca os vira tão de perto.

Seu tamanho era impressionante. Eram quase todos seiikineses, com carapaças prateadas e formas sinuosas e alongadas como chicotes. Os corpos inacreditavelmente compridos sustentavam as esplêndidas cabeças, e cada um tinha quatro pernas musculosas, terminando em patas com três garras. Longos barbilhões desciam dos rostos até se tornarem finos como linhas de pipas. A maioria aparentava ser jovem, com talvez quatrocentos anos de idade, mas vários ostentavam as cicatrizes da Grande Desolação. Todos eram cobertos de escamas, e era possível ver as marcas circulares de sucção — lembranças de suas escaramuças com as grandes-lulas.

Dois possuíam um quarto dedo nas patas. Eram dragões do Império dos Doze Lagos. Um desses — um macho — era alado. A maioria dos dragões não tinha asas e eram capazes de voar por causa de um órgão em suas cabeças que os acadêmicos nomearam de *coroa*. Os poucos que tinham asas só as desenvolveram depois de no mínimo dois mil anos de vida.

O dragão alado era o maior de todos. Se Tané esticasse o corpo o máximo que conseguisse, poderia não conseguir sequer alcançar o espaço entre seu focinho e seus olhos. Embora as asas parecessem frágeis como seda de aranha, eram fortes o suficiente para provocar um tufão. Tané olhou para a bolsa sob o queixo. Assim como as ostras, os dragões produziam pérolas, apenas uma em toda a vida. Aquela pérola nunca saía da bolsa.

A fêmea ao lado do dragão, também lacustre, tinha quase a mesma altura. Suas escamas eram de um verde-claro e turvo, como uma pedra de jade de aspecto leitoso, e sua crina tinha o marrom dourado das algas do rio.

— Sejam bem-vindos — o General do Mar falou.

A voz dele ressoou como o brado de uma concha de guerra.

— De pé — ele ordenou, e todos obedeceram. — Estão aqui para fazer o juramento que os levará a uma destas vidas: a da Guarda Superior do Mar, defendendo Seiiki da doença e da invasão, ou uma vida de aprendizado e preces na Ilha da Pluma. Entre os guardiões do mar, doze entre os escolhidos terão a honra de tornar-se ginetes de dragões.

Apenas doze. Normalmente eram mais.

— Como sabem, nenhum ovo de dragão chocou nos últimos dois séculos — continuou o General do Mar. — Vários dragões também foram levados pela Frota de Olho do Tigre, que continua seu repugnante comércio de carne de dragão sob a tirania daquela que chamam de Imperatriz Dourada.

Os aprendizes abaixaram a cabeça.

— Para reforçar nossos números, temos a honra de receber esses dois grandes guerreiros do Império dos Doze Lagos. Acredito que serão os arautos de uma amizade mais próxima com nossos aliados do norte.

O General do Mar fez uma mesura para os dois dragões lacustres. Eles não eram tão habituados ao mar como os seiikineses, já que prefeririam viver nos rios e outros corpos de água doce — mas os dragões de ambas as nações haviam lutado lado a lado na Grande Desolação, e tinham ancestrais em comum.

Tané sentiu que Turosa a observava. Caso ele se tornasse ginete, diria que seu dragão era o melhor de todos.

— Hoje vocês descobrirão seus destinos. — O General do Mar pegou um pergaminho na sobrecota e o desenrolou. — Vamos começar.

Tané se preparou para o que viria.

A primeira aprendiz a ser chamada foi nomeada para as nobres fileiras da Guarda Superior do Mar. O General do Mar lhe entregou uma túnica militar com a cor do céu de verão. Quando ela a recebeu, um dragão seiikinês preto soltou uma lufada de fumaça, e ela teve um sobressalto. O dragão resfolegou.

Dumusa da Casa do Oeste também tornou-se uma guardiã do mar. Neta de dois ginetes, era descendente de sulinos, além de seiikineses. Tané a viu receber o novo uniforme, fazer uma mesura para General do Mar e se posicionar ao seu lado direito.

O aprendiz seguinte foi o primeiro a se juntar às fileiras dos acadêmicos. A seda de sua túnica tinha o vermelho escuro das amoras, e seus ombros estremeceram quando ele fez a mesura. Tané percebeu a tensão se espalhar pelos aprendizes, súbita como um repuxo no mar.

Turosa foi para a Guarda Superior do Mar, claro. Depois do que pareceu uma eternidade, ela ouviu seu nome:

— Honorável Tané, da Casa do Sul.

Tané deu um passo à frente.

Os dragões a observavam. Segundo os ditos populares, eram capazes de enxergar os segredos mais obscuros de uma alma, pois os seres humanos eram feitos de água, e a água era o elemento deles.

E se vissem o que ela havia feito?

Ela se concentrou em colocar um pé na frente do outro enquanto se deslocava. Quando se posicionou diante do General do Mar, ele a encarou pelo que lhe pareceram ser anos. Foi preciso reunir todas as suas forças para conseguir manter-se de pé.

— Por sua aptidão e dedicação — ele anunciou —, você foi alçada às nobres fileiras da Guarda Superior do Mar, e deve jurar praticar o caminho do dragão até seu último suspiro. — Ele se inclinou mais para perto. — Seus professores falam muito bem de você. É um privilégio tê-la na minha guarda.

Ela fez uma mesura profunda.

— É uma honra ouvir isso do senhor, grande líder.

O General do Mar sorriu.

Tané se juntou aos quatro aprendizes do lado direito do General em um estupor de alegria, o sangue correndo por suas veias como a água sobre os seixos. Enquanto o candidato seguinte tomava sua posição, Turosa murmurou em seu ouvido:

— Então nós vamos nos enfrentar nas provas da água. — O hálito dele tinha cheiro de leite. — Ótimo.

— Vai ser um prazer enfrentar um guerreiro com suas habilidades, honorável Turosa — Tané falou sem se alterar.

— Eu consigo enxergar por trás da sua máscara, sua erva daninha dos vilarejos. Vejo o que existe no seu coração. É o mesmo que existe no meu. Ambição. — Ele fez uma pausa quando outro aprendiz foi mandado para o outro lado. — A diferença é o que eu sou, e o que você é.

Tané o encarou.

— Nós estamos no mesmo nível em todas as coisas, honrável Turosa.

A risada dele fez os pelos da nuca dela se arrepiarem.

— Honrável Ishari, da Casa do Sul — o General do Mar chamou.

Ishari subiu lentamente os degraus. Quando chegou ao General do Mar, recebeu um traje enrolado de seda vermelha.

— Por sua aptidão e dedicação — ele anunciou —, você foi alçada às nobres fileiras dos acadêmicos, e deve jurar se dedicar a promover o conhecimento até seu último suspiro.

Embora tenha se abalado ao ouvir as palavras, Ishari pegou o pacote com o tecido e fez uma mesura.

— Obrigada, grande líder — murmurou ela.

Tané observou enquanto Ishari se encaminhava para a esquerda.

Ela devia estar arrasada. Por outro lado, poderia se sair bem na Ilha da Pluma, e voltar a Seiiki como mestra professora.

— Que pena — Turosa falou. — Ela não era sua amiga?

Tané mordeu a língua.

A aprendiz de maior destaque da Casa do Leste se juntou à fileira dos dois em seguida. Onren era baixa e robusta, com um rosto sardento e queimado de sol. Os cabelos grossos caíam pelos ombros, ressecados pela água salgada e quebradiços nas pontas. Seus lábios estavam escurecidos com sangue-de-concha.

— Tané — ela falou ao assumir seu lugar ao lado da garota. — Parabéns.

— Para você também, Onren.

Elas eram as únicas aprendizes que se levantavam sem falta ao nascer do sol para nadar, e uma espécie de amizade havia se formado com base naquele ato. Tané tinha certeza de que Onren também havia dado ouvidos aos boatos e escapado para dar um mergulho antes da cerimônia.

Aquele pensamento a inquietou. Cabo Hisan era repleto de pequenas enseadas, mas o destino a fez escolher justamente aquela em que o forasteiro apareceu.

Onren olhou para sua seda azul. Assim como Tané, ela vinha de um lar humilde.

— São maravilhosos — ela murmurou, apontando com o queixo para os dragões. — Aposto que você está torcendo para ser uma entre os doze.

— Você não é miúda demais para montar em um dragão, Onrenzinha? — Turosa ironizou. — Mas de repente pode se empoleirar na cauda de um deles, suponho.

Onren olhou para ele por cima do ombro.

— Acho que ouvi você dizer alguma coisa. Eu te conheço, por acaso? — Quando ele abriu a boca para responder, ela prosseguiu: — Nem precisa me dizer. Está na cara que é um bobalhão, e eu não tenho interesse em amizades desse tipo.

Tané escondeu o sorriso atrás dos cabelos. Pela primeira vez, Turosa ficou de bico calado.

Quando o último aprendiz recebeu seu uniforme, os dois grupos se voltaram para o General do Mar. Ishari, com o rosto marcado de lágrimas, não levantou os olhos do tecido que levava nos braços.

— Já não são mais crianças. Seus caminhos estão traçados. — O General do Mar se virou para a direita. — Quatro dos guardiões do mar tiveram desempenho acima das expectativas. Turosa, da Casa do Norte; Onren, da Casa do Leste; Tané, da Casa do Sul; e Dumusa, da casa do Oeste: virem-se para os antigos, para que eles conheçam seus nomes e seus rostos.

Eles obedeceram. Tané deu um passo à frente junto com os demais e baixou a testa ao chão outra vez.

— De pé — um dos dragões falou.

A voz fez o chão estremecer. Era tão profunda, tão baixa, que Tané mal pôde compreendê-la a princípio.

Os quatro obedeceram e endireitaram a postura. O maior entre os dragões seiikineses baixou a cabeça até ficar no mesmo nível do campo visual deles. Uma língua comprida se espichou entre seus dentes.

Com um impulso poderoso das pernas, ele alçou voo de forma repentina. Os aprendizes se jogaram no chão, e apenas o General do Mar permaneceu de pé. Ele soltou uma gargalhada retumbante.

A lacustre de cor verde leitosa mostrou os dentes em um sorriso. Tané se viu paralisada diante daqueles olhos que pareciam redemoinhos poderosos.

A dragoa levantou voo e foi com o restante dos seus para os telhados da cidade. Fluindo como água, mas feitos de carne. Enquanto uma espécie de chuva divina caía de suas escamas, molhando os humanos mais abaixo, um macho seiikinês respirou fundo e soltou o ar com força.

Todos os sinos do templo ressoaram em resposta.

Niclays acordou com a boca seca e uma dor de cabeça medonha, como já havia acontecido milhares de vezes antes. Ele piscou e esfregou a junta de um dedo no canto do olho.

Sinos.

Foi por isso que despertou. Ele estava na ilha há anos, mas nunca escutara um único sino. Niclays pegou a bengala e se levantou, com o braço trêmulo por causa do esforço.

Devia ser um sinal de alarme. Estavam vindo atrás de Sulyard e para prender os dois.

Niclays olhou ao redor, desesperado. Sua única chance era fingir que o homem havia se escondido em sua casa sem seu conhecimento.

Ele olhou para o outro lado da divisória. Sulyard estava em um sono profundo, voltado para a parede. Bem, pelo menos morreria em paz.

O sol estava claro demais. Perto da casinha onde Niclays morava, seu assistente Muste estava sentado sob uma ameixeira com sua companheira seiikinesa, Panaya.

— Muste — gritou Niclays. — Mas que barulheira é essa?

Muste se limitou a fazer um aceno. Praguejando, Niclays enfiou as sandálias e foi andando na direção dos dois, tentando ignorar a sensação de que estava rumando para a própria desgraça.

— Um bom dia para você, honorável Panaya — disse ele em seiikinês com uma mesura.

— Eminente Niclays. — Os cantos dos olhos dela se estreitaram com o sorriso. Ela usava uma túnica de tecido leve, com flores brancas no tecido azul, e as mangas e o colarinho bordados com frios prateados. — Foi despertado pelos sinos?

— Sim. Posso saber o que significam?

— Estão tocando para o Dia da Escolha — ela explicou. — Os aprendizes veteranos das Casas de Aprendizagem completaram os estudos e foram admitidos nas fileiras dos acadêmicos ou da Guarda Superior do Mar.

Não tinha nada a ver com invasores, então. Niclays pegou seu lenço e enxugou o rosto.

— Está tudo bem, Roos? — perguntou Muste, protegendo os olhos com a mão.

— Você sabe como eu detesto o verão daqui. — Niclays enfiou o lenço de volta no justilho. — O Dia da Escolha acontece uma vez por ano, não? — ele disse para Panaya. — Eu nunca ouvi sinos antes.

Sinos não, mas tambores sim. Os sons inebriantes de alegria e deleite.

— Ah, mas este é um Dia da Escolha muito especial — Panaya respondeu com um sorriso ainda mais largo.

— É mesmo?

— Você não sabe, Roos? — Muste deu uma risadinha. — Está aqui há mais tempo do que eu.

— Isso não é algo que alguém contaria para Niclays — Panaya falou, gentil. — Pois bem, Niclays, foi decidido depois da Grande Desolação que a cada cinquenta anos, um determinado número de dragões seiikineses aceitaria ginetes humanos, para que estivéssemos sempre preparados para lutarmos juntos de novo. Os escolhidos para a Guarda Superior do Mar receberam essa chance, e agora passarão pelas provas da água para decidir quais se tornarão ginetes de dragões.

— Entendi — disse Niclays, interessado o bastante para se esquecer momentaneamente do terror provocado pela presença de Sulyard. — E depois vão voar em seus corcéis para combater piratas e contrabandistas, presumo.

— *Corcéis* não, Niclays. Dragões não são cavalos.

— Perdão, honorável dama. Foi uma palavra mal pensada.

Panaya assentiu. Ela levou a mão ao pingente que trazia no pescoço, um dragão entalhado.

Uma coisa como aquela seria destruída no mundo da Virtandade, onde não havia distinção entre os antigos dragões do Leste e os wyrms mais jovens, cuspidores de fogo, que aterrorizaram o mundo durante um tempo. Ambos eram considerados malévolos. As portas do Leste estavam fechadas há tanto tempo que os mal-entendidos sobre seus costumes se tornaram abundantes.

O próprio Niclays acreditava naquilo antes de chegar a Orisima. Às vésperas de sua partida de Mentendon, estava quase convencido de que ficaria exilado em uma terra onde as pessoas eram fascinadas por criaturas tão cruéis quanto o Inominado.

Como estivera assustado naquele dia! Todas as crianças mentendônias aprendiam a história do Inominado assim que adquiriam suas capacidades linguísticas. Sua querida mãe se deleitava o levando às lágrimas de pavor com as descrições do pai e senhor supremo de todas as criaturas que cuspiam fogo — aquele que emergiu do Monte Temível para trazer o caos e a destruição, mas que acabou gravemente ferido por Sir Galian Berethnet antes que pudesse subjugar a humanidade. Mil anos se passaram, mas seu espectro ainda continuava vivo em todos os pesadelos.

Naquele exato momento, os cascos dos cavalos trovejaram por sobre a ponte para Orisima, arrancando Niclays de seus devaneios.

Soldados.

Ele sentiu um aperto nas entranhas. Estavam vindo atrás dele — e, agora que o momento havia chegado, estava se sentindo leve, em vez apavorado. Se o dia era para ser aquele, que fosse. Era isso ou a morte nas mãos dos sentinelas por causa das dívidas de jogo.

Santo, rezou ele, *permita que eu não me mije inteiro quando o fim chegar.*

Os soldados usavam túnicas militares verdes sob os casacos. Liderando os homens, claro, estava o Oficial-Chefe — o elegante e tão afável Oficial-Chefe, que se recusava a dizer seu nome para qualquer um em Orisima. Era uns bons trinta centímetros mais alto que Niclays, e usava uma armadura completa.

O Oficial-Chefe desceu da sela e foi caminhando na direção da casa onde Niclays morava. Estava cercado de sentinelas, com a mão no cabo da espada.

— Roos! — A mão envolvida pela manopla bateu na porta. — Roos, abra a porta, ou eu vou derrubá-la!

— Não é preciso derrubar nada, ilustre Oficial-Chefe — Muste gritou. — O eminente Doutor Roos está aqui.

O Oficial-Chefe se virou. Seus olhos escuros faiscaram, e ele caminhou na direção dos três.

— Roos.

Niclays gostava de fingir para si mesmo que seu nome nunca havia sido dito com tamanho desprezo, mas era mentira.

— Fique à vontade para me chamar de Niclays, ilustre Oficial-Chefe — ele falou, com toda a simpatia fingida de que era capaz. — Nós já nos conhecemos há tempo suficien...

— *Cale-se* — esbravejou o Oficial-Chefe. Niclays ficou quieto. — Meus sentinelas encontraram o portão de desembarque aberto ontem à noite. Uma embarcação pirata foi vista nas proximidades. Se algum de vocês estiver escondendo invasores ou mercadorias contrabandeadas, fale agora, e o dragão poderá demonstrar clemência.

Panaya e Muste ficaram em silêncio. Nesse meio-tempo, Niclays travava um conflito interno. Não havia onde Sulyard pudesse se esconder. Seria melhor confessar o que fizera?

Antes que ele pudesse se decidir, o Oficial-Chefe fez um sinal para os sentinelas.

— Revistem as casas.

Niclays prendeu a respiração.

Havia um pássaro em Seiiki cujo chamado era como o som de um bebê começando a choramingar. Para Niclays, aquilo havia se tornado uma torturante representação simbólica de sua vida em Orisima. Um choramingo que nunca se transformava em berreiro. A espera pelo golpe que nunca vinha. Enquanto os sentinelas revistavam sua casa, o maldito pássaro começou a se manifestar, e Niclays não conseguia ouvir nada além disso.

Quando voltaram, os sentinelas estavam de mãos vazias.

— Ninguém por lá — um deles gritou.

Niclays precisou se segurar para não cair de joelhos. O Oficial-Chefe o encarou por um bom tempo, com uma expressão indecifrável, antes de se dirigir à rua seguinte.

E o pássaro continuou seu chamado. *Hic-hic-hic.*

4

Oeste

Em algum lugar no Palácio de Ascalon, os ponteiros pretos de um relógio de vidro fosco se aproximavam do meio-dia.

A Câmara da Presença estava cheia para a chegada dos mentendônios, como sempre acontecia quando embaixadores estrangeiros visitavam Inys. As janelas foram abertas para deixar entrar o ar perfumado pelas madressilvas. Porém, isso não ajudava muito a aliviar o calor. As testas brilhavam de suor, e os leques de penas eram abanados por todos os cantos, fazendo parecer que o recinto estava cheio de pássaros esvoaçantes.

Ead estava em meio aos presentes junto com as demais Damas da Câmara Privativa, com Margret Beck à sua direita. As damas de companhia estavam diante delas, do outro lado do tapete. Truyde utt Zeedeur ajustou sua gargantilha. Ead jamais entenderia o motivo de a nação do Oeste não se desfazer de algumas camadas de roupas no verão.

Os múrmuros ecoavam pelo salão cavernoso. Posicionada acima de seus súditos, Sabran IX vigiava tudo de seu trono de mármore.

A Rainha de Inys era a imagem da mãe, e da mãe de sua mãe, e assim sucessivamente por gerações. A semelhança era desconcertante. Como suas ancestrais, tinha cabelos pretos e olhos de um verde reluzente que parecia se fraturar sob a luz do sol. Segundo a sabedoria popular, enquanto durasse aquela linhagem, o Inominado jamais despertaria de seu sono.

Sabran observava seus súditos com um olhar distante, sem se deter por muito tempo em ninguém. Tinha 28 anos, mas seus olhos exibiam a sabedoria de uma mulher bem mais velha.

Naquele dia, ela encarnava toda a riqueza do Rainhado de Inys. Seu vestido era de cetim preto, em um gesto de deferência à moda mentendônia, aberto até a cintura para revelar uma estomaqueira branca como sua pele, que brilhava com fios de prata e pequenas pérolas. A coroa de diamantes servia como afirmação de seu sangue da realeza.

As trombetas anunciaram a chegada da comitiva mentendônia. Sabran cochichou alguma coisa para Lady Arbella Glenn, a Viscondessa de Suth, que sorriu e colocou uma das mãos manchadas pela idade sobre a mão da rainha.

Os portadores dos estandartes entraram primeiro. Ostentavam o Cisne Prateado de Mentendon em um fundo preto, com a Espada da Verdade apontada para baixo entre suas asas.

Em seguida vieram criados e guardas, e intérpretes e oficiais. Por fim, Lorde Oscarde, o Duque de Zeedeur, entrou com passos firmes no salão, acompanhado do Embaixador Residente de Mentendon. Zeedeur era um homem corpulento, e tanto a barba quanto os cabelos eram vermelhos, assim como a ponta do nariz. Ao contrário da filha, tinha os olhos cinzentos dos Vatten.

— Majestade. — Ele fez uma mesura com um floreio. — Que honra ser recebido em sua corte.

— Seja bem-vindo, Sua Graça — Sabran falou. A voz dela tinha um tom grave carregado de autoridade. Ela estendeu a mão para Zeedeur, que subiu os degraus do trono para beijar seu anel de coroação. — É uma alegria para nós vê-lo em Inys novamente. Fez uma boa viagem?

Ead ainda estranhava aquele *nós*. Em público, Sabran falava por ela e seu ancestral, o Santo.

— Infelizmente, senhora — Zeedeur falou com uma expressão séria —, cruzamos com um wyvern adulto nas Terras Baixas. Meus arqueiros o derrubaram, mas, caso estivesse mais alerta, poderia haver um banho de sangue.

Murmúrios. Ead notou as expressões de choque que se espalharam pelo recinto.

— De novo — Margret cochichou para ela. — Dois wyverns em poucos dias.

— Nos causa grande preocupação ouvir isso — Sabran disse para o embaixador. — Nossos melhores cavaleiros andantes farão sua escolta na volta a Poleiro. Sua viagem de retorno para casa será mais segura.

— Obrigado, Majestade.

— Pois bem, você deve estar desejoso de ver sua filha. — Sabran lançou seu olhar para a lady em questão. — Venha, criança.

Truyde avançou pelo tapete e flexionou os joelhos em uma mesura. Quando se levantou, seu pai a abraçou.

— Filha. — Ele a pegou pelas mãos, sorrindo como se seu rosto fosse se partir ao meio. — Você está radiante. E como cresceu. Me diga, como Inys vem lhe tratando?

— Muito melhor do que mereço, pai — disse Truyde.

— E por que acha isso?

— A corte é tão grandiosa — ela explicou, apontando para o teto abobadado. — Às vezes me sinto minúscula, e totalmente sem atrativos, como se até mesmo o teto fosse mais magnífico do que eu jamais poderei ser.

As gargalhadas se espalharam pelo salão.

— Como ela é espirituosa — Linora sussurrou para Ead. — Não é? Ead fechou os olhos. Ah, essa *gente*.

— Um absurdo — Sabran disse a Zeedeur. — Sua filha é muito querida na corte. Será uma companheira estimadíssima para quem seu coração escolher.

Truyde baixou os olhos com um sorriso. Ao lado da filha, Zeedeur soltou uma risadinha.

— Ah, Majestade, receio que Truyde ainda tenha um espírito independente demais para se casar no momento, por mais que eu deseje um neto. Agradeço por cuidar tão bem de minha filha.

— Não é preciso agradecer. — Sabran se apoiou nos braços do trono. — É uma grande satisfação para nós em receber nossos amigos da Virtandade na corte. Entretanto, também temos grande curiosidade em saber o que o trouxe de Mentendon neste momento.

— Milorde de Zeedeur vem trazer uma proposta, Majestade. — Foi o Embaixador Residente de Mentendon quem falou. — Uma proposta que acreditamos que vai interessá-la.

— De fato. — Zeedeur pigarreou. — Sua Alteza Real, Aubrecht II, Alto Príncipe do Estado Livre de Mentendon, é um admirador de longa data de Sua Majestade. Ele ouviu falar de sua coragem, de sua beleza, de sua devoção inabalável às Seis Virtudes. Agora que seu falecido tio-avô foi sepultado, ele deseja estabelecer uma aliança mais estável entre nossas nações.

— E como Sua Alteza Real pretende estabelecer essa aliança? — Sabran perguntou.

— Através do casamento, Majestade.

Todas as cabeças se voltaram para o trono.

Sempre havia um período de fragilidade enquanto uma rainha da Casa de Berethnet não engravidava. Era uma linhagem de filhas, uma criança por rainha. Os súditos consideravam aquilo como prova de sua santidade.

O que se esperava de toda Rainha de Inys era que se casasse e engravidasse o quanto antes, para não morrer sem deixar uma herdeira legítima. Tal coisa era perigoso em qualquer nação, pelo risco de guerra civil, mas, de acordo com a crença inysiana, a queda da Casa de Berethnet também faria com que o Inominado voltasse a despertar e então causasse destruição no mundo.

No entanto, Sabran havia recusado todas as propostas de casamento até então.

A rainha se recostou no trono, observando Zeedeur atentamente. Seu rosto, como sempre, não revelava nada de seus pensamentos e sentimentos.

— Meu caro Oscarde — disse ela. — Por mais que isso nos seja lisonjeiro, pelo nosso conhecimento, você já é casado.

A corte caiu na risada. Zeedeur parecia apreensivo, mas naquele momento abriu um sorriso.

— Cara rainha! — ele falou, rindo. — É meu senhor quem deseja pedir sua mão.

— Continue, por favor — disse Sabran, com um leve indício de sorriso.

Já haviam se esquecido do wyvern. Claramente encorajado, Zeedeur deu mais um passo em frente.

— Como a senhora bem sabe — ele falou —, uma ancestral sua, a Rainha Sabran VII, era casada com um parente distante meu, Haynrick Vatten, Administrador em Exercício de Mentendon, quando a nação estava sob domínio estrangeiro. Porém, desde que a Casa de Lievelyn destituiu os Vatten, não existe nenhum elo formal entre nossas nações, a não ser a religião que compartilhamos.

Sabran escutou com um olhar de indiferença, mas que em nenhum momento se aproximava do tédio ou do desprezo.

— O Príncipe Aubrecht está ciente de que a proposta de seu tio-avô foi recusada por Sua Majestade… e, ah, também pela Rainha Mãe… — Zeedeur pigarreou novamente. — No entanto, meu senhor se considera capaz de oferecer um tipo diferente de companheirismo. Ele também acredita que haveria muitas vantagens em um vínculo renovado entre

Inys e Mentendon. Somos a única nação com presença comercial no Leste e, com Yscalin entregue ao pecado, ele acredita que uma união aliada à nossa fé seja fundamental.

A essa declaração se seguiram alguns murmúrios. Até pouco tempo atrás, o Reino de Yscalin, mais ao sul, também era parte da Virtandade. Antes de adotar o Inominado como seu novo deus.

— O Alto Príncipe enviou uma prova de sua afeição, caso Sua Majestade queira conceder a graça de aceitá-la — Zeedeur anunciou. — Ele soube de seu amor pelas pérolas do Mar do Sol Dançante.

Zeedeur estalou os dedos. Um criado mentendônio se aproximou do trono, carregando uma almofada de veludo, e se ajoelhou. Sobre a almofada havia uma ostra aberta que revelava uma reluzente pérola negra, grande como uma cereja, adornada com tons de verde, brilhando como aço damasco sob o sol.

— É a mais bela pérola dançante que ele tem em seu poder, trazida da costa de Seiiki — contou Zeedeur. — Vale mais do que a embarcação que a transportou pelo Abismo.

Sabran se inclinou para a frente. O criado levantou a almofada um pouco mais.

— É verdade que nós temos um apreço por pérolas dançantes, e também uma escassez delas — a rainha falou —, e aceitamos com prazer. Porém, fazer isso tampouco significa aceitar a proposta.

— Claro, Majestade. É um presente de um amigo na Virtandade, nada mais.

— Muito bem.

O olhar de Sabran se voltou para Lady Roslain Crest, a Dama Primeira da Câmara Privativa, que usava um vestido de seda esmeralda e uma gorjeira de renda branca. Seu broche exibia um par de cálices, como o de todos que tinham a Cavaleira da Justiça como padroeira, mas o dela era dourado, mostrando que se tratava alguém da mesma linhagem familiar da cavaleira. Roslain fez um sinal quase imperceptível para uma das damas da companhia, que correu para pegar a almofada.

— Embora esse presente muito nos comova, seu senhor deve ter ciência de nosso desdém pelas práticas heréticas dos seiikineses — disse Sabran. — Não desejamos nenhum tipo de relação com o Leste.

— Claro — Zeedeur falou. — Mesmo assim, meu senhor acredita que a origem da pérola não ofusca sua beleza.

— Talvez seu senhor esteja certo. — Sabran voltou a se recostar no trono. — Ouvimos dizer que Sua Alteza Real estava estudando para se tornar santário antes de ser nomeado Alto Príncipe de Mentendon. Fale um pouco mais para nós sobre suas outras... qualidades.

Mais risadinhas.

— O Príncipe Aubrecht é muito inteligente e generoso, senhora, dotado de um ótimo faro político — Zeedeur afirmou. — Tem 34 anos, e cabelos de um vermelho mais suave que o meu. Toca alaúde lindamente, e dança com grande vigor.

— Com quem, se nos permite saber?

— Geralmente com suas nobres irmãs, Majestade. Ele tem três: Princesa Ermuna, Princesa Bedona e Princesa Betriese. Estão todas ansiosas para conhecê-la.

— Ele reza com frequência?

— Três vezes por dia. É devoto acima de tudo do Cavaleiro da Generosidade, que é seu padroeiro.

— Seu príncipe acaso tem *algum* defeito, Oscarde?

— Ah, Majestade, nós mortais sempre temos defeitos... com exceção da senhora, claro. O único defeito de meu senhor é que ele se preocupa muito com seu povo.

Sabran voltou a ficar séria.

— Nisso eu posso dizer que ele combina conosco — disse ela.

Os cochichos se espalharam pelo salão como fogo em mato seco.

— Nossa alma foi tocada. Levaremos em consideração a proposta de seu senhor. — Uma tímida salva de palmas irrompeu no recinto. — Nosso Conselho das Virtudes tomará as providências necessárias a respeito. Antes disso, porém, seria uma honra se você e sua comitiva se juntassem a nós para um festim.

Zeedeur fez mais uma mesura.

— A honra é toda nossa, Majestade.

A corte se desfez em mesuras e reverências. Sabran começou a descer as escadas, seguida pelas Damas da Alcova. As damas de companhia vinham logo atrás.

Ead sabia que Sabran jamais se casaria com o Príncipe Rubro. Era seu jeito. Atraía os pretendentes como se jogasse iscas para peixes, aceitando presentes e lisonjas, mas nunca entregava sua mão.

Enquanto os cortesãos se dispersavam, Ead saiu por uma outra porta com as outras damas de câmara. Lady Linora Payling, loura e de bochechas rosadas, era uma entre os catorze filhos do Conde e da Condessa de Payling Hill. Seu passatempo favorito era a fofoca. Ead a considerava maçante até não poder mais.

Lady Margret Beck, por outro lado, era uma amiga querida já havia um bom tempo. Tinha se juntado ao Alto Escalão de Serviço havia três anos, e fizera amizade com Ead com a mesma rapidez do irmão, Loth, seis anos mais velho. Ead logo descobriu que ela e Margret tinham o mesmo tipo de senso de humor, eram capazes de saber o que a outra estava pensando com uma simples troca de olhares e compartilhavam das mesmas opiniões sobre a maioria das pessoas da corte.

— Precisamos trabalhar depressa hoje — Margret falou. — Sabran vai querer nossa presença no festim.

Margret era bastante parecida com o irmão, com a pele cor de ébano e feições marcantes. Fazia uma semana que Loth estava desaparecido, e as pálpebras dela ainda estavam inchadas.

— Um pretendente — Linora comentou enquanto elas caminhavam pelo corredor, longe dos ouvidos do restante da corte. — E o Príncipe Aubrecht! Pensei que ele fosse devoto demais para se casar.

— Príncipe nenhum pode ser devoto demais para se casar com a Rainha de Inys — Ead falou. — É ela quem é devota demais para se casar.

— Mas o reino *precisa* de uma princesa.

— Linora — Margret disse em um tom firme. — Um pouco de temperança, por favor.

— Ora, mas precisa mesmo.

— A Rainha Sabran ainda não tem nem 30 anos. Há tempo de sobra.

Ficou claro para Ead que elas não tinham ficado sabendo do assassinato, caso contrário Linora pareceria mais séria. Por outro lado, demonstrações de seriedade não combinavam com Linora. Para ela, a tragédia era apenas uma nova oportunidade para fofocar.

— Ouvi dizer que o Alto Príncipe é rico além do que se considera razoável — ela continuou, sem se deixar abalar. Margret soltou um suspiro. — E nós teríamos a vantagem do entreposto comercial no Leste. Imaginem só: todas as pérolas do Mar do Sol Dançante, as pratarias mais finas, as especiarias e as joias...

— A Rainha Sabran abomina o Leste, e o mesmo deve valer para todos nós — Ead retrucou. — Eles são adoradores de wyrms.

— Inys não precisaria fazer comércio lá, tolinha. Nós podemos comprar dos mentendônios.

Mesmo assim, era um comércio contaminado. Os mentendônios mantinham negócios com o Leste, onde se idolatravam wyrms.

— Minha preocupação é com a afinidade — disse Margret. — O Alto Príncipe foi comprometido com a Donmata Marosa por um tempo. Uma mulher que agora é a princesa herdeira de um reino dragônico.

— Ah, *esse* compromisso foi desfeito há muito tempo — Linora falou, jogando os cabelos para trás. — Além disso, duvido que ele gostasse muito dela. Devia ser capaz de ver o mal em seu coração.

Diante das portas da Câmara Privativa, Ead se virou para as outras duas.

— Ladies, eu vou cumprir com todas as suas obrigações hoje — ela falou. — Vocês podem ir ao festim.

Margret franziu a testa.

— Sem você?

— A ausência de uma dama de câmara não será notada. — Ead abriu um sorriso. — Podem ir, vocês duas. Aproveitem o banquete.

— Que o Cavaleiro da Generosidade te abençoe, Ead. — Linora já estava na metade do corredor. — Você é tão boazinha!

Quando Margret fez menção de segui-la, Ead a segurou pelo cotovelo.

— Alguma notícia de Loth? — murmurou ela.

— Ainda não. — Margret pôs a mão em seu braço. — Mas há um indício de algo. O Gavião Noturno mandou que eu fosse ter com ele no início da noite.

Lorde Seyton Combe. O mestre espião. Quase todos os chamavam de Gavião Noturno, pois capturava suas presas sob a proteção da escuridão. Rebeldes, nobres sedentos por poder, pessoas que flertavam com uma frequência exagerada com a rainha — ele era capaz de fazer qualquer problema desaparecer.

— Você acha que ele sabe de alguma coisa? — Ead perguntou baixinho.

— Isso é o que vamos descobrir. — Margret apertou sua mão antes de ir atrás de Linora.

Quando Margret Beck sofria, carregava esse fardo sozinha. Não queria compartilhá-lo com ninguém, nem mesmo com as amizades mais próximas.

Ead nunca teve a intenção de fazer parte daquele círculo de amigos. Quando chegou a Inys, estava decidida a se manter à maior distância que pudesse, para melhor proteger seu segredo. Ainda assim, havia sido criada em uma sociedade bastante unida, e em pouco tempo passou a ansiar por companhias e conversas. Jondu, sua irmã em todos os sentidos, menos no parentesco de sangue, tinha estado ao seu lado praticamente desde o nascimento, e repentinamente se vendo sem sua companhia, Ead se sentiu desorientada. Então, quando os irmãos Beck lhe ofereceram sua amizade, ela aceitou, e não se arrependia nem um pouco disso.

Ela voltaria a ver Jondu quando finalmente fosse chamada de volta para casa, mas perderia Loth e Margret. No entanto, levando em consideração o silêncio por parte do Priorado, esse dia poderia não chegar tão cedo.

A Grande Alcova do Palácio de Ascalon tinha pé-direito alto, paredes claras, piso de mármore e uma grande cama com dossel bem no centro. Os travesseiros e a colcha eram de um brocado de seda cor de marfim, e os lençóis, do mais fino linho mentendônio. Além disso, havia dois tipos de cortina, uma mais leve e outra pesada, usadas dependendo de quanta luz Sabran queria que entrasse em seu leito.

Um cesto de vime estava vazio ao pé da cama, e o urinol não estava no armário. Ao que parecia, a Lavadeira Real tinha retornado às suas funções.

A criadagem estava tão ocupada com os preparativos para a visita dos mentendônios que a tarefa de vistoriar a cama acabou adiada. Depois de abrir as portas da varanda, que deixavam entrar o calor sufocante de lá de fora, Ead removeu os lençóis e a colcha e passou as mãos pelo colchão de plumas em busca de lâminas ou frascos de veneno que pudessem ter sido costurados na parte interna.

Mesmo sem a ajuda de Margret e Linora, ela trabalhou rápido. Enquanto as damas de companhia estivessem no festim, a Câmara Lacunar ficaria vazia. Era a ocasião perfeita para investigar a intimidade que ela suspeitava que existia entre Truyde utt Zeedeur e Triam Sulyard, o escudeiro desaparecido. Valia a pena se esforçar para saber tudo o que acontecia na corte, desde as cozinhas até o trono. Apenas tendo conhecimento de tudo ela seria capaz de proteger a rainha.

Truyde era nobre de nascença, herdeira de uma fortuna. Não tinha motivos para se interessar muito por um escudeiro sem título de nobreza. Porém, quando Ead insinuou a existência de um vínculo entre ela e Sulyard, Truyde se sobressaltou, como um roedor-dos-carvalhos surpreendido com uma bolota.

Ead sabia farejar um segredo. E Truyde exalava o seu como um perfume.

Quando se certificou de que a Grande Alcova estava segura, ela deixou o colchão arejando e tomou o rumo da Câmara Lacunar. Oliva Marchyn estaria no Pavilhão de Banquetes, mas tinha um espião. Ead subiu a escada e atravessou o patamar.

— Opa — uma voz falou. — Quem está aí?

Ela ficou imóvel. Ninguém mais a teria ouvido, mas o espião tinha uma audição apurada.

— Uma invasão. Quem é?

— Maldito pássaro — Ead murmurou.

Uma gota de suor desceu por suas costas. Ela levantou as saias e sacou uma faca da bainha que levava presa à panturrilha.

O espião estava em um poleiro diante da porta. Quando Ead se aproximou, ele inclinou a cabeça.

— Uma invasão — ele repetiu em tom de ameaça. — Donzela perversa. Fora do meu palácio.

— Escute aqui, seu tratante. — Ead mostrou a faca, o que o fez eriçar a plumagem. — Você pode achar que tem algum poder aqui, porém mais cedo ou mais tarde Sua Majestade vai querer uma boa torta de pombo. Duvido que ela perceberia se eu usasse *você* como recheio.

Na verdade, era uma bela ave. Era um papagaio-arco-íris. Suas penas iam do azul e do verde até o carmim, e a cabeça era de um tom de rosa bem pronunciado. Seria uma pena mandá-lo para a panela.

— Pagamento — ele falou, estendendo uma das garras.

Aquele pássaro havia permitido diversos encontros ilícitos quando Ead era dama de companhia. Ela guardou a faca, contraiu os lábios e enfiou a mão na bolsinha de seda em seu cintilho.

— Aqui. — Ela colocou três confeitos em seu pratinho. — O resto eu dou se você se comportar.

Ele estava ocupado demais atacando os doces para responder.

A Câmara Lacunar nunca era trancada. As jovens damas não deveriam ter nada a esconder. Lá dentro, as cortinas estavam fechadas, o fogo apagado e as camas feitas.

Só havia um lugar para uma dama de companhia esperta esconder seus tesouros secretos.

Ead levantou o tapete e usou a faca para levantar a tábua solta do piso. Mais abaixo, no meio da poeira, estava uma caixa de carvalho polido. Ela a colocou sobre o joelho.

Lá dentro havia um conjunto de itens que Oliva teria confiscado com prazer. Um livro grosso, ostentando a gravação do símbolo alquímico do ouro. Uma pena e um pote de tinta. Pedaços de pergaminho. Um pingente entalhado em madeira. E um maço de cartas, presas por uma fita.

Ead desenrolou uma. Pelo que era possível ver da data borrada, havia sido escrita no verão anterior.

Foi preciso algum tempo para decifrar o código. Era um pouquinho mais sofisticado do que os usados na maioria das cartas de amor da corte, mas Ead havia sido ensinada a desvendar códigos desde criança.

Para você, dizia a carta em uma caligrafia pouco caprichada. *Comprei na Ponta do Albatroz. Use de vez em quando e pense em mim. Escreverei de novo logo.* Ela pegou outra, escrita em um papel mais grosso. Era de um ano atrás. *Desculpe-me se meus avanços são ousados demais, milady, mas eu só penso em você.* Outra carta. *Meu amor. Encontre-me sob a torre do relógio depois das rogatórias.*

Sem precisar ver muita coisa, ela compreendeu logo de cara que Truyde e Sulyard mantinham um caso amoroso, e que consumaram seu desejo. A típica ilusão amorosa, como a lua refletida na superfície da água. Porém, algumas frases chamaram a atenção de Ead.

Nossa empreitada mudará o mundo. Essa incumbência é nosso chamado divino. Dois jovens apaixonados não poderiam descrever um relacionamento tão apaixonado como uma "incumbência" (a não, ser, claro, que seu amor carnal estivesse muito aquém das palavras poéticas). *Precisamos começar a elaborar os planos, meu amor.*

Ead foi passando os olhos entre declarações e mensagens cifradas até encontrar uma carta datada do início da primavera, quando Sulyard sumira. A escrita estava borrada.

> *Perdão. Eu precisei partir. Em Poleiro falei com uma maruja, e ela me fez uma oferta irrecusável. Eu sei que planejávamos ir juntos, e que talvez você me odeie pelo resto de nossas vidas, mas é melhor assim, minha querida. Você pode ajudar onde está, na corte. Quando eu mandar notícias de meu sucesso, convença a Rainha Sabran a analisar com bons olhos nossa empreitada. Faça com que perceba o perigo.*
>
> *Queime esta carta. Não deixe que ninguém saiba o que estamos fazendo até que esteja feito. Isso nos elevará à condição lendas algum dia, Truyde.*

Poleiro. O maior porto de Inys, e a principal ligação com o continente. Sulyard tinha fugido em uma embarcação.

Havia alguma outra coisa escondida sob o assoalho. Um livro fino, com encadernação em couro. Ead passou o dedo pelo título, escrito em um idioma do Leste, sem dúvidas.

Truyde não teria como encontrar esse livro em uma biblioteca inysiana. Buscar conhecimento a respeito do Leste era heresia. Ela receberia bem mais que uma reprimenda se alguém encontrasse aquilo.

— Tem alguém vindo — o papagaio cacarejou.

Uma porta se fechou lá embaixo. Ead escondeu o livro e as cartas sob seu manto e devolveu a caixa ao esconderijo.

Os passos ecoavam pelos caibros do telhado. Ela recolocou a tábua do assoalho no lugar. Ao passar pelo poleiro, ela esvaziou o restante de seus confeitos no pratinho.

— Nem uma palavra — murmurou para o espião —, ou essas belas penas vão virar material de escrita.

O papagaio deu uma risadinha sinistra enquanto Ead corria para a janela.

Estavam deitados lado a lado sob a macieira no pátio, como costumavam fazer com frequência no auge do verão. Um jarro de vinho da Grande Cozinha estava ao alcance, junto com um prato de queijo condimentado e pão fresco. Ead estava contando a ele sobre uma peça que as damas de companhia tinham pregado em Lady Oliva Marchyn, e ele ria tanto que sua barriga chegava a doer. Ela era parte poeta e parte boba da corte no que dizia respeito a contar histórias.

O sol destacava as sardas do nariz dela. Seus cabelos pretos estavam espalhados pela grama. Ofuscado pelo brilho do sol, ele via o relógio da torre mais acima, e as janelas com vitrais coloridos dos claustros, e as maçãs nos galhos da árvore. Estava tudo bem.

— Milorde.

As lembranças se desfizeram. Loth ergueu a cabeça e viu um homem sem dentes.

O salão da estalagem estava lotado de camponeses. Em algum lugar, um alaudista tocava uma balada sobre a beleza da Rainha Sabran. Alguns dias antes, ele estava caçando em sua companhia. Agora estava a léguas de distância, ouvindo uma canção que se referia a ela como se fosse um mito. Tudo o que ele sabia era que estava a caminho da morte quase certa em Yscalin, e que os Duques Espirituais o detestavam a ponto de colocá-lo naquele caminho.

Era impressionante como a vida podia desmoronar de um momento para o outro.

O estalajadeiro colocou a comida diante dele. Duas tigelas de sopa grossa, nacos de queijo mal cortado e um pão redondo de cevada.

— Posso ser útil em mais alguma coisa, milordes?

— Não — disse Loth. — Obrigado.

O estalajadeiro fez uma mesura profunda. Loth sabia que não era todo dia que ele abrigava os nobres filhos de Condes Provinciais em seu estabelecimento.

No outro banco, Lorde Kitston Glade, seu querido amigo, cravava os dentes no pão.

— Ah, mas que… — Ele cuspiu. — Velho como um livro de orações. Será que me arrisco a experimentar o queijo?

Loth deu um gole no hidromel, desejando que estivesse gelado.

— Se a comida da sua província é tão ruim, você deveria se queixar com o senhor lorde seu pai — disse Loth.

Kit soltou uma risadinha de deboche.

— Sim, ele iria adorar esse tipo de trivialidade.

— Você deveria ficar grato por essa refeição. Duvido que vamos encontrar coisa melhor quando embarcarmos.

— Eu sei, eu sei. Sou um nobre mal-acostumado, que dorme em

camas de pluma de ganso, ama demais as cortesãs e se entrega à glutonaria com os doces mais finos. A corte me arruinou. Foi o que o meu pai me disse quando me tornei poeta, sabe. — Kit cutucou o queijo com um gesto desconfiado. — Por falar nisso, preciso escrever alguma coisa enquanto estou aqui, uma pastoral talvez. Meu povo não é simpático?

— Bastante — respondeu Loth.

Ele não tinha como fingir estar de bom humor naquele dia. Kit estendeu o braço sobre a mesa e apertou seu ombro.

— Precisamos estar juntos nisso, Arteloth — Ele falou. Loth respondeu com um grunhido. — O cocheiro disse o nome do nosso capitão?

— Harman, creio eu.

— Não é Harlowe?

Loth deu de ombros.

— Ah, Loth, não é *possível* que você nunca tenha ouvido falar de Gian Harlowe. O pirata! Todo mundo em Ascalon...

— Eu claramente não sou como todo mundo em Ascalon. — Loth esfregou o nariz entre os olhos. — Por favor, me informe sobre que tipo de canalha vai nos levar para Yscalin.

— Um canalha digno de lendas — Kit falou, baixando o tom de voz. — Harlowe chegou a Inys ainda menino, vindo de costas distantes. Entrou na marinha aos 9 anos e aos 18 já era capitão da própria embarcação... mas acabou fisgado pela pirataria, como acontece com muitos oficiais jovens e promissores.

Kit encheu o copo dos dois de hidromel.

— O homem navegou por todos os mares do mundo, mares que cartógrafo algum sequer conhece o nome — continuou ele. — Com a pilhagem de embarcações, dizem que amealhou uma riqueza que rivaliza com a dos Duques Espirituais quando tinha 30 anos.

Loth deu um outro gole. Tinha a nítida impressão de que ainda precisaria de mais uma caneca antes de irem embora.

— Nesse caso eu tenho uma dúvida, Kit — ele falou. — Por que esse fora da lei tão infame vai nos levar a Yscalin?

— Ele pode ser o único capitão com coragem suficiente para fazer a travessia. É um homem destemido — Kit respondeu. — E caiu nas graças da Rainha Rosarian, sabe.

A mãe de Sabran. Loth ergueu os olhos, enfim demonstrando interesse.

— Ah, é?

— É, sim. Dizem que era apaixonado por ela.

— Espero que você não esteja insinuando que a Rainha Rosarian não era fiel ao Príncipe Wilstan.

— Arteloth, meu rabugento amigo nortenho... eu não disse que o sentimento era recíproco — Kit falou sem se alterar. — Mas ela gostava do sujeito o bastante para lhe conceder o maior encouraçado da frota, que ele batizou de *Rosa Eterna*. E agora se chama de *corsário*, ficando impune.

— Ah. Um *corsário*. — Loth deu uma risadinha. — O título mais desejado em todo o mundo.

— A tripulação dele capturou várias embarcações yscalinas nos últimos dois anos. Duvido que vamos ser vistos com bons olhos quando chegarmos.

— Acho que os yscalinos veem pouquíssimas coisas com bons olhos hoje em dia.

Eles ficaram em silêncio por um tempo. Enquanto Kit comia, Loth olhava pela janela.

Tinha acontecido na calada da noite. Atendentes usando o símbolo do livro alado de Lorde Seyton Combe tinham entrado em seus aposentos e ordenado que os acompanhassem. Quando Loth se dera conta, estava espremido em uma carruagem com Kit — que também havia sido retirado da cama sob a proteção da escuridão —, com um bilhete explicando as circunstâncias.

Lorde Arteloth Beck,

O senhor e Lorde Kitston são agora embaixadores inysianos residentes no Reino Dragônico de Yscalin. Os yscalinos foram informados de sua chegada.

Busquem informações sobre o último embaixador, o Duque da Temperança. Observem a corte dos Vetalda. Acima de tudo, descubram o que eles estão planejando, e se pretendem efetuar uma invasão a Inys.

Pela rainha e pela nação.

O bilhete fora arrancado de suas mãos logo em seguida, provavelmente para ser queimado depois.

O que Loth não conseguia entender era o *porquê*. Por que ele, entre tantas pessoas, estava sendo mandado para Yscalin? Inys precisava saber o que se passava em Cárscaro, mas ele não era um espião.

A sombra do desespero espreitava suas costas, mas ele não podia permitir que se instalasse. Loth não estava sozinho.

— Perdão, Kit — ele falou. — Você foi enviado à força para o exílio comigo, e eu não estou sendo uma boa companhia.

— Não ouse se desculpar. Eu sempre gostei de uma aventura. — Kit alisou seus cachos loiros com ambas as mãos. — Mas, como você finalmente resolveu falar, precisamos conversar sobre nossa... situação.

— Não. Tarde demais, Kit. Já está feito.

— Você não pode acreditar de jeito nenhum que foi a Rainha Sabran que ordenou que você fosse banido — Kit falou em um tom firme. — Estou dizendo, isso tudo foi arranjado sem o conhecimento dela. Combe deve ter dito que você deixou a corte por iniciativa própria, e ela vai passar a duvidar de seu mestre espião. Você precisa contar a verdade — ele insistiu. — Escreva para ela. Revele o que eles fizeram e...

— Combe lê todas as cartas antes que cheguem às mãos dela.

— Você não pode usar algum código?

— Código nenhum passa incólume pelo Gavião Noturno. Ele não foi escolhido como mestre espião por Sabran à toa.

— Então escreva para sua família. Peça ajuda a seus parentes.

— Eles não vão conseguir uma audiência com Sabran sem passar por Combe — disse Loth. — E, mesmo se conseguirem, já vai ser tarde demais para nós. Já vamos estar em Cárscaro.

— Mesmo assim, eles precisam saber onde você está. — Kit sacudiu a cabeça. — Pelo amor do Santo, estou começando achar que você *quer* ir embora.

— Se os Duques Espirituais acreditam que eu sou a pessoa mais indicada para apurar o que acontece em Yscalin, talvez eu seja mesmo.

— Ora essa, Loth. Você sabe por que isso está acontecendo. Todo mundo tentou te avisar.

Loth ficou à espera do que viria a seguir, com a testa franzida. Com um suspiro, Kit esvaziou sua caneca e se inclinou para mais perto.

— A Rainha Sabran ainda não é casada — ele murmurou. Loth ficou tenso. — Se os Duques Espirituais preferirem um consorte estrangeiro, sua presença ao lado dela... bem, isso complica as coisas.

— Você sabe muito bem que Sab e eu *jamais*...

— O que eu sei não interessa, interessa só o que o mundo vê — Kit retrucou. — Me permita uma pequena alegoria aqui. A arte. A arte não é um ato grandioso de criação, e sim vários pequenos gestos. Quando você lê um poema meu, não consegue ver as semanas de trabalho minucioso de composição... as reflexões, as palavras rasuradas, as páginas que queimei, frustrado e insatisfeito. No fim, você só vê aquilo que eu quero que seja visto. O mesmo vale para a política.

Loth franziu o cenho.

— Para garantir uma herdeira, os Duques Espirituais precisam pintar um certo quadro da corte inysiana e da disponibilidade da rainha — Kit continuou. — Se acreditam que sua intimidade com a Rainha Sabran estragaria esse quadro, desencorajando os pretendentes estrangeiros, isso explicaria o motivo de escolherem você para esta missão diplomática específica. Eles precisam de você longe, então... eliminaram sua imagem do quadro.

Mais um silêncio recaiu sobre a mesa. Loth juntou os dedos lotados de anéis e os levou a testa.

Ele fora tão tolo.

— Pois bem, se o meu instinto estiver certo, a boa notícia é que podemos voltar discretamente à corte quando a Rainha Sabran estiver casada — falou Kit. — Então vamos aguentar firme as próximas semanas, encontrar o pobre velho Príncipe Wilstan se possível, e depois voltar a Inys da forma que conseguirmos. Combe não tem como nos deter. Não depois de conseguir o que quer.

— Você está esquecendo que, se voltarmos, vamos expor as armações dele para Sabran. Ele com certeza já pensou nisso. Não vamos conseguir nem chegar perto dos portões do palácio.

— Vamos escrever de antemão para Sua Graça. Fazer uma oferta. Nosso silêncio em troca de sermos deixados em paz.

— Eu não posso ficar em silêncio sobre isso — esbravejou Loth. — Sab precisa ser informada de que o Conselho das Virtudes está maquinando pelas suas costas. Combe sabe que vou contar isso a ela. Acredite em mim, Kit: ele não quer a nossa volta de Cárscaro. Quer nossa presença definitiva por lá, como seus olhos na corte mais perigosa do Oeste.

— Ele que se dane. Nós vamos dar um jeito de voltar para casa — disse Kit. — O Santo não prometeu isso a todos nós?

Loth esvaziou sua caneca.

— Sua sabedoria chega a ser notável, meu amigo. — Com um suspiro, ele acrescentou: — Não consigo nem imaginar como Margret deve estar se sentindo neste momento. Ela pode ter que herdar Goldenbirch.

— Meg não tem motivos para preocupar sua cabecinha brilhante com isso. Goldenbirch não vai precisar dela como herdeira, porque nós vamos voltar para Inys antes do esperado. Pode não *parecer* que é uma missão da qual vamos sair vivos — Kit falou, voltando a seu jeito brincalhão —, mas nunca se sabe. Podemos até fazer um retorno triunfal como príncipes do mundo.

— Nunca pensei que você pudesse ser um homem de mais fé do que eu. — Loth respirou fundo pelo nariz. — Vamos acordar o cocheiro. Já nos demoramos aqui por tempo demais.

5

Leste

Os novos membros da Guarda Superior do Mar tinham permissão para passarem suas últimas horas em Cabo Hisan da forma como quisessem. A maioria foi se despedir dos amigos. Às nove da noite, eles partiriam de palanquim para a capital.

Os acadêmicos já haviam embarcado para a Ilha da Pluma. Ishari não permanecera no convés junto com os demais para ficar olhando a paisagem de Seiiki até que desaparecesse no horizonte.

Elas eram próximas havia anos. Tané tinha cuidado de Ishari durante um período de febre alta que quase a matara. Ishari fora como uma irmã quando Tané sangrara pela primeira vez, ensinando-a a fazer tampões de papel. E agora, poderiam nunca mais voltar a se ver. Se Ishari tivesse estudado mais — se dedicado mais aos treinamentos —, elas poderiam se tornar ginetes juntas.

Por ora, Tané teria que voltar seus pensamentos para outra amiga. Ela mantinha a cabeça baixa enquanto circulava pelas ruas barulhentas de Cabo Hisan, onde as pessoas dançavam e tocavam tambores para celebrar o Dia da Escolha. As crianças passavam correndo e rindo, com pipas coloridas voando acima.

A cidade estava abarrotada de gente. As pessoas enxugavam o rosto com lenços de algodão finos. Enquanto Tané se desviava dos vendedores que anunciavam suas quinquilharias, respirava a fumaça com aroma de especiarias de incenso, sentia o cheiro da chuva no suor da pele e o odor dos peixes recém-tirados do mar. Escutava os paneleiros e ambulantes oferecendo serviços e os suspiros de deleite quando um passarinho amarelo soltava seu canto.

Aquela poderia ser a última vez que caminharia por Cabo Hisan, a única cidade que conheceu na vida.

Sempre era um risco andar por ali. A cidade era um lugar perigoso, onde os aprendizes poderiam sofrer tentações que os corromperiam. Havia bordéis e tavernas, jogos de cartas e rinhas de galo, recrutadores tentando seduzi-los para a pirataria. Tané sempre se perguntava se as Casas de Aprendizagem ficavam tão próximas daquilo tudo como um teste para a força de vontade daqueles que abrigavam.

Quando chegou à hospedaria, soltou um suspiro de alívio. Não havia sentinelas.

— Com licença — ela chamou por entre as grades.

Uma garotinha foi até o portão. Quando viu Tané, e a túnica militar azul da Guarda Superior do Mar, a menina se ajoelhou imediatamente e deitou a testa sobre as mãos.

— Estou procurando pela honorável Susa — Tané falou em um tom gentil. — Você pode ir chamá-la para mim?

A menina voltou correndo para a hospedaria.

Ninguém nunca tinha feito uma mesura como aquela para Tané antes. Ela havia nascido no vilarejo pobre de Ampiki, na extremidade sul de Seiiki, em uma família de pescadores. Em um dia de céu aberto de inverno, um incêndio se espalhara pela floresta vizinha e engolira quase todas as casas.

Tané não se lembrava dos pais. Só tinha escapado da morte porque fora atraída por uma borboleta para fora de casa e a seguira até a beira do mar. A maioria das crianças desabrigadas e órfãos era mandada para o exército, mas o episódio da borboleta fora interpretado por uma sacerdotisa como uma intervenção divina, e fora decidido que Tané receberia o treinamento para se tornar ginete.

Susa apareceu no portão com uma túnica de seda branca ricamente bordada. Seus cabelos escorriam soltos sobre os ombros.

— Tané. — Ela deslizou o portão para o lado. — Precisamos conversar.

Tané percebeu a ruga de preocupação na testa dela. As duas foram para o beco ao lado da hospedaria, onde Susa abriu o guarda-chuva e o manteve suspenso sobre elas.

— Ele sumiu.

Tané umedeceu os lábios.

— O forasteiro?

— Sim. — Susa parecia apreensiva. Ela nunca ficava nervosa assim.

— Ouvi um falatório no mercado mais cedo. Uma embarcação pirata foi avistada perto da costa de Cabo Hisan. Os sentinelas procuraram na cidade inteira por cargas contrabandeadas, mas voltaram sem nada.

— Eles fizeram uma revista em Orisima. — Tané falou, percebendo o que ocorrera, e Susa confirmou com um aceno de cabeça. — Encontraram o forasteiro?

— Não. Mas por lá não existe onde se esconder. — Susa olhou na direção da rua, e seus olhos refletiram as luzes das lamparinas. — Ele deve ter fugido quando os sentinelas estavam distraídos.

— Ninguém consegue atravessar a ponte sem que os sentinelas vejam. Ele *só pode* estar lá.

— O homem precisaria ser uma espécie de fantasma para se esconder tão bem — Susa disse, apertando o cabo do guarda-chuva com mais força. — Tané, você ainda acha que devemos avisar o ilustre Governador sobre ele?

Tané vinha se perguntando exatamente isso desde a cerimônia.

— Eu disse a Roos que nós iríamos buscá-lo, mas... talvez, se ficar escondido em Orisima, ele consiga evitar a espada e fugir na próxima embarcação para Mentendon — continuou Susa. — Ele pode ser confundido com um colono legalmente admitido. Não é muito mais velho do que nós, Tané, e pode ser que não esteja aqui por vontade própria. Eu não quero condená-lo à morte.

— Então não faremos isso. Vamos deixar que ele siga seu caminho.

— Mas e a doença vermelha?

— Ele não tinha nenhum dos sinais. E, *caso* ainda esteja em Orisima, e não vejo como não está, a doença não chegará muito longe — Tané falou baixinho. — Qualquer envolvimento a mais com ele é um risco grande demais, Susa. Você o levou para um lugar seguro. O que acontecer daqui para a frente é de responsabilidade dele.

— Mas, se for encontrado, ele não vai falar de nós? — murmurou Susa.

— Quem acreditaria?

Susa respirou fundo, e seus ombros despencaram. Ela olhou Tané de cima a baixo.

— Parece que o risco valeu a pena. — Seu sorriso fez os olhos brilharem. — O Dia da Escolha foi tudo o que você imaginava?

A necessidade de falar a respeito vinha se acumulando havia horas.

— E muito mais. Os dragões eram tão indos — Tané disse. — Você viu algum?

— Não. Estava dormindo — admitiu Susa. Ela devia ter passado a noite toda acordada. — Quantos vão virar ginetes este ano?

— Doze. O ilustre Imperador Perpétuo mandou dois grandes guerreiros para engrossar nossas fileiras.

— Nunca vi um dragão lacustre. Eles são diferentes dos nossos?

— São mais robustos, e têm um dedo a mais nos pés. Seria um privilégio montar qualquer um deles. — Tané se encolheu um pouco mais embaixo do guarda-chuva. — Eu *preciso* me tornar uma ginete, Susa. Me sinto culpada por querer tanto, sendo que já recebi tantas bênçãos, mas...

— É seu sonho desde criança. Você tem ambição, Tané. Não precisa se sentir culpada por isso. — Susa fez uma pausa. — Está com medo?

— Claro.

— Ótimo. O medo irá te incentivar a lutar. Não deixe que um merdinha como Turosa afete você, não importa quem seja a mãe dele. — Tané olhou feio para ela, mas em seguida sorriu. — Enfim, você precisa ir. E não esqueça: por mais longe de Cabo Hisan que você possa estar, nunca vai deixar de ser minha amiga.

— Eu digo o mesmo.

O portão da hospedaria se abriu, e ambas se sobressaltaram.

— Susa — a menina chamou. — Está na hora de entrar.

Susa olhou na direção da casa.

— Eu preciso ir. — Ela olhou de novo para Tané, hesitante. — Eles vão permitir que eu escreva para você?

— Precisam deixar. — Tané nunca tinha ouvido falar de uma plebeia que houvesse mantido uma amizade com uma guardiã do mar, mas rezava para que elas fossem a exceção. — Por favor, Susa, seja cuidadosa.

— Sempre. — O sorriso de Susa estremeceu. — Você nem vai sentir tanto a minha falta. Quando estiver voando por cima das nuvens, todos nós aqui embaixo vamos parecer insignificantes.

— Onde eu estiver, vou estar com você — Tané falou.

Susa arriscara tudo em nome de um sonho que não era dela. Esse tipo de amizade era do tipo que só aparecia uma vez na vida. E algumas pessoas jamais encontravam.

O clima entre elas se tornou carregado de memórias, e seus rostos não estavam molhados só por causa da chuva. Talvez Tané voltasse para Cabo Hisan para proteger a costa leste, ou talvez Susa pudesse visitá-la, mas, pela primeira vez na vida, tudo era incerto. Seus caminhos estavam prestes a divergirem e, a não ser que o dragão quisesse, nunca mais se encontrariam.

— Se acontecer alguma coisa, se alguém associar o seu nome ao forasteiro, fuja para Ginura o mais rápido que puder — Tané falou baixinho. — Vá me procurar, Susa. Comigo, você vai estar sempre segura.

Em uma oficina mequetrefe em Orisima, a chama de uma lamparina se consumia enquanto Niclays Roos segurava um frasco diante de sua luz. No rótulo manchado se lia HEMATITA RENIFORME. Era só o que ele podia fazer para afastar seus pensamentos de Sulyard, porém seria muito melhor se conseguisse concentrar-se completamente em sua grande obra.

Não que estivesse avançando muito, em uma grande obra ou qualquer outra. Enfrentava uma temerária falta de ingredientes, mas queria arriscar mais uma tentativa antes de escrever novamente solicitando suprimentos. O Governador de Cabo Hisan era solidário, mas sua generosidade era sabotada com frequência pelo Líder Guerreiro, que parecia saber de tudo o que acontecia em Seiiki.

O Líder Guerreiro era uma figura quase mítica. Sua família havia assumido o poder depois que Casa Imperial de Noziken fora dizimada na Grande Desolação. Tudo o que Niclays sabia de fato sobre o homem era que vivia em um castelo em Ginura. Todos os anos, a Vice-Rainha de Orisima era levada até lá em um palanquim trancado para prestar seus tributos, oferecer presentes vindos de Mentendon e receber outros em troca.

Niclays era o único no entreposto comercial que nunca tinha sido convidado para a viagem. Seus compatriotas mentendônios o tratavam com cortesia quando estavam frente a frente, mas, ao contrário dos demais, ele estava lá na condição de exilado. E o fato de ninguém saber o motivo daquele exílio não o ajudava muito a conquistar a simpatia alheia.

Às vezes, sentia vontade de confessar, só para ver a reação deles. Dizer que era *ele* o alquimista que convencera a jovem Rainha de Inys de que conseguiria criar um elixir da vida, eliminando a necessidade de um casamento e uma herdeira. Dizer que foi ele o vigarista que usou o dinheiro dos Berethnet para bancar anos de especulações, experimentos às cegas e farras.

Como ficariam horrorizados, escandalizados com sua falta de virtude. Não faziam ideia de que, mesmo quando ele fora para Inys, dez anos antes, como um barril de pólvora ambulante carregado de dor e raiva, tinha permanecido fiel, em algum recôndito escondido de seu coração, aos princípios da alquimia. Destilação, Ceração, Sublimação — aquelas eram as únicas deidades que ele admitiria louvar. Ninguém fazia ideia de que, enquanto ele suava ao lado do cadinho, certo de que descobriria uma forma de manter um corpo no auge da juventude, também estava tentando derreter a lâmina de tristeza que trazia cravada em si. Uma lâmina que por fim acabou o afastando do cadinho, de volta ao consolo e ao esquecimento proporcionados pelo vinho.

Ele não havia sido bem-sucedido em nenhuma das duas tentativas. E, por isso, Sabran Berethnet o fizera pagar um preço alto.

Não com a vida. Leovart dissera uma vez que ele deveria se sentir grato pela dita bondade de Sua Animosidade. Não, Sabran não mandara arrancar sua cabeça — mas arrancara todo o resto. Agora ele estava aprisionado no fim do mundo, cercado de gente que o desprezava.

Eles que cochichassem à vontade. Se aquele experimento funcionasse, todos viriam batendo à sua porta em busca do elixir. Com a língua presa entre os dentes, ele despejou a hematita no cadinho.

Foi como se tivesse jogado pólvora. Em um piscar de olhos, estava tudo fervilhando. O líquido borbulhante vazou para a bancada, soltando uma nuvem de fumaça fétida.

Niclays lançou um olhar desesperado para o cadinho. Só o que restava era um resíduo preto como piche. Com um suspiro, ele limpou a fuligem dos óculos. A criação mais parecia um punhado de excremento do que o elixir da vida.

A hematita reniforme não era a resposta. Por outro lado, aquele pó poderia muito bem não ser hematita coisa nenhuma. Panaya o tinha comprado de um comerciante para que Niclays o usasse, e os comerciantes não eram conhecidos exatamente pela honestidade.

Que o Inominado leve tudo isso. Ele já teria desistido de fazer o maldito elixir se não fosse a única forma de sair daquela ilha e conseguir voltar para o Oeste.

Obviamente, ele não tinha nenhuma intenção de entregá-lo a Sabran Berethnet. Ela merecia a forca. Porém, se conseguisse fazer chegar a algum governante a notícia do que tinha em mãos, seria levado de volta a Mentendon para viver o resto da vida no luxo e na riqueza. E mostraria a Sabran do que *ele* era capaz, e quando ela o procurasse, implorando por um gostinho da eternidade, não haveria prazer maior do que lhe negar isso.

No entanto, ele ainda estava muito longe desse dia feliz. Precisava das substâncias caríssimas que os governantes lacustres mortos havia tempos obtiveram para tentar estender suas vidas, como ouro e auripigmento e plantas raras. Embora a maioria tenha se envenenado enquanto buscavam viver para sempre, havia uma chance de que as receitas do elixir talvez pudessem fornecer a ele uma nova fagulha de inspiração.

Era hora de escrever para Leovart mais uma vez e pedir que bajulasse o Líder Guerreiro com uma cartinha simpática. Só um príncipe poderia ser capaz de convencê-lo a entregar seu ouro para ser derretido.

Niclays terminou seu chá frio, desejando que fosse algo mais forte. A Vice-Rainha de Orisima o havia banido da cervejaria e o limitado a duas taças de vinho por semana. Suas mãos ficaram trêmulas durante meses.

Estavam tremendo naquele momento, mas não pela necessidade de embriaguez. Ainda não havia nem sinal de Triam Sulyard.

Os sinos tocaram na cidade outra vez. Os guardiões do mar deviam estar a caminho da capital. Os outros aprendizes seriam enviados à

Ilha da Pluma, uma formação de origem vulcânica no Mar do Sol Dançante, onde estava armazenado todo o conhecimento sobre as espécies dragônicas. Niclays havia escrito várias vezes para o Governador de Cabo Hisan pedindo permissão para uma viagem até lá, mas sua requisição era sempre rejeitada. A Ilha da Pluma não era lugar para estrangeiros.

Os dragões poderiam muito bem ser a chave para seu trabalho. Eles viviam milhares de anos. Alguma coisa em seus corpos permitia que estivessem em constante renovação.

Os dragões não eram mais o que foram outrora. De acordo com as lendas do Leste, os dragões possuíam propriedades místicas, como a de mudar de forma e moldar sonhos. A última vez que exibiram esse poder havia sido nos anos que seguiram ao fim da Grande Desolação. Naquela noite, um cometa cruzara o céu e, enquanto os wyrms de todo o mundo caíam em um sono profundo, os dragões do Leste se mostraram mais poderosos do que tinham sido em muitos séculos.

Agora, seus poderes haviam decaído de novo. Porém, eles continuavam vivos. Como encarnações do elixir.

Não que aquela teoria fosse de grande valia para Niclays. Pelo contrário, essa constatação conduziu seu trabalho a um beco sem saída. Os ilhéus viam os dragões como seres sagrados. Sendo assim, o comércio de qualquer substância extraída de seus corpos era proibido, sob a pena de uma morte particularmente lenta e hedionda. Apenas os piratas se arriscavam a esse ponto.

Com os dentes cerrados e uma dor de cabeça latejante, Niclays saiu mancando da oficina. Quando pisou nas esteiras, soltou um suspiro de susto.

Triam Sulyard estava sentado junto à lareira. Ensopado até os ossos.

— Pelas *ceroulas* do Santo... — Niclays estava incrédulo. — Sulyard!

O rapaz parecia magoado.

— Você não deveria citar as partes íntimas do Santo em vão.

— Cuidado com a língua — esbravejou Niclays, com o coração disparado. — Ora essa, você tem muita sorte mesmo. Se encontrou um jeito de sair deste lugar, trate de contar agora mesmo.

— Eu tentei ir embora — Sulyard falou. — Consegui evitar os guardas e escapar da casa, mas havia outros no portão. Pulei na água e me escondi debaixo da ponte até o cavaleiro ir embora.

— O Oficial-Chefe não é um cavaleiro, seu tolo. — Niclays soltou um grunhido de frustração. — Pelo amor do Santo, *por que* você voltou? O que eu fiz para merecer você vir aqui ameaçar o pouco que me resta de uma existência? — Ele fez uma pausa. — Pensando bem, não responda essa pergunta.

Sulyard ficou em silêncio. Niclays passou pisando duro por ele e se ocupou de acender o fogo.

— Doutor Roos — Sulyard falou, depois de certa hesitação. — Por que Orisima é vigiada tão de perto?

— Porque os forasteiros não podem pôs os pés em Seiiki, sob pena de morte. E os seiikineses, por sua vez, não podem ir embora. — Niclays colocou a chaleira sobre o fogo. — Eles nos deixam ficar aqui para fazer comércio conosco e absorver alguma coisa do conhecimento dos mentendônios, para dar ao Líder Guerreiro pelo menos uma vaga impressão do que se passa do outro lado do Abismo, mas não temos permissão de ir além de Orisima nem de professar heresias aos seiikineses.

— Heresias como as Seis Virtudes?

— Exatamente. E, de forma bastante compreensível, eles temem que os estrangeiros tragam a peste dragônica, ou a doença vermelha, como chamam por aqui. Se você tivesse se dado ao trabalho de fazer uma pesquisa antes de vir para cá…

— Mas eles com certeza nos dariam ouvidos se pedíssemos ajuda — Sulyard falou, convicto. — Inclusive, quando estava escondido, pensei em simplesmente deixar que me encontrassem, para que fosse levado para o capitão.

Sulyard não pareceu notar o olhar perplexo que Niclays lançou ao dizer essas palavras.

— Eu *preciso* falar com o Líder Guerreiro, Doutor Roos. Se você pelo menos ouvisse o que eu tenho a...

— Como eu falei — Niclays interrompeu, irritado —, não tenho o menor interesse em sua missão, Mestre Sulyard.

— Mas a Virtandade está em perigo. O *mundo* está em perigo — Sulyard insistiu. — A Rainha Sabran precisa de nossa ajuda.

— Ela está correndo grande perigo, é? — Niclays precisou se esforçar para não soar muito animado. — Perigo de vida?

— Sim, Doutor Roos. E eu conheço uma maneira de salvá-la.

— A mulher mais rica do Oeste, venerada em três nações, precisa de um escudeiro para salvá-la. Fascinante. — Niclays soltou um suspiro. — Muito bem, Sulyard. Vou fazer sua vontade. Esclareça para mim seu plano para poupar a Rainha Sabran desse perigo não especificado.

— Interceder junto ao Leste. — Sulyard parecia determinado. — O Líder Guerreiro de Seiiki deve mandar seus dragões em auxílio de Sua Majestade. Minha intenção é convencê-lo a fazer isso. Ele precisa ajudar a Virtandade a eliminar as feras dragônicas antes que despertem de vez. Antes que...

— Espere — Niclays interrompeu. — Está me dizendo que deseja... uma *aliança* entre Inys e Seiiki?

— Não só entre Inys e Seiiki, Doutor Roos. Entre a Virtandade e o Leste.

Niclays absorveu aquelas palavras. O canto de sua boca se contorceu. E, enquanto Sulyard mantinha a seriedade de um santário, Niclays jogou a cabeça para trás e caiu na risada.

— Ah, isso é maravilhoso. Glorioso — ele declarou. Sulyard se limitou a encará-lo. — Ah, Sulyard. Eu tenho pouquíssimas diversões neste lugar. Muito obrigado.

— Não é uma *piada*, Doutor Roos — Sulyard respondeu, indignado.

— Ah, mas é, sim, meu caro rapaz. Você acha que vai conseguir reverter o Grande Édito, uma lei vigente há cinco *séculos*, simplesmente pedindo com educação. É mesmo um rapazinho muito jovem. — Niclays deu mais uma risadinha. — E com quem você se aliou nessa tarefa formidável?

Sulyard bufou.

— Sei que está zombando de mim, senhor, mas aconselho a não fazer o mesmo com a minha dama — ele falou. — Por ela, eu morreria mil vezes, e não direi o nome dela. Ela é a luz da minha vida, o ar que eu respiro, o sol da minha…

— Sim, tudo bem, já basta. E ela não quis vir a Seiiki com você?

— Nós pretendíamos vir juntos. Mas quando fui visitar minha mãe em Poleiro no inverno, conheci por acaso uma maruja. Ela me ofereceu um lugar em uma embarcação com destino a Seiiki. — Os ombros dele desabaram. — Eu mandei uma carta para o meu amor na corte… rezo para que ela entenda. Para que me perdoe.

Fazia um bom tempo que Niclays não se distraía com fofocas da corte. Era uma prova contundente do tamanho de seu tédio, o fato de estar babando para ouvir uma. Ele serviu duas xícaras de chá de salgueiro e se sentou na esteira, estendendo a perna dolorida.

— Essa dama é sua noiva, imagino eu.

— Minha companheira. — Um sorriso se insinuou nos lábios rachados do rapaz. — Nós fizemos nossos votos.

— Presumo que Sabran tenha abençoado sua união.

Sulyard ficou vermelho.

— Nós… nós não pedimos a permissão de Sua Majestade. Ninguém sabe o que fizemos.

Ele era mais corajoso do que parecia. Sabran punia com severidade quem se casava em segredo. Nisso ela era diferente da falecida Soberana Mãe, que adorava uma boa história de amor.

— Sua dama deve ser alguém sem muito prestígio, se *você* precisou se casar com ela em segredo — especulou Niclays.

— Não! Minha dama tem sangue nobre. É doce como o mais precioso mel, e linda como uma floresta no outo...

— Pelo amor do Santo, já basta. Assim você me deixa com dor de cabeça.

Era surpreendente que Sabran o tivesse mantido por perto sem mandar arrancar a língua dele.

— Quantos anos você tem exatamente, Sulyard?

— Dezoito.

— Um homem adulto, portanto. Com idade suficiente para saber que nem todos os sonhos são possíveis, principalmente os concebidos em um leito de amor. Se o Oficial-Chefe tivesse te encontrado, você seria levado ao Governador de Cabo Hisan. Não ao Líder Guerreiro. — Niclays deu um gole em seu chá. — Mas vou deixar que continue, Sulyard. Se você sabe que Sabran está em perigo, a ponto de precisar do auxílio de Seiiki, por que não contou para ela?

Sulyard hesitou.

— Sua Majestade encara o Leste com desconfiança, para seu próprio prejuízo, já que os povos do Leste são os únicos que podem nos ajudar — ele disse, por fim. — Mesmo se souber do perigo que a aguarda, o que sem dúvida deve acontecer em breve, seu orgulho jamais lhe permitiria pedir o socorro do Leste. Se eu *puder* conversar com o Líder Guerreiro em nome de Sua Majestade, Truyde me disse que ela poderia se dar conta de que...

— Truyde.

A xícara tremeu nas mãos dele.

— Truyde — Niclays murmurou. — Não... não vá me dizer que é Truyde utt Zeedeur. A filha de Lorde Oscarde.

Sulyard ficou paralisado.

— Doutor Roos — ele começou a falar, depois de um agoniante acesso de gagueira —, isso precisa ser mantido em segredo.

Sem conseguir se segurar, Niclays caiu na risada de novo. Dessa vez, ressoou quase como uma gargalhada enlouquecida.

— Ora, ora, você é um companheiro e *tanto*, Mestre Sulyard! — ele exclamou. — Primeiro se casa com a Marquesa de Zeedeur sem permissão, o que pode destruir a reputação dela. Depois a abandona e ainda deixa escapar seu nome para um homem que era um conhecido próximo do avô da tal dama.

Niclays limpou os olhos na manga da blusa. Sulyard parecia prestes a desmaiar.

— Ah, como você é digno do amor dessa moça. O que vai me dizer agora, que a engravidou também?

— Não, não... — Sulyard rastejou na direção dele. — Eu imploro, Doutor Roos, não exponha nossa transgressão. Eu *sei* que sou indigno do amor dela, mas... eu a amo tanto. Chega a me doer a alma.

Niclays o afastou com um chute, enojado. Doía em *sua* alma que Truyde tivesse escolhido um inysiano parecido com um balde de leite azedo como companheiro.

— Eu não vou fazer nada que possa causar constrangimento a *ela*, isso eu garanto — Niclays falou com um tom de desdém, fazendo Sulyard chorar ainda mais. — Ela é a herdeira do Ducado de Zeedeur, pertence à linhagem dos Vatten. Vamos rezar para que, um dia, possa se casar com alguém de valor. — Ele se ajeitou melhor. — Além disso, mesmo que eu escrevesse para o Príncipe Leovart para informar que Lady Truyde se casou em segredo com um inferior, levaria semanas até a embarcação cruzar o Abismo. A essa altura, ela já teria esquecido que você existe.

Entre soluços, Sulyard conseguiu dizer:

— O Príncipe Leovart está morto.

O Alto Príncipe de Mentendon. A única pessoa que tentou ajudar Niclays em Orisima.

— Isso certamente explica por que ele vem ignorando minhas cartas. — Niclays levou a xícara aos lábios. — Quando aconteceu?

— Menos de um ano atrás, Doutor Roos. Um wyvern reduziu seu chalé de caça a cinzas.

Niclays sentiu uma pontada de dor pela perda de Leovart. Certamente a Vice-Rainha de Orisima havia sido informada, mas decidira não repassar a notícia.

— Entendo — disse Niclays. — E quem está governando Mentendon?

— O Príncipe Aubrecht.

Aubrecht. Niclays se lembrava dele como um jovem de modos reservados com pouquíssimo interesse em qualquer coisa além de seus livros de orações. Embora já fosse maior de idade quando a doença do suor levou seu tio, Edvart, ficou decidido que Leovart — tio de Edvart — governaria primeiro, para mostrar ao pacato Aubrecht como conduzir seu domínio. E, obviamente, depois de subir ao trono, Leovart tratou de arrumar uma boa justificativa para não sair de lá.

Agora que Aubrecht havia assumido o lugar que lhe era de direito, precisaria demonstrar uma determinação férrea se quisesse controlar Mentendon.

Niclays interrompeu seus pensamentos sobre sua terra natal antes que acabasse enredado em reflexões sem fim. Sulyard ainda olhava para ele, com manchas rosadas no rosto.

— Sulyard, vá para casa — falou Niclays. — Quando o carregamento mentendônio chegar, fuja. Volte para Truyde e fuja com ela para a Lagoa Láctea ou... para onde quer que os amantes fujam hoje em dia.

Quando Sulyard abriu a boca para responder, ele disse:

— Confie em mim. Você não vai conseguir fazer nada aqui além de morrer.

— Mas minha incumbência…

— Nem todos conseguem concluir suas grandes obras.

Sulyard ficou em silêncio. Niclays tirou os óculos e os limpou na manga da roupa.

— Eu não tenho nenhuma estima por sua rainha. Na verdade, simplesmente a detesto — disse ele, causando um sobressalto em Sulyard. — Mas duvido muito que Sabran fosse querer que um escudeiro de 18 anos morresse por sua causa. — Um tremor se tornou perceptível em sua voz. — Quero que você vá embora daqui, Triam. E quero que diga a Truyde que eu a aconselho parar de se envolver em assuntos que podem causar sua ruína.

Sulyard baixou o olhar.

— Perdão, Doutor Roos, mas eu não posso — ele respondeu. — Preciso ficar.

Niclays o encarou com desconfiança.

— E fazer o quê?

— Vou encontrar uma forma de apresentar o meu caso ao Líder Guerreiro… mas não quero envolvê-lo ainda mais nisso.

— Ter você em minha casa já é envolvimento suficiente para separar minha cabeça do pescoço.

Sulyard não disse nada, mas manteve o queixo erguido. Niclays franziu os lábios.

— Você parece ser um jovem devoto, Mestre Sulyard — disse ele. — Sugiro que reze. Para que os sentinelas continuem longe de minha casa até o carregamento mentendônio chegar, para que tenha tempo de criar juízo. Se sobrevivermos aos próximos dias, até eu posso acabar voltando a rezar.

6

Oeste

Quando evitava o Pavilhão de Banquetes, o que acontecia com frequência, a Rainha de Inys jantava em sua Câmara Privativa. Naquela noite, Ead e Linora foram convidadas para acompanhá-la em sua refeição, uma honra em geral reservada às três damas da Alcova.

Margret estava com uma de suas dores de cabeça. *Racha-crânio*, como ela chamava. Normalmente, ela não permitia que isso a afastasse de suas obrigações, mas devia estar preocupada com Loth.

Apesar do calor de verão, o fogo da lareira crepitava na Câmara Privativa. Até então, ninguém havia dirigido a palavra a Ead.

Às vezes, parecia que eram capazes de farejar seus segredos ali. Como se pressentissem que ela não fora à corte para ser uma simples dama de companhia.

Como se soubessem do Priorado.

— O que você acha dos olhos dele, Ros?

Sabran olhou para a miniatura em suas mãos. Já tinha sido passada de uma para a outra e analisada por vários ângulos. Roslain Crest a pegou e a estudou mais uma vez.

A Dama Primeira da Câmara Privativa, provável herdeira do Ducado da Justiça, era só seis dias mais velha que Sabran. Seus cabelos eram grossos e escuros como melaço. Com a pele clara e os olhos azuis como vidro de cobalto, vestia-se sempre de acordo com a última moda, e havia passado a vida toda ao lado da rainha. Sua mãe tinha sido a Dama Primeira da Soberana Rosarian.

— São agradáveis, Majestade — concluiu Roslain. — Gentis.

— Acho que são um pouco próximos demais — especulou Sabran. — Me lembram um pouco um arganaz.

Linora soltou uma risadinha discreta.

— Melhor um pequeno roedor do que um bicho mais barulhento — Roslain falou para sua rainha. — Assim é mais fácil para ele se lembrar de seu devido lugar se decidirem se casar. Não é ele o descendente do Santo.

Sabran deu um tapinha na mão dela.

— Como você consegue ser sempre tão sábia?

— Escutando a senhora, Majestade.

— Mas não sua avó, nesse caso. — Sabran ergueu os olhos para ela. — Lady Igrain acha que Mentendon será um fardo para Inys. E que Lievelyn não deveria fazer negócios com Seiiki. Ela me disse que vai falar sobre isso na próxima reunião do Conselho das Virtudes.

— Minha avó se preocupa com você. Isso a torna cautelosa demais. — Roslain se sentou ao lado da rainha. — Eu sei que ela prefere o Caudilho de Askrdal. Ele é rico e devoto. Um pretendente mais seguro. E também entendo as preocupações dela quanto a Lievelyn.

— Mas?

Roslain abriu um leve sorriso.

— Acredito que seria conveniente dar uma chance ao novo Príncipe Rubro.

— Eu concordo. — Katryen estava deitada em um setial, folheando um livro de poesia. — O Conselho das Virtudes existe para fazê-la ser precavida, mas suas damas estão aqui para estimulá-la ser mais ousada em questões como essa.

Ao lado de Ead, Linora absorvia a conversa em um silêncio ávido.

— Mestra Duryan, qual é sua opinião sobre a aparência do Príncipe Aubrecht? — Sabran perguntou de repente.

Todos os olhos se voltaram para Ead, que abaixou a faca com gestos lentos.

— Está pedindo a *minha* opinião, Majestade?

— A não ser que haja alguma outra Mestra Duryan presente.

Ninguém deu risada. O recinto ficou em silêncio quando Roslain entregou a miniatura nas mãos de Ead.

Ead observou o Príncipe Rubro. Maçãs do rosto delineadas. Cabelos lisos cor de cobre. Sobrancelhas grossas sobre os olhos escuros, em um contraste marcante com a palidez da pele. A boca transmitia uma sensação de sobriedade excessiva, mas era um rosto agradável.

Ainda assim, miniaturas podiam ser enganosas, e muitas vezes eram. O artista certamente teria sido generoso em seu retrato.

— Ele é aceitável — Ead concluiu.

— Um elogio bem discreto. — Sabran tomou um gole do cálice. — Você fez um juízo bem mais severo do que o de minhas outras damas, Mestra Duryan. Os homens do Ersyr acaso são mais atraentes do que o príncipe?

— São diferentes, Majestade. — Ead fez uma pausa antes de acrescentar: — Menos parecidos com arganazes.

A rainha a encarou, a expressão indecifrável. Por um instante, Ead se perguntou se não havia sido abusada demais. O olhar assustado de Katryen só reforçou aquela impressão.

— Você tem a língua afiada, além dos pés silenciosos. — A Rainha de Inys disse, recostando-se na cadeira. — Quase nunca conversamos desde sua chegada à corte. Já faz um bom tempo… seis anos, acredito.

— Oito, majestade.

Roslain lançou para ela um olhar de reprovação. Ninguém corrigia descendentes do Santo.

— Claro. Oito anos — foi o que Sabran se limitou a dizer. — O Embaixador uq-Ispad costuma escrever para você?

— Não muito, senhora. Sua Excelência está sempre ocupado com outras questões.

— Como a heresia.

Ead baixou os olhos.

— O embaixador é um seguidor devoto do Arauto da Alvorada, Majestade.

— Mas você, obviamente, deixou de ser — disse Sabran, o que fez Ead assentir. — Lady Arbella me disse que você reza no santuário com frequência.

Como Arbella Glenn contava aquelas coisas para Sabran era um mistério, já que parecia nunca abrir a boca.

— A fé das Seis Virtudes é muito bonita, Majestade — disse Ead. — E é impossível não crer, quando temos a descendente legítima do Santo entre nós.

Era mentira, claro. Sua verdadeira fé — a fé na Mãe — continuava ardorosa como sempre.

— As pessoas devem falar sobre meus ancestrais no Ersyr — comentou Sabran. — Principalmente sobre a Donzela.

— Sim, senhora. Ela é lembrada no Sul como a mulher mais direita e altruísta de sua época.

Cleolind Onjenyu também era lembrada no Sul como a maior guerreira de sua época, mas os inysianos jamais acreditaram nisso. Achavam que ela precisava ser salva.

Para Ead, Cleolind não era a Donzela.

Era a Mãe.

— Lady Oliva me falou que Mestra Duryan tem um talento natural para contar histórias — comentou Roslain, lançando um olhar gélido na direção de Ead. — Por que não conta para nós a história do Santo e da Donzela da forma como é ensinada no Sul, mestra?

Ead pressentiu a cilada. Os inysianos não costumavam gostar de ouvir as coisas a partir de uma nova perspectiva, muito menos a mais sagrada de suas narrativas. Roslain estava só esperando que ela desse um passo em falso.

— Milady, é impossível que alguém consiga contar melhor que o Santário — disse Ead. — De qualquer forma, vamos ouvi-la amanhã...

— Vamos ouvi-la agora — disse Sabran. — Com tantos relatos sobre wyrms, é uma história que vai reconfortar minhas damas.

O fogo crepitava. Ao olhar para Sabran, Ead sentiu uma tensão incomum, como se houvesse um fio esticado entre elas. Por fim, ela ficou de pé para assumir o assento ao lado da lareira. O lugar da contadora de histórias.

— Como desejar. — Ela alisou as saias. — Por onde começo?

— Pelo nascimento do Inominado — disse Sabran. — Quando o grande inimigo saiu do Monte Temível.

Katryen segurou a mão da rainha. Ead respirou fundo para acalmar o turbilhão que sentia dentro de si. Se contasse a verdadeira história, certamente iria para a fogueira.

Era preciso contar o que ouvia todos os dias no santuário. A versão adulterada.

A história pela metade.

— Existe um Ventre de Fogo que arde sob este mundo — começou ela. — Mais de mil anos atrás, o magma dentro dele de repente se uniu, criando uma fera de magnitude indescritível, da mesma forma que uma espada assume seu formato dentro da forja. Seu leite era o fogo dentro do Ventre; sua sede era impossível de aplacar. Ele bebeu até seu próprio coração virar uma fornalha.

Katryen estremeceu.

— Em pouco tempo essa criatura, esse wyrm, tornou-se grande demais para o Ventre. Ele queria usar as asas que havia ganhado.

Abrindo caminho para cima, fez rebentar o cume de uma montanha em Mentendon, chamada de Monte Temível, e trouxe consigo uma torrente de fogo derretido. Relâmpagos vermelhos brilhavam no topo da montanha. A escuridão se abateu sobre a cidade de Gulthaga, e todos os que viviam lá morreram sufocados pela fumaça maligna. Esse wyrm tinha um desejo insaciável de conquistar tudo o que via. Ele voou para o sul rumo à Lássia, onde a Casa de Onjenyu governava um grande reino, e se acomodou perto da corte, em Yikala.

Ead deu um gole de cerveja para molhar a garganta.

— Essa criatura terrível carregava consigo uma praga terrível, como os humanos nunca tinham visto. A peste fazia com que o sangue das pessoas ardesse, e as levava à loucura. Para manter o wyrm sob controle, o povo de Yikala lhe mandava ovelhas e bois, mas o Inominado nunca se saciava. Ele desejava uma carne mais doce, a carne humana. Então, a cada dia, as pessoas faziam um sorteio e elegiam uma delas para o sacrifício.

O recinto ficou em silêncio.

— A Lássia era governada por Selinu, Alto Governante da Casa de Onjenyu. Um dia, sua filha, a Princesa Cleolind, foi eleita para o sacrifício. — Ead mencionou esse nome com um tom suave de reverência. — Embora seu pai tivesse oferecido aos súditos joias e ouro, e feito um apelo para que outra pessoa fosse escolhida, o povo se manteve irredutível. E Cleolind aceitou aquilo com dignidade, pois considerava que era justo. Naquela mesma manhã, um cavaleiro das Ilhas de Inysca estava cavalgando rumo a Yikala. Na época, as ilhas eram assoladas por guerra e superstição, governadas por diversos reis diferentes, e o povo vivia com medo sob a sombra de uma bruxa. Porém, muitas boas pessoas moravam lá, pessoas comprometidas com as Virtudes da Cavalaria. *Esse* cavaleiro — complementou Ead —, era Sir Galian Berethnet.

O Impostor.

Era assim que ele era conhecido em várias partes da Lássia, mas Sabran não fazia a menor ideia.

— Sir Galian tinha ouvido falar do terror que reinava sobre a Lássia, e pretendia oferecer seus serviços a Selinu. Ele portava uma espada de extraordinária beleza, de nome Ascalon. Quando se aproximou dos arredores de Yikala, viu uma donzela chorando sob a sombra das árvores, e perguntou o motivo de estar tão abalada. "Nobre cavaleiro", Cleolind respondeu, "tu tens um bom coração, mas, para teu próprio bem, deixe-me a sós com minhas preces, pois um wyrm está a caminho para tirar minha vida."

Ead sentiu seu estômago se revirar ao falar sobre a Mãe daquela maneira, como se fosse uma mocinha assustada.

— O cavaleiro — continuou ela —, ficou comovido até as lágrimas. "Linda dama", disse ele, "prefiro cravar minha espada em meu próprio coração a ver teu sangue verter sobre a terra. Se teu povo entregar a alma às Virtudes da Cavalaria, e se tu me concederes tua mão em casamento, eu expulsarei a fera destas terras." Aquela fora sua promessa.

Ead fez uma pausa para recuperar o fôlego. E, de repente, um gosto inesperado surgiu em sua boca.

O gosto da verdade.

— Cleolind disse para o cavaleiro ir embora, sentindo-se insultada por aqueles termos — ela se encontrou dizendo. — Mas Sir Galian não se deixou dissuadir. Determinado em obter a glória para si, ele...

— Não — interrompeu Sabran. — Cleolind *concordou* com os termos, sentindo-se grata pela proposta.

— Foi assim que ouvi a história no Sul. — Ead ergueu as sobrancelhas, mesmo com o coração disparado. — Lady Roslain me pediu para...

— E agora sua rainha ordena que faça diferente. Conte o restante da mesma forma como faz o Santário.

— Sim, senhora.

Sabran fez um aceno para que ela continuasse.

— Enquanto combatia o Inominado, Sir Galian foi gravemente ferido — disse Ead. — Mesmo assim, com uma coragem impossível de igualar por qualquer homem que fosse, encontrou forças para cravar sua espada no monstro. O Inominável recuou, ensanguentado e enfraquecido, e se recolheu de volta ao Ventre de Fogo, onde permanece até hoje.

Ead estava mais do que ciente do olhar de Sabran sobre ela.

— Sir Galian voltou com a princesa para as Ilhas de Inysca, reunindo um Séquito Sagrado de cavaleiros no caminho. Lá, ele foi coroado Rei de Inys, como um novo nome para uma nova era, e seu primeiro decreto foi tornar as Virtudes da Cavalaria a única e verdadeira religião das ilhas. Ele construiu a cidade de Ascalon, que recebeu o nome da espada que feriu o Inominado, e foi lá que ele e a Rainha Cleolind contraíram seu feliz matrimônio. Um ano depois, a rainha deu à luz uma filha. E o Rei Galian, o Santo, jurou ao povo que, enquanto sua linhagem governasse Inys, o Inominado jamais retornaria.

Uma bela história. Uma que os inysianos repetiam vezes e mais vezes sem parar. Porém, não era a história completa.

O que os inysianos não sabiam era que foi Cleolind, e não Galian, quem baniu o Inominável.

Não sabiam nada sobre a laranjeira.

— Quinhentos anos depois — Ead falou em um tom mais brando —, a abertura no Monte Temível se alargou mais uma vez, deixando sair outros wyrms. Primeiro vieram os cinco Altaneiros do Oeste, os maiores e mais cruéis entre as criaturas dragônicas, liderados por Fýredel, que era o mais leal ao Inominado. Também vieram seus lacaios, os wyverns, todos surgidos do fogo de um dos Altaneiro do Oeste. Esses wyverns fizeram seus ninhos em montanhas e cavernas, e acasalaram com aves para gerar a cocatriz, e com serpentes para gerar o basilisco e o anfíptero, e com o gado para gerar o ofiotauro, e com o lobo para gerar o jáculo. E, através dessas uniões, surgiu o Exército Dragônico. Fýredel desejava completar o que o Inominável não conseguiu e subjugar a humanidade. Por mais de um ano, Fýredel voltou todas as forças do Exército Dragônico contra o mundo. Diversos grandes reinos sucumbiram naquela época, que nós chamamos de Era da Amargura. Porém Inys, liderada por Glorian III, ainda estava de pé quando um cometa passou pelo mundo e os wyrms abruptamente caíram em um sono que se estendeu por eras, colocando fim ao terror e ao banho de sangue. E até hoje o Inominado permanece em sua tumba sob o mundo, acorrentado pelo sangue sagrado dos Berethnet.

Silêncio.

Ead entrelaçou as mãos sobre o colo e olhou diretamente para Sabran. Para seu rosto frio e indecifrável.

— Lady Oliva tinha razão — a rainha disse por fim. — Você tem a língua de uma contadora de histórias, mas imagino que tenha ouvido muitas delas, e nem todas verdadeiras. Aconselho que escute bem o que se diz no santuário. — Ela baixou seu cálice. — Estou cansada. Boa noite, ladies.

Ead se ergueu, assim como Linora. Elas fizeram uma mesura e saíram.

— Sua Majestade ficou contrariada — disse Linora, irritada, quando elas se afastaram. — Você estava contando a história de um jeito muito bonito no começo. Por que foi dizer que a Donzela rejeitou o Santo? Nenhum santário *jamais* mencionou isso. Que ideia!

— Se Sua Majestade ficou contrariada, eu lamento muito.

— Agora ela pode nunca mais nos convidar para jantar de novo — Linora bufou. — Você deveria ter se *desculpado*, pelo menos. Talvez esteja precisando rezar mais para a Cavaleira da Cortesia.

Felizmente, Linora se recusou a falar depois disso. Elas se separaram quando Ead chegou a seu aposento.

Uma vez lá dentro, acendeu alguns círios. O quarto era pequeno, mas era só seu.

Ela soltou as mangas e removeu a estomaqueira do vestido. Uma vez que se despiu, dispensou a anágua e a verdugada e, por fim, pôde tirar o espartilho.

A noite estava só começando. Ead se sentou à escrivaninha. Lá estava o livro que ela havia tomado emprestado de Truyde utt Zeedeur. Ela não sabia decifrar a inscrição no idioma do Leste, mas o exemplar tinha a marca de um impressor mentendônio. Provavelmente fora publicado antes da Era da Amargura, quando os textos do Leste eram permitidos na Virtandade. Truyde era uma herege em potencial, portanto, fascinada pelas terras em que os wyrms desfrutavam da idolatria dos humanos.

No fim do livro, em uma das guardas, havia um nome em tinta fresca, escrito com uma caligrafia cheia de floreios.

Niclays.

Ead ficou pensando naquilo enquanto trançava os cabelos. Era um nome comum em Mentendon, mas havia um certo Niclays Roos na corte na época em que ela chegara. Tinha sido um anatomista de destaque na Universidade de Brygstad e, segundo diziam, praticava alquimia. Ela se lembrava dele como um sujeito barrigudo e bonachão, gentil o bastante para reparar nela quando ninguém se dignava a fazer isso. Por algum problema, acabou precisando deixar Inys, mas a natureza do incidente era um segredo muito bem guardado.

Em meio ao silêncio, ela ficou atenta a seu corpo. Da última vez, o assassino quase conseguira entrar na Grande Alcova. Só sentira a violação de suas égides quando era quase tarde demais.

Sua siden estava fraca. As égides que erguera fazendo uso dela haviam mantido Sabran em segurança por anos, mas com o tempo estavam definhando, como uma chama que chega ao fim do pavio. A siden, a bênção da laranjeira — uma magia de fogo e madeira e terra. Os inysianos, em sua imbecilidade, chamariam aquilo de *feitiçaria*. Seus conceitos sobre a magia eram nascidos do medo daquilo que não eram capazes de compreender.

Foi Margret quem lhe explicou o motivo dos inysianos terem tanto medo da magia. Havia uma lenda ancestral naquelas ilhas, que ainda eram contadas para as crianças no Norte, sobre uma figura conhecida como Dama do Bosque. Seu nome havia sido esquecido, mas o medo de seus encantamentos e de sua maldade ficou entranhado nos ossos dos inysianos e foi transmitido através das gerações. Até mesmo Margret, que era sensata na maioria dos assuntos, mostrou-se relutante em falar a respeito.

Ead ergueu uma das mãos. Ela reuniu seu poder, e a luz dourada brotou nas pontas dos dedos. Na Lássia, quando estava perto da laranjeira, a siden brilhava como vidro derretido em suas veias.

Só que então a Prioresa a mandara para Inys, a fim de proteger Saban. Se os anos de distanciamento esgotassem de vez seu poder, a rainha estaria sempre vulnerável. Dormir ao lado dela seria a única forma de mantê-la segura, e apenas as Damas da Alcova podiam fazer isso. Ead ainda estava bem longe de se tornar uma favorita.

Seu autocontrole esmoreceu durante o jantar, ao contar aquela história. Ela havia aprendido aquele jogo ao longo dos anos, ao proclamar as falsidades dos inysianos e recitar suas orações, mas contar uma narrativa mutilada com sua própria voz foi difícil demais. E, embora seu momento de rebeldia tivesse prejudicado suas chances de subir de posição na corte, não havia como se arrepender de fato.

Com o livro e as cartas embaixo do braço, Ead subiu no encosto da cadeira e empurrou o forro ornamentado do teto, deslizando um dos painéis para o lado. Ela guardou os itens no espaço mais acima, onde estava escondido seu arco. Quando era dama de companhia, costumava enterrar a arma nos jardins do palácio que a corte estivesse ocupando naquele momento, mas tinha quase certeza de que nem mesmo o Gavião Noturno seria capaz de encontrar seu arco ali.

Quando estava pronta para dormir, ela se sentou à escrivaninha e escreveu uma mensagem para Chassar. Em código, contou sobre o novo ataque a Sabran, que ela havia conseguido deter.

Chassar havia prometido que responderia a suas cartas, mas nunca fazia isso. Nem uma única vez nos oito anos em que ela estava lá.

Ela dobrou a carta. O Mestre dos Correios a leria por ordem do Gavião Noturno, mas não veria nada além de palavras de cortesia. Chassar, por sua vez, compreenderia a verdadeira mensagem.

Houve uma batida na porta.

— Mestra Duryan?

Ead vestiu a camisola e abriu o trinco. Do lado de fora havia uma mulher que usava uma insígnia com o formato de um livro alado, o que a caracterizava como uma atendente a serviço de Seyton Combe.

— Pois não?

— Boa noite, Mestra Duryan. Fui enviada para informá-la de que o Secretário Principal deseja vê-la amanhã às nove e meia — a garota falou. — Eu vou escoltá-la até a Torre Alabastrina.

— Somente eu?

— Lady Katryen e Lady Margret já foram interrogadas hoje.

Ead apertou a maçaneta da porta com mais força.

— É um interrogatório, então.

— Acredito que sim.

Com a outra mão, Ead segurou a camisola junto do corpo.

— Muito bem, então — disse ela. — Mais alguma coisa?

— Não. Boa noite, mestra.

— Boa noite.

Enquanto a atendente se afastava, o corredor voltou a mergulhar na escuridão. Ead fechou a porta e encostou a testa na superfície de madeira.

Ela não conseguiria dormir naquela noite.

———

O *Rosa Eterna* balançava sobre a água, inclinado pelo vento que soprava do leste. Era aquele o navio que os levaria na travessia do mar até Yscalin.

— Está aí uma bela embarcação — Kit falou enquanto caminhavam até lá. — Acho que me casaria com essa belezura se eu fosse um navio.

Loth era obrigado a concordar. O *Rosa Eterna* ostentava cicatrizes de batalhas, mas era uma embarcação muito bonita — e colossal. Nem mesmo em suas passagens em revista à marinha ao lado de Sabran ele vira algo tão imenso como aquele encouraçado de guerra, com cento e oitenta canhões, uma frente ameaçadora e dezoito velas, todas adornadas com a Espada da Verdade, a insígnia da Virtandade. O símbolo atestava que se tratava de uma embarcação inysiana, e que todos os atos de sua tripulação, por mais moralmente dúbios que pudessem parecer, eram sancionados por sua monarquia.

Uma figura de proa de Rosarian IV, polida com todo o cuidado, observava tudo de seu posto. Cabelos pretos e pele branca. Olhos verdes como vidro marinho. Seu corpo estilizado terminava em uma cauda dourada.

Loth se lembrava com carinho da Rainha Rosarian nos anos que antecederam a sua morte. A Rainha Mãe, como passou a ser conhecida, muitas vezes ia vê-lo brincar com Sabran e Roslain nos pomares. Era uma mulher mais gentil do que Sabran, de riso fácil e brincalhona de um jeito que a filha nunca foi.

— É uma beleza, realmente — disse Gautfred Plume. Ele era o quartel-mestre, um anão de ascendência lássia. — Mas não tem metade da beleza da dama com que presenteou o capitão, vejam bem.

— Ah, sim. — Kit tirou o chapéu emplumado diante da figura de proa. — Que ela tenha seu descanso eterno nos braços do Santo.

Plume estalou a língua.

— A Rainha Rosarian tinha alma de sereia. Deveria descansar nos braços do mar.

— Oh, pelo amor do Santo, que belas palavras. Os sereianos existem mesmo, aliás? Você já viu algum ao cruzar o Abismo?

— Não. Peixes-pretos e grandes-lulas e baleias já vi, mas nem sombra de uma donzela do mar.

Kit ficou visivelmente desanimado.

As gaivotas circulavam pelo céu cheio de nuvens. O porto de Poleiro estava preparado para o pior, como sempre. Os atracadouros rangiam sob o peso dos soldados armados com mosquetões. Fileira após fileira de manganelas e canhões carregados de balas encadeadas, intercalados com manteletes de pedra, ocupavam a praia de prontidão. Os arqueiros montavam guarda nas torres de vigia, prontos para acender os faróis ao ouvirem um bater de asas ou avistarem uma embarcação inimiga.

Mais acima, a cidade fervilhava. Poleiro ficava acocorada sobre duas grandes saliências no meio de uma encosta rochosa, e se comunicava com o alto do penhasco e com a praia através de uma escada longa e sinuosa. As construções se equilibravam como pássaros empoleirados em um galho. Kit se divertia com aquela precariedade ("Pelo amor do Santo, o arquiteto deve ter se afundado no copo"), mas para Loth era motivo de apreensão. Parecia que apenas uma boa rajada de vento bastava para lançar Poleiro no mar.

Ainda assim, ele absorveu a paisagem para guardá-la na memória. Poderia ser a última coisa que veria em Inys, a única nação que conhecia na vida.

Eles encontraram Gian Harlowe em sua cabine, ocupado em escrever cartas. O homem outrora favorecido pela Rainha Mãe não era bem o que Loth imaginava. Estava de barba feita e punhos da camisa engomados, mas tinha algo de bruto também. Seu maxilar estava cerrado como uma armadilha de caça.

Quando entraram, ele ergueu o olhar. A catapora havia marcado seu rosto profundamente bronzeado.

— Gautfred — disse ele. — Uma cabeleira grisalha brilhou sob a luz do sol. — Acredito que esses sejam nossos… convidados.

Embora seu sotaque fosse sem dúvida inysiano, Kit mencionara que Harlowe vinha de costas distantes. Segundo boatos, era descendente do povo de Carmentum, uma república próspera do Sul que sucumbira à Era da Amargura. Seus sobreviventes estavam espalhados pelo mundo.

— Pois sim — Plume confirmou com um ar de cansaço. — Lorde Arteloth Beck e Lorde Kitston Glade.

— Kit — veio a correção imediata.

Harlowe baixou sua pena.

— Milordes — disse ele com frieza. — Sejam bem-vindos a bordo da *Rosa Eterna*.

— Obrigado por providenciar cabines para nós assim de última hora, Capitão Harlowe — Loth falou. — Trata-se de uma missão da maior importância.

— E da maior confidencialidade, segundo me disseram. É estranho que ninguém menos que o herdeiro de Goldenbirch seja o encarregado de levá-la adiante. — Harlowe olhou bem para Loth. — Vamos zarpar para a cidade portuária de Perunta em Yscalin ao anoitecer. Minha tripulação não está acostumada à presença de nobres, por isso seria mais confortável para nós se os senhores ficassem em suas cabines enquanto estão aqui.

— Sim — respondeu Kit. — Boa ideia.

— De boas ideias eu estou cheio — falou o capitão. — Algum de vocês já esteve em Yscalin antes?

Quando ambos sacudiram negativamente a cabeça, ele perguntou:

— Qual dos dois ofendeu o Secretário Principal?

Loth não viu o polegar de Kit apontar para ele, mas sentiu o gesto.

— Lorde Arteloth. — Harlowe soltou uma risada áspera. — E o senhor sendo um sujeito tão respeitável. Claramente o desagradou a ponto de Sua Graça não querer vê-lo com vida novamente. — O capitão se recostou na cadeira. — Com certeza os senhores sabem que a Casa de Vetalda assumiu abertamente sua aliança dragônica.

Loth estremeceu. A ideia de que uma nação poderia em poucos anos passar de seguidores do Santo a idólatras de seu inimigo abalou as estruturas da Virtandade.

— E todos obedecem a essa aliança?

— O povo faz o que o rei manda, mas as pessoas sofrem. Pelo que ouvimos dos trabalhadores das docas, a praga se espalhou por todos os lugares em Yscalin. — Harlowe retomou sua pena. — Por falar nisso, a tripulação não vai escoltar os senhores até a terra firme. Os senhores vão desembarcar em Perunta de bote.

Kit engoliu em seco.

— E depois?

— Vão ser recebidos por um emissário, que vai levá-los até Cárscaro. Sem dúvida nenhuma, a corte está a salvo da doença, já que os nobres podem se dar ao luxo de se isolar em suas fortalezas quando esse tipo de coisa acontece — respondeu Harlowe. — Mas tentem evitar encostar nas pessoas. O tipo mais comum da doença é passado através da pele.

— Como sabe disso? — Loth perguntou. — A peste dragônica não aparecia fazia séculos.

— Eu tenho um interesse especial pela sobrevivência, Lorde Arteloth. Recomendo que desenvolva o mesmo que eu.

O capitão ficou de pé.

— Mestre Plume, prepare a embarcação. Vamos tratar de entregar nossos lordes na costa sãos e salvos, mesmo que seja para morrer assim que desembarcarem.

7

Oeste

A Torre Alabastrina era uma das mais altas do palácio de Ascalon. No topo de sua escadaria serpenteante ficava a Câmara do Conselho, redonda e arejada, com as janelas emolduradas por cortinas leves.

Ead foi escoltada pela porta quando o relógio da torre marcou nove e meia. Além de trajar um de seus melhores vestidos, usava também um rufo modesto e sua única gargantilha.

Um retrato do Santo observava todos da parede. Sir Galian Berethnet, ancestral direto de Sabran. Erguida em sua mão estava Ascalon, a Espada da Verdade, em homenagem à qual a capital fora batizada.

Ead pensava que ele parecia um grandíssimo tolo.

O Conselho da Virtudes era composto de três órgãos. Os mais poderosos eram os Duques Espirituais, cada qual sendo um descendente de uma das famílias de um membro do Séquito Sagrado — os seis cavaleiros de Galian Berethnet — e cada qual um guardião de uma das Virtudes da Cavalaria. Em seguida, vinham os Condes Provinciais — os chefes das famílias nobres que controlavam os seis condados de Inys — e os Cavaleiros Bacharéis, que eram plebeus de nascimento.

Naquele dia, apenas quatro membros do conselho estavam sentados à mesa que dominava o recinto.

A Dama Anunciadora bateu seu cajado.

— Mestra Ead Duryan — disse ela. — Uma Dama de Câmara de Segunda Classe da Câmara Privada de Sua Majestade.

A Rainha de Inys estava à cabeceira da mesa. Seus lábios estavam pintados de uma cor vermelha como sangue.

— Mestra Duryan — disse ela.

— Majestade. — Ead prestou seus respeitos. — Suas Graças.

— Sente-se.

Enquanto se sentava, Ead trocou um olhar com Sir Tharian Lintley, Capitão dos Cavaleiros do Corpo, que ofereceu a ela um sorriso reconfortante de seu posto junto à porta. Como a maioria dos membros da Guarda Real, Lintley era alto, robusto e não lhe faltavam admiradores na corte. Era apaixonado por Margret desde o dia que ela chegara, e Ead sabia que o sentimento era correspondido, mas a diferença de posição hierárquica mantinha os dois separados.

— Mestra Duryan — disse o Lorde Seyton Combe, com as sobrancelhas erguidas. O Duque da Cortesia estava sentado à esquerda da rainha. — A senhorita está bem?

— Perdão, milorde?

— Essas manchas sob seus olhos.

— Estou ótima, Sua Graça. Só um pouco cansada depois de toda a animação da visita dos mentendônios.

Combe a mediu da cabeça aos pés por cima da borda da taça. Perto dos 60 anos, com olhos tempestuosos, pele amarelada e uma boca quase sem lábios, o Secretário Principal tinha uma presença formidável. Dizia-se que, caso um complô fosse armado contra a Rainha Sabran pela manhã, ele já teria mandado os cúmplices para a roda de tortura ao meio-dia. Era uma pena que ainda não havia conseguido pôr as mãos em quem comandava os assassinos.

— De fato. Uma visita imprevista, mas agradável — Combe comentou, e um sorriso contido voltou a se formar em seus lábios. Todas as suas expressões eram contidas. Como o efeito do vinho misturado com água.

— Já interrogamos diversos membros do serviço real, mas consideramos prudente deixar as damas de Sua Majestade para o último dia, já que estavam ocupadas durante a visita dos mentendônios.

Ead sustentou o olhar dele. Combe podia dominar o idioma dos segredos, mas não conhecia o seu.

Lady Igrain Crest, a Duquesa da Justiça, estava sentada do outro lado da rainha. Ela fora a principal influência sobre Sabran durante sua menoridade, após a morte da Rainha Rosarian, e, ao que parecia, fora a principal responsável por moldá-la como um exemplo de virtude.

— Agora que a Mestra Duryan chegou — disse ela, sorrindo para Ead —, acho que podemos começar.

Crest tinha a mesma silhueta estreita e os olhos bem azuis da neta, Roslain — embora os cabelos, frisados nas têmporas, já tivessem embranquecido fazia tempo. As linhas de expressão cercavam seus lábios, que eram quase tão pálidos quanto o restante do rosto.

— De fato — disse Lady Nelda Stillwater. A Duquesa da Coragem era uma mulher robusta, com uma pele marrom escura e cabelos pretos cacheados. Uma gargantilha de rubis brilhava ao redor de seu pescoço. — Mestra Duryan, um homem foi encontrado morto na soleira da porta da Grande Alcova na noite de anteontem. Estava em posse de uma adaga yscalina.

Uma adaga de defesa, mais especificamente. Em duelos, eram usadas no lugar do escudo para proteger e defender quem a empunhava, mas também eram capazes de matar. Todos os assassinos portavam uma.

— Ao que parece, tinha a intenção matar Sua Majestade, mas acabou morto — disse Stillwater.

— Um horror — o Duke da Generosidade resmungou. Lorde Ritshard Eller, de pelo menos 90 anos, usava roupas grossas de pele mesmo no verão. Pelo que Ead pôde observar, era também um hipócrita tolo.

Ead controlou a expressão em seu rosto.

— Mais um assassino?

— Sim — disse Stillwater, franzindo a testa. — Como a senhorita sem dúvida já ouviu falar, isso aconteceu mais de uma vez no último ano. Dos nove candidatos a assassinos que conseguiram entrar no Palácio de Ascalon, cinco foram abatidos antes que pudessem ser presos.

— É tudo muito estranho — Combe falou em um tom pensativo. — No entanto, parece razoável concluir que alguém do Alto Escalão de Serviço matou o facínora.

— Um feito dos mais nobres — comentou Ead.

Crest deu um risinho debochado.

— Eu não diria isso, minha cara — ela falou. — Essa *figura protetora*, quem quer que seja, também está promovendo uma matança, e precisa ser desmascarada. — A voz dela exalava frustração. — Assim como o assassino, entrou nos aposentos reais sem ser vista, conseguindo se esquivar de alguma forma dos Cavaleiros do Corpo. Em seguida, cometeu um assassinato e deixou o cadáver à vista de Sua Majestade. A intenção seria matar nossa rainha de susto?

— Imagino que a intenção seja impedir que nossa rainha morra *degolada*, Sua Graça.

Sabran ergueu uma sobrancelha.

— A Cavaleira da Justiça repudia todo e qualquer derramamento de sangue, Mestra Duryan — retrucou Crest. — Se a pessoa que está matando os assassinos se apresentasse a nós, poderíamos pensar em perdoá-la, mas essa recusa a revelar sua identidade é indício de uma intenção nefasta. E nós *vamos* descobrir quem é.

— Estamos contando com a ajuda das testemunhas para isso, mestra. Esse incidente aconteceu anteontem, por volta da meia-noite — falou Combe. — Diga, a senhorita viu ou escutou algo suspeito?

— Nada que me venha à mente agora, Sua Graça.

Sabran continuava a encará-la. Aquele escrutínio fazia Ead sentir um leve calor sob o rufo que usava no pescoço.

— Mestra Duryan, a senhorita é uma serva leal desta corte — continuou Combe. — Eu sinceramente duvido que o Embaixador uq-Ispad presentearia Sua Majestade com uma dama que não possuísse um caráter impecável. Mesmo assim, devo avisá-la de que seu silêncio a esse respeito seria um ato de traição. A senhorita sabe *qualquer coisa* sobre esse assassino? Ouviu alguém expressar seu descontentamento em relação a Sua Majestade, ou simpatia pelo Reino Dragônico de Yscalin?

— Não, Sua Graça — Ead falou. — Mas, caso ouça algum comentário, vou levá-lo imediatamente ao seu conhecimento.

Combe trocou um olhar com Sabran.

— Tenha um bom dia, mestra — disse a rainha. — Vá cuidar de seus afazeres.

Ead fez uma mesura e saiu da câmara. Lintley fechou as portas atrás dela.

Não havia guardas por ali; ficavam a postos na base da torre. Ead se certificou de fazer com que seus passos fossem ouvidos enquanto descia a escada, mas parou logo depois dos primeiros degraus.

Sua audição era mais aguçada que a da maioria das pessoas. Uma prerrogativa da magia que corria em seu sangue.

— … parece sincera — Crest ia dizendo —, mas ouvi dizer que alguns ersyrios mexem com as artes proibidas.

— Ora, que absurdo — objetou Combe. — Não me diga que realmente acredita nessa conversa de alquimia e feitiçaria.

— Como Duquesa da Justiça, eu devo levar em conta *todas* as possibilidades, Seyton. Todos sabemos que os assassinos são uma iniciativa dos yscalinos, claro, e ninguém tem uma motivação maior que Yscalin para matar Sua Majestade, mas também devemos descobrir quem é essa *figura protetora*, que mata com tamanha habilidade. Eu gostaria muito de saber com quem aprendeu esse… ofício.

— Mestra Duryan sempre foi uma dama de companhia das mais cuidadosas, Igrain — disse Sabran. — Se não há nenhuma prova do envolvimento dela, é melhor seguirmos em frente.

— Como desejar, Majestade.

Ead soltou um suspiro de alívio.

Seu segredo estava a salvo. Ninguém a vira entrar nos aposentos reais naquela noite. Se mexer sem ser vista era outro de seus dons, pois com a chama também vinha a sutileza da sombra.

Houve um ruído mais abaixo. Pés envolvidos em armadura subindo a escada. Os Cavaleiros do Corpo, fazendo sua ronda.

Ela precisava de um lugar mais discreto para continuar escutando. Com agilidade, desceu para o andar de baixo e escapuliu para uma varanda.

— … uma idade compatível com a sua, agradável em todos os sentidos, inteligente e um soberano da Virtandade. — Era Combe quem falava. — Como se sabe, Majestade, as últimas cinco rainhas da Casa de Berethnet se uniram a consortes inysianos. Não há um matrimônio com um estrangeiro há mais de dois séculos.

— Sinto uma preocupação de sua parte, Sua Graça — Sabran falou.

— Por acaso tem tão pouca fé nos atrativos dos homens inysianos que se surpreende por minhas ancestrais os terem escolhido como consorte?

Risadinhas.

— Como um homem inysiano, eu protesto contra essa afirmação — Combe falou em um tom leve —, mas os tempos mudaram. Um matrimônio com um estrangeiro é fundamental. Nosso mais antigo aliado traiu a verdadeira religião, e *precisamos* mostrar ao mundo que as três nações restantes que juraram lealdade ao Santo se manterão unidas, aconteça o que acontecer, e que ninguém dará apoio a Yscalin em sua crença equivocada na volta do Inominado.

— É uma ideia perigosa, essa dos yscalinos — acrescentou Crest.

— O povo do Leste venera os wyrms. Podem ficar tentados a fazer uma aliança com um território dragônico.

— Acredito que esteja equivocada em sua avaliação desse perigo, Igrain — disse Stillwater. — Pelo que ouvi dizer, o Leste ainda teme a peste dragônica.

— Yscalin também temia.

— O que é certo — interrompeu Combe —, é que não podemos deixar transparecer *nenhum* sinal de fraqueza. Um matrimônio com Lievelyn, Majestade, deixaria claro que a Cota de Malha da Virtandade está mais firme do que nunca.

— O Príncipe Rubro faz comércio com os adoradores de wyrms — retrucou Sabran. — Certamente seria imprudente darmos nossa aprovação implícita a essa prática. Especialmente agora. Não concorda comigo, Igrain?

Ao ouvir aquilo, Ead não conseguiu conter o sorriso. A rainha já havia encontrado uma objeção contra seu pretendente.

— Embora gerar uma herdeira o quanto antes seja o dever de uma Berethnet, eu concordo, Majestade. Muito bem observado — disse Crest, em um tom maternal. — Lievelyn é indigno da linhagem do Santo. Seu comércio com Seiiki envergonha a Virtandade. Se deixarmos implícita nossa tolerância com tal heresia, podemos encorajar aqueles que cultuam o Inominado. E não podemos esquecer que Lievelyn também já foi comprometido com a Donmata Marosa, que agora é herdeira de um território dragônico. E um afeto por ela ainda pode existir.

Um Cavaleiro do Corpo passou diante da varanda. Ead ficou colada à parede.

— O noivado foi rompido assim que Yscalin traiu sua fé — disse Combe. — Quanto ao comércio com o Leste, a Casa de Lievelyn não manteria relações com Seiiki se isso não fosse essencial. Os Vatten podem ter levado a fé a Mentendon, mas também empobreceram a nação.

Se oferecermos aos mentendônios termos favoráveis em nossa aliança, e um matrimônio com a realeza em um horizonte próximo, talvez o acordo comercial seja rompido.

— Meu caro Seyton, não é a necessidade que motiva os mentendônios, e sim a ganância. Eles *gostam* de ter o monopólio do comércio com o Leste. Além disso, não acredito que teríamos como mantê-los na linha indefinidamente — respondeu Crest. — Não há necessidade de falarmos sobre Lievelyn. Um pretendente muito mais adequado, que eu venho defendendo há *muito tempo*, Majestade, é o Alto Caudilho de Askrdal. Precisamos manter fortes nossos laços com Hróth.

— Ele tem 70 anos — Stillwater falou, parecendo abismada.

— E Glorian, a Defensora, não se casou com Guma Vetalda, que tinha 74? — interferiu Eller.

— De fato, e ele lhe deu uma filha saudável — Crest falou com satisfação. — Askrdal traria a experiência e a sabedoria que um príncipe jovem como Lievelyn não tem.

Depois de uma pausa, Sabran se manifestou:

— Não existem outros pretendentes?

Fez-se um longo silêncio.

— Os boatos sobre sua intimidade com Lorde Arteloth estão se espalhando, Majestade — falou Eller com a voz trêmula. — Há quem acredite que a senhora possa ter *se casado* em segredo com...

— Poupe-me das fofocas sem fundamento, Sua Graça. E por falar em Arteloth — disse Sabran —, ele deixou a corte sem aviso nem motivo aparente. Estou sem notícias dele.

Mais um período de silêncio carregado.

— Majestade — começou Combe —, meus lançadiços me informaram que Lorde Arteloth embarcou em um navio rumo a Yscalin, acompanhado de Lorde Kitston Glade. Aparentemente, ele ficou sabendo de minha intenção de enviar um espião para encontrar o senhor seu pai... mas acreditava ser o único homem capaz de uma missão tão cara à senhora, Majestade.

Yscalin.

Por um terrível momento, Ead não conseguiu se mover ou respirar.

Loth.

— Pode ser melhor assim — Combe continuou, diante do silêncio geral. — A ausência de Lorde Arteloth há de esfriar os rumores sobre o suposto caso amoroso, e já passou da hora de sabermos o que anda acontecendo em Yscalin. E se o senhor seu pai, o Príncipe Wilstan, ainda está vivo.

Combe estava mentindo. Loth não poderia ter descoberto *por acaso* um plano para enviar um espião a Yscalin e ter decidido ir pessoalmente em vez disso. Era uma ideia absurda. Loth jamais seria tão imprudente, e o Gavião Noturno nunca permitiria que uma empreitada de tamanha importância fosse descoberta.

Era ele quem maquinara tal coisa.

— Isso não me parece certo — Sabran disse por fim. — Não é do feitio de Loth um comportamento tão impulsivo. E considero dificílimo acreditar que nenhum de vocês tenha desconfiado das intenções dele. Vocês não são meus conselheiros? Não têm olhos espalhados por todos os cantos de minha corte?

O silêncio que veio a seguir foi espesso como maçapão.

— Eu pedi para que mandassem alguém buscar meu pai há dois anos, Lorde Seyton — a rainha falou em um tom mais brando. — O senhor me disse que era arriscado de mais.

— Infelizmente era mesmo, Majestade. Mas agora considero um risco necessário, se quisermos saber a verdade.

— Lorde Arteloth *não pode* correr esse risco. — Havia uma tensão perceptível na voz dela. — Trate de mandar seus atendentes atrás dele. Para trazê-lo de volta a Inys. Você *precisa* detê-lo, Seyton.

— Perdão, Majestade, mas a esta altura ele já deve estar no território dragônico. É quase impossível mandar alguém resgatar Lorde Arteloth sem alertar os Vetalda de que ele está lá para tratar de assuntos não autorizados, o que eles já devem suspeitar. Nós apenas colocaríamos a vida dele em perigo.

Ead sentiu um nó na garganta. Não só Combe havia mandado Loth embora como o enviou para um lugar onde Sabran não tinha nenhuma influência. Não havia nada que ela pudesse fazer. Não depois de Yscalin ter se tornado um inimigo tão imprevisível, capaz de destruir o frágil equilíbrio da paz em um piscar de olhos.

— Majestade — disse Stillwater —, compreendo que essa notícia lhe seja dolorosa, mas precisamos tomar uma decisão definitiva sobre o pretendente.

— Sua Majestade já se decidiu *contrariamente* a Lievelyn — intercedeu Crest. — Askrdal é o único…

— Sou obrigado a insistir na discussão, Igrain. Lievelyn é um melhor candidato em diversos aspectos, e eu não gostaria de eliminá-lo da conversa — Stillwater falou em um tom carregado de irritação. — Trata-se de um assunto delicado, perdão, Majestade, mas é preciso ter uma sucessora, e depressa, para tranquilizar o povo e assegurar o trono por mais uma geração. E os atentados contra sua vida tornam a questão muito mais urgente. Se a senhora *já* tivesse uma filha…

— Obrigada pela preocupação, Sua Graça — Sabran interrompeu secamente —, mas ainda não me recuperei do choque de encontrar um cadáver ao lado de minha cama a ponto de pensar em seu uso para conceber uma criança. — Uma cadeira se arrastou no chão, seguida de quatro outras. — Podem questionar Lady Linora sem minha presença.

— Majestade… — Combe começou.

— Agora farei meu desjejum. Um bom dia.

Ead voltou para dentro e continuou sua descida antes que as portas da Câmara do Conselho se abrissem. Na base da torre, ela percorreu o caminho com o coração na mão.

Margret ficaria arrasada quando descobrisse. Seu irmão era ingênuo e gentil demais para servir como espião na corte dos Vetalda.

Ele não duraria muito tempo naquele mundo.

Na Torre da Rainha, o serviço real fazia sua dança matinal. Os criados se movimentavam entre um cômodo e outro. A Cozinha Privativa exalava o cheiro do pão sendo assado. Engolindo a amargura da melhor maneira que era capaz, Ead se encaminhou para a Câmara da Presença, onde os solicitantes estavam aglomerados, como sempre, à espera da rainha.

Ead sentiu o alerta de suas égides quando se aproximou da Grande Alcova. Estavam espalhadas como armadilhas por todo o palácio. Em seu primeiro ano na corte, ela se reduzira a ataques nervosos, incapaz de dormir com a movimentação em torno delas, porém pouco a pouco aprendera a reconhecer as sensações que cada coisa causava, e a analisá-las como se fossem contas em um ábaco. Havia se condicionado a prestar atenção apenas quando alguém estava fora de seu devido lugar. Ou quando um desconhecido aparecia na corte.

Lá dentro, Margret estava desfazendo a cama, enquanto Roslain Crest separava os paninhos. Sabran devia estar perto de sangrar — o lembrete mensal de que ainda não gestava uma herdeira.

Ead se juntou a Margret na tarefa. Ela precisava contar sobre Loth, mas teria que esperar até que estivessem a sós.

— Mestra Duryan — falou Roslain, quebrando o silêncio.

Ead endireitou a postura.

— Milady.

— Lady Katryen está doente hoje. — A Dama Primeira prendeu um dos paninhos em um cintilho de seda. — Você vai provar a comida de Sua Majestade no lugar dela.

Margret franziu a testa.

— Claro — Ead falou sem se alterar.

Era uma punição por seu desvio de conduta quando contara a história. As Damas da Alcova eram recompensadas de acordo pelos riscos que corriam como provadoras, mas, para uma dama de câmara, era uma tarefa ingrata e perigosa.

Para Ead, era também uma oportunidade.

A caminho do Solário Real, uma outra oportunidade se apresentou. Truyde utt Zeedeur andava logo atrás de duas outras damas de companhia. Quando Ead passou, segurou-a pelo ombro e a puxou de lado, sussurrando em seu ouvido:

— Me encontre depois das rogatórias amanhã à noite, ou suas cartas vão direto para as mãos de Sua Majestade.

Quando as outras damas de companhia olharam para trás, Truyde sorriu, como se Ead tivesse contado uma piada. Era astuciosa como uma raposa.

— Onde? — ela perguntou, ainda sorrindo.

— Na Escada Privativa.

Elas se afastaram.

O Solário Real era um refúgio silencioso. Três das paredes se projetavam a partir da Torre da Rainha, oferecendo uma vista inigualável da capital inysiana, Ascalon, e do rio que a cortava. As colunas de pedra e a fumaça da lenha queimando se elevavam das ruas. Cerca de duzentas mil almas chamavam aquela cidade de lar.

Ead quase nunca circulava por lá. Não era apropriado que damas de companhia fossem vistas barganhando com comerciantes ou andando no meio da sujeira.

O sol lançava sombras sobre o piso. Era possível ver a silhueta da rainha à mesa, sozinha, a não ser pela presença dos Cavaleiros do Corpo na porta. Eles cruzaram suas partasanas na frente de Ead.

— Mestra, não é a senhorita que está escalada para servir a refeição de Sua Majestade hoje — um deles falou.

Antes que ela pudesse se explicar, Sabran gritou:

— Quem é?

— Mestra Ead Duryan, Majestade. Sua dama de câmara.

Silêncio. E então:

— Podem deixá-la entrar.

Os cavaleiros abriram caminho imediatamente. Ead se aproximou da rainha sem produzir nenhum ruído com as solas dos sapatos.

— Um bom dia, Majestade — ela falou com uma mesura.

Sabran já havia levantado os olhos de seu livro de orações, as páginas com bordas revestidas em ouro.

— Era Kate quem deveria estar aqui.

— Lady Katryen está doente.

— Ela foi minha companheira de leito ontem. Eu saberia se estivesse doente.

— Lady Roslain informou que é este o caso — Ead explicou. — Se me permite, eu vou provar sua comida hoje.

Como não recebeu nenhuma resposta, Ead se sentou. Assim tão próxima de Sabran, ela conseguia sentir o cheiro de seu pomo aromático, cheio de raiz de orris e cravo. Os inysianos acreditavam que esses perfumes eram capazes de afastar doenças.

Elas ficaram em silêncio por um tempo. O peito de Sabran subia e descia sem alterações, porém seu maxilar cerrado denunciava sua raiva.

— Majestade — Ead disse por fim —, pode ser ousadia demais de minha parte comentar, mas a senhora parece estar com um humor exaltado hoje.

— É uma ousadia tremenda. Está aqui para constatar se minha comida está envenenada, e não para fazer comentários sobre meu estado de humor.

— Perdão.

— Eu venho sendo complacente demais. — Sabran fechou o livro com força. — Você claramente não demonstra a menor consideração pela Cavaleira da Cortesia, Mestra Duryan. Talvez não tenha se convertido verdadeiramente. Talvez preste homenagens vazias a meu ancestral, enquanto em segredo se agarra a uma falsa religião.

Ead só estava ali fazia um minuto, e já estava em um terreno de areia movediça.

— Senhora — ela falou com cautela —, a Rainha Cleolind, sua ancestral, era uma princesa herdeira da Lássia.

— Você não precisa me lembrar disso. Pensa que sou alguma estúpida?

— Não era minha intenção insultá-la — Ead respondeu.

Sabran deixou seu livro de orações de lado.

— A Rainha Cleolind era nobre e tinha um bom coração — continuou Ead. — Não era por culpa dela que desconhecia as Seis Virtudes quando nasceu. Eu posso ser ingênua, mas, em vez de puni-los, considero que devemos ter compaixão com os ignorantes e conduzi-los à luz.

— Certamente — Sabran falou com um tom ácido. — À luz da pira.

— Se a senhora pretende me mandar para a fogueira, eu lamento muito. Ouvi dizer que nós ersyrios somos péssimos como lenha. Somos como areia, acostumados às queimaduras do sol.

A rainha a encarou. Seu olhar baixou para o broche no vestido de Ead.

— Você tomou o Cavaleiro da Generosidade como seu padroeiro.

Ead tocou o broche.

— Sim — disse ela. — Como uma de suas damas, eu lhe dou minha lealdade, Majestade. Para dar alguma coisa, é preciso ser generosa.

— Generosidade. Assim como Lievelyn. — Sabran disse aquilo quase para si mesma. — Talvez você possa se mostrar mais generosa do que certas damas daqui. Primeiro Ros faz questão de engravidar, e então estava cansada demais para me servir, depois Arbella não pode mais caminhar comigo, e agora Kate finge doenças. Sou lembrada todos os dias que nenhuma *delas* tem o Cavaleiro da Generosidade como padroeiro.

Ead sabia que Sabran estava enraivecida, mas precisou se segurar para não jogar todo o vinho na cabeça dela. As Damas da Alcova se sacrificavam muito para estarem a serviço da rainha o tempo todo. Provavam sua comida, experimentavam seus vestidos, arriscavam suas vidas. Katryen, uma das mulheres mais desejáveis da corte, provavelmente jamais teria um companheiro. Quanto a Arbella, tinha 70 anos de idade, havia servido a Sabran e à mãe dela, e ainda assim se recusava a se aposentar.

Ead foi poupada de dar uma resposta pela chegada da refeição. Truyde utt Zeedeur estava entre as damas de companhia presentes, mas se recusou a olhar para Ead.

Muitos costumes inysianos a deixaram perplexa ao longo dos anos, mas as refeições reais eram dos mais absurdos. Primeiro, era servido o vinho da preferência da rainha, e então não um, nem dois, mas *dezoitos* pratos lhe eram oferecidos. Cortes finíssimos de carne assada. Mingau de cereais com groselhas. Panquecas com mel negro, manteiga de maçã ou ovos de codorna. Peixes salgados do Limber. Frutas silvestres em uma tigela de creme em neve.

Como sempre, Sabran escolheu apenas uma fatia de pão dourado. Um aceno com o queixo na direção do alimento foi a única indicação disso.

Silêncio. Truyde estava olhando pela janela. Uma das outras damas de companhia, parecendo em pânico, a cutucou com o cotovelo. Trazida de volta à tarefa que deveria executar, Truyde pegou o pão com um guardanapo e o colocou no prato real com uma mesura. Outra dama de companhia serviu uma colherada em espiral de manteiga doce.

Era a hora de provar. Com um sorrisinho malicioso, Truyde entregou a Ead a faca com cabo de osso.

Primeiro, Ead provou o vinho. Depois experimentou a manteiga doce. Estavam ambos inalterados. Em seguida, cortou um pedaço do pão e o tocou com a ponta da língua. Uma gota do veneno de viúva faria o céu de sua boca formigar, de dipsas ressecaria seus lábios e o pó da eternidade — o mais raro entre os venenos — deixava cada pedacinho da comida com um gosto nauseante.

Não havia nada ali além de miolo de pão. Ela deslizou os pratos para a rainha e entregou a faca de prova de volta a Truyde, que a limpou e a envolveu em um pano.

— Saiam — disse Sabran.

Houve uma troca de olhares. Geralmente, a rainha solicitava divertimentos e fofocas das damas de companhia durante as refeições. Em movimentos simultâneos, elas fizeram suas mesuras e se retiraram. Ead foi a última a se levantar.

— Você não.

Ead voltou a se sentar.

O sol já estava mais forte, enchendo o Solário Real de luz. Seus raios dançavam na caneca de vinho de rosado.

— Lady Truyde parece aflita ultimamente. — Sabran olhou na direção da porta. — Sentindo-se mal talvez, como Kate. Seria de se esperar que as doenças afligissem a corte durante o inverno.

— Sem dúvida é a febre da rosa, senhora, apenas isso. Mas no caso de Lady Truyde, imagino que possa ser saudade de casa — disse Ead.

— Ou... um outro sentimento que aflige o coração, como costuma acontecer com as jovens damas.

— Você não tem idade para falar dessa forma. Quantos anos tem?

— Vinte e seis, Majestade.

— Não é muito mais jovem que eu. E *você*, teve seu coração afligido, como costuma acontecer com as jovens damas?

Se viessem de outros lábios, poderiam ser palavras ditas em tom afetuoso, mas a boca de Sabran eram frias como as pedras preciosas penduradas em seu pescoço.

— Receio que um cidadão inysiano consideraria difícil amar alguém que no passado proferia outra fé — Ead respondeu depois de pensar um pouco.

A pergunta de Sabran carregava consigo um peso considerável. O ritual da corte era um assunto bastante sério e formal em Inys.

— Que absurdo — disse a rainha. O sol brilhava sobre seus cabelos. — Ouvi dizer que você é bastante próxima de Lorde Arteloth. Ele me disse que vocês sempre trocam presentes no Festim da Confraternidade.

— Sim, senhora — confirmou Ead. — Nós somos próximos. Fiquei aflita quando soube que ele saiu da cidade.

— Ele voltará. — Sabran lançou para ela um olhar inquisitivo. — Ele chegou a cortejá-la?

— Não — Ead respondeu com sinceridade. — Considero Lorde Arteloth um amigo querido, e não mais que isso. Mesmo se fosse o caso, não estou em posição de me casar com o futuro Conde de Goldenbirch.

— De fato. O Embaixador uq-Ispad me contou que seu sangue era inferior. — Sabran deu um gole no vinho. — Vocês não estão apaixonados, então.

Uma mulher que insultava aqueles que estavam abaixo dela com tanta facilidade devia ser suscetível a bajulações.

— Não, senhora — disse Ead. — Eu não estou aqui para perder tempo em busca de um companheiro. Estou aqui para servir a graciosíssima Rainha de Inys. Isso mais do que me basta.

Sabran não sorriu, mas a expressão severa de seu rosto foi amenizada.

— Talvez você possa caminhar comigo no Jardim Privativo amanhã — disse ela. — Quer dizer, se Lady Arbella ainda estiver indisposta.

— Se for de seu agrado, Majestade — Ead falou.

A cabine só tinha espaço o bastante para dois leitos. Um mentendônio grandalhão entregou uma refeição composta de carne salgada, um peixinho do tamanho de um polegar para cada um e um pão feito de farelos de trigo e duro o bastante para lascar os dentes. Kit conseguiu comer apenas metade da carne antes de precisar fugir para o convés.

Na metade do pão, Loth desistiu. Aquilo era bem diferente das refeições suntuosas da corte, mas a comida detestável era a menor de suas preocupações. Combe o estava mandando para sua morte, e por nada.

Ele sempre soube que o Gavião Noturno era capaz de dar sumiço nas pessoas. Pessoas que ele considerava como uma ameaça à Casa de Berethnet, fosse por um comportamento indigno de sua posição ou por almejarem um poder maior do que o considerado aceitável.

Mesmo antes de Margret e Ead o alertarem de que as conversas estavam se espalhando pela corte, Loth já sabia dos boatos. Os rumores de que ele havia seduzido Sabran, casado com ela em segredo. Agora os Duques Espirituais estavam à procura de um consorte estrangeiro para ela, e o falatório, por mais que pudesse não ter base nenhuma, representava um obstáculo. Loth era um problema, que Combe havia tratado de resolver.

Devia haver alguma maneira de entrar em contato com Sabran. Por ora, no entanto, ele precisaria se concentrar na missão que tinha em mãos. Aprender a ser um espião em Cárscaro.

Massageando o dorso do nariz, Loth pensou em tudo o que sabia sobre Lorde Wilstan Fynch.

Quando criança, Sabran nunca fora muito próxima do pai. Sempre limpo e barbeado, com o modo de conduzir de um militar, Fynch sempre pareceu a Loth a encarnação de seu ancestral, o Cavaleiro da Temperança. O príncipe consorte não era dado a demonstrações de sentimentos, mas claramente apreciava sua família, e fazia com que Loth e Roslain, que eram as pessoas mais próximas da filha, se sentissem como parte dela.

Quando Sabran fora coroada, a relação deles mudara. Pai e filha costumavam ler juntos na Biblioteca Privativa, e ele a aconselhava sobre assuntos ligados aos exercícios da função. A morte da Rainha Rosarian deixara um espaço vazio em suas vidas, e fora graças a isso que por fim se aproximaram — mas aquilo não bastava para Fynch. Rosarian era sua estrela-guia e, sem ela, ele se sentia perdido na vastidão da corte inysiana. Ele pedira a Sabran a permissão para fixar residência em Yscalin como embaixador, e estava contente naquela função, escrevendo para ela a cada temporada. Ela sempre ficava ansiosa pela chegada das cartas de Cárscaro, onde a Casa de Vetalda comandava uma corte festiva. Loth imaginava que devia ser mais fácil para Fynch afogar as mágoas longe do lar que compartilhara com Rosarian.

Sua última carta fora diferente. Ele comunicara a Sabran, em todas as letras, sua suspeita de que os Vetalda estavam envolvidos no assassinato de Rosarian. Fora a última vez que alguém em Inys teve notícias do Duque da Temperança antes que os pombos viessem com a declaração de que Yscalin adotara o Inominável como seu deus e mestre a partir dali.

Loth teria que descobrir o que havia acontecido na cidade. O que causara a ruptura com a Virtandade, e o que acontecera com Fynch. Porém, qualquer informação seria inútil se Yscalin declarasse guerra à Casa de Berethnet, o que Sabran temia que acontecesse havia um tempo.

Ele enxugou a testa. Kit devia estar suando como um porco no convés. Pensando bem, Kit já estava lá fazia tempo demais.

Com um suspiro, Loth se levantou. Não havia tranca na porta, mas ele imaginou que os piratas não teriam para onde arrastar os baús com trajes e outros pertences pessoais que vieram na carruagem. Combe devia ter mandado seus atendentes prepararem aquela bagagem enquanto

Loth estava na Câmara Privativa sem saber de nada, partilhando de uma refeição com Sabran e Roslain.

O ar no convés estava fresco. Uma brisa soprava sobre as ondas. Enquanto a tripulação se movimentava de um lado para o outro, os homens entoavam uma canção, acelerada e impregnada demais do jargão marítimo para Loth conseguir compreender. Apesar do que Harlowe dissera, ninguém deu atenção a ele quando subiu para o tombadilho.

O Estreito do Cisne era a divisa entre o Rainhado de Inys e o grande continente onde ficavam os territórios do Oeste e do Sul. Mesmo no auge do verão, ventos congelantes sopravam para lá, vindos do Mar Cinéreo.

Ele encontrou Kit inclinando sobre a amurada, limpando vômito do rosto.

— Boa tarde, *milorde.* — Loth deu um tapinha nas costas dele. — Resolveu provar do vinho dos piratas?

Kate estava pálido como um lírio.

— Arteloth, acho que não estou nada bem — ele falou.

— Você precisa de uma cerveja.

— Não tive coragem de pedir. Eles estão rugindo desse jeito desde que eu subi para cá.

— Estão cantando as misérias — uma voz áspera falou.

Loth se virou. Uma mulher com um chapéu preto de abas largas estava recostada na amurada mais próxima.

— Canções de trabalho. — Ela jogou um odre de vinho para Kit. — Isso ajuda os esfregões a passar o tempo.

Kit puxou a rolha.

— Você disse *esfregões*, mestra?

— Esse pessoal que limpa o convés.

Considerando o visual e o sotaque, aquela corsária vinha de Yscalin. Pele marrom clara, bronzeada e sardenta. Cabelos da cor do vinho de cevada. Olhos de âmbar, levemente contornados com tinta preta, e o olho esquerdo marcado por uma cicatriz. Estava bastante apresentável para uma pirata, desde o lustre das botas até o justilho impecável. Uma rapieira estava pendurada na cintura.

— Se eu fosse vocês, voltaria para a cabine antes do anoitecer — ela avisou. — A maioria da tripulação não tem muita estima por jovens lordes. Plume mantém todo mundo na linha, mas, quando ele dorme, as boas maneiras adormecem junto.

— Acredito que não fomos apresentados ainda, mestra — disse Kit. O sorriso dela se alargou.

— E o que o faz pensar que eu *quero* ser apresentada a você, meu caro lorde?

— Bem, foi você que puxou conversa.

— Talvez eu esteja entediada.

— Talvez nós possamos ser interessantes. — Ele fez uma mesura extravagante. — Sou o Lorde Kitston Glade, poeta da corte. Futuro Conde de Honeybrook, para infelicidade de meu pai. É um grande prazer conhecê-la.

— Lorde Arteloth Beck. — Loth inclinou a cabeça. — Herdeiro do Conde e da Condessa de Goldenbirch.

A mulher ergueu uma sobrancelha.

— Estina Melaugo. Herdeira dos meus próprios cabelos brancos. Contramestra do *Rosa Eterna*.

Ficou claro pela expressão de Kit que ele conhecia aquela mulher. Loth preferiu não perguntar de onde a conhecia.

— Então vocês estão indo para Cárscaro — falou Melaugo.

— Você veio desta cidade, mestra? — perguntou Loth.

— Não. De Vazuva.

Loth a observou enquanto dava um gole de uma garrafa de vinho.

— Mestra, será que pode nos dizer o que esperar da corte do Rei

Sigoso? — inquiriu ele. — Sabemos pouquíssimo sobre o que vem acontecendo em Yscalin nos últimos dois anos.

— Sei tão pouco quanto você, milorde. Fugi de Yscalin, junto com algumas outras pessoas, quando a Casa de Vetalda anunciou sua lealdade ao Inominável.

— Os que fugiram com você se tornaram piratas? — Kit quis saber, voltando a se manifestar.

— *Corsários*, por favor. — Melaugo apontou com o queixo para a insígnia. — E não. A maioria dos exilados foi para Mentendon ou para o Ersyr para recomeçar a vida da melhor maneira possível. Mas nem todo mundo conseguiu ir embora.

— Então é possível que nem *todo* o povo de Yscalin se curve diante do Inominável? — Loth perguntou. — As pessoas só têm medo do rei, ou não têm condições de deixar a nação?

— É provável. Agora ninguém mais sai, e pouca gente entra. Cárscaro ainda aceita embaixadores estrangeiros, como demonstrado pela sua excelente presença, mas o resto da nação já pode ter inclusive morrido por causa da peste, pelo que nós sabemos. — Uma mecha do cabelo caiu sobre os olhos dela. — Se conseguirem sair de lá, vocês precisam me contar como está Cárscaro agora. Ouvi dizer que aconteceu um grande incêndio pouco antes do voo dos pombos. Outrora havia campos de lavandas perto da capital, mas eles queimaram.

Aquilo estava deixando Loth ainda mais apreensivo do que antes.

— Confesso que estou curiosa para saber o motivo de sua rainha ter mandado vocês para aquele covil de serpentes — Melaugo falou. — Pensei que fosse um dos favoritos dela, Lorde Arteloth.

— Não foi a Rainha Sabran quem nos mandou, mestra — Kit falou. — Foi o abominável Seyton Combe. — Ele suspirou. — Nunca foi fã da minha poesia, sabe. Só mesmo uma casca vazia e sem alma para odiar a poesia.

— Ah, o Gavião Noturno — Melaugo falou com uma risadinha. — Um demônio doméstico bem apropriado para nossa rainha.

Loth ficou paralisado.

— O que você quer dizer com isso?

— Pelo Santo. — Kit parecia fascinado. — Além de pirata também é herege. Está insinuando que a Rainha Sabran é alguma espécie de bruxa?

— *Corsária*. E baixe esse tom de voz. — Melaugo olhou por cima do ombro. — Não me entendam mal, milordes. Não tenho nada contra a Rainha Sabran, mas venho de uma parte de Yscalin que é cheia de superstições, e existe, *sim*, alguma coisa estranha nos Berethnet. Cada rainha só tem uma filha, sempre menina, e são sempre tão parecidas... Não sei, não. Isso parece feitiçaria para...

— Sombra!

Melaugo se virou. O grito vinha do cesto da gávea.

— Mais um wyvern — ela disse baixinho. — Com licença.

Ela saltou para a enxárcia e começou a subir. Kit correu para a lateral do barco.

— Um wyvern? Eu nunca vi um!

— E nem *queremos* ver — Loth falou. Seus braços estavam arrepiados. — Aqui não é lugar para nós. Vamos voltar para a cabine antes que...

— Espere. — Kit protegeu os olhos com a mão. Seus cachos voavam ao vento. — Loth, está vendo aquilo?

Loth esquadrinhou o horizonte. O sol estava baixo e vermelho, e quase o cegava.

Melaugo estava agarrada ao cordame, com um olho na luneta.

— Pela mãe do... — Ela baixou o instrumento e em seguida o ergueu de novo. — Plume, é... Eu não acredito no que estou vendo...

— O que é? — o quartel-mestre gritou. — Estina?

— É um... Altaneiro do Oeste. — O grito dela saiu rouco. — Um Altaneiro do Oeste!

Essas palavras tiveram o efeito de uma fagulha em mato seco. A ordem se desfez no caos. Loth sentiu suas pernas petrificarem.

Um Altaneiro do Oeste.

— Prepare os arpões, as balas encadeadas de canhão — uma mulher mentendônia gritou. — Preparam-se para a luta! Não façam nada a não ser que ele ataque!

Quando o viu, Loth sentiu um calafrio que o gelou até os ossos. Ele não conseguia sentir as mãos nem o rosto.

Era impossível, mas lá estava.

Um wyrm. Monstruoso, de quatro patas, com sessenta metros de comprimento, da ponta do focinho até a cauda.

Não era um wyvernin buscando presas nos rebanhos. Era de um tipo que ninguém via havia séculos, desde o fim da Era da Amargura. As mais poderosas criaturas dragônicas. Os Altaneiros do Oeste, os maiores e mais brutais dos dragões, os temidos senhores dos wyrms.

Um deles havia *despertado.*

A fera planou sobre a embarcação. Enquanto passava, Loth conseguia sentir o *cheiro* do calor vindo do interior do corpo, de fumaça e enxofre.

Pôde ver armadilha de urso que era sua boca. Os carvões em brasa que eram seus olhos. Aquilo ficou inscrito em sua memória. Ele ouvira as histórias desde criança, e vira as ilustrações horrendas nos bestiários — mas nem mesmo em seus piores pesadelos poderia conceber uma criatura tão apavorante.

— Não ataquem — a mentendônia gritou de novo. — Mantenham suas posições!

Loth pressionou as costas contra o mastro principal.

Não havia como negar o que seus olhos estavam vendo. Aquela criatura podia não ter as escamas vermelhas do Inominado, mas era de sua semelhança.

A tripulação corria como formigas fugindo da água, mas a atenção do wyrm parecia voltada para outro lugar. Estava atravessando o Estreito do Cisne. Loth viu o fogo pulsando dentro da criatura, descendo pela garganta até a barriga. A cauda era cravejada de espinhos e terminava em um chicote poderoso.

Loth se agarrou à amurada para manter o equilíbrio. Seus ouvidos zumbiam. Ali perto, um dos jovens marujos tremia por inteiro, parado sobre uma poça de líquido amarelado.

Harlowe saiu de sua cabine. Ele ficou observando enquanto o Altaneiro do Oeste se afastava.

— É melhor começaram a rezar por sua salvação, milordes — disse ele baixinho. — Fýredel, a asa direita do Inominado, aparentemente despertou de seu sono.

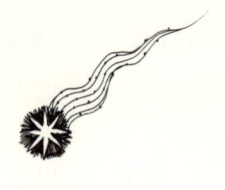

8

Leste

Sulyard roncava. Mais uma razão para Truyde ser uma tola por ter se comprometido com ele. Não que Niclays fosse conseguir dormir mesmo que seu hóspede fizesse *silêncio*, pois um tufão havia chegado.

Trovões retumbavam, fazendo um cavalo relinchar lá fora. Embriagado depois de uma única taça de vinho, Sulyard dormia profundamente em meio a tudo aquilo.

Niclays estava deitado na cama, ligeiramente bêbado. Ele e Sulyard tinham passado o início da noite jogando cartas e contando histórias. Sulyard narrara a triste sina da Rainha do Nunca, enquanto Niclays preferiu os contos mais animados de Carbúnculo e Escaldo.

Ainda não gostava de Sulyard, mas devia a Truyde a obrigação de proteger seu companheiro secreto. Devia isso a Jannart.

Jan.

A tristeza comprimiu com força seu coração. Ele fechou os olhos, e então se viu mais uma vez naquela manhã de outono em que se encontraram pela primeira vez no roseiral do Palácio de Brygstad, quando a corte do recém-coroado Edvart II era um lugar promissor e cheio de oportunidades.

Aos vinte e poucos anos, quando ainda era o Marquês de Zeedeur, Jannart era um jovem alto de presença marcante, com belos cabelos ruivos que chegavam até a sua cintura. Nessa época, Niclays era um dos poucos mentendônios que tinham cabelos de um vermelho mais claro, mais dourado do que acobreado.

Foi aquilo o que atraíra a atenção de Jannart naquele dia. *Ouro rosado*, foram as palavras dele. Ele perguntara se podia pintar um retrato de Niclays, para capturar aquele tom para a eternidade e, como um vaidoso jovem cortesão, Niclays aceitara com o maior prazer.

Cabelos ruivos em um roseiral. Foi assim que começou.

Passaram a temporada inteira juntos, com o cavalete e a música e os risos como companhia. Mesmo depois que o retrato fora terminado, continuaram unha e carne.

Niclays nunca tinha se apaixonado antes. Foi Jannart quem demonstrou interesse a ponto de pintá-lo, mas em pouco tempo Niclays passara a desejar ter a habilidade de retratá-lo também, para que pudesse capturar aqueles cílios escuros, e a maneira como o sol reluzia em seus cabelos, e a elegância de suas mãos ao tocar a espineta. Reparava nos lábios macios e no ponto em que o pescoço encontrava a mandíbula; as veias pulsando ali, naquele berço de vida. Imaginava em detalhes vívidos como aqueles olhos ficariam sob a luz da manhã, com as pálpebras pesadas de sono. Aquele âmbar escuro formidável, como o mel produzido pelas abelhas pretas.

Ele vivia para ouvir aquela voz grave e jovial. Ah, Jannart cantava baladas com seu tom de tenor. E a maneira como a voz se elevava e se tornava passional quando a conversa enveredava para a história da arte! Eram temas que faziam uma chama se acender dentro dele, e atraíam as pessoas para seu calor. Apenas com palavras, ele podia embelezar o mais sem graça dos objetos e erguer civilizações das cinzas. Para Niclays, ele era um raio de sol, iluminando todas as facetas de seu mundo.

No entanto, sempre soubera que não havia esperança. Afinal, Jannart era um marquês, herdeiro de um ducado, o amigo mais querido do Príncipe Edvart, enquanto Niclays era apenas um emergente recém-chegado de Rozentun.

Mesmo assim, Jannart vira algo nele. Vira algo nele, e não desviara o olhar.

Do lado de fora da casa, as ondas se chocaram contra a cerca mais uma vez. Niclays se virou de lado, com dores no corpo todo.

— Jan — disse ele baixinho —, quando foi que ficamos tão velhos?

O carregamento mentendônio chegaria a qualquer hora e, quando tomasse o caminho de volta, Sulyard o acompanharia. Mais alguns dias e Niclays poderia se livrar daquela lembrança viva de Truyde e Jannart e de toda a corte inysiana. Voltaria a formular poções em sua prisão no fim do mundo, exilado e ignorado.

Por fim acabou cochilando, com o travesseiro abraçado junto ao peito. Quando despertou, ainda estava escuro, mas os pelos de sua nuca se eriçaram.

Ele se sentou, esquadrinhando o breu.

— Sulyard.

Não houve resposta. Algo se mexeu na escuridão.

— Sulyard, é você?

Quando um relâmpago pôs a silhueta em evidência, ele ficou olhando para o rosto que tinha diante de si.

— Ilustre Oficial-Chefe — ele falou, mas a essa altura já estava começando a ser arrancado da cama.

Dois sentinelas o conduziram na direção da porta. Subjugado pelo terror, de alguma forma conseguiu pegar sua bengala no chão e golpear com toda a força. A madeira estalou como um chicote no rosto de um deles. Niclays só teve um segundo para se orgulhar da pontaria antes de ser atingido nas costas com um cassetete de ferro.

Ele nunca sentira tanta dor de uma vez só na vida. Seu lábio inferior se abriu como uma fruta madura. Todos os dentes se sacudiram nas gengivas. O estômago se embrulhou ao sentir o gosto de cobre na língua.

O sentinela ergueu o cassetete outra vez e acertou um golpe violento em seu joelho. Com um grito de misericórdia, Niclays ergueu as mãos e largou a bengala. Uma bota de couro a partiu em duas. Golpes recaíam por todos os lados, acertando suas costas e seu rosto. Ele desabou sobre as esteiras, emitindo ruídos fracos de submissão e pedidos de desculpas. Ao seu redor, a casa era revirada.

Um barulho de vidro se quebrando vinha da oficina. Seus aparatos, que valiam mais dinheiro do que ele voltaria a ver na vida algum dia.

— Por favor. — O sangue escorria por seu queixo. — Respeitáveis sentinelas, por favor, vocês não entendem. O trabalho...

Ignorando as súplicas, eles o levaram para fora, na tempestade. Niclays usava apenas um camisolão. O tornozelo estava dolorido demais para sustentar seu peso, o que o fez ser arrastado como um saco de milhete. Os poucos mentendônios que trabalhavam à noite começaram a sair de suas habitações.

— Doutor Roos — um deles chamou. — O que está acontecendo? Niclays tentou recobrar o fôlego.

— Quem está aí? — Sua voz foi abafada pelo som de um trovão. — Muste — ele gritou, com dificuldade. — Muste, me ajude, seu tolo em pele de raposa!

A boca dele foi tapada por uma mão ensanguentada. Agora, ouvia também os gritos de Sulyard, em algum lugar na escuridão.

— Niclays!

Ele ergueu os olhos, esperando ver Muste, mas era Panaya quem corria na direção do tumulto. De alguma forma, ela conseguiu passar pelos sentinelas, e surgiu à frente de Niclays como o Cavaleiro da Coragem.

— Se ele está preso — disse ela —, então onde está o mandado do ilustre Governador de Cabo Hisan?

Niclays sentiu vontade de beijá-la. O Oficial-Chefe estava por perto, supervisionando a revista da casa feita pelos sentinelas.

— Volte para dentro — disse ele, sem sequer olhar para Panaya.

— O eminente Doutor Roos merece respeito. Se fizer mal a ele, o Alto Príncipe de Mentendon ficará sabendo.

— O Príncipe Rubro não manda nada aqui.

Panaya se postou diante dele. Abismado, Niclays podia apenas ficar assistindo, enquanto uma mulher de camisola encarava um homem de armadura.

— Enquanto os mentendônios viverem aqui, eles estão sobre a proteção do ilustríssimo Líder Guerreiro — ela falou. — O que ele dirá quando ouvir que você provocou um derramamento de sangue em Orisima?

Ao ouvir isso, o Oficial-Chefe deu um passo à frente, aproximando-se ainda mais.

— Talvez diga que fui misericordioso demais — ele falou, com um tom cheio de desprezo. — Pois esse mentiroso está escondendo um *invasor* em sua casa.

Panaya ficou em silêncio, com uma expressão de choque estampada no rosto.

— Panaya — murmurou Niclays. — Eu posso explicar tudo.

— Niclays — sussurrou ela. — Ah, Niclays. Você desafiou o Grande Édito.

O tornozelo dele latejava.

— Para onde vão me levar?

Panaya lançou um olhar apreensivo para o Oficial-Chefe, que estava gritando com os sentinelas.

— Para o ilustre Governador de Cabo Hisan. Eles suspeitarão que você está com a doença vermelha — ela murmurou em mentendônio, e de repente ficou tensa. — Você encostou nele?

Niclays esquadrinhou freneticamente sua memória.

— Não — ele falou. — Não pele com pele.

— Você precisa dizer isso a eles. Jure em nome do Santo — avisou ela. — Se desconfiarem que estão sendo enganados, vão fazer de tudo para arrancarem a verdade.

— Tortura? — O suor começou a brotar no rosto de Niclays. — Tortura não. Você não está de falando de tortura, não é?

— Basta — rugiu o Oficial-Chefe. — Levem esse traidor daqui!

Com essa declaração, os sentinelas carregaram Niclays como se levassem carne para o açougue.

— Eu quero um advogado — gritou ele. — Maldição, deve haver pelo menos um maldito advogado decente nesta ilha esquecida pelo Santo!

Quando ninguém respondeu, e ele gritou desesperadamente para Panaya:

— Diga para Muste consertar meus aparatos. E continuar o trabalho! — Ela se limitava a observar a cena, impotente. — E protejam meus livros! Pelo amor do Santo, *salve meus livros*, Panaya!

9

Oeste

— Imagino que não seja possível fazer caminhadas como estas com muita frequência no Ersyr. O calor seria insuportável.

Elas andavam pelo Jardim Privativo. Ead nunca havia entrado ali antes. Era um recanto reservado ao desfrute da rainha, de suas Damas da Alcova e do Conselho das Virtudes.

Lady Arbella Glenn ainda estava acamada. Os murmúrios se espalhavam pela corte. Se ela morresse, seria necessário nomear uma nova Dama da Alcova. As outras Damas da Câmara Privativa já estavam se esforçando para demonstrar sua inteligência e exibir seus talentos para Sabran.

Sem dúvida era por isso que Linora ficara tão aborrecida quando Ead, a seus olhos, arruinou a contação da história. Ela não queria que suas chances fossem prejudicadas por associação.

— Não no inverno. E, no verão, usamos roupas largas de seda para amenizar o calor — respondeu Ead. — Quando eu vivia na propriedade de Sua Excelência em Rumelabar, muitas vezes me sentava à beira da piscina no pátio para ler. Os pés de limão-doce sombreavam as trilhas, e as fontes refrescavam o ar. Eram momentos de muita paz.

Na verdade, ela só havia estado lá uma vez. Ela passara a infância no Priorado.

— Entendo. — Sabran segurava um leque ornamentado. — E você rezava para o Arauto da Alvorada.

— Sim, senhora. Em uma Casa do Silêncio.

Elas circulavam por um dos pomares, onde os pés de ameixa-verde estavam floridos. Doze Cavaleiros do Corpo as seguiam a distância.

Ao longo daquelas poucas horas, Ead descobrira que, por trás da fachada que demonstrava saber de tudo, a Rainha de Inys tinha uma visão bem restrita do mundo. Isolada atrás dos muros de seus palácios, seu conhecimento dos territórios além de Inys vinha de globos de madeira e das cartas de seus embaixadores e colegas monarcas. Ela era fluente em yscalino e hrótio, e seus tutores lhe garantiram um bom conhecimento da história da Virtandade, porém sabia muito pouco sobre outros lugares. Ead sentia que ela estava se segurando para não fazer mais perguntas sobre o Sul.

O Ersyr não era adepto das Seis Virtudes. Tampouco era a nação vizinha, o Domínio da Lássia, apesar de sua importância na lenda fundadora inysiana.

Ead fizera sua conversão pública às Seis Virtudes pouco depois de chegar à corte. Em uma noite de primavera, ela comparecera ao Santuário Real, proclamara sua lealdade à Casa Berethnet e recebera as esporas e o cintilho de uma adoradora de Galian. Em troca, obtivera a promessa de um lugar em Halgalant, a corte celestial. Ela dissera ao Arquissantário que, antes de sua chegada a Inys, era uma devota do Arauto da Alvorada, a deidade mais cultuada do Ersyr. Ninguém nunca questionara a veracidade disso.

Ead nunca fora uma seguidora do Arauto da Alvorada. Embora tivesse sangue ersyrio, não era nascida no Ersyr e quase nunca colocara os pés lá. Seu verdadeiro credo era conhecido apenas pelo Priorado.

— Sua Excelência me contou que sua mãe não era do Ersyr — disse Sabran.

— Não. Ela nasceu na Lássia.

— Como ela se chamava?

— Zāla.

— Sinto muito por sua perda.

— Obrigada, senhora — respondeu Ead. — Foi há muito tempo.

Por maiores que fossem as diferenças entre elas, ambas sabiam como era perder a mãe.

Quando o relógio da torre bateu onze horas, Sabran parou diante de seu aviário privativo. Ela abriu a porta, e um passarinho verde saltou para seu pulso.

— Esses pássaros são das Montanhas Uluma — disse ela. A luz do sol dançava nas esmeraldas em seu pescoço. — Eles costumam passar o inverno aqui.

— A senhora já foi à Lássia, Majestade? — perguntou Ead.

— Não. Eu nunca posso sair da Virtandade.

Ead sentiu uma sensação familiar de irritação. Era uma hipocrisia tremenda os inysianos usarem a Lássia como ponto de partida para sua lenda fundadora, mas considerarem seu povo como hereges.

— Claro — respondeu Ead.

Sabran lançou um olhar para ela. Ela pegou uma bolsinha do cintilho e despejou um punhado de sementes na mão.

— Em Inys, este pássaro é chamado de gaio-do-amor — contou ela. O passarinho soltou um piado alegre. — Eles só têm um único parceiro durante toda a vida, e reconhecem seu canto mesmo depois de passarem muitos anos separados. É por isso que o gaio-do-amor foi consagrado à Cavaleira da Confraternidade. Esses pássaros são a encarnação do desejo de todas as almas de serem unidas através do companheirismo.

— Eu os conheço bem — respondeu Ead. O passarinho bicava as sementes. — No Sul, eles são chamados de papagaios-cara-de-pêssego.

— Cara-de-pêssego.

— O pêssego é uma fruta doce e alaranjada, senhora, com um caroço duro no meio. Existe no Ersyr e em algumas partes do Leste.

Sabran observou enquanto o pássaro se alimentava.

— Deixemos o Leste fora de nossa conversa — disse ela, e devolveu o animal ao poleiro.

O sol estava quente como uma fornalha, mas a rainha não demonstrava o menor interesse em voltar para dentro dos muros. Elas continuaram andando por um caminho ladeado por cerejeiras.

— Está sentindo cheiro de fumaça, mestra? — perguntou Sabran.

— É de um incêndio da cidade. Hoje de manhã, dois arautos do fim foram queimados na Praça Marian. Você acha isso certo?

Havia dois tipos de hereges em Inys. Alguns poucos que ainda seguiam a religião primitiva local, uma forma de culto à natureza praticada antes da fundação da Casa de Berethnet, na época em que a cavalaria ainda engatinhava e a nação era assombrada pela Dama do Bosque. Tais hereges podiam se arrepender ou ir para a prisão.

E então haviam aqueles que profetizavam o retorno do Inominável. Nos últimos dois anos, esses arautos do fim tinham vindo de Yscalin para Inys e faziam suas pregações nas cidades pelo máximo de tempo que conseguiam. Eram queimados por um decreto baixado pela Duquesa da Justiça.

— É uma morte cruel — Ead respondeu.

— Eles querem ver Inys consumida pelo fogo. Querem que o Inominável seja recebido aqui de braços abertos, e idolatrado como um deus. Lady Igrain diz que devemos fazer com nossos inimigos o que eles fariam conosco.

— Foi o Santo que disse isso, senhora? — Ead perguntou calmamente. — Eu não sou tão versada nas Seis Virtudes quanto a senhora.

— O Cavaleiro da Coragem diz que devemos defender nossa fé.

— E, mesmo assim, a senhora aceitou um presente do Príncipe Aubrecht de Mentendon, que faz comércio com o Leste. Era inclusive uma pérola do leste — Ead falou. — Ele poderia ser acusado de financiar a heresia, não?

Aquelas palavras escaparam antes que Ead conseguisse se segurar. Sabran lançou para ela um olhar gélido.

— Eu não sou uma santária, responsável por ensinar a você as complexidades das Seis Virtudes — disse a rainha. — Se deseja discutir essas minúcias, Mestra Duryan, sugiro que procure outra pessoa. Na Torre da Solidão, talvez, junto com os outros que questionam meu juízo, que aliás vem do próprio Santo, o que acredito que não seja necessário lembrar-lhe. — Ela virou as costas. — Tenha um bom dia.

Sabran se afastou com passos rápidos, seguida pelos Cavaleiros do Corpo, deixando Ead sozinha sob as árvores.

Com a rainha já longe das vistas, Ead cruzou o gramado e se sentou na beirada de uma fonte, praguejando consigo mesma. O calor a estava deixando irracional.

Ela lavou o rosto com a água e bebeu com as mãos em concha, observada por uma estátua de Carnelian I, a Flor de Ascalon, a quarta rainha da Casa de Berethnet. Em breve, a dinastia que governava Inys completaria mil e seis anos.

Ead fechou os olhos e deixou a água escorrer por seu pescoço. Fazia oito anos que estava na corte de Sabran IX. Durante todo esse tempo, nunca dissera nada que pudesse causar incômodo à rainha. Agora parecia uma víbora, incapaz de manter sua língua quieta dentro da boca. Algum impulso a havia levado a querer *provocar* a Rainha de Inys.

Ela precisava se livrar daquele impulso, ou aquela corte a devoraria viva.

———

Seus afazeres naquele dia se misturaram em um borrão. O calor tornava suas tarefas ainda mais difíceis. Até Linora estava calada, os cabelos dourados molhados de suor, e Roslain Crest passou a tarde se abanando com uma fúria cada vez mais intensa.

Depois do jantar, Ead se juntou às demais mulheres no Santuário das Virtudes para as rogatórias. A Rainha Mãe havia ordenado que vidros azuis fossem instalados nas janelas do pavilhão, para dar a impressão de que havia sido construído debaixo d'água.

Havia uma única estátua no santuário, à direita do altar. Galian Berethnet, com as mãos sobre o cabo de Ascalon.

À esquerda, apenas um pedestal vazio em memória da mulher que todos os inysianos conheciam como Rainha Cleolind, a Donzela.

Os inysianos não tinham registros de como era a aparência de Cleolind. Todas as imagens dela, caso existissem, foram destruídas depois de sua morte, e nenhum escultor local tinha sequer tentado produzir outra desde então. Muitos acreditavam que era porque o Rei Galian não suportaria ver novamente a mulher que perdera durante o parto.

Mesmo no Priorado havia apenas alguns relatos sobre a Mãe. Muita coisa havia sido destruída ou perdida.

Enquanto as demais oravam, Ead fazia o mesmo.

Ó Mãe, eu suplico, guia-me pela terra do Impostor. Ó Mãe, eu imploro, permite que eu me comporte com dignidade na presença dessa mulher que se diz tua descendente, e que jurei proteger. Ó Mãe, eu rogo, dá-me coragem para ser digna de meu manto.

Sabran se ergueu e tocou a estátua do ancestral. Enquanto ela e as damas saíam em fila do santuário, Ead viu Truyde. A jovem olhava apenas para a frente, mas suas mãos estavam entrelaçadas com uma força um pouco exagerada.

Quando a noite caiu e depois de cumprir seus afazeres na Torre da Rainha, Ead desceu a Escada Privativa até o portão dos fundos, por onde as balsas traziam produtos da cidade para o palácio, e aguardou sozinha em um espaço recôndito onde ficava o poço.

Truyde utt Zeedeur se juntou a ela, vestida com manto e capuz.

— Sou proibida de sair da Câmara Lacunar depois de anoitecer sem uma acompanhante. — Ela escondeu uma mecha teimosa dos cabelos ruivos sob o capuz. — Se Lady Oliva descobrir que não estou lá...

— Você já saiu para se encontrar com seu amante muitas vezes, milady — retrucou Ead. — E imagino que sem uma acompanhante.

Olhos escuros a encararam por sob o capuz.

— O que você quer?

— Quero saber o que você e Sulyard estavam planejando. Você menciona uma incumbência em suas cartas.

— Isso não é da sua conta.

— Me permita, então, apresentar a minha teoria. Eu já vi o suficiente para saber que você tem um interesse incomum pelas terras do Leste. Acho que você e Sulyard pretendiam atravessar o Abismo juntos com algum objetivo suspeito em mente, mas ele se adiantou e foi sozinho. Estou errada?

— Está, sim. Se vai continuar futricando, então é melhor saber logo a verdade. — Truyde parecia quase entediada. — Triam foi para a Lagoa Láctea. Nós queremos viver juntos como companheiros em um lugar onde nem a Rainha Sabran nem meu pai possam fazer objeções contra o nosso casamento.

— Não minta para mim, milady. Você mostra sua face mais inocente na corte, mas eu acredito que exista outra.

O portão se abriu. Elas se encolheram ainda mais junto ao poço enquanto uma guarda passava assobiando com uma tocha. Ela seguiu em frente até a Escada Privativa sem vê-las.

— Preciso voltar para a Câmara Lacunar — Truyde disse baixinho. — Precisei conseguir *dezesseis* confeitos para aquele pássaro horrível. Ele vai fazer um escândalo se eu passar muito tempo longe.

— Então me diga o que está tramando com Sulyard.

— E se eu não quiser contar? — Truyde deu uma risadinha de deboche. — O que você fará, Mestra Duryan?

— Talvez eu fale com o Secretário Principal sobre minha desconfiança de que vocês estão conspirando contra Sua Majestade. Não esqueça, criança, que estou com suas cartas — disse Ead. — Ou talvez eu deva usar de outros meios para fazer você falar.

Truyde estreitou os olhos.

— Isso não são modos de uma cortesã — disse ela baixinho. — Quem é você? Por que tem tanto interesse pelos segredos da corte inysiana? — Um olhar de cautela surgiu no rosto dela. — Você é uma das lançadiças de Combe, é isso? Ouvi dizer que ele tem espiões da pior espécie.

— Só o que precisa saber é que eu tenho como obrigação proteger Sua Majestade.

— Você é uma dama de câmara, não um Cavaleiro do Corpo. Por acaso não tem algum lençol para estender?

Ead chegou mais perto. Era meia cabeça mais alta que Truyde, cuja mão se moveu para a faca que levava no cintilho.

— Posso não ser um cavaleiro — disse Ead —, mas quando vim para esta corte, jurei proteger a Rainha Sabran de seus inimigos.

— E eu fiz esse mesmo juramento — falou Truyde, irritada. — Não sou uma inimiga de Sua Majestade, e tampouco é o povo do Leste. Eles detestam o Inominado tanto quanto nós. As nobres criaturas que idolatram não têm *nada* a ver com os wyrms. — Ela endireitou sua postura. — As criaturas dragônicas estão despertando, Ead. E logo eles vão ressurgir, o Inominado e seus lacaios, e sua ira vai ser terrível. E, quando nos atacarem, vamos precisar de ajuda para combatê-los.

Ead sentiu um arrepio percorrer seu corpo.

— Vocês querem intermediar uma aliança militar com o Leste — murmurou ela. — Querem convocar os wyrms *deles*... para nos ajudar a lidar com os que estão despertando.

Truyde a encarou com os olhos faiscantes.

— Sua tola — disse Ead. — Sua grandíssima tola. Quando a rainha descobrir que você quer se envolver com *wyrms*...

— Não são wyrms! São *dragões*, e são criaturas gentis. Já vi imagens deles, já li livros a seu respeito.

— Livros vindos do Leste.

— *Sim*. Os dragões deles são da mesma substância do ar e da água, não do fogo. O Leste está isolado de nós por tanto tempo que esquecemos dessa diferença.

Quando percebeu que Ead a encarava com descrença, Truyde tentou outra tática:

— Você também é uma estrangeira aqui, então me escute. E se os inysianos estiverem errados e a perpetuação da Casa de Berethnet não for o que mantém o Inominado sob controle?

— Do que você está falando, criança?

— Você percebeu que alguma coisa mudou. O despertar das criaturas dragônicas, o rompimento de Yscalin com a Virtandade, e esses eventos são só o começo. — Ela baixou o tom de voz. — O Inominado está voltando. E acredito que será *em breve*.

Por um momento, Ead não soube o que dizer.

E se a perpetuação da Casa de Berethnet não for o que mantém o Inominado sob controle?

Como uma jovem que foi educada na Virtandade chegou a essa conclusão herética?

Obviamente, ela poderia estar certa. A Prioresa disse a mesma coisa antes de Ead ser enviada a Inys, ao explicar por que era necessário mandar uma irmã para proteger a Rainha Sabran.

A Casa de Berethnet pode nos proteger do Inominado, ou talvez não. Não há como comprovar uma coisa nem outra. Assim como não há provas para afirmar se as Berethnet são mesmo descendentes da Mãe. Se forem, seu sangue é sagrado, e deve ser protegido. Ead era capaz de ver a Prioresa à sua frente naquele instante, com a clareza da água de uma nascente. *Esse é o grande problema com as histórias, criança. Não é possível medir o quanto de verdade existe nelas.*

Foi por isso que Ead fora mandada até Inys. Para proteger Sabran, caso o mito fosse verdadeiro e o sangue dela pudesse impedir a ascensão do inimigo.

— E sua intenção é nos preparar para sua... segunda vinda — Ead falou, fingindo deboche.

Truyde ergueu queixo.

— Isso mesmo. As nações do Leste têm muitos dragões vivendo entre os humanos. Eles não obedecem ao Inominado — ela falou. — Quando ele voltar, vamos precisar desses dragões para derrotá-lo. Precisamos nos *unir* para impedir uma segunda Era da Amargura. Triam e eu não vamos deixar a humanidade rumar para a extinção. Podemos não ser importantes, e podemos ser jovens, mas vamos mover meio mundo em nome daquilo que acreditamos.

Qualquer que fosse a verdade, aquela garota já havia sido inflamada pela chama da ilusão.

— Como você pode estar tão certa da vinda do Inominado? — questionou Ead. — Você não é uma filha da Virtandade, ensinada desde o berço para acreditar que a Rainha Sabran o mantém acorrentado?

Truyde endireitou o corpo.

— Eu amo a Rainha Sabran, mas não sou uma criança inocente para acreditar sem provas em tudo o que me dizem — respondeu ela. — Os inysianos podem ter uma fé cega, mas em Mentendon nós valorizamos as evidências.

— E você tem alguma *evidência* de que o Inominado vai voltar? Ou é só um palpite?

— Palpite não. Tenho uma hipótese.

— Qualquer que seja sua hipótese, seu complô é uma heresia.

— Não venha me falar de heresia — rebateu Truyde. — Você mesma não cultuava o Arauto da Alvorada?

— Não são as minhas crenças que estão em questão aqui. — Ead fez uma pausa. — Então foi para lá que Sulyard seguiu seu destino. Para uma missão no Leste, para cometer a loucura de intermediar uma aliança impossível em nome de uma rainha que não sabe nada sobre isso. — Ela se sentou na beirada do poço. — Seu amante vai morrer nessa empreitada.

— Não. Os seiikineses vão escutar...

— Ele não é um embaixador oficial de Inys. Por que alguém o escutaria?

— Triam vai conseguir convencê-los. Ninguém é capaz de falar com mais franqueza do que ele, do fundo do coração. E, quando os governantes do Leste compreenderem a ameaça, vão procurar a Rainha Sabran. E ela *vai* entender a necessidade de uma aliança.

A menina estava cega por amor. Sulyard seria executado assim que pusesse os pés no Leste, e Sabran preferiria arrancar o próprio nariz a forjar uma aliança com adoradores de wyrms, mesmo se *acreditasse* que o Inominado pudesse ressurgir enquanto ela ainda respirava.

— O Norte é fraco — Truyde continuou —, e o Sul é orgulhoso demais para aceitar um acordo com a Virtandade. — O rosto dela estava corado. — Como você ousa me julgar por procurar ajuda?

Ead a encarou bem nos olhos.

— Você pode achar que é a única que está preocupada em proteger este mundo, mas não faz ideia do que sustenta o chão onde pisa — falou ela. — Ninguém aqui faz a menor ideia.

Truyde franziu a testa, e Ead complementou:

— Sulyard pediu seu auxílio. O que você fez para ajudá-lo? Que planos elaborou?

O PRIORADO DA LARANJEIRA — A MAGA

Truyde permaneceu em silêncio.

— Se fez *alguma coisa* para apoiar essa missão, isso configura um crime de traição — disse Ead.

— Eu me recuso a dizer mais uma palavra que seja. — Truyde se afastou. — Pode procurar Lady Oliva, se quiser. Mas primeiro, vai precisar explicar o que estava fazendo na Câmara Lacunar.

Quando ela fez menção de ir embora, Ead a segurou pelo pulso.

— Você escreveu um nome no livro — ela falou. — *Niclays*. Imagino que se trate de Niclays Roos, o anatomista.

Truyde sacudiu negativamente a cabeça, mas Ead viu a fagulha do reconhecimento nos olhos dela ao citar aquele nome.

— O que Roos tem a ver com isso tudo? — insistiu ela.

Antes que Truyde pudesse responder, um vento forte soprou.

Todos os galhos de todas as árvores se sacudiram. Todos os pássaros no aviário pararam de cantar. Ead soltou Truyde e pisou para fora do recanto onde ficava o poço.

Os canhões estavam sendo disparados na cidade. Os mosquetes estalavam como castanhas estourando na fogueira. Atrás dela, Truyde continuava escondida ao lado do poço.

— O que foi isso? — perguntou ela.

Ead respirou fundo, sentindo sua pulsação disparar. Fazia tempo que um sentimento como aquele não dominava todo seu corpo. Pela primeira vez em muitos anos, sua siden estava se acendendo.

Havia alguma coisa a caminho. Se tinha conseguido se aproximar tanto, devia ter arrumado um jeito de passar pelas defesas costeiras. Ou então as tinha destruído.

Um brilho como o do sol atravessou as nuvens, tão quente que ressecou os olhos e lábios dela, e um wyrm passou voando por cima da muralha, queimando arqueiros e mosqueteiros e reduzindo uma fileira de catapultas a lascas de madeira. Truyde se jogou no chão.

Ead sabia do que se tratava só de ver sua magnitude. Um Altaneiro do Oeste. Um monstro desde os dentes da boca até o chicote da cauda, onde despontavam espinhos mortais. O abdome marcado por cicatrizes de batalhas era cor de ferrugem, porém a maior parte do corpo era preta como piche. As flechas atiradas das torres de vigias ricocheteavam em suas escamas.

As flechas eram inúteis. Os mosquetes eram inúteis. Aquele não era um wyrm qualquer, nem um Altaneiro do Oeste qualquer. Nenhuma pessoa ainda viva jamais havia colocado os olhos naquela criatura, mas Ead sabia seu nome.

Fýredel.

Aquele que se dizia a asa direita do Inominado. Fýredel, que criou e liderou o Exército Dragônico contra a humanidade na Era da Amargura.

Ele estava desperto.

A fera sobrevoava o Palácio de Ascalon, projetando sua sombra sobre os gramados e pomares. Ead sentiu seu estômago se revirar, a pele ardendo, enquanto o cheiro inflamava a siden em seu sangue.

Seu arco longo estava fora de alcance, na câmara. Os anos de rotina pacata haviam minado seu estado de vigilância.

Fýredel pousou sobre a Torre da Solidão. Sua cauda se enrolou ao redor da estrutura, e suas garras cravaram no telhado. As telhas arrebentaram, forçando os guardas e atendentes mais abaixo a se dispersarem.

A cabeça era coroada com dois chifres sinistros. Olhos como poços de magma brilhavam na escuridão.

— SABRAN, A RAINHA.

O próprio céu ecoou aquelas palavras. Metade de Ascalon provavelmente conseguia ouvi-las.

— SEMENTE DA INEXPUGNÁVEL. — Mais pedras despencaram da torre. As flechas batiam inutilmente na carapaça. — APRESENTE-SE E ENCARE SEU INIMIGO DE TEMPOS ANTIGOS, OU VEJA SUA CIDADE QUEIMAR.

Sabran não responderia ao chamado. Alguém a impediria. O Conselho das Virtudes enviaria um representante para lidar com ele.

Fýredel mostrou os dentes de metal reluzente. A Torre Alabastrina era alta demais para que Ead pudesse enxergar a varanda superior, porém seus ouvidos ainda mais apurados àquela altura captaram uma segunda voz:

— Estou aqui, abominação.

Ead ficou paralisada.

Aquela tola. Aquela grandíssima tola. Ao dar as caras, Sabran havia assinado a própria sentença de morte.

Os gritos ecoavam de todos os lugares. Cortesãos e criados se debruçavam na janela para contemplar o mal que estava entre eles. Outros corriam às cegas para os portões do palácio. Ead tomou às pressas o caminho da Escada Privativa.

— Então você despertou, Fýredel — falou Sabran com desprezo na voz. — O que veio fazer aqui?

— Vim lhe dar um aviso, Rainha de Inys. A hora de escolher seu lado se aproxima. — Fýredel soltou um sibilado que fez Ead se arrepiar inteira. — Minha espécie se remexe em suas cavernas. Meu irmão Orsul já levantou voo, e nossa irmã Valeysa logo fará o mesmo. Antes do fim do ano, todos os nossos seguidores terão despertado. O Exército Dragônico renascerá.

— Danem-se os seus avisos — retrucou Sabran. — Eu não tenho medo de você, lagarto. Suas ameaças para mim têm o mesmo peso de uma lufada de fumaça.

Ead ouviu aquelas palavras trovejarem em sua cabeça. Os vapores emitidos por Fýredel atingiam com toda a força seus sentidos.

— Meu mestre já se remexe no Abismo — ele falou, a língua tremulando. — Os mil anos estão quase acabando. Sua casa foi nossa grande inimiga em outros tempos, Sabran Berethnet, nos dias que chamam de Era da Amargura.

— Meus ancestrais mostraram a vocês a bravura dos inysianos na época, e eu vou mostrar agora — respondeu Sabran. — Você está falando de coisas que aconteceram mil anos atrás, wyrm. Que tipo de falsidade sua língua bifurcada veio trazer até aqui?

A voz dela era puro aço.

— Isso você há de descobrir sem demora. — O wyrm espichou o pescoço, aproximando a cabeça de outra torre. — Ofereço a você esta única chance de jurar lealdade a meu mestre e ser nomeada como Rainha de Carne e Osso de Inys. — O fogo rugia nos olhos dele. — Venha comigo agora. Renda-se. Escolha o lado certo, como fez Yscalin. Se resistir, arderá em chamas.

Ead olhou para a torre do relógio. Não havia como pegar seu arco, mas ela ainda podia fazer alguma coisa.

— Suas mentiras não encontrarão morada nos corações inysianos. Eu não sou o Rei Sigoso. Meu povo sabe que seu mestre jamais despertará enquanto a linhagem do Santo continuar firme. Se pensa que *algum dia* eu renomearei esta nação como Rainhado Dragônico de Inys, terá uma amarga decepção, wyrm.

— Você afirma que sua linhagem protege este reino, mas apareceu aqui para falar comigo — falou Fýredel, mostrando os dentes incandescentes dentro da boca. — Acaso não teme minha chama?

— O Santo me protegerá.

Nem mesmo o tolo mais cego pela fé seria capaz de acreditar que Sir Galian Berethnet estenderia a mão do alto da corte celestial para protegê-lo de um sopro mortal de fogo.

— Você está falando com alguém que conhece a fraqueza da carne. Eu matei Sabran, a Ambiciosa, no primeiro dia da Amargura. Seu Santo *não* a protegeu — Fýredel falou com a boca fumegante. — Curve-se a mim e será poupada do mesmo fim. Recuse-se e junte-se a ela agora mesmo.

Se Sabran respondeu, Ead não ouviu. O vento rugia em seus ouvidos enquanto ela corria pelo Jardim do Relógio de Sol. Os arqueiros atingiam Fýredel com projéteis e mais projéteis, porém nenhum perfurava suas escamas.

Sabran continuaria provocando Fýredel até ser incendiada por ele. Aquela cabeça-dura devia acreditar realmente que seu infame Santo a protegeria.

Ead passou correndo pela Torre Alabastrina. Os detritos despencavam de cima, e um guarda caiu morto à sua frente. Praguejando contra o peso do vestido que usava, ela chegou à Biblioteca Real, escancarou as portas e foi se esgueirando entre as prateleiras até chegar à entrada da torre do relógio.

Ela se livrou do manto, soltou o cintilho e foi subindo os degraus sinuosos, chegando cada vez mais alto.

Do lado de fora, Fýredel ainda provocava Sabran. Ead parou no campanário, onde o vento uivava pelas janelas arqueadas, para observar a inacreditável cena.

A Rainha de Inys estava na varanda mais alta da Torre Alabastrina, a sudoeste da Torre da Solidão, onde Fýredel estava preparado para matá-la. O wyrm em uma construção, a rainha na outra. Na mão dela estava a lâmina cerimonial que representava Ascalon, a Espada da Verdade.

Era uma arma inútil.

— Deixe esta cidade sem ferir uma alma — gritou a rainha —, ou juro pelo Santo cujo sangue corre em minhas vias que sofrerá uma derrota maior que qualquer outra que a Casa de Berethnet já impôs a sua espécie.

Fýredel arreganhou os dentes de novo, mas Sabran ainda ousou dar outro passo à frente.

— Antes de abandonar este mundo — entoou ela —, ainda verei a queda de sua espécie, aprisionada para sempre no precipício da montanha.

Fýredel empinou sobre as patas traseiras e abriu as asas. Diante daquele colosso, a Rainha de Inys era menor que um fantóchio.

Mesmo assim, ela não fraquejou.

Teria de ser uma égide eólica. Essas égides consumiam uma boa dose de siden, e Ead tinha muito pouco — mas talvez, se empreendesse um último esforço, poderia usá-la em benefício de Sabran.

Ela elevou as mãos na direção da Torre Alabastrina, lançou sua siden e a torceu como uma trança em torno da Rainha de Inys.

Quando Fýredel soprou seu fogo, Ead também libertou seu poder havia muito adormecido. A chama alcançou a estrutura de pedra antiga. Sabran desapareceu em meio à luz e à fumaça. Ead até percebeu a aproximação de Truyde do campanário, mas era tarde demais para esconder o que estava fazendo.

Seus sentidos estavam concentrados em Sabran. Ela sentia a tensão das tranças de proteção ao redor da rainha, e o fogo lutando pela dominância, e a dor que percorria seu corpo à medida que a égide consumia sua siden. O suor encharcava seu corpete. O braço tremia em um esforço para manter a mão projetada para a frente.

Quando Fýredel fechou a mandíbula, tudo ficou em silêncio. Uma fumaça preta emanava da torre, e foi se dissipando lentamente. Ead ficou à espera, com o coração apertado no peito, até ver o vulto em meio aos vapores deixados pelo fogo.

Sabran Berethnet estava intacta.

— Agora é minha vez de dar um aviso a *você*. Um aviso de meu ancestral — ela falou, ofegante. — Se quiser guerra com a Virtandade, este sangue santificado extinguirá seu fogo. E nunca mais retornará.

Fýredel não reagiu às palavras dela. Não dessa vez. Estava olhando para a pedra empretecida, e para o círculo intocado em torno de Sabran.

Um círculo perfeito.

As narinas dele se alargaram. As pupilas se estreitaram. Ele já tinha visto uma égide daquele tipo antes. Ead ficou parada como uma estátua enquanto aquele olhar impiedoso esquadrinhava os arredores à procura dela, enquanto Sabran permanecia imóvel. Quando olhou na direção do campanário, ele farejou o ar, e Ead percebeu que seu cheiro tinha sido detectado. Ela saiu das sombras sob o mostrador do relógio.

Fýredel arreganhou os dentes. Todos os espinhos de suas costas se eriçaram, e um longo sibilado sacudiu sua língua. Sem deixar de encará-lo, Ead desembainhou sua faca e apontou na direção do abismo entre eles.

— Estou aqui — disse ela baixinho. — Estou aqui.

O Altaneiro do Oeste soltou um grito de fúria. Com um impulso das patas traseiras, ele se lançou da Torre da Solidão, derrubando parte da estrutura e uma boa porção da muralha leste. Ead se atirou atrás de um pilar, e uma bola de fogo explodiu contra a torre do relógio.

A cadência do bater das asas foi se tornando mais distante. Ead se aproximou de novo da balaustrada. Sabran ainda estava na varanda, em seu círculo de pedra clara. A espada havia caído de sua mão. Ela não olhou para a torre do relógio, nem viu que Ead a observava. Quando Combe chegou, ela se jogou nos braços dele, que a carregou de volta para dentro da Torre Alabastrina.

— O que foi que você fez? — perguntou uma voz trêmula atrás de Ead. Era Truyde. — Eu vi tudo. O que foi que você fez?

Ead deslizou pela parede até o chão do campanário, abaixando a cabeça. Grandes tremores abalavam seu corpo.

A essência de seu sangue tinha sido consumida. Seus ossos pareciam ocos, sua pele ardia como se ela tivesse sido chicoteada. Precisava da árvore, provar ao menos um pouco de seu fruto. A laranjeira a salvaria...

— Você é uma bruxa. — Truyde se afastou, empalidecida. — Bruxa. Você é uma praticante de feitiçaria. Eu vi...

— Você não viu nada.

— Isso foi aeromancia — murmurou Truyde. — Agora eu conheço

o *seu* segredo, e é muito pior que o meu. Vamos ver se vai continuar perseguindo Triam depois que for para a fogueira.

Ela saiu correndo na direção das escadas. Ead arremessou sua faca.

Mesmo naquele estado debilitado, atingiu seu alvo. Truyde foi puxada para trás com um gemido abafado, presa pelo manto ao batente da porta. Antes que pudesse escapar, Ead já estava na frente dela.

— Meu dever é exterminar os lacaios do Inominável. E também matarei qualquer um que ameaçar a Casa de Berethnet — murmurou ela. — Se me acusar de feitiçaria diante do Conselho das Virtudes, vai precisar de uma prova, e sugiro que arrume uma depressa, antes que eu faça um fantóchio seu e de seu amante e apunhale os dois no coração. Pensa que só porque Triam Sulyard está no Leste eu não posso atingi-lo?

Truyde respirou fundo por entre os dentes.

— Se encostar um dedo nele, vou garantir que você seja queimada em público na Praça Marian — sussurrou ela.

— O fogo não tem poder sobre mim.

Ead soltou sua faca. Truyde desmoronou junto à parede, arfando, com uma das mãos na garganta.

Ead se virou para a porta. Sua respiração estava acelerada e quente, e seus ouvidos zuniam.

Só conseguiu dar um passo antes de cair.

10

Leste

Ginura era tudo o que Tané imaginava. Desde criança, ela visualizara a capital de mil maneiras diferentes. Inspirada pelo que tinha ouvido de seus eminentes professores, sua mente criara uma paisagem onírica de castelos e casas de chá e barcos de prazeres.

Sua imaginação não havia fracassado. Os altares eram maiores do que qualquer um de Cabo Hisan, as ruas brilhavam como areia sob o sol e as pétalas de flores flutuavam nos canais. Por outro lado, mais gente significava mais agitação. A fumaça de carvão impregnava o ar. Parelhas de bois puxavam carroças com mercadorias, mensageiros corriam ou cavalgavam por entre as construções, cães sem dono farejavam em busca de restos de comida e, aqui e ali, um bêbado esbravejava contra a multidão.

E *que* multidão. Tané considerava Cabo Hisan um lugar movimentado, mas cem mil pessoas circulavam por Ginura, e pela primeira vez na vida, ela percebeu como era pequeno o mundo onde tinha vivido.

Os palanquins carregaram os aprendizes para o coração da cidade. As árvores da estação eram vívidas como haviam contado a Tané, com suas folhas de verão amarelas como manteiga, e os artistas de rua tocavam uma música que Susa adoraria ouvir. Ela viu dois macacos-das-neves empoleirados em um telhado. Os comerciantes anunciavam sedas e panelas e uvas-da-praia da costa norte.

Enquanto os palanquins passavam por canais e atravessavam pontes, as pessoas se viravam de costas, como se fossem indignas de contemplar os guardiões do mar. Entre eles havia os peixes-grandes, como os plebeus os chamavam com uma boa dose de desprezo em Cabo Hisan — cortesões vestidos como se tivessem acabado de sair do mar. Diziam que alguns raspavam escamas de peixes coloridos e espalhavam nos cabelos ao penteá-los.

Quanto Tané viu o Castelo de Ginura, ficou sem fôlego. Os telhados eram da cor do coral exposto ao sol, e as paredes pareciam de osso de siba. Tinha sido projetado para lembrar o Palácio das Muitas Pérolas, onde os dragões seiikineses hibernavam a cada ano e que era a ponte entre o mar e o plano celestial.

Outrora, na época em que estavam no auge de seus poderes, os dragões sequer precisavam de uma temporada de descanso.

A procissão parou diante da Escola de Guerra de Ginura, onde os guardiões do mar seriam classificados de forma definitiva. Era a instituição mais antiga e prestigiosa de sua classe, onde os novos recrutas eram alojados e continuavam seu treinamento nas artes da guerra. Era lá que Tané precisava se provar digna de uma posição no Clã Miduchi. Era lá que exibiria as habilidades que vinha aprimorando desde menina.

Um trovão retumbou no céu. Quando saiu do palanquim, suas pernas bambearam, doloridas por estarem encolhidas havia tanto tempo. Turosa riu, mas um serviçal a segurou.

— Eu a ajudo, respeitável senhorita.

— Obrigada — disse Tané.

Quando viu que suas pernas estavam estáveis, o serviçal abriu um guarda-chuva sobre sua cabeça.

Primeiro a chuva encharcou suas botas, enquanto ela entrava junto com os demais pelo portão, absorvendo a grandiosidade do revestimento de prata e da madeira esbranquiçada pela maresia. Entalhes de grandes guerreiros da história seiikinesa aglomeravam-se sob a cobertura triangular da entrada, como se estivessem se escondendo do temporal. Tané identificou a honradíssima Princesa Dumai e o Primeiro Líder Guerreiro entre aquelas figuras. Eram os heróis de sua infância.

Uma mulher os esperava no saguão, onde tiraram as botas. Seus cabelos estavam presos em um toucado.

— Bem-vindos a Ginura — falou ela friamente. — Pela manhã vocês podem se lavar e descansar em seus alojamentos. À tarde, farão a primeira de suas provas da água, quando serão observados pelo ilustre General do Mar e por aqueles que talvez se tornem seus companheiros.

O Clã Miduchi. Tané vibrou por dentro.

A mulher os conduziu para o interior da escola, passando por pátios e passagens cobertas. A cada guardião do mar foi designado um quartinho. Tané foi instalada no andar de cima, perto dos três outros aprendizes de maior de destaque. Seu quarto tinha vista para um pátio, onde a superfície de um tanque de peixes borbulhava por causa da chuva.

Suas roupas de viagem fediam. Já fazia três dias desde a última parada em uma hospedaria à beira da estrada.

Ela encontrou uma banheira de cipreste atrás de um biombo. Óleos aromáticos e pétalas de flores boiavam na água. Seus cabelos flutuaram aos seu redor quando ela afundou na banheira e voltou seus pensamentos para Cabo Hisan. Para Susa.

Ela ficaria bem. Como uma gata, Susa sempre dava um jeito de cair em pé. Quando as duas eram mais novas e Tané ainda fazia visitas frequentes à cidade, a amiga roubava raízes de lótus fritas ou ameixas salgadas, e corria como uma raposa caso fosse vista. Elas se escondiam em algum lugar e se empanturravam até não poderem mais, rindo o tempo todo. A única vez que Susa parecera assustada fora quando Tané a vira pela primeira vez.

Aquele inverno tinha sido longo e rígido. Em uma noite gélida, Tané enfrentara uma nevasca com um professor para ir comprar lenha em Cabo

Hisan. Enquanto o professor barganhava com um comerciante, Tané se afastara para aquecer as mãos junto a um vaso com carvões em brasa.

Foi então que ouvira os risos, e a voz esganiçada pedindo socorro. Em um beco próximo, vira uma outra criança caída na neve, sendo chutada por um bando de meninos arruaceiros. Tané sacara a espada de madeira com um grito. Mesmo aos 11 anos, ela já sabia como usá-la.

Os arruaceiros de Cabo Hisan eram bons de briga. Um deles acertara o rosto de Tané com uma lâmina, mirando no olho, deixando uma cicatriz no formato de um anzol.

Eles haviam espancado Susa — uma órfã faminta — por ter comido uma carne deixada como oferenda em um altar. Depois de pôr os arruaceiros para correr, Tané fora atrás do professor em busca de ajuda. Aos 10 anos, Susa não tinha mais idade para começar a ser educada em uma das Casas de Aprendizagem, mas logo fora acolhida e adotada graças ao coração bondoso da dona de uma hospedaria. Desde então, ela e Tané continuaram amigas. Às vezes brincavam que poderiam ser irmãs, já que Susa não sabia nada a respeito de seus pais.

Irmãs do mar, Susa dissera certa vez. *Duas pérolas formadas na mesma ostra.*

Tané saiu da banheira.

Como ela mudara desde aquela noite em meio à neve. Se tivesse acontecido agora, ela poderia ter concluído que um enfrentamento com um bando de arruaceiros não era um comportamento digno de uma aprendiz. Poderia inclusive ter concluído que a menina merecia uma surra por ter roubado o que era dos deuses. Em algum momento, ela começou a se dar conta de como era afortunada por ter a oportunidade de se tornar uma ginete de dragões. Foi quando seu coração endureceu um pouco, como uma embarcação cujo casco fica encrustado de cracas.

Mesmo assim, uma parte dessa sua versão mais jovem havia sobrevivido. A parte que escondera aquele homem que encontrara na praia.

Não haveria segundas chances se ela estivesse cansada durante o primeiro dia de instruções. Tané se enxugou, vestiu o robe sem forro estendido na cama e dormiu.

Quando acordou, o tempo ainda carregava uma neblina causada pela chuva, mas uma luz pálida conseguia atravessar o céu nublado. A pele havia secado por completo, deixando-a mais refrescada e lúcida.

Um grupo de serviçais logo apareceu. Ela não era vestida por outra pessoa desde criança, mas sabia que era melhor não protestar.

A primeira prova aconteceria em um pátio na parte central da escola, onde o General do Mar estava à espera. Os guardiões do mar assumiram seus lugares em bancos de pedra arranjados como uma arquibancada. Os dragões já estavam lá, observando-os dos telhados. Tané tentou não ficar olhando.

— Bem-vindos a sua primeira prova da água. Vocês passaram dias em viagem, mas a Guarda Superior do Mar não tem muito tempo para descansar — bradou o General do Mar. — Hoje vocês provrão que sabem usar uma alabarda. Comecemos pelas duas aprendizes cujas habilidades são mais elogiadas por seus eminentes professores. Honorável Onren da Casa do Leste, honorável Tané da Casa do Sul: vejamos quem consegue superar a outra primeiro.

Tané se ergueu, sentindo a garganta contrair. Quando desceu a escada, um homem entregou a ela uma alabarda: uma arma leve e longa, com cabo de carvalho branco e uma lâmina curvada de aço na ponta. Ela removeu a bainha laqueada e passou o dedo na extremidade.

Na Casa do Sul, as lâminas eram de madeira. Agora, finalmente, ela poderia usar o aço. Quando Onren recebeu sua alabarda, elas caminharam na direção uma da outra.

Onren sorriu. Tané assumiu uma expressão neutra, apesar de sentir as palmas das mãos suadas. Seu coração era como uma borboleta engaiolada. *A água em você é fria*, seu professor dissera certa vez. *Quando você empunha uma arma, torna-se um fantasma sem rosto. Não deixa transparecer nada.*

Elas fizeram reverências uma para a outra. Um silêncio tomou conta de sua mente, como a tranquilidade do crepúsculo.

— Comecem — disse o General do Mar.

Imediatamente, Onren eliminou o espaço entre as duas. Tané girou sua alabarda com as duas mãos, e as lâminas se chocaram. Onren soltou um grito curto e alto.

Tané não emitiu nenhum ruído.

Onren afastou as duas lâminas e deu um passo atrás, para longe de Tané, apontando a alabarda para o peito dela. Tané esperou que ela fizesse o próximo movimento. Deveria haver uma razão para Onren ser considerada a principal aprendiz da Casa do Leste.

Como se ouvisse seus pensamentos, Onren começou a girar a alabarda ao redor do corpo, passando-a com movimentos fluidos pelos braços e entre as mãos, em uma demonstração de confiança. Tané segurou sua arma com mais força, aguardando.

Onren tinha preferência por um lado do corpo. Ela evitava apoiar muito peso no joelho esquerdo. Tané se lembrava vagamente que Onren levara um coice de um cavalo quando era mais nova.

Encorajada, Tané avançou com a alabarda erguida. Onren também veio em sua direção. Dessa vez, elas foram mais rápidas. *Um, dois, três* golpes. Onren emitia rosnados ameaçadores a cada investida. Tané se defendia em silêncio.

Quatro, cinco, seis. Tané fazia sua alabarda subir e descer veloz, usando tanto o cabo quanto a lâmina.

Sete, oito, nove.

Quando veio um corte para baixo, Tané girou a alabarda em um movimento circular — uma ponta para cima, depois a outra, desviando o golpe contrário e deixando a adversária exposta. Onren quase não se recuperou a tempo de se defender do golpe seguinte, mas, quando investiu de novo com a arma, Tané ouviu o vento zunir bem perto de sua cabeça. Ela levou a mão à orelha à procura de sangue, mas não havia nada.

Essa distração custou caro. Onren avançou em um turbilhão de carvalho e aço, produzindo uma força considerável. Lutavam pela honra, pela glória, pelos sonhos que alimentavam desde meninas. Tané cerrou os dentes enquanto movia os pés e se esquivava, com o suor encharcando sua túnica militar e os cabelos grudados na nuca. Um dos dragões bufou.

O lembrete da presença deles fortaleceu sua determinação. Para vencer, precisaria sofrer um golpe.

Tané permitiu que Onren a atingisse no braço com força suficiente para deixar um hematoma. A dor foi profunda. Onren avançou com a arma em riste, como se fosse um arpão de pesca. Tané deu um salto para trás, dando espaço para ela, e, quando Onren levantou os braços para um golpe final de cima para baixo, Tané rolou no chão e golpeou com tudo o joelho mais fraco da oponente. A madeira estalou vigorosamente contra o osso.

Onren foi ao chão arfando. O joelho cedeu. Antes que pudesse se levantar, Tané encostou a lâmina entre os ombros dela.

— De pé — ordenou o General do Mar, parecendo satisfeito. — Boa luta. Honorável Tané da Casa do Sul, a vitória é sua.

Os espectadores aplaudiram. Tané entregou a alabarda para um serviçal e estendeu a mão para Onren.

— Eu machuquei você?

Onren deixou que Tané a ajudasse a se levantar.

— Bem — ela falou, ofegante —, acho que você quebrou a minha patela.

Uma lufada de ar salgado soprou atrás delas. A dragoa lacustre verde estava sorrindo para Tané do telhado, mostrando todos os dentes. Pela primeira vez, Tané sorriu de volta.

Distraída, ela se deu conta de que Onren ainda estava falando.

— Desculpe — ela falou, zonza de alegria. — O que você disse?

— Eu só estava comentando que os guerreiros mais ferozes podem se esconder atrás dos rostos mais gentis.

Elas se curvaram uma diante da outra em cumprimento, e em seguida Onren assentiu na direção dos bancos, onde os aprendizes ainda estavam aplaudindo.

— Dê uma boa olhada em Turosa — disse ela. — Ele sabe que tem uma luta difícil pela frente.

Tané seguiu o olhar dela. Turosa nunca parecera tão furioso — ou tão determinado.

11

Oeste

— Lá está — disse Estina Melaugo, estendendo o braço na direção da terra firme. — Presenteiem seus olhos com a fossa dragônica que se tornou Yscalin.

— Não, obrigado. — Kit deu um gole da garrafa que estavam compartilhando. — Eu preferiria que minha morte viesse de surpresa.

Loth espiou pela luneta. Mesmo agora, um dia depois de ter visto o Altaneiro do Oeste, suas mãos ainda estavam trêmulas.

Fýredel. A asa direita do Inominado. Comandante do Exército Dragônico. Se ele despertara, os demais Altaneiros do Oeste certamente o seguiriam. Era deles que os demais wyrms extraíam suas forças. Quando um Altaneiro do Oeste morria, o fogo em seus wyverns, e sua descendência, se apagava.

O Inominado em si não poderia retornar — não enquanto a Casa de Berethnet existisse —, mas seus lacaios eram capazes de causar muita destruição sem ele. A Era da Amargura era uma prova disso.

Devia haver alguma razão para terem ressurgido. Eles adormeceram ao final da Era da Amargura, na mesma noite em que um cometa cruzara o céu. Os estudiosos especularam durante séculos sobre os motivos, desde o porquê como o quando poderiam despertar, mas ninguém encontrara uma resposta. Pouco a pouco, todos passaram a supor que nunca aconteceria novamente. Que os wyrms foram transformados em fósseis vivos.

Loth voltou sua atenção para o que podia vislumbrar através da lente. A lua parecia um olho semicerrado, e eles navegavam por águas tão sombrias quanto seus pensamentos. Tudo o que conseguia ver era o ninho de luzes à distância que era Perunta. Um lugar que provavelmente estaria infestado pela peste dragônica.

A doença fora disseminada a princípio pelo Inominável, cujo hálito, segundo diziam, era um veneno de efeito lento. Uma variante ainda mais assustadora fora criada com os cinco Altaneiros do Oeste. Eles e seus wyverns eram os hospedeiros, da mesma forma como os ratos eram os hospedeiros da peste bubônica. A peste dragônica existia apenas em alguns lugares desde o fim da Era da Amargura, mas Loth conhecia seus sinais pelo que estudara nos livros.

Tudo começava com o avermelhamento das mãos. Depois, vinham erupções parecidas com escamas. À medida que se espalhava pelo corpo, o doente era acometido por dor nas juntas, febre e visões. Caso tivessem a infelicidade de sobreviver até então, por fim iniciava-se a fervura do sangue. O enfermo se tornava mais perigoso naquele estágio porque, se não fosse contido, saía correndo e gritando como se estivesse pegando fogo, e o simples contato com a pele bastava para transmitir a doença. Em geral, os contaminados morriam em questão de dias, mas houve casos de alguns que sobreviveram por mais tempo.

Não havia cura para a peste. Nem cura, nem prevenção.

Loth fechou a luneta e a entregou para Melaugo.

— Suponho que chegou nossa hora — disse ele.

— Não perca a esperança, Lorde Arteloth. — O olhar dela parecia distante. — Duvido que a peste tenha chegado ao palácio. São os que vocês chamam de plebeus que mais sofrem nos momentos de necessidade.

Plume e Harlowe vinham na direção da proa, o capitão carregando um cachimbo de barro na mão.

— Muito bem, milordes — disse o capitão. — Foi um prazer recebê-los, mas nada dura para sempre.

Kit enfim pareceu compreender o perigo que estavam correndo. Podia estar só entaçado ou então ter perdido o juízo, mas ele juntou as mãos na altura do peito.

— Eu imploro, capitão Harlowe, nos deixe fazer parte de sua tripulação. — Seus olhos faiscavam. — Lorde Seyton não precisa nem ficar sabendo. Nossas famílias têm dinheiro.

— O quê? — sibilou Loth. — Kit...

— Vamos ouvi-lo falar. — Harlowe fez um gesto com o cachimbo. — Prossiga, Lorde Kitston.

— Há um terreno disponível nas Terras Baixas, um solo muito bom. Se nos salvar, ele é seu — continuou Kit.

— Eu tenho o alto mar sob meus pés. Não é de terras que preciso — disse Harlowe. — Preciso de marujos.

— Sob sua orientação, aposto que seríamos marujos *excepcionais*. Eu venho de uma longa linhagem de cartógrafos, sabe. — Era uma completa mentira. — E Arteloth costumava velejar no Lago Elsand.

Harlowe os observou, os olhos sombrios.

— Não — Loth disse com firmeza. — Capitão, Lorde Kitston está inquieto diante de nossa incumbência, mas é nosso dever aportar em Yscalin. Para garantir que a justiça seja feita.

Com o rosto parecendo uma maçã descascada, Kit o segurou pelo justilho e o puxou de lado.

— Arteloth, estou tentando nos livrar disso. Por que isso — murmurou ele, virando Loth na direção das luzes distantes —, não tem *nada* a ver com justiça. Isso é o Gavião Noturno nos mandando para a morte por causa de uma fofoca mesquinha.

— Combe pode ter me exilado com intenções sinistras, mas agora que estou quase em Yscalin, quero saber o que aconteceu com o Príncipe Wilstan. — Loth pôs uma das mãos no ombro do amigo. — Se quiser desistir, Kit, não vou guardar nenhuma mágoa. Esse castigo não é seu.

Kit o encarou, frustração estampada no rosto.

— Ah, Loth —disse ele em um tom mais suave. — Você não é o Santo.

— Não, mas ele tem colhões — Melaugo comentou.

— Eu não tenho tempo para essa conversa de devotos — Harlowe interrompeu. — Mas concordo com Estina em relação a seu colhões, Lorde Arteloth. — O olhar dele era penetrante. — Preciso de gente com um espírito como o seu. Se acharem que conseguem sobreviver à vida nos mares, digam agora, e podem fazer parte da minha tripulação.

— Sério? — Kit falou, piscando algumas vezes.

Harlowe se manteve impassível. Loth não se manifestou, e Kit suspirou.

— Foi o que pensei. — Harlowe lançou um olhar gélido para os dois. — Então fora do meu barco, porra.

Os piratas caíram na risada. Melaugo, que estava com os lábios franzidos, fez um sinal para Loth e Kit. Quando seu amigo se virou para acompanhá-la, Loth o segurou pelo braço.

— Kit, aproveite a chance e fique por aqui — ele murmurou. — Você não representa ameaça para Combe, não como eu. Ainda pode voltar para Inys.

Kit sacudiu a cabeça, com um sorriso nos lábios.

— Ora, Arteloth — disse ele. — O pouco de devoção que tenho eu devo a você. E ele pode não ser meu padroeiro, mas a Cavaleira da Confraternidade diz que não devemos deixar nossos amigos sozinhos.

Loth quis argumentar, mas só conseguiu sorrir para o amigo. Eles foram andando lado a lado atrás de Melaugo.

Os dois precisaram descer por uma escada de corda do *Rosa Eterna*. Suas botas engraxadas escorregavam nos degraus. Quando se sentaram no bote a remo, onde estavam suas bagagens, Melaugo também desceu.

— Me passe os remos, Lorde Arteloth. — Quando Loth obedeceu, ela assobiou, com a cabeça virada para cima. — Até daqui a pouco, Capitão. Não vá zarpar sem mim.

— Jamais, Estina. — Harlowe debruçou-se na amurada. — Adeus, milordes.

— Mantenham seus pomos aromáticos por perto, jovens lordes — acrescentou Plume. — Não queremos que fiquem doentes.

A tripulação dava gargalhadas ruidosas enquanto Melaugo fazia o trabalho de afastá-los do *Rosa Eterna*.

— Não liguem para eles. Estariam todos mijando nas calças se estivessem na situação de vocês. — Ela olhou por cima do ombro. — De onde veio essa ideia de oferecer seus serviços como pirata, Lorde Kitston? Essa vida não é como nas músicas, sabe. Tem um pouco mais de merda e escorbuto.

— Um acesso de brilhantismo, acredito eu. — Kit lançou para ela um olhar de ofensa fingida. — Eu tenho a Cavaleira da Cortesia como padroeira, mestra. Ela ordena aos poetas que embelezem o mundo, mas como posso fazer isso, a não ser que o veja?

— Está aí uma pergunta que eu preciso tomar uns bons goles antes de tentar responder.

Conforme se aproximaram da costa, Loth tirou o lenço do bolso e pressionou contra o nariz. Vinagre, peixe e fumaça acre formavam o pútrido buquê de odores de Perunta. Kit manteve o sorriso no rosto, mas seus olhos lacrimejavam.

— Que revigorante — ele conseguiu dizer.

Melaugo não sorriu.

— Mas carreguem mesmo seus pomos aromáticos — disse ela. — Vale a pena, nem que seja para ter algum conforto.

— Não existe nada que possamos fazer para nos proteger? — perguntou Loth.

— Podem tentar não respirar. Dizem que a peste está por toda parte, e ninguém sabe ao certo como ela se espalha. Alguns usam véus ou máscaras para não se contaminarem.

— Nada mais?

— Ah, vocês vão ver os comerciantes tentando vender de tudo. Espelhos que afastam vapores, inúmeras poções e cataplasmas, mas engolir o seu ouro daria na mesma. O máximo que dá para fazer é abreviar o sofrimento dos doentes. — Ela manobrou o bote ao redor de uma rocha. — Não imagino que já tenham visto muitas mortes.

— Essa sua suposição me ofende — protestou Kit. — Eu acompanhei minha querida tia-avó até o esquife.

— Sim, e imagino que estivesse com um vestido vermelho para seu encontro com o Santo. Devia estar limpa como um gato depois de se lamber, e perfumada com alecrim. — Kit fez uma careta, e Melaugo continuou: — Você não viu a morte, milorde. Só a máscara que colocam sobre ela.

Eles ficaram em silêncio depois disso. Quando a água estava rasa o bastante para conseguirem seguir andando, Melaugo parou de remar.

— Eu não vou chegar mais perto que isso. — Ela apontou com o queixo para a cidade. — Vocês devem ir até uma taverna chamada Videira. Alguém deve ir buscá-los lá. — Ela empurrou Kit com a ponta da bota. — Agora vão. Eu sou uma corsária, não uma ama de leite.

Loth se levantou.

— Nós lhe agradecemos, Mestra Melaugo. Sua bondade não será esquecida.

— Por favor, esqueçam. Eu tenho uma reputação a zelar.

Eles desceram do bote com seus baús. Quando chegaram à areia, Melaugo tomou o caminho de volta para o *Rosa Eterna*, cantarolando em yscalino com a voz trêmula.

Harlowe talvez aceitasse os dois. Poderiam ter visto lugares que já não tinham mais nomes, oceanos que nunca foram cruzados por rotas comerciais. Loth poderia se ver no castelo de proa em sua própria embarcação algum dia — mas ele não era esse tipo de homem, e nunca seria.

— Não foi a chegada mais gloriosa de nossa vida. — Ofegante, Kit deixou seu baú cair no chão. — Como vamos achar essa taverna?

— É só... confiarmos em nossos instintos — disse Loth, sem muita convicção. — Os plebeus certamente sabem como andar por seus caminhos.

— Arteloth, nós somos cortesãos. Não temos nenhum instinto útil.

Loth não soube como retrucar.

Eles foram avançando lentamente pela cidade. Os baús eram pesados, e não dispunham de nenhum mapa ou bússola.

Perunta, em outros tempos, era conhecida como a mais bela cidade portuária do Oeste. Aquelas ruas enlameadas, cobertas de espinhas de peixes e cinzas e água suja não era o que Loth imaginara. Um pássaro morto era devorado por vermes. As fossas transbordavam. Em uma praça às escuras, havia um santuário em ruínas. Sabran recebera relatos dizendo que o Rei Sigoso executara os santários que não renunciaram à fé no Santo, mas ela se recusara a acreditar.

Loth tentou não respirar ao saltar uma pequena enxurrada de líquido escuro. Não ousava sequer sair de perto de Kit. As pessoas se acotovelavam ao redor deles, com os rostos cobertos com véus ou trapos.

Eles viram a primeira casa infectada pela peste na rua seguinte. As janelas haviam sido tapadas com tábuas, e na porta de carvalho estavam pintadas asas escarlates. Uma inscrição em yscalino fora escrita a giz em cima da pintura.

— *Tenham piedade desta casa, pois fomos amaldiçoados* — leu Kit em voz alta.

Loth o encarou com uma expressão interrogativa.

— Você sabe ler em yscalino?

— Pois é. E você está chocado — Kit falou, muito sério. — Afinal, eu tenho tamanha maestria no idioma inysiano, tamanha prodigalidade nos versos, que parece impossível haver espaço no meu crânio para outra língua, mas…

— Kit.

— Melaugo me falou o que isso queria dizer.

A escuridão os deixava desorientados. Havia poucas velas acesas em Perunta, embora os braseiros fumegassem nas ruas mais largas. Depois de fazerem um grande esforço para circularem pela cidade demonstrando a maior confiança possível, Loth e Kit por fim depararam por acaso com a taverna onde encontrariam a pessoa que os escoltaria até Cárscaro. A placa mostrava um cacho suculento de uvas pretas que não tinham o menor cabimento naquela latrina.

Uma carruagem esperava do lado de fora. Loth tinha quase certeza de que era feita de ferro, e o deixou aterrorizado antes mesmo de questionar que tipo de cavalo seria capaz de puxar aquilo. Foi então que ele viu.

Uma enorme cabeça lupina se virou para encará-lo, e uma grande mandíbula cheia de dentes se abriu, deixando escapar um fio de saliva.

A criatura era maior que um urso. Seu pescoço se conectava a um corpo serpentino, que podia ser movido tanto por pernas musculosas quanto por um par de asas de morcego. Ao seu lado, havia um segundo monstro, com uma pelagem cinzenta. Os olhos de ambos eram idênticos. Como brasas do Ventre de Fogo.

Jáculos.

As crias do cruzamento entre wyverns e lobos.

— Não se mexa — murmurou Kit. — Os bestiários dizem que qualquer movimento súbito pode fazê-los atacar.

Um dos jáculos rosnou. Loth queria fazer o sinal da espada, mas não ousava se mover.

Quantas criaturas dragônicas estariam despertas em Yscalin?

O cocheiro da carruagem era um yscalino de cabelo seboso.

— Lorde Arteloth e Lorde Kitston, imagino — falou ele.

Kit soltou um ruído ininteligível. O cocheiro acionou uma alavanca, e uma escada se desdobrou.

— Deixem os baús — murmurou ele. — Entrem.

Eles obedeceram.

Dentro da carruagem, havia uma mulher à espera dos dois, usando um vestido vermelho pesado e um véu de renda preta. Vestia luvas compridas de veludo, com babados nos cotovelos. Um pomo aromático de filigrana estava pendurado na lateral de seu corpo.

— Lorde Arteloth. Lorde Kitston — disse ela com um tom suave. Loth mal conseguia ver seus olhos escuros através do véu. — Bem-vindos a Perunta. Sou Priessa Yelarigas, Dama Primeira da Alcova de Sua Resplandescência, a Donmata Marosa do Reino Dragônico de Yscalin.

Ela não estava doente. Ninguém que fosse vítima da tortura que era a peste poderia falar de uma forma tão gentil.

— Obrigado por vir nos encontrar aqui, milady. — Loth se esforçou para manter um tom de voz tranquilo. Kit se espremeu na carruagem ao lado dele. — É uma honra para nós sermos recebidos na corte do Rei Sigoso.

— É uma honra para Sua Majestade recebê-los.

Um chicote estalou do lado de fora, e a carruagem começou a andar.

— Confesso que estou surpreso por Sua Resplandescência enviar uma dama de posição tão elevada para nos encontrar — disse Loth. — Considerando que esta cidade está atormentada por enfermos.

— Se o Inominado quiser que minha vida seja entregue a sua peste, que assim seja — respondeu ela sem se alterar.

Loth cerrou os dentes. E pensar que aquelas pessoas já haviam proclamado sua lealdade a Sabran e à Virtandade.

— Vocês devem estar acostumados a ver cavalos puxando carruagens, milordes — Lady Priessa continuou. — Mas seriam necessários muitos dias para atravessar Yscalin dessa forma. Os jáculos são velozes e nunca se cansam.

Ela entrelaçou as mãos sobre o colo. Os dedos tinham vários anéis de ouro sobre as luvas.

— Aproveitem para descansar — complementou ela. — Por mais ágil que seja nossa carruagem, ainda temos muito chão a percorrer, milordes.

Loth tentou abrir um sorriso.

— Eu prefiro observar a paisagem.

— Como quiser.

Na verdade, estava escuro demais para enxergar qualquer coisa pela janela, mas ele não dormiria assim tão perto de uma adoradora de wyrms.

Aquele era um território dragônico. Era preciso se levantar do berço esplêndido da nobreza e encontrar o espião que havia dentro dele. Era preciso se fortalecer para encarar os perigos da missão. Portanto, enquanto Kit cochilava, Loth se manteve sentado e tão imóvel quanto possível, com os olhos abertos por pura força de vontade, e fez uma promessa para o Santo.

Ele aceitaria o caminho em que fora colocado. Procuraria o Príncipe Wilstan. Promoveria o reencontro de sua rainha com o pai dela. E voltaria para casa.

Ele não conseguiu descobrir se Priessa Yelarigas dormira, ou se passara a noite toda a vigiá-lo.

Havia fumaça em seus cabelos. Ela conseguia sentir o cheiro.

— Onde foi que você a encontrou?

— No campanário, imagine só.

Passos se aproximaram.

— Santo, é a Mestra Duryan. Mande avisar Sua Majestade imediatamente. E vá buscar um médico.

A língua estava em brasa dentro da boca. Quando aquelas pessoas desconhecidas a soltaram, ela caiu em um sono febril.

Voltara a ser uma criança, protegida do sol pelos galhos da árvore. O fruto pairava sobre sua cabeça, alto demais para ser alcançado, e Jondu gritava: "Venha cá, Eadaz, venha ver".

Então, a Prioresa levava uma taça aos lábios dela, dizendo que era o sangue da Mãe. Tinha gosto de luz do sol e risadas e orações. Ela ficara queimando daquele jeito nos dias subsequentes, queimando até o fogo derreter sua ignorância. Fora o dia em que ela renascera.

Quando acordou, um rosto conhecido de mulher estava ao seu lado na cama, despejando a água de um jarro em uma tigela.

— Meg.

Margret se virou para ela tão depressa que quase derrubou o jarro.

— Ead! — Com uma risada de alívio, Meg deu um beijo em sua testa. — Ah, graças ao Santo. Você estava inerte há dias. Os médicos disseram que era uma febre, depois a doença do suor, depois a pestilência...

— Sabran — Ead falou com a voz rouca. — Meg, ela está bem?

— Primeiro precisamos saber se *você* está bem. — Meg pôs a mão em suas bochechas e no pescoço. — Está com alguma dor? É melhor chamar um médico?

— Nada de médicos. Não tem absolutamente nada de errado comigo. — Ead umedeceu os lábios. — Tem algo que eu possa beber?

— Claro.

Margret encheu um copo e levou até a boca de Ead, que bebeu um pouco da cerveja.

— Você estava no campanário — disse Margret. — O que estava fazendo lá em cima?

Ead inventou uma mentira qualquer.

— Acabei enveredando por um caminho errado na biblioteca. Encontrei a porta da torre do relógio aberta e pensei em ir explorar, e foi bem na hora em que a fera apareceu. Acho que foram... os vapores terríveis dele que provocaram essa febre. — Antes que Meg pudesse questioná-la, ela acrescentou: — Agora me diga se Sabran está bem.

— Sabran está melhor do que nunca, e Inys inteira sabe que nem Fýredel é capaz de atingi-la com seu fogo.

— E o wyrm, onde está agora?

Margret pôs o copo de volta na mesinha de cabeceira e molhou um pano na tigela.

— Foi embora. — Ela franziu a testa. — Não houve mortes, mas ele incendiou alguns depósitos. O Capitão Lintley disse que a cidade está em alerta. Sabran espalhou mensageiros para garantir que oferecerá proteção ao povo, mas ninguém consegue acreditar que um Altaneiro do Oeste despertou.

— Era inevitável que acontecesse — respondeu Ead. — Os pequenos sinais já vinham aparecendo há algum tempo.

— Sim, mas nunca de um dos generais. Felizmente, a maior parte da cidade não faz ideia de que o wyrm que viram aqui era a asa direita do Inominado. Todas as tapeçarias que o retratavam estão escondidas no castelo. — Margret torceu o pano. — Ele e seus parentes infernais.

— Ele disse que Orsul já tinha despertado. — Ead deu mais um gole na cerveja. — E que Valeysa ressurgirá em breve.

— Pelo menos os outros já estão mortos faz tempo. E, obviamente, o Inominado não pode voltar. Não enquanto a Casa de Berethnet existir.

Quando Ead tentou se sentar, seus braços estavam tremendo, e ela desabou sobre os travesseiros. Margret foi até a porta conversar com alguém da criadagem antes de voltar.

— Meg — disse Ead, enquanto Margret umedecia sua testa. — Eu sei o que aconteceu com Loth.

Margret ficou paralisada.

— Ele escreveu para você?

— Não. — Ead deu uma espiada na porta. — Eu ouvi os Duques Espirituais conversando com Sabran. Combe diz que Loth foi para Cárscaro como espião, para descobrir o que está acontecendo por lá, e para procurar Wilstan Fynch. Falou que Loth foi sem permissão... mas acho que nós duas sabemos qual é a verdade.

Lentamente, Margret se recostou na cadeira, levando a mão à barriga.

— Que o Santo salve meu irmão — murmurou ela. — Ele não é um espião. Combe o condenou à morte.

Um silêncio recaiu sobre o quarto, quebrado apenas pelos pássaros do lado de fora.

— Eu avisei, Ead — Margret disse por fim. — Eu avisei para ele que uma amizade com a rainha não era uma coisa corriqueira, que ele precisava tomar cuidado. Mas Loth nunca me escuta. — Ela abriu um sorriso triste, com os lábios retorcidos. — Meu irmão pensa que todo mundo é bonzinho como ele.

Ead tentou encontrar palavras para reconfortá-la, mas não havia nenhuma que pudesse dizer. Loth corria um enorme perigo.

— Pois é. Eu também tentei alertá-lo. — Ead segurou a mão da amiga. — Ele ainda pode conseguir voltar.

— Você sabe que ele não vai durar muito tempo em Cárscaro.

— Você pode fazer um apelo a Combe para que ele o traga de volta. Afinal, você é Lady Margret Beck.

— E Combe é o Duque da Cortesia. Tem mais influência e riqueza do que eu vou ter algum dia na vida.

— Então por que você mesma não conta a Sabran? — questionou Ead. — Ela está claramente desconfiada a respeito dessa história.

— Eu não posso acusar Combe de conspiração sem provas. Se ele disse para Sab que Loth foi por iniciativa própria e eu não tiver evidências do contrário, nem ela pode fazer nada.

Ead sabia que Margret estava certa. Apertou a mão dela com mais força, e Margret soltou um suspiro trêmulo.

Alguém bateu na porta. Margret foi cochichar com quem estava do lado de fora. Com a siden inativa, e seus sentidos embotados, Ead não conseguiu ouvir a conversa.

Margret voltou com uma taça.

— É gemada — disse ela. — Tallys fez especialmente para você. Ela é uma boa menina.

Aquele caldo quente, tão doce que chegava a ser enjoativo, era a solução para tudo em Inys. Fraca demais para segurar as alças da taça, Ead permitiu que Margret pusesse aquela coisa horrorosa em sua boca a colheradas.

Mais uma batida na porta. Dessa vez, quando abriu, Margret fez imediatamente uma mesura.

— Deixe-nos a sós por um momento, Meg.

Ela conhecia aquela voz. Lançando um último olhar na direção de Ead, Meg se retirou.

A Rainha de Inys entrou no quarto. Seu traje de equitação era do verde-escuro do azevinho.

— Avise se precisar de nós, Majestade — falou uma voz áspera do lado de fora.

— Não acredito que uma mulher acamada seja um grande perigo para minha pessoa, Sir Gules, mas agradeço.

A porta se fechou. Ead se sentou da melhor forma que era capaz, ciente de que estava encharcada de suor e com um gosto azedo na boca.

— Ead — disse Sabran, examinando-a. Suas bochechas se avermelharam de leve. — Vejo que você enfim acordou. Ficou ausente dos meus aposentos por tempo demais.

— Perdão, Majestade.

— Sua generosidade fez muita falta. Eu pretendia visitá-la mais cedo, mas os médicos temiam que você pudesse estar com a doença do suor. — A luz do sol suavizava os olhos de Sabran. — Você estava na torre do relógio no dia em que o wyrm apareceu. Eu gostaria de saber o motivo.

— Senhora?

— O Bibliotecário Real a encontrou lá. Lady Oliva Marchyn me disse que alguns cortesãos e criados usam a torre para... atividades venéreas.

— Eu não tenho nenhum amante, Majestade.

— Não tolerarei a lascívia neste palácio. Confesse, e a Cavaleira da Cortesia pode lhe conceder misericórdia.

Ead pressentiu que a rainha não engoliria a história sobre ter seguido pelo caminho errado na biblioteca.

— Eu subi até o campanário... para ver se conseguia desviar a atenção da fera de Sua Majestade. — Ela desejou ter forças para falar com mais convicção. — Mas eu não precisava temer pela senhora.

Era a verdade, ainda que destituída de partes vitais.

— Acredito que o Embaixador uq-Ispad não me solicitaria que uma pessoa de moral questionável fosse aceita no Alto Escalão de Serviço — disse Sabran. — Mas não quero ouvir falar que você foi vista na torre do relógio mais nenhuma vez.

— Claro, senhora.

A rainha caminhou até a janela aberta, pôs a mão no parapeito e ficou apreciando a vista do palácio.

— Majestade, posso perguntar por que a senhora foi encarar o wyrm? — inquiriu Ead. Uma brisa clemente soprava pela janela. — Se Fýredel conseguisse matá-la, tudo estaria perdido.

Sabran se manteve em silêncio por um momento.

— Ele ameaçou meu povo — murmurou ela. — Eu saí antes mesmo de pensar se haveria outra atitude a tomar. — Sabran se virou novamente para Ead. — Recebi um outro relato a seu respeito. Lady Truyde utt Zeedeur anda dizendo a meus cortesãos que você é uma feiticeira.

Maldita seja aquela ruiva ordinária. Ead quase chegava a admirar a coragem dela, de não temer o risco de uma maldição.

— Senhora, eu não sei absolutamente nada sobre feitiçaria — disse ela, dando um toque de desprezo na voz.

Feitiçaria não era uma palavra muito apreciada pela Prioresa.

— Indubitavelmente, mas Lady Truyde parece acreditar que foi *você* que me protegeu de Fýredel — rebateu Sabran. — Ela afirma que viu você na torre do relógio, lançando um feitiço em minha direção.

Foi a vez de Ead ficar em silêncio. Não havia argumento possível contra aquela acusação.

— Obviamente, é uma mentirosa — disse a rainha.

Ead não ousou dizer nada.

— Foi o Santo que deteve o wyrm. Ele empunhou seu escudo celestial para me proteger do fogo. Insinuar que foi um ato de feitiçaria vulgar é quase um crime de traição — afirmou Sabran, com um tom de voz impassível. — Estou propensa a mandá-la para a Torre da Solidão.

Toda a tensão abandonou o corpo de Ead. Uma risada de alívio borbulhava dentro dela, ameaçando vir à tona.

— Ela só é muito jovem, Majestade — disse ela, segurando o riso. — A tolice é típica da juventude.

— Ela tem idade suficiente para fazer falsas acusações — argumentou Sabran. — Você não deseja retaliar?

— Eu prefiro a misericórdia. Com isso, durmo mais tranquila à noite.

Aqueles olhos frios percorreram seu rosto.

— Está insinuando que eu devo demonstrar misericórdia com mais frequência?

Ead estava exausta demais para temer aquele olhar.

— Não. Só estou dizendo que duvido que Lady Truyde tivesse a intenção de ofender Sua Majestade. É mais provável que sinta algum rancor contra mim, já que fui promovida para uma posição que ela deseja.

Sabran ergueu o queixo.

— Você retornará a seus afazeres em três dias. O Médico Real se encarregará de seus cuidados até lá — disse ela. Ead levantou as sobrancelhas. — Preciso que você esteja bem de saúde — Sabran continuou, preparando-se para sair. — Quando o anúncio for feito, quero todas as minhas damas ao meu lado.

— Anúncio, senhora?

Sabran estava de costas, mas Ead notou que os ombros dela ficaram tensos.

— O anúncio de meu noivado com Aubrecht Lievelyn, Alto Príncipe do Estado Livre de Mentendon.

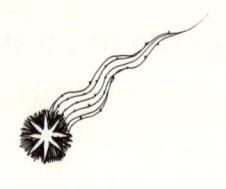

Leste

As provas da água foram passando como um longo sonho. A maioria dos cidadãos se abrigara em casa enquanto a tempestade castigava a costa oeste de Seiiki, mas dos guardiões do mar se esperava que fossem capazes de suportar as piores condições.

— A chuva é água, assim como nós — o General do Mar gritou por cima do ruído do trovão enquanto passava em revista as fileiras. Seus cabelos estavam grudados na cabeça, e as gotas de chuva escorriam pela ponta de seu nariz. — Se um pouco de água pode derrotá-los, vocês não podem querer montar um dragão, nem proteger o mar, e este não é o seu lugar. — Ele ergueu a voz. — A água vai derrotar vocês?

— Não, ilustre General do Mar — os aprendizes gritaram.

Tané já estava ensopada. Pelo menos a chuva era quente.

Os tiros com arco e armas de fogo foram fáceis. Mesmo em meio ao temporal, Tané tinha olhos afiados e uma mão firme. Dumusa era melhor com o arco — poderia ter feito aquilo de olhos fechados —, mas Tané ficou em segundo lugar. Nenhum deles, nem mesmo Dumusa, conseguiu superá-la com a pistola, porém um guardião da Casa do Oeste chegou perto. Kanperu, o mais velho e mais alto, cujo queixo parecia capaz de servir como bainha para uma espada e cujas mãos pareciam grandes o bastante para se fechar em torno de troncos de árvores.

Atirar com arcos em montaria era a próxima prova. Cada aluno precisava acertar seis boias de pesca de vidro penduradas em uma viga. Dumusa não era tão habilidosa sobre a sela quanto era em terra firme, e só quebrou cinco. Como não gostava de cavalos, Onren, que estava tensa durante toda a prova, perdeu o controle da montaria e errou três disparos. Tané, contudo, vinha acertando todos — até seu cavalo tropeçar e prejudicar o último tiro, o que permitiu a Turosa ficar com o primeiro lugar.

Eles estavam cavalgando de volta para os estábulos.

— Que azar, plebeia — disse Turosa para Tané enquanto ela descia da sela. — Suponho que essas coisas estão no sangue. Talvez um dia o ilustre General do Mar perceba que a pessoa já nasce ginete de dragão, e não é possível se tornar um.

Tané cerrou os dentes enquanto um cavalariço levava sua montaria. A pelagem do animal estava escura por causa da chuva e do suor.

— Ignore, Tané — disse Dumusa ao desmontar. Os cabelos dela desciam em cachos molhados pelos ombros. — A água que corre em nós é a mesma para todo mundo.

Turosa contorceu a boca, mas se afastou. Ele nunca discutia com outros descendentes de ginetes.

Quando ele se foi, Tané fez uma reverência para Dumusa.

— Você tem um grande talento, honorável Dumusa — disse ela. — Espero ter sua habilidade com o arco um dia.

Dumusa fez uma reverência em resposta.

— E eu espero ter seu domínio das armas de fogo algum dia, honorável Tané.

Elas saíram juntas dos estábulos. Tané já tinha conversado com Dumusa antes, mas agora que estavam sozinhas ficou sem saber o que dizer. Muitas vezes se perguntava como fora a experiência dela, sendo criada em uma mansão em Ginura pelos avós que pertenciam ao Clã Miduchi.

Quando chegaram ao pavilhão de treinamento, elas se sentaram uma ao lado da outra, e Tané começou a limpar a lama das flechas. Kanperu, o aprendiz alto e calado, já estava lá, lustrando sua pistola prateada de montaria.

Enquanto eles se dedicavam ao trabalho, Onren entrou no pavilhão.

— Esses foram os piores tiros que já disparei — declarou ela, jogando os cabelos encharcados para trás. — Preciso encontrar um altar e implorar ao grande Kwiriki que elimine todos os cavalos. Eles estão decididos a atrapalhar a minha vida desde o dia em que eu nasci.

— Fique tranquila. — Dumusa não levantou os olhos do arco. — Você ainda tem muito tempo para exibir suas habilidades para os Miduchi.

— Para você é fácil falar. Você tem o sangue dos Miduchi. Todos vocês acabam se tornando ginetes, no fim das contas.

— Sempre existe uma chance de eu ser a primeira a não me tornar.

— Uma chance — concordou Onren. — Mas todos nós sabemos que essa chance é bem pequena.

O joelho dela estava inchado por causa do duelo. Ela teria que se esforçar muito se quisesse se tornar ginete.

Kanperu guardou a pistola na estante na parede. Quando saiu, lançou um olhar indecifrável para Onren por cima do ombro.

— Ouvi dizer que o honorável Kanperu adquiriu o hábito de frequentar uma taverna perto do mercado de frutas — murmurou Dumusa para Onren quando ele se afastou. — Ele vai para lá todos os dias depois que anoitece.

— E daí?

— Pensei que também poderíamos ir. Quando nos tornarmos ginetes, vamos passar muito tempo juntas. Seria bom se nos conhecêssemos melhor. Você não concorda?

Onren sorriu.

— Dumu, está tentando causar uma distração para não ser superada por mim?

— Você sabe muito bem que é capaz de me superar em tudo, menos no tiro com arco. — Dumusa inspecionou o arco mais uma vez. — Vamos. Eu preciso sair deste lugar por algumas horas.

— Vou contar para o ilustre General do Mar que você é uma péssima influência. — Onren se levantou e se espreguiçou. — Você vem, Tané?

Tané demorou um instante para perceber que estavam ambas olhando para ela, à espera de uma resposta.

Estavam falando sério. Enquanto ainda estavam passando pelas provas d'água, elas queriam passar a noite em uma taverna.

— Obrigada — disse ela lentamente —, mas eu preciso ficar por aqui e treinar para a próxima prova da água. — Em seguida, fez uma pausa. — Você não deveria se preparar para amanhã também, Onren?

Onren bufou.

— Eu já pratiquei a vida toda. E praticar ontem à noite não me ajudou hoje — ela falou. — Não, o que preciso hoje é de uma bebida forte. E talvez de outra coisa forte também...

Ela lançou um olhar para Dumusa e, embora as duas tenham tentado se segurar, ambas caíam na risada.

Elas estavam perdendo o juízo. Um momento como aquele certamente não era hora para distrações.

— Espero que aproveitem o passeio — disse Tané, ficando de pé. — Boa noite.

— Boa noite, Tané — Onren falou. O sorriso desapareceu do rosto dela, e sua testa se franziu. — Tente dormir um pouco, certo?

— Claro.

Tané atravessou o pavilhão e pendurou o arco. Turosa, que estava por perto para praticar combate desarmado com os amigos, olhou para ela e bateu com o punho fechado na palma da mão.

Uma brisa úmida atravessava os corredores, quente como o vapor que se desprendia de uma sopa recém-preparada. O piso encerado rangia sob seus passos enquanto ela caminhava pela escola.

Ela lavou o suor do corpo e praticou sozinha no quarto com a espada. Quando seu braço enfim ficou cansado, uma onda de apreensão a invadiu e começou a corroê-la por dentro. Não havia motivo para seu cavalo ter tropeçado durante a prova. E se Turosa tivesse interferido de alguma forma, só para irritá-la?

No fim, ela acabou voltando para os estábulos. Quando encontrou o ferrador, ele garantiu que não havia nada de errado. O chão estava molhado. O mais provável era que o cavalo tivesse apenas escorregado.

Não deixe que um merdinha como Turosa afete você, Susa falara, mas a voz dela parecia distante demais.

Tané passou o restante da noite no pavilhão de treinamento, perfurando espantalhos com facas de arremesso. Só quando conseguiu acertar cada um deles bem no olho voltou para o quarto, onde acendeu uma lamparina a óleo e começou a escrever sua primeira carta para Susa.

> *Por enquanto, as provas estão tão difíceis quanto eu temia. Hoje meu cavalo escorregou, e isso me custou caro.*
>
> *Apesar de me sentir como se tivesse praticado até não conseguir mais, alguns dos outros parecem capazes de se sair tão bem quanto eu sem precisarem de esforço, e perdendo noites de sono. Eles bebem e fumam e riem enquanto conversam uns com os outros, mas só o que consigo fazer é continuar a refinar minhas habilidades. Depois de catorze anos de preparativos, a água não corre de verdade em mim — e eu estou com medo, Susa.*
>
> *Esses catorze anos não valem de nada aqui. Nós somos julgados pelo que fizemos hoje, não ontem.*

Ela entregou a carta para um serviçal levar a Cabo Hisan, depois se deitou na cama e ficou ouvindo a própria respiração acelerada.

Do lado de fora, uma coruja piou. Após um tempo, Tané se levantou e saiu do quarto.

Ela ainda podia praticar mais um pouco.

O Governador de Cabo Hisan era um sujeito esguio e engomado, que morava em uma distinta mansão no meio da cidade. Ao contrário do Oficial-Chefe, ele sabia sorrir. Tinha cabelos grisalhos, um rosto com expressão bondosa e fama de ser condescendente com autores de crimes leves.

Era uma pena que Niclays, que havia desrespeitado a principal regra vigente em Seiiki, nem com toda a imaginação do mundo, poderia distorcer a noção de *crimes leves* a ponto de aplicá-la a si mesmo.

— Sim — confirmou Niclays. Sua garganta estava tão seca que era quase impossível falar. — Sim, de fato, ilustre Governador. Eu estava desfrutando de uma taça de seu admirável vinho seiikinês poucos momentos antes de chegarem.

Ele tinha sido mantido em uma cela por vários dias. Perdera a conta de quantos por causa da escuridão. Quando os soldados enfim o retiraram de lá, ele quase desmaiara, imaginando que iria direto para a decapitação. Em vez disso, fora levado a um médico, que examinara suas mãos e seus olhos. Os soldados então deram a Niclays roupas limpas e o conduziram à autoridade mais poderosa daquela região de Seiiki.

— Então você admitiu esse homem em sua casa — continuou o Governador. — Acreditava que fosse um colono legalmente admitido em Orisima?

Niclays limpou a garganta.

— Eu, há… não. Conheço todo mundo em Orisima. No entanto,

a mulher me ameaçou — ele falou, tentando parecer perturbado com a lembrança. — Ela... colocou uma adaga em minha garganta, e e-ela disse que me mataria se eu não aceitasse o forasteiro.

Panaya havia recomendado que fosse honesto, mas toda boa história precisava de uma pitada de drama.

Dois soldados rasos mantinham vigilância ali perto. Elmos de ferro cobriam suas cabeças e nucas, presos por cordões verdes atados sob o queixo. Com movimentos simultâneos, eles deslizaram as divisórias para o lado, permitindo a entrada de outros dois soldados no recinto, trazendo mais uma pessoa com eles.

— Era essa a mulher? — o Governador perguntou.

Os cabelos dela estavam embaraçados sobre os ombros. Um dos olhos estava inchado e fechado. A julgar pelo lábio ferido do soldado à esquerda, ela havia resistido. Alguém mais nobre teria rejeitado aquela acusação.

— Sim — admitiu Niclays.

Ela lançou para ele um olhar de ódio.

— Sim — repetiu o Governador. — Ela é uma musicista em um teatro de Cabo Hisan. O ilustríssimo Líder Guerreiro permite que alguns artistas seiikineses ofereçam entretenimento e companhia em determinados dias em Orisima. — Ele ergueu as sobrancelhas. — Você já recebeu alguma dessas visitas?

Niclays abriu um sorriso forçado.

— Geralmente eu me contento com minha própria companhia.

— Ótimo — a mulher cuspiu na direção dele. — Então você pode ir se foder sozinho, seu mentiroso dinheirista.

Um dos soldados a golpeou.

— Silêncio — ordenou.

Niclays estremeceu. A mulher foi ao chão, onde encolheu os ombros e levou a mão ao rosto.

— Obrigado por confirmar que é essa a mulher. — O Governador pegou sua caixa laqueada de implementos de escrita. — Ela se recusa a dizer como um estrangeiro veio parar nesta ilha. Você sabe?

Niclays engoliu em seco. Sua saliva parecia espessa como mingau.

A honestidade que se danasse. Por mais distante que estivesse, envolver Truyde estava fora de cogitação.

— Não — mentiu Niclays. — Ele não quis me dizer.

O Governador o encarou por cima dos óculos. As bolsas inchadas eram visíveis sob seus olhos escuros e miúdos.

— Eminente Doutor Roos — disse ele, dissolvendo um bastão de tinta na água. — Eu respeito seus conhecimentos, por isso serei bem sincero. Se não me disser mais nada, essa mulher será torturada.

A mulher começou a tremer.

— Não é nosso costume utilizar tais métodos, a não ser em circunstâncias gravíssimas. Temos evidências suficientes para provar que ela está envolvida em uma conspiração que ameaça Seiiki como um todo. Caso tenha trazido o forasteiro a Orisima, ela deve saber de onde ele veio, só para começar. Portanto, deve ter ou se aliado aos contrabandistas, o que é punido com a morte... ou está protegendo outra pessoa, alguém cuja identidade ainda não foi revelada. — O Governador escolheu um pincel em sua caixa. — Se ela foi apenas usada por alguém, o ilustríssimo Líder Guerreiro pode ser misericordioso. Tem certeza de que não sabe mais nada sobre as intenções de Sulyard, ou sobre quem possa tê-lo ajudado a chegar à ilha?

Niclays olhou para a mulher caída no chão. Um olho escuro o encarou por trás dos cabelos.

— Estou certo de que não sei de nada.

No momento em que disse isso, ele sentiu como se um outro cassetete o tivesse atingido pelas costas e o deixado sem fôlego.

— Levem-na para a prisão — o Governador ordenou.

Enquanto os soldados a retiravam, a mulher começou a arfar, em pânico. Pela primeira vez, Niclays notou como ela era jovem. Devia ter a idade de Truyde.

Jannart se sentiria envergonhado. Niclays baixou a cabeça, com nojo de si mesmo.

— Obrigado, eminente Doutor Roos — disse o Governador. — Eu imaginava que fosse essa a situação, mas precisava de sua confirmação.

Quando os passos se afastaram no corredor do lado de fora, o Governador passou vários minutos debruçado sobre sua carta, e durante todo esse tempo Niclays não ousou abrir a boca.

— Seu domínio do idioma seiikinês é muito bom. Soube que era professor de anatomia em Orisima — o Governador comentou depois de um tempo, provocando um sobressalto em Niclays. — Como conseguia alunos?

Era como se a mulher nunca houvesse existido.

— Eu aprendo tanto com eles quanto eles comigo — disse Niclays com toda a sinceridade, e o Governador sorriu. Aproveitando a oportunidade, Niclays acrescentou: — Mas estou com uma terrível falta de ingredientes para... outros trabalhos, que o honradíssimo Alto Príncipe de Mentendon me garantiu que seriam providenciados. Também receio que o Oficial-Chefe de Orisima tenha destruído meus aparatos.

— O ilustre Oficial-Chefe às vezes ... peca pelo excesso de zelo. — O Governador baixou o pincel. — Você não pode voltar para Orisima enquanto o caso não estiver encerrado. Ninguém pode saber que um invasor foi capaz de atravessar as muralhas, e precisamos fazer uma limpeza no entreposto comercial para garantir que não há nenhum vestígio da doença vermelha. Infelizmente devo colocá-lo em prisão domiciliar em Ginura enquanto conduzimos nossa investigação.

Niclays se limitou a encará-lo.

Era inacreditável que tivesse tanta sorte. Em vez da tortura, estava ganhando a liberdade.

— Ginura — repetiu ele.

— Por algumas semanas. É melhor mantê-lo longe desta situação.

Niclays notou que se tratava de um assunto diplomático. Ele havia abrigado um invasor. Um cidadão seiikinês na mesma posição seria condenado à morte por aquele crime, mas a execução de um colono mentendônio poderia azedar a delicada aliança com a Casa de Lievelyn.

— Sim. — Ele tentou parecer arrependido. — Sim, ilustre Governador, é claro. Eu compreendo.

— Quando você voltar, rezo para que esteja tudo resolvido. Obrigado pela informação, e eu cuidarei que receba os ingredientes de que precisa, mas você precisa se manter em silêncio sobre tudo o que aconteceu — disse o Governador com um olhar penetrante. — Isso é aceitável para você, eminente Doutor Roos?

— Perfeitamente. Eu o agradeço por sua bondade. — Niclays hesitou um pouco. — E Sulyard?

— O invasor está na prisão. Estamos esperando para ver se não manifesta sintomas da doença vermelha — informou o Governador. — Se ele não revelar quem o ajudou a entrar em Seiiki, também será torturado.

Niclays umedeceu os lábios.

— Talvez eu possa ajudá-lo — disse Niclays, apesar de não entender ao certo por que estava se oferecendo voluntariamente a se enredar ainda mais naquela confusão. — Como um homem que também segue os preceitos da Virtandade, posso conseguir fazer com que Sulyard recobre o juízo e confesse, caso o senhor me permita que eu faça uma visita antes de partir.

O Governador pareceu refletir a respeito.

— Eu sempre prefiro evitar o derramamento de sangue, quando possível. Talvez amanhã — concedeu ele. — Por ora, preciso mandar esta carta relatando este infeliz incidente ao ilustríssimo Líder Guerreiro.

— Ele voltou sua atenção à escrita. — Tenha uma boa noite de descanso, eminente Doutor Roos.

13

Leste

Apróxima prova foi com facas. Como as demais, foi acompanhada pelo General do Mar e um grupo de desconhecidos que vestiam túnicas azuis. Eram outros membros do Clã Miduchi, que passaram por aquelas provas cinquenta anos antes. As pessoas de cujo legado Tané poderia compartilhar caso seu corpo não a deixasse na mão.

Os olhos de Tané pareciam baiacus dentro do crânio. A cada faca que pegava, sentia as mãos escorregadias e desajeitadas. Ainda se saiu melhor do que todos os aprendizes com exceção de Turosa, cuja habilidade com as lâminas fora o que lhe valera tamanho renome na Casa do Norte.

Onren entrou no pavilhão logo depois de Turosa obter a pontuação perfeita. Seus cabelos estavam soltos e despenteados. O General do Mar ergueu as sobrancelhas, mas ela se limitou a se curvar diante dele em cumprimento e ir até onde estavam as facas.

Kanperu apareceu em seguida. O General do Mar ergueu ainda mais as sobrancelhas. Onren pegou uma lâmina, ajeitou a postura e a arremessou no primeiro espantalho.

Todas as facas atingiram o alvo.

— Uma pontuação perfeita — comentou o General do Mar—, mas não se atrase de novo, honorável Onren.

— Sim, ilustre General do Mar.

Naquela noite, os guardiões foram despertados pelos serviçais e conduzidos, ainda vestindo camisolas, até uma fileira de palanquins. No interior do seu, Tané roía as unhas até a carne.

Eles saíram dos palanquins diante de um vasto lago alimentado por uma nascente na floresta. As gotas de chuva agitavam sua superfície.

— Os membros da Guarda Superior do Mar muitas vezes são acordados no meio da noite para responder a ameaças a Seiiki. Devem nadar melhor que os peixes, pois podem ser separados a qualquer momento de sua embarcação, ou de seu dragão — disse o General do Mar. — Oito pérolas dançantes foram jogadas nesse lago. Quem conseguir recuperar uma, ganhará pontos comigo para obter uma posição mais elevada.

Turosa já estava se despindo. Lentamente, Tané tirou o seu robe e entrou na água até a cintura.

Vinte e seis guardiões para apenas oito pérolas. Seria difícil encontrá-las na escuridão.

Ela fechou os olhos e afastou aquele pensamento. Quando o General do Mar deu a ordem, Tané mergulhou no lago.

A água a envolveu. Uma água doce e límpida, gelada contra a pele. Seus cabelos ondulavam ao redor como algas quando Tané se virava, à procura de um brilho prata-esverdeado.

Onren entrou no lago quase sem fazer barulho. Mergulhou fundo, pegou seu tesouro e deslizou para a superfície em um único e gracioso arco. Ela nadava como um dragão.

Determinada a ser a próxima, Tané se aventurou em águas mais fundas. A nascente, calculou, empurraria a água para oeste. Ela se virou e desceu suavemente para o fundo, usando apenas as pernas para se mover e passando as mãos pelo leito arenoso.

Seu peito contraiu quando os dedos roçaram uma pequena conta redonda. Ela veio à tona quase ao mesmo tempo que Turosa, que sacudiu os cabelos e levantou a própria pérola para inspecioná-la.

— Pérolas dançantes. Usadas pelos eleitos dos deuses — disse ele. — Já foram símbolos de uma herança, de uma história. — Ele escancarou um sorriso afiado. — Agora estão nos corpos de tantos plebeus que é como se fossem sujeira.

Tané o encarou nos olhos e disse:

— Você nadou bem, honorável Turosa.

Aquilo o fez rir.

— Ah, plebeia. Eu vou fazer você passar tanta vergonha que nunca mais vão deixar alguém dos vilarejos poluir o solo do Clã Miduchi de novo. — Ele passou nadando por ela. — Se prepare para a sua derrota.

Ele se dirigiu à margem do lago. Tané o seguiu a distância.

Havia boatos sobre uma prova final, em que os principais aprendizes enfrentavam uns aos outros. Ela já tinha duelado com Onren. Seu oponente seria Turosa ou Dumusa.

Se fosse Turosa, ele certamente faria de tudo para acabar com ela.

Niclays passou uma noite de inquietação na mansão do Governador de Cabo Hisan. A cama era muito mais luxuosa do que a sua em Orisima, mas a chuva batia com força no telhado e não o deixava em paz. Além disso, o tempo estava insuportavelmente úmido, como de costume no verão seiikinês.

Em algum momento da madrugada, ele se ergueu da cama empapada de suor e abriu um pouco a janela. A brisa estava quente e espessa como gemada, mas ao menos era possível ver as estrelas. E pensar.

Nenhuma pessoa instruída poderia acreditar em fantasmas. Os charlatães afirmavam que os espíritos dos mortos viviam em um elemento chamado *éter* — aquilo era pura bobagem. Porém, havia um murmúrio em seu ouvido que ele sabia ser Jannart, dizendo que o que fizera contra aquela musicista era crime.

Fantasmas eram as vozes que os mortos deixavam para trás. Ecos de uma alma que partiu cedo demais.

Jannart teria mentido para garantir a segurança da musicista. Por outro lado, ele tinha sido bom em mentir. A maior parte de sua vida havia sido uma performance. Trinta anos mentindo para Truyde. Para Oscarde.

E, claro, para Aleidine.

Niclays estremeceu. Sentiu um frio na barriga quando se lembrou do olhar no rosto dela no sepultamento. Ela soubera aquele tempo todo, e não dissera nada.

Não é culpa dela se o meu coração pertence a você, Jannart dissera certa vez, e era verdade. Como muitas uniões entre pessoas de sangue nobre, a deles havia sido arranjada por suas famílias. O noivado fora firmado no dia em que Jannart fizera 20 anos, um ano antes de Niclays conhecê-lo.

Ele não conseguira ter coragem de comparecer ao casamento. O nó nos cordões de seus destinos o torturava. Se tivesse chegado à corte um ano antes, eles poderiam ter sido companheiros.

Niclays deu uma risadinha de deboche. Como se o Marquês de Zeedeur pudesse se casar com um zé-ninguém sem um centavo, vindo de Rozentun. Aleidine era plebeia, mas, quando entregara sua mão em casamento, estava coberta de joias. Niclays, recém-saído da universidade, não acrescentaria nada à família além de dívidas.

Aleidine deveria ter mais de 60 àquela altura. Seus cabelos ruivos acobreados estariam misturados a fios grisalhos, e sua boca, marcada por linhas de expressão. Oscarde tinha no mínimo 40. Santo, como os anos passavam voando.

A brisa não ajudou a refrescá-lo em nada. Derrotado, fechou a janela e foi se deitar mais uma vez.

O calor se agarrava a sua pele. Ele tentou se forçar a dormir, mas a mente se recusava a se aquietar, e o tornozelo ardia com um fogo brando.

Pela manhã, ainda não havia sinais de que a tempestade cessaria. Ele viu a chuva banhar os jardins da mansão. Os serviçais lhe trouxeram queijo de soja, enguia grelhada e chá de cevadinha para seu desjejum.

Ao meio-dia, um serviçal informou que o Governador aceitara sua requisição. Ele poderia visitar Triam Sulyard na prisão para obter o máximo de informações que pudesse com o rapaz. Os serviçais também providenciaram uma nova bengala, feita com uma madeira mais leve e resistente. Ele pediu humildemente por um pouco de água, que lhe foi trazida em uma cabaça.

Um palanquim fechado o levou à prisão ao entardecer. Seguro dentro da caixa fechada, Niclays espiou por entre as cortinas.

Em sete anos, nunca tinha pisado em Cabo Hisan. Ouvia a música e o falatório que vinham de lá, e via suas luzes — como estrelas cadentes —, ansiando por poder andar pelas ruas, que permaneciam um mistério para ele. Seu mundo era restringido pelas muralhas altas.

As luzes das lanternas revelavam uma cidade movimentada. Em Orisima, ele ficava cercado de lembranças de Mentendon. Ali, pôde se lembrar como estava longe de casa. Nenhum assentamento do Oeste cheirava a cedro ou incenso. Nenhum assentamento do Oeste vendia tinta de lula ou boias incandescentes para a pesca.

E, obviamente, nenhuma cidade do Oeste prestava homenagens a dragões. Os sinais da presença deles estavam por toda parte, prometendo sorte e ajuda dos senhores do mar e da chuva. Quase todas as ruas continham um altar de madeira de naufrágio e uma bacia de água salgada.

O palanquim parou diante da prisão. Quando foi destrancado, Niclays desceu e espantou um mosquito do rosto. Uma dupla de sentinelas carcereiros o conduziu pelo portão.

A primeira coisa que notou foi o fedor de merda e mijo, que fez seus olhos lacrimejarem. Ele protegeu a boca e o nariz com a manga da blusa.

Quando passaram pelo local de execuções, as pernas ficaram bambas. Cabeças em decomposição ficavam exibidas em um tablado, com as línguas inchadas como lesmas graúdas.

Sulyard estava escondido em um compartimento subterrâneo, deitado de bruços na cela, com um pano em volta da cintura. Os sentinelas foram gentis o bastante para entregar uma lamparina para Niclays antes de se retirarem.

Os passos deles se afastaram na escuridão. Niclays se ajoelhou e segurou uma das grades de madeira.

— Sulyard. — Ele bateu com a bengala no chão. — Reaja.

Nada. Niclays estendeu a bengala por entre as grades e deu um cutucão firme em Sulyard. O garoto se mexeu.

— Truyde — murmurou ele.

— Lamento decepcioná-lo. É Roos.

Houve uma pausa.

— Doutor Roos. — Sulyard esticou o corpo. — Pensei que estivesse sonhando.

— Antes estivesse.

Sulyard estava em péssimo estado. O rosto estava inchado como massa de bolo no forno, e sua testa estava marcada com a palavra *invasor*. Havia sangue seco em suas costas e coxas.

Sulyard não contava com a proteção de um príncipe do outro lado do mar. Niclays até poderia ter ficado chocado com aquela violência em outros tempos, mas as nações da Virtandade se valiam de métodos ainda mais cruéis para arrancar a verdade de seus prisioneiros.

— Sulyard, me diga o que contou para os interrogadores — falou Niclays.

— Somente a verdade. — Sulyard tossiu. — Que aportei aqui para implorar a ajuda do Líder Guerreiro.

— Não sobre isso. Sobre como chegou a Orisima. — Niclays chegou mais perto. — A outra mulher, a primeira que viu, aquela na praia. Você disse alguma coisa sobre ela?

— Não.

Niclays teve de segurar o ímpeto de esganar aquele cabeça-dura. Em vez disso, ele abriu a cabaça.

— Beba. — Ele passou a água por entre as grades. — A primeira mulher levou você para o distrito teatral em vez de denunciá-lo. Foi o crime dela que o levou para Orisima. Você deve saber como descrevê-la... o rosto, as roupas, *alguma coisa*. Você precisa se ajudar, Sulyard.

Uma mão ensanguentada se estendeu na direção da cabaça.

— Tinha cabelos compridos e escuros, e uma cicatriz no alto da bochecha esquerda. No formato de um anzol. — Sulyard deu um gole. — Acho que... devia ter a minha idade, ou menos. Estava de sandálias e um casaco de tecido cinza por cima da túnica preta.

— Forneça essas informações aos seus captores — incentivou Niclays. — Em troca de sua vida. Ajude a encontrá-la, e eles podem ser misericordiosos.

— Eu implorei para que me escutassem. — Sulyard parecia estar delirando. — Disse que vinha em nome de Sua Majestade, que era seu embaixador, que minha embarcação tinha afundado. Ninguém quis me ouvir.

— Mesmo se você *fosse* um embaixador de verdade, o que claramente não é, não seria bem recebido. — Niclays olhou por cima do ombro. Os sentinelas logo voltariam para buscá-lo. — Escute com muita atenção, Sulyard. O Governador de Cabo Hisan vai me mandar para a capital enquanto este caso é investigado. Deixe que *eu* leve sua mensagem para o Líder Guerreiro.

Os olhos de Sulyard se encheram de lágrimas.

— Você faria isso por mim, Doutor Roos?

— Se me contar mais sobre sua empreitada. Me diga por que acha que Sabran precisa formar uma aliança com Seiiki.

Ele não tinha ideia de se seria capaz de cumprir sua palavra, mas precisava saber exatamente por que o rapaz estava lá. O que Truyde conspirara com ele.

— Obrigado. — Sulyard estendeu os braços por entre as grades e segurou a mão de Niclays. — Obrigado, Doutor Roos. A Cavaleira da Confraternidade me abençoou com sua companhia.

— Certamente — disse Niclays, seco.

Ele aguardou. Sulyard apertou a mão dele e baixou o tom de voz a um sussurro.

— Truyde e eu, nós... — começou ele — ... nós acreditamos que o Inominado vai despertar muito em breve. Que a preservação da Casa de Berethnet nunca foi o que o manteve aprisionado. Que, aconteça o que acontecer, ele retornará, e é por isso que seus lacaios estão começando a acordar. Estão atendendo a seu chamado.

Seus lábios tremiam enquanto falava. Expressar a ideia de que não era a Casa de Berethnet que mantinha o Inominado sob controle era considerado crime de alta traição na Virtandade.

— O que o levou a acreditar nisso? — perguntou Niclays, perplexo. — Qual foi o arauto do fim que o assustou a esse ponto, rapaz?

— Não foi um arauto do fim. Foram livros. Seus livros, Doutor Roos.

— *Meus?*

— Sim. Os livros de alquimia que deixou para trás — sussurrou Sulyard. — Truyde e eu pretendíamos encontrá-lo em Orisima. A Cavaleira da Confraternidade me guiou até você. Não está claro que é uma missão divina?

— Não, não está nada claro, seu miolo mole.

— Mas...

— Você acha mesmo que os governantes do Leste teriam mais simpatia por essa loucura do que Sabran? — ironizou Niclays. — Pensou que poderia atravessar o Abismo e arriscar a cabeça dos dois... porque folhearam alguns livros de alquimia. Livros que os alquimistas levam décadas, se não a vida toda, para compreenderem. Isso quando conseguem.

Ele quase sentia pena de Sulyard por aquela tolice. Ele era jovem e estava embriagado de amor. O rapaz devia ter se convencido de que era como Lorde Wulf Glenn ou Sir Antor Dale, os heróis românticos da história inysiana, e que deveria honrar sua dama indo de encontro ao perigo.

— Por favor, Doutor Roos, eu imploro que me escute. Truyde entendeu, *sim*, aqueles livros. Ela acredita que existe um equilíbrio natural no mundo, assim como os antigos alquimistas — continuou Sulyard. — Ela *acredita* no seu trabalho, e acredita que encontrou uma forma de aplicá-lo ao nosso mundo. À nossa história.

Equilíbrio natural. Ele estava se referindo às palavras entalhadas na Tabuleta de Rumelabar, perdida havia muito tempo, palavras que causaram fascínio aos alquimistas durante séculos.

O que está abaixo deve ser equilibrado pelo que está acima,
e aí reside a precisão do universo.
O fogo ascende da terra, a luz descende do céu.
O excesso de um inflama o outro,
e aí reside a extinção do universo.

— Sulyard — disse Niclays entre os dentes. — Ninguém entende essa maldita tabuleta. Só o que temos são palpites e maluquices.

— No começo, eu também não me convenci. Estava em negação. Mas quando vi a reação passional de Truyde... — Sulyard apertou a mão de Niclays com mais força. — Ela me explicou tudo. Que quando os wyrms perderam suas chamas e caíram em sono profundo, os drágões do Leste ficaram mais fortes. Agora estão perdendo a força mais uma vez, e as outras raças dragônicas estão despertando. Você não vê? É um ciclo.

Niclays observou mais uma vez aquele rosto sincero. Sulyard não era o autor daquela missão.

Truyde. Era *Truyde*. O coração e a mente dela eram o solo onde havia brotado tudo aquilo. Como era parecida com o avô. A obsessão que o matara fora transmitida em seu sangue.

— Vocês são dois tolos — Niclays falou em um tom áspero.

— Não.

— Sim. — A voz de Niclays falhou. — Se sabem que os dragões estão perdendo força, então por que querem a ajuda deles?

— Porque eles são mais fortes do que *nós*, Doutor Roos. E assim temos mais chances do que tentando sozinhos. Se quisermos uma esperança de vitória...

— Sulyard, pare com isso — Niclays falou em um tom mais brando.

— O Líder Guerreiro não vai lhe dar ouvidos. Assim como Sabran não o fará.

— Eu queria tentar. O Cavaleiro da Coragem nos ensina a levantar a voz quando os demais tem medo de falar. — Sulyard sacudiu a cabeça, com lágrimas nos olhos. — Nós estávamos errados em ter esperanças, Doutor Roos?

De repente, Niclays sentiu sobre si todo o peso do cansaço. Aquele jovem morreria em vão em um mundo muito distante do seu. Só havia uma coisa a fazer. Mentir.

— Bem, eles têm relações com Mentendon. Talvez acabem ouvindo o que temos a dizer. — Niclays deu um tapinha na mão imunda que segurava a sua. — Perdoe o cinismo deste velho aqui, Sulyard. Eu consigo ver de onde vem o seu ardor. Estou convencido de sua sinceridade. Vou solicitar uma audiência com o Líder Guerreiro e expor seu caso diante dele.

Sulyard apoiou o peso do corpo no cotovelo.

— Doutor Roos... — A voz dele ficou embargada. — Eles não vão matá-lo?

— Estou disposto a correr esse risco. Os seiikineses respeitam o meu conhecimento como anatomista, e eu sou um colono legalmente admitido — disse Niclays. — Me deixe tentar. Acho que o pior que pode acontecer é rirem de mim.

Os olhos injetados do rapaz se encheram de lágrimas.

— Eu não sei como posso agradecer.

— Eu sei. — Niclays o segurou pelo ombro. — Pelo menos salve sua vida. Quando vierem interrogar você, conte sobre a mulher na praia. Prometa que vai fazer isso.

Sulyard assentiu.

— Eu prometo. — Ele deu um beijo na mão de Niclays. — Que o Santo o abençoe, Doutor Roos. Existe um assento para você na Grande Távola ao lado do Cavaleiro da Coragem.

— Ele que o use como bem entender — murmurou Niclays, incapaz de imaginar um tormento maior do que se refestelar com um bando de falastrões por toda a eternidade.

Quanto ao Santo, ele teria que trabalhar muito se quisesse salvar o miserável que era.

Ele ouviu a aproximação dos sentinelas e se afastou. Sulyard baixou o rosto para o chão.

— Obrigado, Doutor Roos. Por me dar esperança.

— Boa sorte, Triam, o Tolo — disse Niclays baixinho, e se deixou conduzir de volta para a chuva.

Outro palanquim estava à espera nos portões da prisão. Era bem menos grandioso do que aquele que o conduzira até o Governador, e levado por quatro novos carregadores. Um deles fez uma reverência diante de Niclays.

— Eminente Doutor Roos — disse ela—, temos ordens para levá-lo de volta ao ilustre Governador de Cabo Hisan, para relatar o que apurou. Depois disso, vamos transportá-lo para Ginura.

Niclays assentiu, sentindo-se cansado até os ossos. Ele diria ao Governador de Cabo Hisan apenas que o forasteiro estava disposto a identificar uma segunda pessoa que o havia ajudado. Era ali que seu envolvimento terminava.

Enquanto subia no palanquim, Niclays se perguntou se algum dia voltaria a ver Triam Sulyard. Pelo bem de Truyde, esperava que sim.

Pelo seu próprio bem, esperava que não.

14

Oeste

Logo depois que os mensageiros espalharam a notícia do noivado por todos os cantos de Inys, Aubrecht Lievelyn mandou avisar que estava se preparando para embarcar com sua comitiva, composta de cerca de oitocentas pessoas. Os dias que se seguiram foram um turbilhão de preparativos como Ead nunca tinha visto.

A comida vinha em balsas dos Prados e das Terras Baixas. A família Glade enviou barris de vinho de suas vinícolas. Damas de Câmara Extraordinárias, que podiam ser convocadas para o Alto Escalão de Serviço em ocasiões especiais — datas comemorativas importantes, os Festins Sagrados —, foram se instalar na corte. Novos vestidos foram confeccionados para a rainha e suas damas. Todos os cantos do Palácio de Ascalon foram arrumados e limpos, até o último candelabro. Pela primeira vez, parecia que a Rainha Sabran estava falando sério sobre aceitar um pretendente. A empolgação se espalhou pelo palácio como fogo em mato seco.

Ead se esforçou ao máximo para acompanhar o ritmo. Embora a febre tivesse drenado suas energias, o Médico Real autorizara pessoalmente seu retorno aos afazeres. Mais uma prova de que os médicos inysianos eram um bando de charlatães.

Ao menos Truyde utt Zeedeur vinha mantendo a boca fechada. Ead não tinha ouvido mais nenhum boato sobre feitiçaria.

Por ora, ela estava a salvo.

Havia quase mil moradores na corte em qualquer época do ano, mas, enquanto transitava pelo palácio com cestos de folhos e pilhas de tecido com fios de prata, Ead parecia cruzar com cada vez mais gente. Ficava atenta todos os dias à chegada dos estandartes dourados do Ersyr e do homem que viria com eles, disfarçado como um embaixador do Rei Jentar e da Rainha Saiyma — Chassar uq-Ispad, o responsável por trazê-la a Inys.

Primeiro chegaram os convidados de outras partes do rainhado. Os Condes Provinciais e suas famílias estavam entre os mais notáveis. Quando entrou nos claustros certa manhã, Ead viu Lorde Ranulf Heath, o Jovem, primo da falecida Rainha Rosarian, do outro lado do pátio segregado. Estava envolvido em uma conversa com Lady Igrain Crest. Como costumava fazer quando estava na corte, Ead parou para escutar.

— E como vai seu companheiro, milorde? — perguntou Crest.

— Lamentando muitíssimo não estar aqui, Sua Graça, mas ele se juntará a nós em breve — respondeu Heath. Sua pele era marrom e sardenta, e a barba já um pouco grisalha. — Estou feliz pois Sua Majestade em breve há de encontrar a mesma alegria no companheirismo.

— É o que esperamos. O Duque da Cortesia acredita que essa aliança servirá para fortalecer a Cota de Malha da Virtandade, mas veremos se sua intuição está correta — disse Crest.

— Eu imagino que a intuição dele deve ser inigualável, considerando sua... função específica — Heath falou com uma risadinha.

— Ah, existem coisas que até Seyton deixa passar — disse Crest, com um raro sorriso no rosto. — O fato de seus cabelos estarem se tornando ralos, por exemplo. Nem mesmo um gavião é capaz de enxergar atrás da própria cabeça.

Heath segurou o riso.

— Mas, obviamente, estamos todos rezando para que Sua Majestade em breve dê à luz uma filha — completou Crest.

— Ora, mas ela ainda é jovem, Sua Graça, assim como Lievelyn. Eles precisam de tempo para se conhecer primeiro.

Ead era obrigada a concordar. Poucos inysianos pareciam se importar se Sabran e Lievelyn se conheceriam minimamente, desde que se casassem.

— É fundamental que tenhamos uma herdeira o mais rápido possível — disse Crest, de prontidão. — Sua Majestade está ciente do seu dever nesse sentido.

— Ora, ninguém é capaz de guiar Sua Majestade em seus deveres melhor que Sua Graça.

— É muita gentileza sua. Ela é meu orgulho e minha alegria — respondeu Crest. — Mas infelizmente os meus não são os únicos conselhos que ela ouve. Nossa jovem rainha está determinada a fazer as coisas à sua maneira.

— Como todos nós devemos, Sua Graça.

Eles se despediram. Ead mal teve tempo de se afastar antes da duquesa aparecer à sua frente com passos acelerados e as duas quase se esbarrarem.

— Mestra Duryan. — Crest logo se recompôs do susto. — Um bom dia, minha cara.

Ead fez uma mesura.

— Sua Graça.

Crest acenou e saiu dos claustros. Ead andou na direção oposta.

Crest podia falar o que quisesse sobre Combe, mas na verdade o Gavião Noturno não deixava passar nada. Parecia extraordinário para Ead que ele não tivesse descoberto quem estava contratando os assassinos.

Ela diminuiu o passo quando um pensamento passou por sua cabeça. Pela primeira vez, cogitou a hipótese de que o próprio Combe poderia ser o responsável pelos ataques. Ele tinha meios para arranjar tal coisa. Para trazer pessoas à corte sem serem vistas, assim como fazia outras desaparecerem. Ele também havia assumido a tarefa de interrogar os assassinos sobreviventes. E de se livrar deles.

Não havia motivo para Combe querer ver Sabran morta. Ele era um descendente do Séquito Sagrado, e seu poder estava vinculado ao da Casa de Berethnet... mas talvez acreditasse que tivesse ainda mais a conquistar com a queda da Rainha de Inys. Se Sabran morresse sem deixar herdeiras, o povo seria dominado pelo medo da chegada do Inominado. Em uma situação de caos como aquela, o Gavião Noturno poderia ascender ao poder.

No entanto, todos os assassinos haviam fracassado em sua missão. Ead não conseguia ver o dedo dele naquilo. Nem estava convencida de que ele se arriscaria a gerar uma instabilidade em Inys derrubando a Casa de Berethnet. Não era assim que o mestre espião trabalhava. Ele não deixava nada nas mãos do acaso.

Foi quando estava na metade do caminho do Jardim do Relógio Solar que lhe ocorreu uma ideia.

Os fracassos podiam ser deliberados.

Ead lembrou-se de que cada um dos atentados parecia encenado. Que todos haviam revelado seu intento. E que o último não partira diretamente para o ataque. Estava sem a mínima pressa.

Naquilo ela conseguia enxergar o estilo de Combe. Talvez a intenção não fosse matar Sabran, e sim manipulá-la. Lembrá-la de sua imortalidade, e da importância de uma herdeira. Assustá-la a ponto de aceitar Lievelyn. Moldar a corte de acordo com seus desígnios era condizente com seu modo de agir.

Ele só não esperava pela presença de Ead. Ela deteve a maioria dos assassinos antes que chegassem perto o bastante para deixar Sabran apavorada. Talvez por essa razão entregara ao último uma chave da Escada Secreta. Para aumentar suas chances de chegar à Grande Alcova.

Ead se permitiu um sorriso. Não era à toa que Combe queria descobrir quem era a pessoa que vinha protegendo a rainha anonimamente. Caso suas conjecturas estivessem certas, ela estava matando os enviados *dele*.

Obviamente, era tudo especulação. Ela não dispunha de nenhuma prova, assim como não havia evidências de que Combe era o responsável pelo exílio de Loth. Ainda assim, seu instinto lhe dizia que estava no caminho certo.

O casamento com Lievelyn estava praticamente certo. Combe estava satisfeito. Caso os assassinos não voltassem a aparecer, o raciocínio dela estaria correto, e Sabran estaria segura pelo menos até causar outro incômodo a Combe. Então, o Gavião Noturno levantaria voo mais uma vez, com suas asas negras abertas sobre o torno.

Ead precisava podar aquelas asas. Só precisava de provas — e de uma oportunidade.

Os convidados continuavam a chegar. As famílias dos Duques Espirituais. Cavaleiros andantes, que administravam punições para pequenos crimes e procuravam wyrms adormecidos para matar. Santários com opalandas de mangas longas. Barões e baronetes. Alcaides e magistrados.

Em pouco tempo, os aguardados visitantes do Reino de Hróth começaram a chegar. O Rei Raunus, da Casa de Hraustr, mandara um grupo de representantes de posição elevada para acompanhar a união. Sabran os recebeu com um afeto genuíno, e pelo palácio logo passaram a ecoar canções do Norte e risos fartos.

Não muito tempo atrás, yscalinos também teriam comparecido. Ead se lembrava bem da última visita de representantes da Casa de Vetalda, quando a Donmata Marosa viajara para celebrar os mil anos de soberania dos Berethnet. Agora, sua ausência era mais um lembrete de um futuro incerto.

Na manhã que Aubrecht Lievelyn chegaria ao Palácio de Ascalon, os mais destacados cortesãos e convidados se aglomeraram na Câmara da Presença. A maior parte do Conselho das Virtudes estava lá. Arbella Glenn havia se recuperado da enfermidade, para a decepção das mais ambiciosas entre as Damas da Câmara Privativa, e estava postada à direita do trono.

Arbella parecia frágil mesmo em seus melhores dias, com seus olhos turvos e os dedos tortos de tanto trabalho com agulhas, mas para Ead parecia evidente que ela não deveria ter saído da cama naquela manhã. Embora sorrisse como uma mãe orgulhosa para a rainha, havia um ar de tristeza silenciosa pairando ao seu redor.

O restante do recinto zumbia como uma colmeia. Sabran aguardava seu futuro noivo diante do trono, ladeada pelos seis Duques Espirituais, que resplandeciam com seus mantos e brasões. Ela usava um vestido simples de veludo e cetim vermelho, um contraste marcante com o negro de seus cabelos. Nada de babados ou joias. Ead a observava de sua posição ao lado das demais Damas da Câmara Privativa.

Ela ficava mais bonita dessa forma. Os inysianos pareciam pensar que eram os adornos que a embelezavam, mas na verdade só a escondiam.

Sabran a surpreendeu olhando. Ead desviou o olhar.

— Onde estão seus pais? — Ead perguntou para Margret, à sua direita.

— A justificativa é uma indisposição de papai, mas eu acho que é porque mamãe não quer ver Combe nem de longe — Margret falou por trás de seu leque de plumas de pavão. — Ele a informou em uma carta que Loth foi a Cárscaro por iniciativa própria. Ela desconfia que seja o contrário.

Lady Annes Beck tinha sido uma Dama da Alcova da Rainha Rosarian.

— Ela deve conhecer bem as maquinações da corte.

— Melhor do que a maioria das pessoas. Vejo que Lady Honeybrook também não veio. — Margret sacudiu a cabeça. — Pobre Kit.

O Conde de Honeybrook estava junto com os demais membros do Conselho das Virtudes. Não parecia incomodado com a ausência do filho, quem lembrava em tudo com exceção da boca, que nunca sorria.

As trombetas anunciaram a chegada do Alto Príncipe. Até mesmo as ricas tapeçarias que ornamentavam a Câmara da Presença pareciam vibrar de ansiedade. Ead olhou para Combe, que sorria como um gato com um camundongo preso sob a pata.

Ela sentiu um aperto de repulsa no peito ao vê-lo. Mesmo que não fosse o arquiteto por trás da ação dos assassinos, ele tinha mandado Loth para um perigo terrível apenas para abrir caminho para aquele casamento, com base em boatos sem um pingo de substância. No que cabia a Ead, ele poderia cair duro no chão.

Os porta-estandartes e trombeteiros entraram em um desfile na Câmara da Presença. Os pescoços se viraram para ver o homem que seria o príncipe consorte de Inys. Linora Payling ficou na ponta dos pés, abanando-se como se fosse desmaiar a qualquer momento. Até mesmo Ead permitiu-se sentir uma pontada de curiosidade.

Sabran endireitou os ombros. A agitação foi crescendo, e o Alto Príncipe do Estado Livre de Mentendon apareceu.

Aubrecht Lievelyn tinha os braços fortes e os ombros largos que Ead esperaria ver em um cavaleiro experiente. Com o rosto barbeado e mais alto que Sabran, não tinha nada que lembrasse um arganaz. Seus cabelos ondulados brilhavam como cobre quando ele passava por um raio de sol. Um manto estava pendurado por cima de um único ombro, e ele usava um justilho preto sobre um gibão cor de marfim.

— Ah, ele é *tão* bonito — murmurou Linora.

Quando chegou a sua prometida, Lievelyn se ajoelhou diante dela e abaixou a cabeça.

— Majestade.

O rosto dela permaneceu impassível.

— Sua Alteza Real — respondeu ela, estendendo a mão. — Seja bem-vindo ao Rainhado de Inys.

Lievelyn beijou o anel de coração dela.

— Majestade — disse ele—, já estou apaixonado por sua cidade, e é com muita humildade que recebo o aceite de minha proposta. É uma grande honra estar em sua presença.

O tom de voz dele era baixo e tranquilo. Ead ficou surpresa com aqueles modos reservados. Em geral, um pretendente despejava elogios sebosos à realeza assim que abria a boca, mas Lievelyn apenas observou com seus olhos escuros a Rainha de Inys, a principal representante de sua religião.

Sabran, que estava com as sobrancelhas levantadas, retirou sua mão.

— Os Duques Espirituais, descendentes do Séquito Sagrado — disse ela.

Eles fizeram uma mesura para Lievelyn, que abaixou a cabeça em cumprimento.

— Sua Alteza Real é muito bem-vindo aqui — disse Combe com um tom afetuoso. — Estávamos ansiosos por este encontro.

— Pode levantar-se — ordenou Sabran. — Por favor.

Lievelyn obedeceu. Houve um breve silêncio enquanto os futuros companheiros avaliavam um ao outro.

— Pelo que sabemos, Sua Alteza Real já visitou Ascalon uma vez antes — disse Sabran.

— Sim, Majestade, para o casamento de seus pais. Eu só tinha dois anos, mas minha mãe, que também estava presente, sempre mencionava como a Rainha Rosarian estava bela naquele dia, e que o povo rezava para que em breve ela desse à luz uma filha tão graciosa e resiliente quanto ela. E foi isso o que a senhora provou ser. Quando ouvi dizer que Sua Majestade enxotou daqui a asa direita do Inominado, apenas confirmou o que eu já sabia de sua força.

Sabran não sorriu, mas seus olhos brilharam.

— Nós esperávamos conhecer também suas nobres irmãs.

— Elas virão em breve, Majestade. A Princesa Betriese adoeceu, e as outras não quiseram deixá-la sozinha.

— Nós lamentamos saber. — Sabran estendeu a mão de novo, dessa vez para o embaixador. — Seja bem-vindo de volta, Oscarde.

— Majestade. — O embaixador se curvou para beijar o anel. — Se me permite, eu gostaria de apresentar minha mãe, Lady Aleidine Teldan utt Kantmarkt, Duquesa Viúva de Zeedeur.

A Duquesa Viúva fez uma cortesia.

— Majestade. — Era uma mulher notável, com cabelos cor de cobre e olhos com pálpebras salientes. Os pés de galinha marcavam sua pele marrom-clara. — É uma grande honra.

— Você é muito bem-vinda em Ascalon, Sua Graça. Assim como você, Sua Excelência — Sabran acrescentou para alguém atrás dela.

Quando Lievelyn deu um passo para o lado, Ead respirou fundo. O embaixador que tinha acabado de entrar na Câmara da Presença usava um turbante dourado e um manto de cetim cintilante, tingido de um azul intenso. Atrás dele vinham as delegações ersyria e lássia.

— Majestade. — Com um sorriso, Chassar uq-Ispad fez sua mesura. Todos os rostos se voltaram para aquele homem colossal, com sua cabeça coberta e sua barba preta cheia. — Faz muito tempo.

Ele estava lá.

Depois de tantos anos, ele voltara.

— Faz mesmo — respondeu Sabran. — Estávamos começando a achar que Sua Elevadíssima Majestade não mandaria representantes.

— Meu senhor jamais insultaria Sua Majestade de tal maneira. O Rei Jentar manda seus parabéns pelo noivado, assim como a Alta Governante Kagudo, cuja delegação se juntou a nós em Poleiro.

Kagudo era a Alta Governante do Domínio da Lássia, a comandante da casa real mais antiga do mundo conhecido. Era uma descendente direta de Selinu, o Detentor do Juramento, e, portanto, uma parente consanguínea da Mãe. Ead nunca a vira, mas ela se correspondia com frequência com a Prioresa.

— Felizmente o Príncipe Aubrecht tinha acabado de aportar quando chegamos — continuou Chassar —, e assim pudemos desfrutar de sua agradável companhia pelo restante da viagem.

— Nós esperamos desfrutar da agradável companhia do Príncipe Aubrecht em um futuro próximo — respondeu Sabran.

Algumas damas de companhia deram risadinhas atrás dos leques. Lievelyn sorriu outra vez.

Enquanto as cortesias se estendiam, Sabran em nenhum momento perdia de vista seu prometido, e ele também não tirava os olhos dela. Chassar lançou um olhar para Ead e fez um discretíssimo aceno de cabeça antes de se virar outra vez.

Quando a audiência chegou ao fim, Sabran convidou alguns dos presentes para o pátio de justas, a fim de acompanhar os duelos. Os competidores se enfrentariam diante de milhares de cidadãos de Ascalon. Eles ficaram exultantes ao ver Sabran, aplaudindo a rainha que havia expulsado um Altaneiro do Oeste. Era como se Glorian, a Defensora, tivesse voltado.

— Viva Sabran, a Magnífica — gritavam eles. — Vida longa à Casa de Berethnet!

O alarido se tornou ainda mais alto quando Lievelyn se sentou ao lado dela no Camarote Real.

— Nos proteja, Majestade!

— Majestade, nós nos espelhamos em sua coragem!

Ead encontrou um lugar nos bancos cobertos junto com as outras damas de companhia e ficou observando a multidão, à espera de uma balestra ou pistola que despontasse na arquibancada. Sua siden estava praticamente esgotada, mas ela ainda contava com adagas suficientes para derrubar uma boa quantidade de assassinos.

Chassar estava do outro lado do Camarote Real. Ela precisaria esperar até Sabran se retirar para conversar com ele.

— Pelo amor do Santo, pensei que as apresentações não fossem terminar nunca. — Margret aceitou uma taça de vinho de morango servida por um pajem. Dois cavaleiros andantes baixaram seus visores. — Acho que Sabran gostou do Príncipe Rubro. Ela tentou esconder, mas parece que já foi fisgada.

— Lievelyn com certeza sim — respondeu Ead, distraída.

Combe estava no Camarote Real. Ela o esquadrinhou com o olhar, tentando entender se ele via Sabran como sua rainha ou como uma peça a ser movida em um tabuleiro.

Margret notou para onde ela estava olhando.

— Pois é — disse ela baixinho. — Ele saiu impune e ainda conseguiu o que queria. — Ela tomou um gole de vinho. — Detesto também todos os seus companheiros. Por serem coniventes.

— Sabran *precisa* saber — murmurou Ead. — Ela não pode dar um jeito de se livrar dele?

— Por mais que me doa admitir, Inys precisa dos lançadiços de Combe. E, se Sab o banisse sem um bom motivo, outros nobres poderiam sentir que suas posições também correm perigo. Ela não pode ter descontentes em seu meio, não com tanta incerteza em relação à ameaça representada por Yscalin. — Margret fez uma careta quando os cavaleiros andantes arrebentaram suas lanças no duelo, produzindo um rugido de aprovação da plateia. — Afinal, os nobres já se rebelaram no passado.

Ead assentiu.

— A Rebelião de Gorse Hill.

— Sim. Pelo menos existem leis para reduzir o perigo de isso acontecer novamente. Em outros tempos, veríamos os atendentes de Combe andando por aí com as cores *dele*, como se não devessem lealdade acima de tudo à sua rainha. Agora só o que podem fazer é usar a insígnia dele. — Ela espremeu os lábios. — Eu *odeio* que o símbolo da virtude dele seja um livro, sabe. Os livros são bons demais para alguém como ele.

Os dois desafiantes se alinharam para duelarem de novo. Igrain Crest, que estava conversando com um barão, atravessou o Camarote Real e se instalou na fileira logo atrás de Sabran e Lievelyn. Ela se inclinou para dizer alguma coisa para a rainha, que sorriu para ela.

— Ouvi falar que Igrain é contra esse casamento, mas gosta da ideia de que a tão aguardada herdeira possa enfim ser gerada — Margret comentou, erguendo uma sobrancelha. — Ela era a Protetora da Nação em tudo menos no nome quando Sab era criança. Uma segunda mãe. Mas, se os boatos estiverem certos, prefere que ela se casasse com alguém já com um pé na própria cova.

— Ela ainda pode ter seu desejo realizado — disse Ead.

Margret a encarou.

— Você está achando que Sab pode mudar de ideia em relação ao Príncipe Rubro?

— Enquanto ela não estiver com a aliança no dedo, acho que existe a chance.

— A corte transformou você em uma cínica, Ead Duryan. Nós podemos estar prestes a testemunhar um romance capaz de rivalizar com o de Rosarian I e Sir Antor Dale. — Margret enganchou o braço no dela. — Você deve estar contente de ver o Embaixador uq-Ispad depois de tantos anos.

Ead sorriu.

— Você não faz ideia.

As justas prosseguiram por várias horas. Ead se manteve à sombra com Margret, sem nunca tirar os olhos das arquibancadas. Por fim,

Lorde Lemand Fynch, o Duque da Temperança em exercício, foi declarado o campeão. Depois de premiar seu primo com um anel, Sabran se retirou para escapar do calor.

Às cinco horas, Ead estava na Câmara Privativa, onde Sabran estava tocando o virginal. Enquanto Roslain e Katryen cochichavam, e a pobre Arbella trabalhava em um bordado, Ead fingia estar absorta em um livro de orações.

A rainha vinha prestando mais atenção nela desde que fora acometida pela febre. Ead havia sido convidada várias vezes para jogar cartas e ouvir as Damas da Alcova enquanto colocavam Sabran a par dos acontecimentos da corte. Percebera que às vezes elas falavam bem de certas pessoas e aconselhavam Sabran a mostrar mais apreço do que o habitual. Se não havia nenhum suborno envolvido naquelas recomendações, Ead era a Rainha do Ersyr.

— Ead.

Ela levantou os olhos do livro.

— Majestade.

— Venha cá.

Sabran deu um tapinha no banco. Quando Ead se sentou, a rainha se inclinou em sua direção com ares conspiratórios.

— Pelo jeito, o Príncipe Rubro é menos parecido com um arganaz do que pensávamos. O que você achou dele?

Ead sentiu os olhos de Roslain nela.

— Ele me pareceu muito cortês e galante, senhora. Se for um roedor — ela complementou em tom brincalhão —, então pode sentir-se segura de que ele é o príncipe dos roedores.

Sabran deu risada. Era um som raro de se ouvir. Como um veio de ouro escondido sob uma rocha, avesso à ideia de se mostrar.

— De fato. Se será ou não um bom consorte para mim, isso ainda precisa ser comprovado. — Ela passou o dedo por cima do instrumento musical. — Eu ainda não estou casada, claro. Um compromisso sempre pode ser desfeito.

— A senhora deve agir como achar melhor. Sempre haverá vozes lhe dizendo o que fazer, e como agir, mas é a senhora quem usa a coroa — disse Ead. — Sua Alteza Real precisa provar que é digno de um lugar ao seu lado. Deve merecer essa honra, que é a maior que existe.

Sabran a exeminou.

— Você diz belas palavras — comentou ela. — Só não sei se são sinceras.

— Eu falo só o que penso, senhora. Todas as cortes estão sujeitas a encenações e manipulações, muitas vezes disfarçadas de cortesia, mas prefiro acreditar que minhas palavras vêm do coração — respondeu Ead.

— Todas nós falamos de coração com Sua Majestade — Roslain esbravejou. Seus olhos faiscavam de raiva. — Você está insinuando que a cortesia é alguma espécie de artifício, Mestra Duryan? Porque a Cavaleira da Cortesia...

— Ros — interrompeu Sabran. — Eu não estava falando com você.

Roslain ficou em silêncio, claramente perplexa.

Durante o tenso período que se seguiu, um dos Cavaleiros do Corpo entrou na Câmara Privativa.

— Majestade — disse ele, fazendo uma mesura. — Sua Excelência, o Embaixador uq-Ispad solicitou uma breve conversa com a Mestra Duryan. Caso dê sua permissão, ele está à espera no Terraço do Pacificador.

Sabran puxou sua cascata de cabelos para um dos lados do pescoço.

— Acho que ela pode ser dispensada — disse ela. — Você tem minha licença, Ead, mas esteja de volta para as rogatórias.

— Sim, senhora. — Ead se levantou imediatamente. — Obrigada.

Enquanto se retirava da Câmara Privativa, Ead evitou olhar para as demais. Era melhor não se tornar uma inimiga de Roslain Crest se pudesse evitar.

Ead saiu da Torre da Rainha e subiu para a muralha sul do palácio, onde ficava o Terraço do Pacificador, com vista para o Rio Limber. Seu coração estava agitado como uma mariposa. Pela primeira vez em oito anos, falaria com alguém do Priorado. E não com qualquer um, mas com Chassar, que fora quem a criara.

O sol do fim da tarde fazia a superfície do rio parecer ouro derretido. Ead atravessou a ponte e pôs os pés no chão ladrilhado do terraço. Chassar a esperava junto à balaustrada. Ao ouvir o som de seus passos, ele se virou e sorriu, e ela correu como uma criança indo para os braços do pai.

— Chassar.

Ela afundou o rosto no peito dele, deixando-se envolver por seus braços.

— Eadaz. — Ele deu um beijo no topo de sua cabeça. — Pronto, luz dos meus olhos. Estou aqui.

— Não ouço esse nome há tanto tempo — ela falou em selinyiano, com a voz embargada. — Pelo amor da Mãe, Chassar, pensei que tivesse me abandonado para sempre.

— Jamais. Você sabe que deixá-la aqui foi como ter uma costela arrancada do meu tórax. — Eles caminharam juntos na direção de uma cobertura adornada por rosas-amarelas e madressilvas. — Sente-se comigo.

Chassar devia ter reservado o terraço para uso pessoal. Ead se sentou a uma mesa, onde havia uma bandeja com pilhas de frutas secas do Ersyr, e ele serviu uma taça do vinho branco de Rumelabar para ela.

— Mandei trazer tudo isso para você do outro lado do mar — disse ele. — Pensei que fosse gostar de um pequeno lembrete do Sul.

— Depois de oito anos, é fácil até esquecer que o Sul existe. — Ela o encarou com um olhar severo. — Não recebi nenhuma notícia. Você não respondeu nem ao menos *uma* das minhas cartas.

O sorriso desapareceu do rosto dele.

— Peço perdão pelo meu silêncio, Eadaz. — Ele soltou um suspiro. — Eu teria respondido, mas a Prioresa decidiu que você deveria ser deixada em paz, para absorver os modos dos inysianos.

Ead até queria ficar furiosa, mas aquele era o homem que a sentara no colo quando pequena e a ensinara a ler, e o alívio que sentia ao vê-lo era maior que a irritação.

— Sua tarefa era proteger Sabran, e você honrou a Mãe ao mantê-la viva e intocada — disse Chassar. — Não deve ter sido fácil. — Ele fez uma pausa. — Os assassinos estão no encalço dela. Você disse em suas cartas que eles usavam lâminas yscalinas.

— Sim. Adagas de defesa, especificamente, vindas de Cárscaro.

— Adagas de defesa — repetiu Chassar. — Uma escolha estranha para um assassinato.

— Foi o que eu pensei. Uma arma que é usada para defesa.

— Humm. — Chassar passou a mão na barba, como costumava fazer quando estava pensativo. — Talvez seja mais simples do que pareça, e o Rei Sigoso esteja contratando súditos inysianos para matar uma rainha que ele despreza… ou talvez as lâminas estejam fazendo o papel de peixe podre. Para encobrir o rastro do arquiteto dos atentados.

— É isso o que eu penso. Alguém da corte está envolvido — respondeu Ead. — Essas adagas podem ser encontradas no mercado das sombras. E alguém deixou que os assassinos entrassem na Torre da Rainha.

— E quem do Alto Escalão de Serviço você acredita que poderia querer a morte de Sabran?

— Ninguém. Todos pensam que é ela que mantém o Inominado adormecido. — Ead bebeu seu vinho. — Você sempre me disse para confiar nos meus instintos.

— Sempre.

— Então digo que tem alguma coisa que não consigo engolir nesses atentados contra Sabran. E não é só a escolha da arma — falou ela.

— A última incursão foi... inusitada. Todos os outros cometeram erros grosseiros. Como se quisessem ser pegos.

— É bem provável que fossem simplesmente destreinados. Tolos em momentos de desespero, subornados por ninharias.

— Talvez. Ou talvez seja algo deliberado — disse ela. — Chassar, você se lembra de Lorde Arteloth?

— Claro — respondeu ele. — Fiquei surpreso por não vê-lo com Sabran quando cheguei.

— Ele não está aqui. Foi exilado por Combe e mandado para Yscalin por ser próximo demais dela, para abrir caminho para o casamento com Lievelyn.

Chassar ergueu as sobrancelhas.

— Esses boatos — murmurou ele. — Ouvi falar nisso até em Rumelabar.

Ead assentiu.

— A intenção de Combe era mandar Loth para a morte. E agora receio que o Gavião Noturno esteja movendo suas peças outra vez. Fazendo Sabran temer pela própria vida, ele a jogou nos braços de Lievelyn.

— Assim ela geraria uma herdeira o quanto antes. — Chassar pareceu refletir a respeito. — Em certo sentido, seria uma boa notícia caso fosse verdade. Sabran está segura. Ela fez o que ele queria.

— Mas e se no futuro não fizer?

— Eu não acho que ele iria muito além do que já foi. Sem ela, seu poder deixa de existir.

— Não sei se é isso em que que ele acredita. E não acho boa ideia manter Sabran no escuro sobre essas maquinações.

Chassar ficou paralisado ao ouvir aquilo.

— Você não deve expressar essas desconfianças para ela, Eadaz. Não sem provas — disse ele. — Combe é um homem poderoso, e encontraria um jeito de prejudicá-la.

— Eu não faria isso. Só o que posso fazer é continuar de olho. — Ela o encarou. — Chassar, minhas égides estão começando a falhar.

— Eu sei. — Ele manteve um tom de voz baixo. — Quando ficamos sabendo que Fýredel apareceu, e que Sabran o expulsou de Ascalon, nos demos conta da verdade imediatamente. Também entendemos que isso teria exaurido toda sua siden. Você ficou longe por tempo demais. Você é uma raiz, minha querida. Precisa ser regada, ou vai definhar.

— Isso pode não fazer diferença. Finalmente posso ter a chance de ser uma Dama da Alcova — disse Ead. — E protegê-la com a minha própria lâmina.

— Não, Eadaz.

Chassar colocou sua mão grande sobre a dela. Havia uma flor de laranjeira, feita de uma pedra-do-sol transparente como vidro, no anel de prata de seu dedo indicador. O símbolo da verdadeira lealdade que compartilhavam.

— Criança — murmurou ele—, a Prioresa se foi. Já era idosa, como você sabe, e teve uma morte pacífica.

Foi uma notícia dolorosa para Ead, mas não uma surpresa. A Prioresa sempre lhe parecera uma anciã, com a pele marcada e cheia de vincos, como uma oliveira.

— Quando?

— Três meses atrás.

— Que a chama dela possa ascender para iluminar a árvore — disse Ead. — Quem assumiu o bastão?

— As Donzelas Vermelhas elegeram Mita Yedanya, a *munguna* — respondeu Chassar. — Você se lembra dela?

— Sim, claro. — Pelo pouco que Ead podia se recordar, Mita era uma mulher calada e séria. A *munguna* teoricamente era a herdeira do Priorado, mas as Donzelas Vermelhas às vezes elegeriam outra pessoa, caso considerassem que ela não estava à altura da posição. — Eu desejo a ela o melhor em sua nova função. Ela já escolheu sua própria *munguna*?

— A maioria das irmãs acha que vai ser Nairuj, mas, na verdade, Mita ainda não se decidiu.

Chassar se inclinou para mais perto. Sob a pouca luz natural que restava, Ead notou as linhas de expressão ao redor da boca e dos olhos. Ele parecia bem mais velho do que da última vez que se viram.

— As coisas mudaram, Eadaz — disse ele. — Você deve ter sentido. Os wyrms estão acordando de seu sono, e agora um Altaneiro do Oeste ressurgiu. A Prioresa teme que sejam os primeiros passos para o despertar do próprio Inominado.

Ead ficou em silêncio por um instante, absorvendo aquelas palavras.

— Vocês não são os únicos a alimentar esse temor — disse ela. — Uma dama de companhia, Truyde utt Zeedeur, enviou um mensageiro a Seiiki.

— A jovem herdeira do Ducado de Zeedeur. — Chassar franziu a testa. — Por que ela iria querer abrir um diálogo com o Leste?

— A garota colocou na cabeça que precisa convocar os wyrms de lá para nos proteger do Inominado. Está convencida de que ele vai retornar, com a Casa de Berethnet ainda de pé ou não.

Chassar deixou um leve sibilado escapar por entre os dentes.

— O que a levou a acreditar nisso?

— A atividade das criaturas dragônicas. E sua própria imaginação, acredito eu. — Ead serviu mais vinho para os dois. — Fýredel disse uma coisa para Sabran. *Os mil anos estão quase acabando.* Também disse que seu senhor está despertando no Abismo.

O oceano que se abria entre um lado do mundo e outro. Águas negras que a luz do sol não tinha como penetrar. Uma morada da escuridão que os marujos sempre tiveram medo de atravessar.

— Palavras ameaçadoras, sem dúvida. — Chassar contemplou o horizonte. — Fýredel deve acreditar, assim como Lady Truyde, e a Prioresa, que o Inominado vai mesmo voltar.

— Ele foi derrotado pela Mãe mais de mil anos atrás — disse Ead. — Não foi? Se é essa a data à qual o wyrm se refere, então o Inominado já deveria ter ressurgido.

Chassar deu um gole em seu vinho, pensativo.

— E se talvez essa ameaça tiver relação com os anos perdidos da Mãe? — perguntou ele.

Todas as irmãs sabiam a respeito dos anos perdidos. Não muito depois de derrotar o Inominado e fundar o Priorado, a Mãe partiu para resolver questões nunca esclarecidas e faleceu antes de voltar. Seu corpo foi devolvido ao Priorado. Ninguém sabe quem o enviara.

Uma pequena facção das irmãs acreditava que a Mãe partira para se juntar a seu pretendente, Galian Berethnet, e engravidara dele, fundando assim a Casa de Berethnet. Essa ideia, bastante impopular no Priorado, era a lenda fundadora da Virtandade — e o que levou Ead para Inys.

— Como poderia? — questionou ela.

— Bem, a maioria das irmãs acredita que a Mãe partiu para proteger o Priorado de alguma ameaça jamais mencionada — Chassar falou, franzindo os lábios. — Vou escrever para a Prioresa e mencionar o que Fýredel falou. Ela deve conseguir resolver esse enigma.

Eles ficaram em silêncio por um breve momento. A noite estava caindo, e as velas começaram a se acender atrás das janelas do palácio.

— Preciso ir em breve — murmurou Ead. — Para rezar para o Impostor.

— Coma um pouco primeiro. — Chassar empurrou a tigela de frutas na direção dela. — Você parece cansada.

— Bem, acontece que expulsar sozinha um Altaneiro do Oeste é *mesmo* um trabalho cansativo — Ead falou, seca.

Ela pegou algumas tâmaras e cerejas doces como mel. Sabores de uma vida que ela nunca esqueceu.

— Minha querida, me perdoe, mas antes de ir eu tenho algo para lhe contar. Sobre Jondu.

Ead ergueu os olhos.

— Jondu. — Sua mentora, sua amiga tão querida. Ela sentiu seu estômago se revirar. — Chassar, o que foi?

— No ano passado, a Prioresa determinou que precisávamos retomar nossos esforços para encontrar Ascalon. Com a atividade das criaturas dragônicas, ela achou que deveríamos fazer de tudo para encontrar a espada que a Mãe usou para derrotar o Inominado. Jondu deu início a sua busca em Inys.

— Em Inys — disse Ead, com um aperto no peito. — Ela devia ter vindo me ver.

— Ela recebeu ordens para manter distância da corte. Para não interferir em sua missão.

Ead fechou os olhos. Jondu tinha uma personalidade forte, mas nunca desobedeceria a uma ordem direta da Prioresa.

— Recebemos notícias dela pela última vez quando estava em Perunta — Chassar continuou —, provavelmente voltando para casa.

— Quando foi isso?

— No fim do inverno. Ela não encontrou Ascalon, mas escreveu avisando que levava um objeto importante de Inys e solicitava com urgência a escolta de uma guarda. Quando mandamos irmãs para encontrá-la, não havia mais vestígios dela. Eu temo pelo pior.

Ead se levantou com um gesto abrupto e caminhou até a balaustrada. De repente, a doçura das frutas se tornou enjoativa.

Ela se lembrou de Jondu lhe ensinando como subjugar a chama bruta que ardia em seu sangue. Como empunhar uma espada e disparar um arco. Como abrir um wyvern da moela até a cauda. Jondu, sua mais querida amiga, que, junto com Chassar, era a responsável por Ead ser quem era.

— Ela pode ainda estar viva — disse Ead, com a voz rouca.

— As irmãs estão à procura. Nós não iremos desistir — Chassar falou —, mas alguém precisa tomar o lugar dela entre as Donzelas

Vermelhas. Esta é a mensagem que trago de Mita Yedanya, nossa nova Prioresa. Ela ordena o seu retorno, Eadaz. Para envergar o manto de sangue. Sua presença é necessária para os dias que vêm pela frente.

Um arrepio se espalhou pelo corpo de Ead, do couro cabeludo até a base da coluna, ao mesmo tempo gelado e quente.

Aquilo era tudo o que sempre quis. Ser uma Donzela Vermelha, uma caçadora sempre a postos, era o sonho de toda menina nascida no Priorado.

E, no entanto...

— Então a nova Prioresa não tem interesse em proteger Sabran — disse Ead.

Chassar ficou ao seu lado na balaustrada.

— A nova Prioresa é mais cética em relação às alegações dos Berethnet do que a anterior — admitiu ele —, mas não vai deixar Sabran desprotegida. Eu trouxe uma de suas jovens irmãs comigo para Inys, e minha intenção é presentear a Soberana Sabran com ela, pedindo que a troque por você. Vou dizer que um familiar seu está morrendo, que você precisa voltar para o Ersyr.

— Isso vai levantar suspeitas.

— Nós não temos escolha. — Ele a encarou. — Você é Eadaz du Zāla uq-Nāra, uma serva de Cleolind. Não pode ficar ainda mais tempo nesta corte de blasfemos.

Seu nome. Havia tanto tempo não o ouvia. Enquanto digeria aquelas palavras, seu rosto se crispou de preocupação.

— Eadaz, não me diga que agora quer ficar — falou ele. — Você se afeiçoou a Sabran?

— Claro que não — Ead respondeu, seca. — Essa mulher é arrogante e mimada, mas, seja como for, existe uma chance, por menor que seja, de que seja *mesmo* uma descendente legítima da Mãe. Não só isso: se ela morrer, a nação com o maior poderio naval do Oeste vai entrar em colapso, e isso não seria nada bom para nós. Ela precisa de proteção.

— E ela terá. A irmã que eu trouxe comigo é muito capaz, mas você tem um outro caminho a seguir agora. — Ele pôs a mão em suas costas. — É hora de voltar para casa.

Uma chance de voltar a ficar perto da laranjeira. Ela poderia falar sua própria língua e rezar para a verdadeira imagem da Mãe sem ser queimada na Praça Marian.

Por outro lado, passara oito anos aprendendo sobre os inysianos — seus costumes, sua religião, as minúcias da armadilha que era aquela corte. Aquele conhecimento não podia ser desperdiçado.

— Chassar, eu quero ir embora com você, mas estou sendo convocada justamente no momento em que Sabran está começando a confiar em mim — disse Ead. — Todos os anos que passei aqui seriam por nada. Você não acha que consegue convencer a Prioresa a me conceder um pouco mais de tempo?

— Quanto tempo?

— Até que a sucessão do rainhado esteja garantida. — Ead se virou para ele. — Me deixe protegê-la até que tenha uma filha. Assim que tiver acontecido, eu volto para casa.

Ele pensou a respeito por um tempo, com os lábios contraídos e perdidos em meio à barba farta.

— Eu tentarei — ele concluiu. — Eu tentarei, minha querida. Mas, se a Prioresa não aceitar, você deve obedecer.

Ead beijou a bochecha dele.

— Você é bom até demais comigo.

— É impossível ser bom demais com você. — Ele a segurou pelos ombros. — Mas fique atenta, Eadaz. Não perca o foco. É a Mãe que orienta você, não a rainha inysiana.

Ela olhou para as torres da cidade.

— Que a Mãe nos oriente em tudo o que fazemos.

15

Oeste

Cárscaro.

A capital do Reino Dragônico de Yscalin.

A cidade ficava no alto das montanhas sobre uma vasta planície, encravada nos Espigões, a cordilheira com cumes cobertos de neve que fazia a fronteira de Yscalin com o Ersyr.

Loth olhou pela janela da carruagem, que se aproximava do desfiladeiro. Ouvira histórias sobre Cárscaro a vida toda, mas nunca tinha visto a cidade em si.

Yscalin tinha se tornado o segundo elo na Cota de Malha da Virtandade quando o Rei Isalarico IV se casara com a Rainha Glorian II. Por amor à noiva, ele havia abdicado da crença dos antigos deuses da nação e proclamado sua fé no Santo. Na época, Cárscaro era conhecida pelos bailes de máscaras, pela música e pelas pereiras vermelhas que cresciam nas ruas.

Aquilo ficara no passado. Desde que Yscalin renunciara a sua devoção de longa data ao Santo e aceitara o Inominado como seu deus, o reino vinha fazendo de tudo para minar a Virtandade.

À medida que o dia raiava, as nuvens apareciam sobre a Grande Planície Yscalina. Houve um tempo em que aquela grande extensão de terra era coberta de arbustos de lavandas e, quando o vento soprava, levava o aroma das flores para a cidade.

Loth desejou tê-la visto nessa época. Só o que restava àquela altura era uma terra desolada e calcinada.

— Quantas almas vivem em Cárscaro? — ele perguntou a Lady Priessa, tentando ao menos se distrair.

— Cinquenta mil, ou perto disso. Nossa capital é pequena — respondeu ela. — Quando chegarem, serão conduzidos a seus aposentos na galeria embaixatorial. E terão uma audiência com Sua Resplandescência assim que for conveniente para ela, a fim de apresentarem suas credenciais.

— Nós também vamos ter com o Rei Sigoso?

— Sua Majestade está indisposto.

— Lamento saber.

Loth encostou a testa à janela e observou a cidade nas montanhas. Em pouco tempo estaria no coração do mistério do que tinha acontecido a Yscalin.

Uma movimentação chamou sua atenção. Ele estendeu o braço na direção do fecho da janela para olhar melhor o céu, mas uma mão enluvada a fechou de súbito.

— O que era aquilo? — Loth perguntou, inquieto.

— Uma cocatriz. — Lady Priessa entrelaçou as mãos no colo. — É melhor não se afastar muito do palácio, Lorde Arteloth. Muitos seres dragônicos habitam as montanhas.

Cocatrizes. A cria do cruzamento entre aves e wyverns.

— Eles atacam as pessoas na cidade?

— Se estiverem com fome, atacam todos os que cruzarem seu caminho, a não ser aqueles que foram afetados pela peste. Nós os mantemos alimentados.

— Como?

Não houve resposta.

A carruagem começou sua penosa subida montanha acima. Diante de Loth, Kit despertou do cochilo e esfregou os olhos. Ele abriu seu sorriso imediatamente, mas Loth pôde notar que ele estava com medo.

A noite já havia caído quando o Portão de Niunda apareceu. Colossal como a deidade que lhe dava o nome, entalhado em granito verde e preto e iluminado por tochas, era a única entrada de Cárscaro. Quando chegou mais perto, Loth notou a presença de vultos sobre o lintel.

— O que é aquilo lá em cima?

Kit foi o primeiro a entender.

— Eu olharia para o outro lado, Arteloth. — Ele se recostou no assento. — A não ser que queira ter suas noites assombradas para sempre.

Era tarde demais. Ele já vira os homens e as mulheres acorrentados pelos pulsos ao portão. Alguns pareciam mortos ou moribundos, mas outros estavam vivos e ensanguentados, lutando contra os grilhões.

— É *assim* que alimentamos os seres dragônicos, Lorde Arteloth — Lady Priessa falou. — Com nossos criminosos e traidores.

Por um terrível momento, Loth pensou que fosse expelir sua mais recente refeição ali mesmo na carruagem.

— Entendo. — A boca se encheu de saliva. — Muito bem.

Ele estava desesperado para fazer o sinal da espada, mas naquele lugar aquilo significaria sua condenação.

Com a aproximação da carruagem, o Portão de Niunda se abriu. Nada menos que seis wyverns guardavam a entrada. Eram menores que seus senhores, os Altaneiros do Oeste, e tinham apenas duas pernas, mas em seus olhos brilhava o mesmo fogo. Loth desviou o olhar até passarem totalmente por eles.

Aquilo era um pesadelo. Os bestiários, as histórias dos tempos antigos, tudo aquilo ganhara vida em Yscalin.

Uma torre de pedra e vidro vulcânica se erguia no meio da cidade. Deveria ser o Palácio da Salvação, a sede da Casa de Vetalda. A montanha onde Cárscaro estava encravada era uma das mais baixas dos

Espigões, porém alta o bastante para ter seu cume escondido pela névoa sobre o platô.

O palácio era intimidante, mas foi o rio de lava que deixou Loth realmente perturbado. Fluía em seis ramificações ao redor e através de Cárscaro antes de se juntar em um lago e uma cascata que descia pelas encostas mais baixas das montanhas, onde esfriava e se solidificava como vidro vulcânico.

Os derramamentos de lava haviam começado em Cárscaro havia uma década. Os yscalinos levaram um bom tempo para construir canais para o rio flamejante. Em Ascalon, as pessoas sussurravam que o Santo tinha mandado aquilo como um alerta para os yscalinos — um aviso de que o Inominado em breve seria o falso deus de sua nação.

As ruas serpenteavam como caudas de rato entre as construções. Mais de perto, Loth via que eram interligadas por pontes altas de pedra. As barracas com toldos vermelhos dos vendedores de rua estavam cercadas de pessoas com túnicas pesadas. Muitos usavam véus sobre o rosto. As precauções contra a praga podiam ser vistas por toda parte, desde os amuletos nas portas às máscaras com olhos de vidro e bicos compridos, mas algumas habitações ainda estavam marcadas com letras vermelhas.

A carruagem os levou às grandes portas do Palácio da Salvação, onde havia uma fila de criados à espera. Entalhes em tamanho real de criaturas dragônicas formavam um arco em torno da entrada. Parecia uma entrada direta para o Ventre de Fogo.

Loth desceu da carruagem e, com gestos carregados de tensão, estendeu a mão para Lady Priessa, que recusou a ajuda. Fora uma tolice fazer aquilo, para começo de conversa. Melaugo o havia alertado para não encostar em ninguém.

Os jáculos grunhiram enquanto o pequeno grupo se afastava da carruagem. Loth se colocou ao lado de Kit enquanto os dois seguiam os criados até um vestíbulo com o pé-direito alto e um lustre pendurado no teto. Ele era capaz de jurar que naquelas velas ardiam chamas vermelhas.

Lady Priessa desapareceu por uma porta lateral. Loth e Kit trocaram olhares estupefatos.

Dois braseiros ladeavam uma escadaria imponente. Um criado acendeu uma tocha em um deles. Ele conduziu Loth e Kit por corredores e passagens desertas escondidas atrás de tapeçarias e paredes falsas que deixaram Loth se sentindo ainda mais nauseado, passando por pinturas a óleo de antigos monarcas Vetalda, e por fim chegaram a uma galeria com teto abobadado. O criado apontou primeiro para uma porta, depois para outra, e entregou uma chave para cada um.

— Acho que nós aceitamos alguma coisa para... — Kit começou, mas o homem já tinha desaparecido atrás de uma tapeçaria. — Comer.

— Nós podemos comer amanhã — Loth falou. Cada palavra sua ecoava pelo corredor. — Quem mais será que está aqui?

— Eu não sou um especialista no tema embaixadores estrangeiros, mas acho que podemos presumir que existem mentendônios por aqui. — Kit passou a mão no estômago, que roncava. — Eles estão por toda parte.

Aquilo era verdade. Segundo se dizia, não havia lugar no mundo a que os mentendônios se recusassem a ir.

— Me encontre aqui ao meio-dia — falou Loth. — Precisamos discutir o que fazer.

Kit deu um tapinha nas costas do amigo e entrou em um dos aposentos. Loth enfiou sua chave na outra porta.

Seus olhos demoraram um instante para se acostumarem às sombras do quarto. Os yscalinos até declararam lealdade ao Inominável, mas claramente não haviam poupado despesas para receber os embaixadores residentes. Nove janelas ficavam na parede oeste, sendo uma menor que as demais. Ao observar mais de perto, ele constatou que na verdade era uma porta que dava acesso a uma varanda fechada.

Uma cama com dossel dominava a parte norte do quarto. Na mesinha de cabeceira, havia um castiçal de ferro. As velas eram feitas de uma cera com um brilho perolado, e as chamas eram *mesmo* vermelhas. Um vermelho verdadeiro. Seu baú fora depositado ao lado. Na face sul, ele abriu uma cortina de veludo e descobriu uma banheira de pedra cheia até a boca de água fumegante.

As janelas causavam a impressão de que os yscalinos tinham como ver tudo o que acontecia lá dentro. Ele fechou as cortinas e apagou a maioria das velas. Elas soltavam uma lufada de fumaça preta quando a chama se extinguia.

Loth afundou na água e ficou na banheira por um bom tempo. Quando suas dores se aliviaram, encontrou uma barra de sabão de azeite e tratou de remover as cinzas dos cabelos.

Wilstan Fynch poderia ter dormido naquele mesmo quarto enquanto investigava o assassinato da Rainha Rosarian, a mulher que amara. Poderia estar ali quando os campos de lavanda queimavam, e quando os pássaros voavam com a notícia de que a Cota de Malha da Virtandade havia perdido um elo.

Loth despejou água sobre a cabeça. Se alguém de Cárscaro havia tramado a morte da Rainha Rosarian, essa mesma pessoa poderia estar tentando matar Sabran. Eliminá-la antes que a Virtandade tivesse uma herdeira. Ressuscitar o Inominável.

Estremecendo, Loth se ergueu da banheira e estendeu a mão para pegar as tolhas dobradas logo ao lado. Usou a faca para se barbear, deixando um tufo de pelos no queixo e outro logo acima do lábio superior. Enquanto fazia isso, sua mente se voltou para Ead.

Era possível ter certeza de que, com ela, Sabran estaria segura. Desde a primeira vez que a vira, no Pavilhão de Banquetes — aquela mulher de pele escura e olhos atentos, cuja postura era quase como a de alguém da realeza —, sentira um calor interior. Não o do fogo dos wyrms, e sim algo suave e dourado, como o primeiro raio de sol de uma manhã de verão.

Margret vinha dizendo havia mais de anos que ele deveria se casar com ela. Ead era linda, e o fazia rir, os dois podiam passar horas e horas conversando. Ele ignorara as sugestões da irmã — não só porque o futuro Conde de Goldenbirch não poderia se casar com uma plebeia, como ela bem sabia, mas também porque amava Ead da mesma forma como amava Margret e Sabran. Como irmãs.

Nunca tinha sentido o amor arrebatador destinado aos companheiros. Aos 30 anos, já estava mais do que na idade de se casar, e havia muito que gostaria de honrar a Cavaleira da Confraternidade fazendo parte daquela sagrada instituição.

Agora, poderia nunca ter essa chance.

Havia um camisolão de seda estendido sobre a cama, mas ele vestiu o seu, mesmo amarrotado da viagem, antes de sair para a varanda.

O ar estava mais fresco. Loth apoiou os braços na balaustrada. Mais abaixo, Cárscaro se espalhava até a beirada do platô. O brilho da lava alcançava todas as ruas. Loth viu um vulto descer mais do alto e beber do rio do fogo.

À meia-noite, subiu na cama com gestos inseguros e puxou a manta até o peito.

Quando dormiu, sonhou que seus lençóis estavam envenenados.

Perto do meio-dia, Kit o encontrou sentado à mesa na varanda sombreada, olhando para o platô.

— Que bom vê-lo, *milorde* — disse Loth.

— Ah, *milorde*, é um belo dia na terra da morte e do mal. — Kit carregava uma tábua de corte fazendo as vezes de bandeja. — Essas pessoas podem até cultuar o Inominado, mas que beleza de camas! Nunca dormi melhor na vida.

Kit nunca falava sério, e Loth sempre sorria ao ouvir sua perspectiva das coisas, mesmo estando ali.

— Onde você encontrou comida?

— O primeiro lugar que descubro quando chego a um lugar novo é a cozinha. Me comuniquei por gestos com a criadagem até entenderem que eu estava com fome. Aqui está. — Ele pôs as coisas sobre a mesa. — Eles vão trazer algo substancial mais tarde.

A tábua estava cheia de frutas e castanhas torradas, e havia ainda um jarro de vinho cor de palha e dois cálices.

— Você não deveria andar por aí sozinho, Kit — falou Loth.

— Minha barriga não pode esperar. — Quando viu a expressão no rosto do amigo, Kit suspirou. — Está certo.

O sol era como uma ferida aberta, e o céu mostrava mil variações de cor-de-rosa. Uma névoa pálida pairava sobre a planície. Loth nunca vira uma paisagem como aquela. Eles estavam protegidos do calor mais intenso, mas mesmo assim estavam cobertos de suor nas clavículas.

Devia ser um lugar indescritivelmente lindo quando os arbustos de lavandas ainda cresciam. Loth tentou se imaginar caminhando por aqueles corredores ao ar livre no verão, refrescado por uma brisa perfumada.

Teria sido por medo ou maldade que o Rei Sigoso corrompera a tal ponto aquele lugar?

— Então — disse Kit, mastigando um punhado de amêndoas —, como vamos lidar com a Donmata?

— Com toda a cortesia. Para ela, estamos aqui como embaixadores residentes permanentes. Duvido que vá considerar suspeitas nossas perguntas sobre o que aconteceu com o nosso antecessor.

— Se eles fizeram algo com Fynch, ela vai mentir.

— Nesse caso, podemos pedir provas de que ele está vivo.

— Não dá para exigir *provas* de uma princesa. A palavra dela é a lei. — Kit descascou uma laranja sanguínea. — Somos espiões agora, Loth. É melhor deixar de lado essa sua tendência de acreditar que os outros vão sempre fazer a coisa certa.

— O que podemos fazer, então?

— Vamos nos incorporar à corte, nos comportar como bons embaixadores e descobrir o que pudermos. Deve haver outros diplomatas estrangeiros por aqui. Alguém deve saber alguma coisa útil. — Ele abriu um sorriso luminoso para Loth. — E, se nada mais der certo, eu posso flertar com a Donmata Marosa até fazê-la abrir seu coraçãozinho para mim.

Loth sacudiu a cabeça.

— Cafajeste.

Um estrondo retumbante abalou Cárscaro. Kit segurou a taça antes que o vinho derramasse.

— O que foi isso?

— Um tremor de terra — Loth falou, inquietando-se. — Papai me disse que as montanhas de fogo podem causar esse tipo de coisa.

Os yscalinos não teriam construído uma cidade ali caso pudesse ser destruída por um tremor qualquer. Tentando não pensar a respeito, Loth deu um gole no vinho, ainda atormentado pelos pensamentos sobre como Cárscaro devia ter sido no passado. Cantarolando, Kit sacou seu cálamo e uma faca pequena.

— Poesia? — perguntou Loth.

— A inspiração ainda não veio. O terror e a criatividade, de acordo com a minha experiência, não andam juntos. — Kit começou a apontar o cálamo. — Não, é uma carta. Para uma certa dama.

Loth estalou a língua.

— Não consigo entender por que você não disse pessoalmente para Kate o que sente por ela.

— Porque pessoalmente eu sou charmoso, mas escrevendo sou o próprio Sir Antor Dale. — Kit lançou um olhar de divertimento para ele. — Você acha que as cartas são enviadas pelos pombos ou por basiliscos hoje em dia?

— Cocatrizes, provavelmente. Combina as melhores qualidades de ambos. — Loth viu seu amigo retirar um tinteiro da bolsinha. — Você sabe que Combe vai queimar todas as cartas que mandarmos.

— Ah, eu não tenho a menor intenção de tentar. Se Lady Katryen nunca chegar a ler, que seja — Kit falou em um tom de leveza. — Mas, quando o coração fica muito cheio de sentimentos, ele transborda. E o meu inevitavelmente transborda no papel.

Houve uma batida na porta do aposento atrás deles. Loth lançou um olhar para Kit antes de ir abrir a porta, mais do que pronto para usar sua baselarda.

Parado na porta havia um criado com culotes e gibão pretos.

— Lorde Arteloth. — Ele usava um pomo aromático. — Vim avisar que Sua Resplandescência, a Donmata Marosa, vai recebê-los no devido momento. Por ora, o senhor e Lorde Kitston devem visitar o médico, para que Sua Resplandescência possa ter a certeza de que não trazem nenhuma doença para seu convívio.

— Agora?

— Sim, milorde.

A útima coisa que Loth queria era ser examinado por um médico com simpatias dragônicas, mas duvidava que houvesse outra escolha.

— Então, por favor, nos mostre o caminho — disse ele.

16

Leste

O restante das provas da água foi como um borrão. A noite em que foram mandados para nadar contra a corrente no rio de águas rápidas. O duelo com as redes. As demonstrações de fluência na transmissão e recepção de sinais de outros ginetes. Às vezes havia um dia de folga entre uma e outra, e, às vezes, muitos dias se passavam. E, quando Tané se deu conta, estava às vésperas da prova final.

À meia-noite, ela estava no pavilhão de treinamento de novo, lubrificando a lâmina da espada com óleo de cravo. O cheiro da substância viscosa impregnava os dedos. Seus ombros doíam e o pescoço estava rígido como um toco de árvore.

Aquela espada poderia valer uma vitória ou uma derrota no dia seguinte. Era possível ver os próprios olhos vermelhos na superfície da lâmina.

A chuva pingava pelos beirais dos telhados da escola. A caminho de seus aposentos, ela ouviu uma risada abafada.

A porta de uma pequena varanda estava aberta. Tané olhou por cima da balaustrada. No pátio mais abaixo, onde cresciam as pereiras, Onren e Kanperu estavam sentados juntos, com as cabeças curvadas sobre um tabuleiro de jogo, os dedos entrelaçados.

— Tané.

Ela teve um sobressalto. Dumusa a olhava enquanto saía de seus aposentos, vestindo uma túnica de mangas curtas e segurando um cachimbo na mão. Ela se juntou a Tané na varanda e seguiu seu olhar.

— Não precisa sentir inveja deles — disse ela, depois de um longo silêncio.

— Eu não estou...

— Fique tranquila. Eu sinto inveja deles também às vezes. De como parecem achar tudo tão fácil. Principalmente Onren.

Tané escondeu o rosto atrás dos cabelos.

— Ela se destaca fazendo tão pouco... — As palavras pareciam entaladas em sua garganta. — Tão pouco.

— Ela se destaca porque confia nas próprias habilidades. Imagino que você tenha medo de que as suas vão escorrer por seus dedos caso relaxe por um instante que seja — disse Dumusa. — Eu sou descendente de ginetes. É uma grande bênção, e eu sempre quis provar para mim mesma que sou digna disso. Quando tinha 16 anos, interrompi tudo, menos os meus estudos. Parei de ir à cidade. Parei de pintar. Parei de ver Ishari. Tudo o que eu fazia era praticar até me tornar a principal aprendiz. Esqueci como era dominar uma habilidade. Em vez disso, era a habilidade que me dominava. Eu, por inteira.

Tané sentiu um calafrio.

— Mas... — Ela hesitou. — Você não parece se sentir como eu.

Dumusa soltou uma lufada de fumaça.

— Eu me dei conta de que, se eu tiver a sorte de me tornar ginete, vou precisar responder ao chamado de Seiiki seja qual for o momento em que vier — ela disse. — Não terei dias de antecedência para me preparar. Lembre-se, Tané, de que uma espada não precisa ser amolada o tempo todo para continuar afiada.

— Eu sei.

Dumusa a encarou.

— Então pare de se amolar tanto e vá dormir.

A prova final aconteceria no pátio. Tané fez seu desjejum cedo e assumiu seu lugar nos bancos.

Onren veio se sentar ao lado dela ao amanhecer. Elas ouviram o retumbar distante de um trovão.

— Então, está pronta? — perguntou Onren.

Tané assentiu, mas em seguida sacudiu a cabeça.

— Eu também. — Onren se virou para a chuva pesada. — Você será uma ginete, Tané. Os Miduchi nos julgam com base no desempenho em todas as provas da água, e você se saiu bem.

— Esta é a prova mais importante — murmurou Tané. — Vamos usar as espadas mais do que qualquer outra arma. Se não pudermos vencer uma luta na escola...

— Todo mundo sabe como você é boa empunhando uma lâmina. Você vai se sair bem.

Tané contorceu as mãos entre os joelhos.

Os demais saíram aos poucos para o pátio. Quando todos estavam presentes, o General do Mar apareceu. O serviçal atrás dele andava na ponta dos pés para segurar um guarda-chuva sobre sua cabeça.

— Sua prova final é com a espada — o General do Mar avisou a todos. — Primeiro, a honorável Tané, da Casa do Sul.

Ela ficou de pé.

— Honorável Tané — disse ele. — Hoje você enfrentará o honorável Turosa, da Casa do Norte.

Turosa se levantou dos bancos sem hesitação.

— O primeiro a derramar sangue vence.

Eles caminharam para extremidades opostas do pátio para pegar as espadas. Com olhares cravados um no outro, e espadas desembainhadas, andaram em direção ao confronto.

Tané mostraria para ele do que uma erva daninha dos vilarejos era capaz.

Eles fizeram uma reverência pequena e rígida. Tané segurou a espada com as duas mãos. Estava concentrada apenas em Turosa, com os cabelos encharcados, as narinas dilatadas.

O General do Mar deu o grito de início, e Tané correu para cima de Turosa. As espadas se chocaram. Turosa estava com o rosto tão perto dela que foi capaz de sentir o hálito e o odor de suor da túnica militar do rapaz.

— Quando eu comandar os ginetes — sibilou ele—, vou garantir que os plebeus jamais voltem a montar em dragões de novo. — Houve um clangor entre as lâminas. — Logo você vai voltar para o buraco de onde foi tirada.

Tané investiu contra ele, que deteve sua espada pouco antes de ser atingido na cintura.

— Me diga, de onde você veio mesmo? — perguntou ele de um modo que apenas Tané conseguia ouvir. Ele afastou a espada dela com um empurrão. — Esses vilarejos de merda pelo menos têm nome?

Se ele pensou que conseguiria provocá-la insultando uma família que ela sequer conheceu, seria melhor esperar sentado.

Ele atacou. Tané deteve a investida, e o duelo começou para valer.

Aquilo não era uma coreografia com espadas de madeira. Não havia lições a serem aprendidas ali, nem habilidades a serem refinadas. No fim, o confronto com seu rival teria que ser rápido e implacável como a extração de um dente.

Seu mundo se transformou em um turbilhão de chuva e metal. Turosa deu um salto no ar. Tané ergueu a lâmina, desviando o golpe de cima para baixo, e ele aterrissou agachado. No entanto, estava colado nela de novo antes que houvesse tempo para respirar, com a espada brilhando como um peixe na água. Ela conseguiu se defender de todos os ataques, até ele resolver fazer uma finta e esmurrá-la no queixo. Um chute brutal na barriga a mandou para o chão.

Ela devia ter previsto aquela finta com a maior facilidade. Sua exaustão falara mais alto. Por entre os cílios molhados, ela espiou o General do Mar, que observava tudo com uma expressão impassível.

— Isso mesmo, plebeia — ironizou Turosa. — Continue no chão. É esse o lugar das ervas daninhas.

Como uma prisioneira aguardando a execução, Tané abaixou a cabeça. Turosa a observou da cabeça aos pés, como se estivesse tentando decidir onde seria mais doloroso cortá-la. Com mais um passo, entrou em seu raio de alcance.

Foi quando ela levantou a cabeça e projetou as pernas na direção de Turosa, que precisou saltar para trás a fim de não ser atingido. Ela impulsionou o corpo para cima e, zunindo como o vento, voltou a ficar de pé. Turosa evitou o primeiro golpe, mas ela o pegara de surpresa. Deu para ver nos olhos dele. Os passos do oponente perderam a precisão sobre o piso de pedra molhada e, quando a lâmina de Tané cortou o ar novamente, o braço dele foi lento demais para detê-la.

A espada o atingiu de raspão no queixo, com o toque leve de uma folha da relva.

Uma fração de segundo depois, a espada dele abriu um corte em seu ombro. Ela arfou de susto enquanto ele se afastava, mostrando os dentes e babando.

Os demais guardiões do mar se remexeram para ver melhor. Tané observou a respiração ofegante de seu adversário.

Se tão tivesse rompido a pele dele, a luta estaria perdida.

Pouco a pouco, as gotas cor de rubi despontaram na linha que ela havia desenhado no rosto dele. Trêmulo e encharcado, Turosa levou o dedo ao queixo, onde encontrou uma mancha de uma cor viva como a da flor de marmelo.

O primeiro sangue a ser derramado.

— Honorável Tané da Casa do Sul, a vitória é sua — anunciou o General do Mar.

Foram as palavras mais doces que ela ouviu na vida.

Quando se curvou para fazer uma reverência a Turosa, o sangue escorreu como cobre derretido do ombro. O rosto dele se contorceu, revelando uma raiva profunda. Ele caíra naquele truque — um truque que não deveria enganar ninguém — porque esperava encontrar fraqueza. Quando ele a encarou, Tané sabia que pelo menos nunca mais seria chamada de erva daninha dos vilarejos. Chamá-la daquela forma significaria dizer que uma erva daninha era capaz de se elevar acima do relvado.

A única forma de manter a dignidade era tratá-la como uma igual.

Sob o céu que despencava em chuvas, o descendente de ginetes fez uma reverência respeitosa diante dela, curvando-se mais do que já fizera antes.

17

Oeste

Depois de serem declarados livres da peste, Loth e Kit foram admitidos à presença da Donmata Marosa, vários dias depois de sua chegada. Durante todo aquele tempo, precisaram ficar nos quartos, impedidos de sair, com os guardas vigiando a galeria. Loth ainda estremecia ao se lembrar do Médico Real, que colocara sanguessugas em lugares que essas criaturas jamais deveriam tocar.

Porém, finalmente, Loth se viu caminhando ao lado de Kit para a cavernosa sala do trono do Palácio da Salvação. O espaço estava cheio de cortesãos e nobres, mas não havia sinal do Príncipe Wilstan.

A Donmata Marosa, princesa herdeira do Reino Dragônico de Yscalin, estava sentada em um trono de vidro vulcânico sob um dossel imponente. Usava uma máscara de ferro com chifres no formato da cabeça de um Altaneiro do Oeste. O peso do adereço devia ser terrível.

— Santo — murmurou Kit, tão baixo que apenas Loth conseguiu ouvir. — Ela usa o rosto de Fýredel.

Guardas de armadura dourada estavam postados diante do trono. O dossel mostrava a insígnia da Casa de Vetalda. Dois wyverns pretos em uma espada partida em duas.

Não era uma espada qualquer, mas Ascalon. O símbolo da Virtandade.

As damas de companhia haviam dobrado seus véus contra a praga para trás, presos em grinaldas pequenas, mas bastante ornamentadas. Lady Priessa Yelarigas estava à direita do trono. Agora com o rosto descoberto, Loth pôde ver as bochechas pálidas e sardentas, os olhos profundos e o queixo erguido e orgulhoso.

O zumbido das conversas foi diminuindo quando os dois pararam diante do trono.

— Resplandescência — o cerimonialista anunciou —, apresento à senhora dois cavalheiros inysianos. Aqui estão Lorde Arteloth Beck, filho do Conde e da Condessa de Goldenbirch, e Lorde Kitston Glade, filho do Conde e da Condessa de Honeybrook. Embaixadores do Rainhado de Inys.

O silêncio se estabeleceu de vez na sala do trono, seguido por sibilos. Loth se apoiou sobre um dos joelhos e abaixou a cabeça.

— Sua Resplandescência, nós agradecemos por nos receber em sua corte — disse Loth.

Os cochichos cessaram quando a Donmata ergueu a mão.

— Lorde Arteloth e Lorde Kitston — disse ela. O elmo de ferro conferia um estranho eco à sua voz. — Meu amado pai e eu lhes damos boas-vindas ao Reino Dragônico de Yscalin. Minhas sinceras desculpas pelo adiamento desta audiência, eu tinha outros assuntos a tratar.

— Não é necessário se justificar, Resplandescência — foi tudo o que Loth falou. — A senhora tem a prerrogativa de nos ver quando for de seu agrado. — Ele pigarreou. — Lorde Kitston está com as cartas com nossas credenciais, se desejar vê-las.

— Mas é claro.

Lady Priessa apontou com o queixo para um criado, que pegou as cartas estendidas por Kit.

— Quando o Duque da Cortesia escreveu para meu pai, agradou--nos saber que Inys deseja fortalecer os laços diplomáticos com Yscalin

— continuou a Donmata. — Detestaríamos pensar que a Rainha Sabran colocaria em risco nossa longa amizade por... diferenças religiosas.

Diferenças religiosas.

— Por falar em Sabran, faz *muito* tempo que não tenho notícias dela — comentou a Donmata. — Digam-me, ela já engravidou?

Loth sentiu um espasmo em um músculo logo abaixo do olho. Mencionar uma amizade com Sabran por trás daquele aparato blasfemo era repulsivo.

— Sua Majestade não é casada, senhora — respondeu Kit.

— Apenas por enquanto. — Ela apoiou uma mão em cada braço do trono. Diante do silêncio dos dois, ela complementou: — Creio que vocês ainda não receberam as boas notícias, milordes. Sabran recentemente assumiu um compromisso com Aubrecht Lievelyn, Alto Príncipe do Estado Livre de Mentendon. Meu antigo noivo.

Loth ficou sem reação.

Claro que em algum momento Sabran escolheria um companheiro — uma rainha não tinha escolha em relação a isso —, mas ele sempre achou que seria alguém de Hróth, a mais bem estabelecida entre as duas outras nações da Virtandade. Em vez disso, optou por Aubrecht Lievelyn, sobrinho-neto do falecido Príncipe Leovart, que também cortejara Sabran, apesar das décadas de diferença de idade entre os dois.

— Infelizmente — a Donmata continuou —, não fui convidada para comparecer à cerimônia. — Ela se recostou no trono. — Você parece incomodado, Lorde Arteloth. Ora, fique à vontade para se manifestar. O Príncipe Rubro não é digno do leito de sua senhora?

— O coração da Rainha Sabran é um assunto privado — retrucou Loth. — Não deve ser discutido em um local como este.

As gargalhadas quebraram o silêncio da sala do trono, e provocaram nele um frio na espinha. A Donmata também riu por trás de sua máscara horrenda.

— O coração de Sua Majestade pode ser um assunto privado, mas seu leito não. Afinal, dizem que, no dia em que a linhagem dos Berethnet chegar ao fim, o Inominável voltará para nós. Se ela quer mantê-lo acorrentado, não é melhor Sabran apressar a abertura de sua... nação para o Príncipe Aubrecht?

Mais risadas.

— Eu rezo para que a linhagem dos Berethnet perdure até o fim dos tempos — disse Loth. E, antes que se desse conta do que estava dizendo, complementou: — Pois é a barreira que se ergue entre nós e o caos.

Em um movimento simultâneo, os guardas desembainharam suas rapieiras. Os risos cessaram.

— Cuidado, Lorde Arteloth — avisou a Donmata. — Não vá dizer nada que possa ser interpretado como uma difamação ao Inominável. — Ela estendeu a mão para os guardas, que recolheram suas lâminas. — Ouvi dizer que *você* se tornaria o príncipe consorte. O que houve, sua posição não estava à altura do amor de uma rainha? — Antes que ele pudesse protestar, ela bateu uma mão na outra. — Esqueça isso. Podemos resolver sua falta de uma companheira aqui em Yscalin. Músicos! Toquem os trinta volteios! Lady Priessa dançará com Lorde Arteloth.

Imediatamente, Lady Priessa desceu para o chão de mármore. Loth se aprumou e caminhou até ela.

Houve um tempo em que dança dos trinta volteios era ensinada em muitas cortes. Foi proibida em Inys por Jillian V, que a considerava lasciva, mas as rainhas posteriores se mostraram mais lenientes. A maioria dos cortesãos acabava aprendendo de uma forma ou de outra.

Lady Priessa fez uma mesura enquanto o conjunto dava início a uma canção animada. Loth se curvou diante da parceira antes de ambos se virarem a Donmata e darem as mãos.

A princípio, ele sentia as pernas rígidas. Lady Priessa tinha pés leves e ágeis. Ele fazia círculos em torno dela, sem jamais deixar os calcanhares tocarem o chão.

Ela copiou os gestos dele. De tempos em tempos, os dois faziam pequenos giros e saltos, lado a lado e frente a frente — então a música acelerou, e, com uma das mãos na base da coluna dela e a outra na cintura, Loth ergueu sua parceira do chão. Diversas vezes ele a levantou, até seus braços doerem e o suor começar a escorrer por seu rosto e sua nuca.

Era possível ouvir a respiração pesada de Lady Priessa. Uma mecha de cabelos escuros se soltou enquanto eles rodopiavam um em torno do outro, tornando os movimentos mais lentos a cada passo, até por fim unirem de novo as mãos diante da Donmata Marosa.

Alguma coisa estalou entre as palmas dos dois. Loth não ousou olhar para ela ao pegar o que fora colocado em sua mão. A Donmata e a corte aplaudiram.

— Você está cansado, Lorde Arteloth — disse a voz atrás da máscara. — Lady Priessa era pesada demais para seus braços?

— Acho que os vestidos de Yscalin pesam mais que as damas, Resplandescência — disse Loth, ofegante.

— Ah, não, milorde. São, *sim*, as damas e os cavalheiros, e todos. Nossos corações carregam o peso da tristeza de ainda não termos o Inominado de volta para nos guiar. — A Donmata se levantou. — Uma longa e pacífica noite para você. — O elmo se inclinou. — A não ser que exista algo que queira me perguntar.

Loth sentia o papel em sua mão atiçar ao máximo sua curiosidade, mas aquela era uma oportunidade imperdível.

— Só uma coisa, Resplandescência. — Ele limpou a garganta. — Há um outro embaixador residente em sua corte, que serviu à Rainha Sabran por muitos anos. Wilstan Fynch, o Duque da Temperança. Eu gostaria de saber em que palácio ele está hospedado, para que possamos conversar.

Ninguém se moveu nem disse nada.

— O Embaixador Fynch — a Donmata disse por fim. — Bem, Lorde Arteloth, neste caso estamos ambos no escuro. Sua Graça partiu semanas atrás, a caminho de Córvugar.

— Córvugar — repetiu Loth. Era um porto na extremidade sul de Yscalin. — Por que ele iria para lá?

— Disse que tinha assuntos a tratar, mas não revelou qual era a natureza destes. Fico surpresa por não ter escrito para Sabran para comunicá-la a respeito.

— Eu também estou surpreso, Sua Resplandecência — Loth falou. — Na verdade, considero essa informação difícil de acreditar.

Fez-se um breve silêncio enquanto sua insinuação era absorvida por todos na sala do trono.

— Lorde Arteloth, espero que não esteja me acusando de mentirosa — respondeu a Donmata.

Os cortesãos chegaram mais perto. Como cães de caça sentindo o cheiro de sangue. Kit pôs a mão nos ombros de Loth, que fechou os olhos.

Caso quisessem descobrir a verdade, precisariam sobreviver àquela corte, e para isso deveriam se comportar de acordo com as regras do lugar.

— Não, Sua Resplandescência — ele disse. — Claro que não. Peço perdão.

Sem dizer mais nada, a Donmata Marosa saiu da sala do trono junto com suas damas.

Os cortesãos começaram a cochichar. Com os dentes cerrados, Loth virou as costas para a fileira de guardas e seguiu com passos em direção às portas, com Kit em seu encalço.

— Ela poderia ter mandado arrancar sua língua por isso — o amigo murmurou. — Pelo amor do Santo, homem, o que deu em você para praticamente acusar uma princesa de mentir dentro da sala do trono dela?

— Eu não consigo *aguentar* isso, Kit. A blasfêmia. A dissimulação. O desprezo descarado por Inys.

— Você não pode demonstrar que essas provocações irritam. A sua padroeira é a Cavaleira da Confraternidade. Pelo menos transmita uma impressão dessa virtude a essas pessoas. — Kit o segurou pelo braço, detendo seus passos. — Arteloth, me *escute*. Nós não temos nenhuma utilidade para Inys se morrermos.

O suor brotava em seu rosto, e sua pulsação era visível na veia do pescoço. Loth nunca o tinha visto tão preocupado.

— A Cavaleira da Cortesia é sua padroeira, Kit. — Loth suspirou. — Vamos torcer para que ela me ajude a mascarar minhas intenções.

— Mesmo com a ajuda dela, não vai ser fácil.

Kit foi até as janelas da galeria.

— Eu escondi a raiva que sinto do meu pai a vida toda — disse ele baixinho. — Aprendi a sorrir quando ele zombava da minha poesia. Quando me chamava de hedonista e frouxo. Quando praguejava por não ter outros herdeiros, e ofendia minha pobre mãe por não ter lhe dado mais filhos. — Ele respirou fundo. — Você me ajudou a passar por tudo isso, Loth. Desde que tivesse alguém com quem pudesse ser eu mesmo, era possível suportar ser outra pessoa na frente dele.

— Eu sei — murmurou Loth. — E prometo que, de agora em diante, só vou mostrar minha verdadeira face a você.

— Ótimo. — Kit se virou para ele com um sorriso. — Tenha fé, como sempre teve, que vamos sobreviver a tudo isso. A Rainha Sabran vai se casar. Nosso exílio não deve ser longo. — Ele deu um tapinha no ombro de Loth. — Enquanto isso, vou providenciar alguma coisa para comer.

Eles seguiram cada qual por um caminho. Apenas quando Loth trancou a porta de seu aposento olhou para o pedaço de pergaminho que Priessa Yelarigas colocara em sua mão.

No Santuário Privativo às três horas.
A porta fica ao lado da biblioteca. Vá sozinho.

O Santuário Privativo. Depois que Casa de Vetalda largara as Seis Virtudes, deveria estar abandonado, juntando poeira.

Poderia ser uma armadilha. Talvez o Príncipe Wilstan tivesse recebido um bilhete como aquele antes de desaparecer.

Loth esfregou a cabeça com as mãos. O Cavaleiro da Coragem estava com ele. Era preciso averiguar o que Lady Priessa tinha a dizer.

———

Kit voltou às onze horas daquela noite com um cordeiro ao vinho, um pedaço de queijo condimentado e pães trançados de azeitona com alho. Eles se sentaram na varanda para comer, com as tochas de Cárscaro piscando a distância mais abaixo.

— O que eu não pagaria por um provador de comida — disse Loth, remexendo nos alimentos.

— A prova que eu preciso é que essa comida está esplêndida — respondeu Kit, com a boca cheia de pão embebido em azeite. Ele limpou a boca. — Muito bem, nós podemos supor que o Príncipe Wilstan não esteja tomando banhos de sol em Córvugar. Ninguém em sã consciência vai a Córvugar. Não existe nada lá além de túmulos e corvos.

— Você acha que Sua Graça está morto?

— É o que eu temo.

— Precisamos ter certeza. — Loth olhou para a porta e baixou o tom de voz. — Lady Priessa me passou um bilhete durante a dança, pedindo para me encontrar com ela hoje à noite. Talvez tenha alguma coisa para me contar.

— Ou talvez tenha uma adaga, que deseja introduzir nas suas costas. — Kit ergueu uma sobrancelha. — Espere. Você não pretende *ir*, certo?

— A não ser que você tenha outras pistas a seguir, eu preciso. E, antes que me pergunte, ela deixou claro que eu devo ir sozinho.

Kit fez uma careta e deu um gole na bebida.

— O Cavaleiro da Coragem lhe emprestou sua espada, meu amigo.

Em algum lugar nas montanhas, um wyrm soltou um grito de guerra. Um calafrio se espalhou pelo corpo de Loth.

— Então — disse Kit, e pigarreou. — Aubrecht Lievelyn. O antigo noivo de nossa Donmata fanática por wyrms.

— Sim. — Loth olhou para o céu sem estrelas. — Lievelyn parece ser uma escolha respeitável. Pelo que ouvi, é gentil e virtuoso. Vai ser um bom companheiro para Sab.

— Sem dúvida, mas agora ela vai ter de se casar sem seu melhor amigo ao lado.

Loth assentiu, perdido em suas lembranças. Ele e Sabran prometeram desde sempre que, quando se casassem, levariam um ao outro até o altar. O fato de que não estaria presente na cerimônia era a torção final da faca encravada em suas costas.

Ao ver sua expressão, Kit soltou um suspiro teatral.

— Lamente por mim também — disse ele. — Eu fiz uma promessa solene a mim mesmo de que, se a Rainha Sabran algum dia se casasse, chamaria Kate Withy para dançar e me revelaria como o homem que vem lhe mandando poemas apaixonados nos últimos três anos. Agora nunca vou descobrir se tenho ousadia suficiente para isso.

Loth se deixou distrair por Kit enquanto terminavam de comer. Era uma sorte ter seu amigo naquela jornada, caso contrário já teria enlouquecido àquela altura.

À meia-noite, o palácio ficou em silêncio, com os yscalinos pouco a pouco se recolhendo. Kit voltou ao próprio quarto depois de fazer Loth prometer que bateria na porta dele assim que voltasse do encontro com a dama.

Um sino tocava de hora em hora em algum lugar de Cárscaro. Perto das três, Loth se levantou, enfiou a baselarda na bainha que levava colada ao quadril, pegou uma vela de chama vermelha de um dos castiçais e deixou a colunata.

A Biblioteca de Isalarico era o coração do Palácio da Salvação. Enquanto caminhava em direção a suas portas, Loth quase deixou passar o corredor à sua esquerda. Ele o percorreu por inteiro até chegar a uma porta com a chave na fechadura, e adentrou a escuridão do Santuário Privativo.

O brilho da vela alcançou um teto abobadado. Havia livros de orações e estátuas quebradas espalhados pelo chão. Um retrato da Rainha Rosarian estava entre as ruínas, com o rosto quase irreconhecível pelos rasgos de uma faca. Todos os objetos relacionados à Virtandade foram jogados e trancados ali.

Uma silhueta se destacava diante do vitral da janela na extremidade do santuário. Segurava uma vela de chama natural. Quando se aproximou o bastante para tocá-la, Loth quebrou o silêncio.

— Lady Priessa.

— Não, Lorde Arteloth. — Ela retirou o capuz. — Você tem diante de si uma princesa do Oeste.

À luz da chama límpida da vela, as feições dela se tornaram claras. Pele marrom e sobrancelhas grossas e escuras. Um nariz aquilino. Cabelos que eram como veludo preto, tão compridos que passavam da altura dos cotovelos, e os olhos com um tom de âmbar tão intenso que pareciam topázios. Os olhos da Casa de Vetalda.

— Donmata — murmurou Loth.

Ela o encarou.

A única herdeira do Rei Sigoso e da falecida Rainha Sahar. Loth vira Marosa Vetalda uma única vez, quando ela foi a Inys para celebrar o aniversário de mil anos da Fundação de Ascalon. Ainda era comprometida com Aubrecht Lievelyn naquela época.

— Eu não entendo. — Ele apertou a vela com mais força. — Por que está vestida como sua dama de companhia?

— Priessa é a única pessoa em quem eu confio. Ela me empresta seus trajes para que eu possa me deslocar pelo palácio sem ser notada.

— Foi você que foi nos buscar em Perunta?

— Não. Aquela era *mesmo* Priessa.

Loth abriu a boca para responder, mas ela levou um dedo enluvado a seus lábios.

— Ouça bem, Lorde Arteloth. Yscalin não apenas venera o Inominado. Nós também estamos sob o jugo dragônico. Fýredel é o verdadeiro rei de Yscalin, e seus espiões estão por toda parte. Foi por isso que eu me comportei daquela forma na sala do trono. Era tudo uma encenação.

— Mas...

— Você está à procura do Duque da Temperança. Fynch está morto, e já faz meses. Eu o enviei para cumprir uma missão para mim, em nome da Virtandade, mas... ele nunca mais voltou.

— Em nome da Virtandade. — Loth apenas a encarou. — O que você quer de mim?

— Quero sua ajuda, Lorde Arteloth. Quero que faça por mim o que Wilstan Fynch não conseguiu.

O verão estava chegando ao fim. A brisa estava mais fria, e os dias ficavam cada vez mais curtos. Na Biblioteca Privativa, Margret tinha mostrado a Ead um pequeno bando de joaninhas aninhadas nos arabescos de uma prateleira, e elas sabiam que era quase chegada a hora de viajar para o sul.

No dia seguinte, foi decretado que a corte se mudaria para a Casa Briar, uma das residências reais mais antigas de Inys. Erguida durante o governo de Marian II, estendia-se dos arrabaldes de Ascalon até o antigo campo de caça da Floresta de Chesten. A corte costumava viajar para lá no outono, mas, como Sabran escolhera se casar com Lievelyn no santuário local, todos se instalariam no palácio mais cedo que o habitual.

A mudança da corte era sempre caótica, com a necessidade de dobrar e embalar tudo. Ead partira com Margret e Linora em uma das muitas carruagens. Seus pertences, trancados em baús, vinham atrás.

Sabran seguira com Lievelyn em uma carruagem com rodas douradas. Quando a procissão chegou à Via Berethnet — o caminho serpenteante que cruzava a capital —, o povo de Ascalon acenou e aplaudiu sua rainha e aquele que em breve seria o príncipe consorte.

A Casa Briar era mais aconchegante que o Palácio de Ascalon. As janelas eram de um vidro de tom esverdeado, os pisos dos corredores eram de pedras cor de mel em padrão xadrez e as paredes de tijolos pretos retinham o calor como nenhum outro material. Ead gostava de lá.

Dois dias depois da chegada da corte, ela já estava em um baile na Câmara da Presença, iluminada à luz de velas. Naquela noite, a rainha disse às damas de câmara e de companhia para se divertirem enquanto ela jogava cartas com as Damas da Alcova.

Um conjunto de violas tocava uma música suave. Ead deu um gole no vinho quente. Era estranho, mas ela quase lamentava estar ali, e não com a rainha. A Câmara Privativa da Casa Briar era convidativa, com estantes de livros e uma lareira, e Sabran tocando o virginal. As melodias dela foram se tornando mais melancólicas à medida que os dias passavam, e sua risada se silenciara.

Ead olhou para o outro lado do recinto. Lorde Seyton Combe, o Gavião Noturno, a observava.

Ela virou o rosto como se não o tivesse visto, mas com isso ele se aproximou. Como uma sombra atravessando a luz do sol.

— Mestra Duryan — disse ele. Usava um grande-colar de ofício com um pingente no formato de um livro de boas maneiras. — Boa noite.

Ead fez uma leve mesura e transformou a expressão do rosto em uma máscara de indiferença. Poderia até disfarçar sua aversão, mas não ofereceria nenhum sorriso.

— Boa noite, Sua Graça.

Fez-se um longo silêncio. Combe a observou com seus peculiares olhos cinzentos.

— Tenho a impressão de que sua opinião sobre mim não é das melhores, Mestra Duryan.

— Não penso em você o suficiente para ter uma opinião formada, Sua Graça.

Ele curvou o canto da boca.

— Uma bela alfinetada.

Ela não se desculpou.

Um pajem passou oferecendo vinho, mas Combe recusou com um gesto.

— Não bebe conosco, milorde? — Ead perguntou educadamente, apesar de preferir estar distendendo os membros dele em um dos instrumentos de tortura que ele mesmo usava.

— Jamais. Meus olhos e ouvidos precisam estar abertos para os perigos à coroa, e a bebida colabora para embotar ambos. — Combe amenizou o tom de voz. — Seja qual for sua opinião a meu respeito, saiba que tem em mim um amigo nesta corte. Os outros podem cochichar coisas a seu respeito, mas eu vejo que Sua Majestade valoriza sua opinião. Assim como valoriza a minha.

— É muita gentileza sua.

— Não é gentileza. É apenas a verdade. — Ele fez uma mesura educada. — Com sua licença.

Ele se afastou, abrindo caminho entre os presentes e deixando Ead pensativa. Combe nunca fazia nada sem ter um objetivo. Talvez tivesse falado com ela por precisar de uma nova lançadiça. Talvez achasse que ela pudesse obter informações sobre o Ersyr com Chassar para repassá-las depois.

Só por cima do meu cadáver, ave de rapina.

Aubrecht Lievelyn ocupava um dos assentos elevados. Enquanto Sabran se escondia em seus aposentos, seu prometido estava sempre entre os súditos dela, agraciando os inysianos com seu entusiasmo. Naquele instante, estava conversando com as irmãs, que tinham acabado de desembarcar, vindas de Zeedeur.

As gêmeas, a Princesa Bedona e a Princesa Betriese, tinham 20 anos. Pareciam passar o tempo todo rindo de segredos conhecidos apenas por duas pessoas que haviam sido concebidas e gestadas juntas em um mesmo ventre.

A Princesa Ermuna, sua irmã mais velha e primeira na linha de sucessão, era um ano e meio mais velha que Sabran. Era a imagem escarrada do irmão, alta e imponente, com o mesmo tom de pele pálido. Os cabelos ruivos ondulados desciam até a cintura. As mangas do vestido tinham aberturas que mostravam o forro de seda dourada, e eram presas por seis abotoaduras de brocado, cada uma representando uma virtude. As damas de companhia inysianas já haviam começado a amarrar fitas nas mangas para imitá-la.

— Mestra Duryan.

Ead se virou e fez uma mesura profunda.

— Sua Graça.

Aleidine Teldan utt Kantmarkt, a Duquesa Viúva de Zeedeur e avó de Truyde, estava parada ao lado dela. Seus brincos tinham rubis do tamanho de moedas.

— Estou curiosíssima para conhecê-la. — A voz dela era suave e melodiosa. — O Embaixador uq-Ispad diz que você é seu orgulho e sua alegria. Um modelo de virtude.

— Sua Excelência é mesmo muito bondoso.

— A Rainha Sabran também fala bem de você. Me agrada ver que uma convertida pode viver em paz aqui. — Ela direcionou o olhar para os altos assentos. — Em Mentendon, somos mais tolerantes. Espero que nossa influência amenize o tratamento que os céticos e apóstatas recebem nesta nação.

Ead deu um gole em sua bebida.

— Posso perguntar de onde conhece Sua Excelência, Sua Graça? — perguntou ela, mudando para um assunto mais seguro.

— Nós nos conhecemos em Brygstad há muito tempo atrás. Ele era amigo de meu companheiro, o falecido Duque de Zeedeur — contou a Duquesa Viúva. — Sua Excelência estava no sepultamento de Jannart.

— Minhas condolências.

— Obrigada. O Duque era um homem bondoso, e um pai carinhoso para Oscarde. Truyde puxou a ele. — Quando olhou para a neta, que estava entretida em uma conversa com Chassar, seu rosto subitamente se crispou de tristeza. — Perdão, Mestra Duryan...

— Venha se sentar comigo, Sua Graça. — Ead a conduziu até um setial. — Criança, traga mais vinho para a milady — ela acrescentou para um pajem, que correu para obedecer.

— Obrigada.

Quando Ead se acomodou ao lado dela, a Duquesa Viúva deu um tapinha em sua mão.

— Eu estou bem. — Ela aceitou o vinho oferecido pelo pajem. — Como eu ia dizendo, Truyde... ela é a própria imagem de Jannart. Herdou o amor dele pelos livros e pelas línguas também. Ele tinha tantos mapas e manuscritos na biblioteca que eu não sabia o que fazer com tudo aquilo depois que ele faleceu. Obviamente, ele deixou a maior parte para Niclays.

Aquele nome de novo.

— Está se referindo ao Doutor Niclays Roos?

— Sim. Ele era um grande amigo de Jannart. — Ela fez uma pausa. — E também meu amigo. Embora ele não soubesse disso.

— Ele estava aqui no meu primeiro ano de corte. Eu lamentei sua partida.

— Não foi por escolha própria. — A Duquesa Viúva chegou mais perto, a ponto de Ead conseguir sentir o cheiro de alecrim no pomo aromático dela. — Eu não deveria comentar sobre isso, mestra… mas o Embaixador uq-Ispad é um velho amigo, e parece confiar em você. — Ela abriu um leque para esconder a boca enquanto falava. — Niclays foi exilado da corte por não ter conseguido produzir um elixir da vida para a Rainha Sabran.

Ead tentou manter uma expressão impassível.

— Sua Majestade *solicitou* que ele fizesse isso?

— Ah, sim. Ele chegou a Inys no aniversário de 18 anos dela, pouco depois da morte de Jannart, e ofereceu seus serviços como alquimista.

— Em troca de um mecenato, suponho.

— Exatamente.

Muitos membros da realeza já haviam tentado adquirir a água da vida. Manipular o medo da morte era um mercado lucrativo, e havia boatos de longa data de que Sabran temia a hora do parto. Roos tinha enganado uma jovem rainha, iludindo-a com seus conhecimentos científicos. Um vigarista.

— Niclays não era um farsante — disse a Duquesa Viúva, como se pudesse ler os pensamentos de Ead. — Ele realmente acreditava que pudesse cumprir o que prometeu. O elixir era sua obsessão havia décadas. — Havia um tom de tristeza na voz dela. — Sua Majestade lhe providenciou belas acomodações e uma oficina no Palácio de Ascalon, mas segundo consta ele acabou se perdendo no vinho e no jogo. E usou seu estipêndio real para pagar essas despesas. — Ela fez uma pausa para permitir que o pajem enchesse sua taça. — Depois de dois anos, Sabran concluiu que fora enganada por Niclays. Ela o baniu de Inys e decretou que nenhuma nação que desejasse sua amizade poderia abrigá-lo. O falecido Alto Príncipe Leovart decidiu mandá-lo para Orisima.

O entreposto comercial.

— Imagino que Sua Majestade continue firme em sua decisão sobre o exílio.

— Sim. Ele está lá há sete anos.

Ead levantou as sobrancelhas.

— Sete?

Pelo que ela sabia, Orisima era uma ilha minúscula (caso *ilha* fosse o termo apropriado para um lugar como aquele) no porto seiikinês de Cabo Hisan. Sete anos lá levariam qualquer um à loucura.

— Pois sim — disse a Duquesa Viúva, olhando para ela. — Solicitei ao Príncipe Aubrecht que providenciasse a volta dele para casa, mas ele só fará isso se a Rainha Sabran conceder um perdão a ele.

— Mas... não lhe parece que ele fez por merecer o exílio, Sua Graça? — Ead se arriscou a perguntar.

Depois de uma certa hesitação, a resposta veio:

— Acredito que ele já sofreu o bastante. Niclays é um bom homem. Se não estivesse em um luto tão profundo por Jannart, acho que não teria se comportado daquela maneira. Ele queria se perder na vida.

Ead pensou no nome escrito no livrinho herético de Truyde. *Niclays*. A garota pretendia envolver Roos em seu plano?

— Suponho que sua neta também conheça o Doutor Roos — comentou ela.

— Ah, sim. Niclays era como um tio para ela quando era nova. — A Duquesa Viúva fez outra pausa. — Soube que você tem certa influência sobre Sua Majestade. Por ser uma de suas damas, ela deve ter sua opinião em alta conta.

Ead enfim compreendeu por que aquela mulher da alta nobreza tinha vindo falar com ela.

— Se existe uma coisa de que os Teldan de Kantmarkt entendem, é de comércio — a Duquesa Viúva falou com sua voz suave. Havia um pequeno brilho de esperança em seu olhar. — Se falar a favor de Niclays, posso fazer de você uma mulher rica, Mestra Duryan.

Devia ser assim que as coisas funcionavam para Roslain e Katryen. Um pedido sussurrado, um agrado, um cochicho ao pé do ouvido de Sabran. O que Ead não entendeu foi por que aquilo estava acontecendo com ela.

— Eu não sou uma Dama da Alcova — respondeu ela. — Não tenho acesso ilimitado aos ouvidos de Sua Majestade.

— Acho que você é modesta demais. — A Duquesa Viúva abriu um sorrisinho. — Eu vi vocês duas andando juntas nos Jardins dos Nós esta manhã mesmo.

Ead deu um gole no vinho para ganhar tempo.

Ela não podia se envolver em assuntos como aquele. Seria loucura falar a favor de alguém que Sabran detestava justamente quando a rainha estava começando a demonstrar interesse nela.

— Eu não posso ajudá-la, Sua Graça — respondeu Ead. — Seria melhor conversar com Lady Roslain ou Lady Katryen. — Ela se levantou e fez uma mesura. — Com licença. Eu tenho afazeres para cuidar.

Antes que a Duquesa Viúva pudesse insistir no assunto, ela tomou o caminho da porta.

A Alcova Real na Casa Briar era muito menor do que no Palácio de Ascalon. O teto era baixo, as paredes eram revestidas com painéis de carvalho escuro e havia cortinas vermelhas ao redor da cama. Ead chegou cedo, mas encontrou Margret já a postos.

— Ead — disse. A voz dela estava rouca, por causa do resfriado que havia se espalhado por metade da corte. — Agora você estragou a surpresa. Eu queria fazer a cama antes de você chegar.

— Para eu continuar jogando conversa fora com nobres que mal conheço?

— Para você poder dançar. Você adorava dançar.

— Isso era quando o olhar do Gavião Noturno não me embrulhava o estômago como agora.

Com um ruído de desgosto, Margret se levantou, com uma carta na mão.

— Veio da sua casa? — Ead perguntou.

— Sim. Mamãe diz que papai está pedindo para me ver há semanas. Ao que parece, tem alguma coisa importante para me contar, mas eu não posso voltar para lá no meio disso tudo.

— Sabran permitiria.

— Eu sei que sim, mas mamãe faz questão que eu fique. Ela diz que papai provavelmente não sabe do que está falando, e que é meu dever permanecer aqui, mas na verdade acho que está vivendo seu sonho através de mim. — Com um suspiro, Margret enfiou a carta no corpete do vestido. — E tem mais... Eu fui tola o bastante para acreditar que o Mestre dos Correios me entregaria uma correspondência de Loth.

— Ele pode ter escrito algo. — Ead a ajudou a erguer uma peça de fustão. — Combe intercepta todas as cartas.

— Então talvez eu deva escrever uma carta dizendo que ele é um cão maldito — murmurou Margret.

Ead sorriu.

— Eu pagaria para ver a expressão no rosto dele. Aliás... — Ela acrescentou em um tom mais baixo: — Acabaram de me oferecer um pagamento. Em troca de um pedido à rainha.

Margret a olhou com as sobrancelhas erguidas.

— Quem?

— A Duquesa Viúva de Zeedeur. Ela quer que eu interceda a favor de Niclays Roos.

— Isso não vai ajudar você em nada. Loth me contou que Sabran detesta esse homem com todas as forças. — Margret lançou um olhar para a porta. — Trate de ser cuidadosa, Ead. Sab até permite que Ros e Kate façam esse tipo de coisa, mas não é nenhuma tola. Entende muito bem quando as palavras que ouve são açucaradas demais.

— Eu não tenho a menor intenção de entrar nesse jogo. — Ead levou a mão ao braço da amiga. — Acho que Loth vai ficar bem, Meg. Agora ele sabe que o mundo é mais perigoso do que parece.

Margret bufou.

— Você superestima a esperteza dele. Loth confia em qualquer um que sorri para ele.

— Eu sei. — Ead a segurou pelos ombros e a virou para a porta. — Agora vá, e beba um pouco de vinho quente no baile. Tenho certeza de que o Capitão Lintley vai ficar feliz em ver você.

— Capitão Lintley?

— Sim. O galante Capitão Lintley.

Margret estava com um brilho nos olhos quando saiu.

Não havia nem sinal de Linora. Sem dúvida ainda estava dançando. Ead garantiu a segurança da Alcova Real sozinha. Ao contrário do dormitório do Palácio de Ascalon, aquele tinha duas entradas. A Porta Maior era para a rainha e a Porta Menor, para o consorte.

Não houve atentados contra Sabran depois do anúncio do noivado, mas Ead sabia que era só questão de tempo. Ela verificou a cama de plumas, olhou atrás da cortina, inspecionou cada parede, tapeçaria e tábua do assoalho. Não havia uma terceira passagem secreta, disso tinha certeza, mas a possibilidade de ter deixado algo passar a incomodava. Pelo menos Chassar tinha posicionado novas égides na soleira, mais fortes do que as suas, inclusive. Ele comera o fruto havia pouco tempo.

Ead afofou as almofadas e repôs o que faltava no armário. Estava terminando de colocar carvão em brasa no aquecedor quando Sabran entrou. Ead ficou de pé e fez uma mesura.

— Majestade.

Sabran a mediu de cima a baixo com os olhos estreitados. Usava uma sobreveste sem mangas por cima da camisola de dormir, com uma faixa azul amarrada na cintura. Ead nunca a tinha visto tão despida.

— Perdão — disse Ead, para preencher o silêncio. — Pensei que a senhora só fosse se recolher mais tarde.

— Tenho dormido mal ultimamente. O Doutor Bourn me disse que devo tentar me deitar às dez horas para aquietar a mente, ou algo do tipo — respondeu Sabran. — Você conhece alguma cura para a falta de sono, Ead?

— A senhora está tomando alguma coisa no momento?

— Água-de-dormir. Às vezes gemada, se a noite estiver fria.

Água-de-dormir era o nome que os inysianos davam a uma infusão de erva-gato. Embora tivesse algumas propriedades medicinais, claramente não estava fazendo muito efeito.

— Eu recomendo lavanda, alcachofra-girassol e raiz de cremegralina, fervidas no leite com uma colher de água-de-rosas — Ead falou.

— Água-de-rosas.

— Sim, senhora. No Ersyr, dizem que o perfume das rosas traz sonhos aprazíveis.

Com gestos lentos, Sabran desamarrou a faixa da sobreveste.

— Vou provar de seu remédio. Nada mais parece funcionar — disse ela. — Quando Kate aparecer, diga para ela o que trazer.

Ead se aproximou com levíssimo aceno e pegou a faixa da mão dela. Os olhos de Sabran estavam envoltos pelas sombras.

— Algum problema, Majestade? — Ead a ajudou a tirar a sobreveste.
— Existe algo perturbando seu sono?

Era uma pergunta educada, que não exigia uma resposta. Porém, para sua surpresa, Sabran lhe deu uma.

— O wyrm. — Ela voltou o olhar para o fogo da lareira. — Ele disse que os mil anos estão quase encerrados. Já faz mais de mil que meu ancestral derrotou o Inominado.

A testa dela estava franzida. Parada ali de camisola, parecia tão vulnerável quanto estaria aos olhos do assassino que entrara em sua alcova.

— Os wyrms têm as línguas bifurcadas por causa de sua duplicidade, senhora. — Ead pendurou a sobreveste no espaldar de uma cadeira. — Fýredel ainda está fraco por causa do tempo que passou adormecido, seu fogo não está completamente aceso. Ele teme a união dos Berethnet com os Lievelyn. Está falando de forma enigmática para plantar dúvidas em sua mente.

— Pois ele conseguiu. — Sabran desabou na cama. — Ao que parece, eu preciso me casar. Por Inys.

Ead não sabia qual seria uma resposta aceitável àquela afirmação.

— Não é de seu desejo casar-se, senhora? — ela perguntou por fim.

— Isso não tem importância.

Sabran tinha poder sobre tudo menos isso. Para conceber uma herdeira legítima, precisava se casar.

Roslain ou Katryen deveriam estar lá. Elas aplacariam os medos da rainha e penteariam seus cabelos antes de dormir. Sabiam o que dizer, a melhor maneira de confortá-la e mantê-la no estado mental necessário para consolidar a união com o Príncipe Aubrecht.

— Você costuma sonhar, Ead?

A pergunta veio do nada, mas Ead manteve a compostura.

— Eu sonho com minha infância — respondeu ela —, e com as coisas que vejo durante o dia, mas tecidas em tapeçarias diferentes.

— Eu bem que gostaria disso. Sonho com... coisas terríveis — murmurou Sabran. — Não conto para minhas Damas da Alcova, pois acho que ficariam com medo de mim, mas... Vou lhe contar, Ead Duryan, se quiser me ouvir. Você é mais firme do que elas.

— Mas é claro.

Ela se acomodou no tapete ao lado da lareira, perto de Sabran, que se mantinha sentada na cama com as costas eretas.

— Eu sonho com uma pérgola sombreada em uma floresta — ela começou —, com a luz do sol filtrada sobre a grama. A entrada é um portão de flores roxas... flores de sabra, eu acho.

Essas flores cresciam na extremidade do mundo conhecido. Diziam que seu néctar brilhava como a luz das estrelas. No Norte, eram matéria de lendas.

— Tudo na pérgola é bonito e agradável aos ouvidos. Pássaros com lindos cantos, e uma brisa quente, mas o caminho que me leva até lá é salpicado de sangue.

Ead assentiu para que ela continuasse, apesar de algo parecer começar a se insinuar no fundo de sua mente.

— Ao fim do caminho, encontro uma grande rocha — Sabran continuou —, e estendo o braço para tocá-la com uma mão que não creio ser a minha. A rocha se parte em duas, e lá dentro... — A voz dela falhou. — Lá dentro...

Uma Dama de Câmara de Segunda Classe não tinha permissão para tocar a pessoa da realeza. Mesmo assim, vendo aquele rosto contorcido, Ead se viu estendendo o braço na direção de Sabran e segurando uma das mãos dela entre as suas.

— Senhora — disse Ead. — Eu estou aqui.

Sabran ergueu os olhos. Um instante se passou. Lentamente, ela ergueu a mão para cobrir os dedos entrelaçados das duas.

— O sangue verte de dentro da abertura, e meus braços e minha barriga ficam encharcados. Eu entro na rocha e me vejo no interior de um círculo de pedras, como aqueles que existem no Norte. Ao meu redor vejo ossos espalhados. Ossos pequenos. — Os olhos dela estavam fechados, e os lábios tremiam. — Escuto uma risada terrível, e percebo que é minha. E então acordo.

Ead em nenhum momento desviou os olhos da rainha.

Sabran estivera certa. Roslain e Katryen ficariam com medo.

— Isso não é real. — Ead apertou a mão dela com mais força. — Nada disso é real.

— Existe uma história em nossa nação sobre uma bruxa — continuou Sabran, envolvida demais pelas próprias lembranças para ouvir. — Ela roubava crianças e as levava para a floresta. Você conhece essa história, Ead?

Depois de um instante, Ead falou:

— A Dama do Bosque.

— Suponho que foi Lorde Arteloth que lhe contou, assim como ele a contou para mim.

— Lady Margret.

Sabran assentiu, com um olhar distante.

— Essa história é contada para as crianças no Norte. Para alertá-los a manter distância do Haith, o bosque por onde ela vagava. Ela viveu bem antes de meu ancestral, mas o medo persiste entre meus súditos. — Arrepios a percorreram até a nuca. — Minha mãe me contava histórias do mar, não da terra. Eu nunca acreditei na Dama do Bosque. Agora temo que havia, *sim*, uma bruxa, e que ainda está viva, usando sua feitiçaria contra mim.

Ead não disse nada.

— Mas esse é só um dos sonhos — continuou Sabran. — Em outras noites, sonho que estou dando à luz. Como acontece desde que sangrei pela primeira vez. Eu estou morrendo enquanto minha filha luta para sair de dentro de mim. Eu a sinto rasgando meu corpo por dentro, como uma faca passando pela seda. Entre as minhas pernas, esperando para devorá-la, está o Inominado.

Pela primeira vez nos oito anos que Ead estava na corte, viu lágrimas agarradas às pálpebras de Sabran.

— O sangue continua fluindo, quente como o ferro na forja. Gruda em minhas coxas e me impede de afastá-las. Eu sei que estou esmagando minha filha, mas se eu deixá-la respirar... ela cairá nas presas da fera. — Sabran fechou os olhos. Quando os abriu, estavam secos. — Esse é o pesadelo que mais me atormenta.

O peso da coroa cobrava dela um alto preço.

— Os sonhos se entranham profundamente em nosso passado — Ead falou baixinho. — Lorde Arteloth lhe contou a história da Dama do Bosque, que voltou para assombrá-la agora. A mente costuma vagar por lugares estranhos.

— Eu concordaria com você, caso não tivesse esses sonhos desde bem antes de Lorde Arteloth compartilhar essa lenda comigo — respondeu Sabran.

Loth tinha contado para Ead uma vez que Sabran não conseguia dormir sem que houvesse uma vela acesa no quarto. Agora ela sabia o porquê.

— Então agora você entende, Ead, que eu não durmo porque tenho medo não só dos monstros que rondam minha porta, mas também dos que minha própria mente é capaz de convocar. Os que vivem dentro de mim.

Ead apertou a mão dela com um pouco mais de força.

— A senhora é a Rainha de Inys — disse Ead. — Durante toda a vida, soube que um dia usaria a coroa.

Sabran observava seu rosto.

— A senhora teme por seu povo, mas não pode demonstrar isso para a corte. Usa uma armadura tão pesada durante o dia que, à noite, não suporta mais carregá-la. À noite, é apenas carne e osso. E qualquer um que seja de carne e osso, mesmo uma rainha, é suscetível ao medo.

Sabran a estava escutando atentamente. As pupilas estavam tão dilatadas que quase escondiam o verde dos olhos.

— Na escuridão, estamos todos expostos. Quem verdadeiramente somos vem à tona. A noite é quando o medo nos atinge com mais força, quando não temos como combatê-lo — prosseguiu Ead. — Ele faz tudo o que pode para se infundir em nós. Às vezes pode ser bem-sucedido, mas nunca pense que a noite *define* quem a senhora é.

A rainha pareceu pensativa. Ela olhou para as mãos e fez movimentos circulares com o polegar na palma de Ead.

— Mais de suas belas palavras — disse ela. — Eu gosto delas, Ead Duryan.

Ead sustentou o olhar dela. Imaginou duas pedras preciosas caindo no chão, despedaçando-se a partir de dentro. Aqueles eram os olhos de Sabran Berethnet.

Elas ouviram passos perto da porta. Ead ficou de pé e junto as mãos na frente do corpo no instante em que Katryen entrou conduzindo Lady Arbella Glenn, que estava vestindo a camisola de dormir. Sabran estendeu os braços para sua mais antiga companheira de alcova.

— Bella, venha cá — ela falou. — Quero discutir os preparativos do casamento com você.

Arbella sorriu e coxeou até sua rainha, que a pegou pela mão. Com olhos lacrimosos e expressão serena, Arbella prendeu os cabelos pretos de Sabran atrás da orelha, como uma mãe cuidando da filha.

— Bella, não chore — murmurou Sabran. — Eu não tenho forças para suportar isso.

Ead saiu discretamente.

Quando Sabran e Arbella estavam deitadas, Ead falou para Katryen sobre a infusão e, embora a Mestra dos Trajes tenha demonstrado ceticismo, mandou prepará-la. Depois que foi provada e entregue, os aposentos reais foram trancados, e Ead assumiu posição para cumprir seu dever noturno.

Kalyba.

Era esse o nome da Dama do Bosque na Lássia. Mal sabiam os inysianos que a bruxa estava vivíssima, ainda que longe dali. E que a entrada de sua morada era guardada com flores de sabra.

Sabran nunca tinha visto a Pérgola da Eternidade. Então, se estava sonhando com ela, havia alguma coisa acontecendo.

As horas se arrastavam. Ead permaneceu imóvel, de olho em qualquer movimentação entre as sombras e o luar.

A siden lhe permitia se acobertar na escuridão. Um assassino, por mais habilidoso que fosse, não tinha esse dom. Se algum aparecesse por qualquer uma das portas, ela o veria.

Perto da uma hora, Roslain Crest, também de prontidão naquela noite, apareceu com uma vela.

— Mestra Duryan — disse ela.

— Lady Roslain.

Elas ficaram em silêncio por um tempo.

— Não pense que não sei quais são suas intenções — falou Roslain. — Sei muito bem o que você está fazendo. Assim como Lady Katryen.

— Eu não sabia que a estava afrontando de alguma forma, mila...

— Não pense que sou uma tola. Estou vendo sua aproximação da rainha. Estou vendo sua tentativa de cair nas graças dela. — Os olhos dela eram escuros como safira na semipenumbra. — Lady Truyde disse que você é uma feiticeira. Não vejo por que ela faria essa acusação sem nenhum motivo.

— Eu assumi as esporas e o cintilho. Renunciei a falsa fé no Arauto da Alvorada — respondeu Ead. — A Cavaleira da Confraternidade nos diz para acolher os convertidos. Talvez você deva ouvi-la com mais atenção, milady.

— Eu sou descendente da Cavaleira da Justiça. Cuidado como fala comigo, Mestra Duryan.

Mais um silêncio se instaurou entre elas.

— Se realmente se importa com ela — Roslain falou, com um tom mais suave —, eu não me importo com sua nova posição. Ao contrário de muitos inysianos, não tenho nada contra os convertidos. Somos todos iguais aos olhos do Santo. Mas se estiver atrás de presentes e riquezas, vou tratar de retirá-la do convívio da rainha.

— Eu não tenho interesse em presentes e riquezas. Só em servir ao Santo da melhor maneira que puder — falou Ead. — Podemos concordar que não é momento de mais amigos serem retirados do convívio dela?

Roslain desviou o olhar.

— Sei que Loth gostava de você — disse Roslain, com um nível de esforço perceptível para Ead. — Por isso, devo pensar só o melhor a seu respeito. — Com ainda mais dificuldade, ela continuou: — Perdão por minha cautela. É preocupante ver todas as aranhas que a cercam, que só querem saber de subir na…

Um grito foi ouvido na Alcova Real. Ead se virou para a porta, com o coração aos pulos.

Não sentiu nenhuma movimentação nas égides. Assassino nenhum poderia ter entrado naquele aposento.

Roslain a encarou com os lábios entreabertos e os olhos arregalados. Ead pegou a chave da mão imóvel de Roslain e subiu correndo os degraus.

— Depressa, Ead, abra — gritou Roslain. — Capitão Lintley! Sir Gules!

Ead virou a chave na fechadura e escancarou a porta. Havia um fogo brando na lareira.

— Ead. — Um vulto se mexeu na cama. — Ead, Ros, por favor, vocês *precisam* acordar Arbella. — Mechas dos cabelos de Sabran escapavam da trança. — Eu despertei e fui segurar na mão dela, e estava tão gelada... — Ela soluçou. — Ah, Santo, não pode ser...

O Capitão Lintley e Sir Gules Heath apareceram na porta, com a espada em riste.

— Pelo amor do Santo, Lady Roslain, ela está ferida? — gritou Heath.

Enquanto Roslain corria até a rainha, Ead se dirigiu para o outro lado da cama, onde havia uma silhueta miúda sob a coberta. Mesmo antes de procurar em vão por um sinal de pulsação, Ead percebeu. Um silêncio terrível se instaurou quando ela deu um passo atrás.

— Eu sinto muito, Majestade — disse ela.

Os dois homens abaixaram a cabeça. Roslain começou a chorar, com a mão na boca.

— Ela não me viu casada — Sabran falou com a voz fraca. Uma lágrima escorreu por seu rosto. — Eu prometi que ela veria.

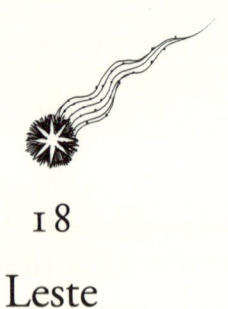

18

Leste

A viagem até a capital foi horrenda. Niclays foi sacudido de um lado ao outro durante dias dentro do palanquim abafado sem quase nada para fazer a não ser cochilar ou ver um ou outro resquício de paisagem entre as persianas de madeira.

Ginura ficava a norte da Mandíbula do Urso, a cordilheira que protegia Cabo Hisan. A estrada era uma rota comercial que atravessava todo o sopé das montanhas antes de chegar a um entroncamento.

Desde o dia em que chegara a Seiiki, era um sonho de Niclays conhecer Ginura. Naquela época, ele ainda se sentia grato pela chance de poder viver em um lugar que poucas pessoas do Oeste veriam na vida.

Ele se lembrou de quando foi convocado ao Palácio de Brygstad, onde Leovart deu a notícia de que Sabran havia ordenado sua expulsão da Virtandade. Ele pensara que a raiva dela tinha arrefecido depois que Seyton Combe o interrogara longamente na Torre da Solidão sobre o mau uso do dinheiro dos Berethnet. Ingenuamente, acreditava que o exílio seria curto.

Apenas depois do terceiro ano entendera que aquela casinha nos confins do mundo seria seu último lugar de repouso. Fora quando interrompera seus sonhos de descobertas e passara a sonhar somente com a volta para casa. Porém, sua antiga curiosidade sobre o mundo estava despertando outra vez.

Na primeira noite de viagem, pararam em uma hospedaria no sopé das montanhas, onde Niclays se banhou em uma fonte termal. Ele observou as luzes distantes de Cabo Hisan, e o pequeno pontinho luminoso que era Orisima, e pela primeira vez em quase sete anos, começou a sentir que poderia voltar a respirar de novo.

Aquele sentimento não durou. Na manhã seguinte, ouviu os carregadores reclamarem do mentendônio com cara de coruja que levavam para o norte, o espião de um príncipe que desprezava dragões, que devia exalar a doença vermelha a cada respiração. Algumas palavras foram ditas em resposta, e a partir daí, as sacudidas no palanquim só pioraram. Os carregadores também começaram a entoar canções sobre um homem insolente de quem ninguém gostava, que era deixado na beira da estrada para os felinos das montanhas devorarem.

— Ah, sim, muito engraçado — Niclays bradava em seiikinês. — Que tal eu cantar uma música sobre quatro carregadores que despencaram de um penhasco, caíram em um rio e nunca mais foram vistos?

Ele só conseguiu provocar mais risos.

Inúmeras coisas deram errado depois daquele incidente. Uma alça do palanquim quebrou ("Que o Grande Kwiriki nos livre do homem-coruja!"), e foram forçados a interromper a viagem enquanto um carpinteiro era chamado para fazer os reparos. Quando retomaram a jornada, os carregadores enfim deixaram Niclays dormir.

Ao ouvir vozes, ele abriu os olhos. Os carregadores estavam entoando uma cantiga de ninar da época da Grande Desolação.

Silêncio, criança, o vento está forte.
Até os pássaros estão quietos.
Prenda o choro. Os cuspidores de fogo vão ouvir.
Durma agora, durma, ou vai vê-los chegar.
Segure a minha mão e feche os olhos.

Havia canções como aquela em Mentendon também. Niclays vasculhou a memória para se lembrar de quando era pequeno o bastante para sua mãe sentá-lo no colo e cantar para ele enquanto seu pai se embriagava até ter acessos de raiva que fazia os dois estremecerem. Felizmente, em certa ocasião, ele ficara tão enfurecido depois de beber que acabara despencando de um precipício, o que resolvera o problema.

Por um tempo, ficara tudo em paz. Então, Helchen Roos se convencera de que o filho deveria ser um santário quando crescesse, para expiar os muitos pecados do pai. Ela rezava para esse efeito todos os dias. Em vez disso, Niclays se tornara, do ponto de vista dela, um hedonista mórbido que passava todo o tempo ou retalhando cadáveres ou mexendo com poções como um feiticeiro, tudo isso enquanto se embebedava até não poder mais. (Niclays precisava concordar que não era uma visão completamente sem fundamento.) Para ela, a ciência era o maior dos pecados, o anátema da virtude.

Mesmo assim, claro, escrevera para ele assim que ficara sabendo de sua inesperada amizade com o Marquês de Zeedeur e o Príncipe Edvart, exigindo ser convidada para a corte, como se os anos que passara atormentando-o a respeito de cada aspecto de sua existência não significassem nada. Ele e Jannart se divertiram procurando novas maneiras de destruir as cartas.

Pensar naquilo o fez sorrir pela primeira vez em vários dias. O ruído dos insetos da floresta o embalou de volta para o sono.

Depois de mais dois dias dolorosos, durante os quais pensou que fosse morrer por causa do calor e do tédio do confinamento, o palanquim parou. Uma pancada no teto o despertou de um cochilo.

— Fora.

A porta deslizou, deixando entrar a ofuscante luz do sol. Sonolento, Niclays saltou do palanquim diretamente sobre uma poça.

— Pelo cintilho de Galian...

Um dos carregadores jogou a bengala atrás dele. Os quatro puseram o palanquim sobre os ombros e se voltaram de novo para a estrada.

— Esperem um momento — Niclays gritou. — Eu disse para *esperar*, maldição! Para onde eu devo ir?

Os risos foram sua única resposta. Niclays praguejou, pegou a bengala e se arrastou até o portão oeste da cidade. Quando chegou lá, a bainha da túnica estava encharcada, e o suor escorria pelo rosto. Esperava encontrar soldados, mas não havia ninguém de armadura por perto. O sol queimava o topo da cabeça quando ele entrou na capital ancestral de Seiiki.

O Castelo de Ginura era um colosso. O complexo de muros brancos se assentava em um morro alto no meio da cidade. Um amigo dissera a Niclays que os caminhos de seus jardins eram feitos de conchas, e que seu fosso de água salgada reluzia com peixes com corpos claros como cristais.

Ele passou por mercados movimentados do que imaginou ser o Bairro do Leito Marinho, o distrito mais distante do centro da cidade. As ruas com pavimento de pedra estavam apinhadas de guarda-chuvas de papel oleado, leques e chapéus. Mais perto da corte, as pessoas usavam roupas de tons mais frios do que em Cabo Hisan — tons de verde e azul e dourado — e os cabelos eram encerados e arrumados em penteados extravagantes, adornados com enfeites de vidro marinho, flores de sal e conchas do mar. As túnicas eram leves e lustrosas, a ponto de brilharem sob o sol quando seus usuários se movimentavam. Niclays se lembrava vagamente de ter ouvido falar que o auge da moda em Ginura era parecer que você havia acabado de emergir do mar. Alguns cortesãos inclusive passavam óleo nos cílios.

Nos pescoços, as pessoas penduravam corais ou pequenas placas de aço montadas de modo a parecer escamas de peixes. Os lábios e os rostos reluziam com o pó de pérolas pulverizadas. A maioria dos cidadãos era proibida de usar pérolas dançantes, já que eram símbolos da realeza e dos eleitos dos deuses, mas Niclays tinham ouvido falar que as que saíam disformes e ocas eram moídas e vendidas àqueles que possuíam dinheiro.

À sombra de um bordo, duas mulheres rebatiam uma bola emplumada uma para a outra. O sol reluzia nos canais, onde vendedores e pescadores descarregavam suas mercadorias de elegantes barcos de cedro. Era difícil imaginar que a maior parte da cidade fora incendiada durante a Grande Desolação, cinco séculos antes.

Enquanto caminhava, a inquietação eclipsava a admiração de Niclays. Os carregadores do palanquim — que fossem condenados à danação no Ventre de Fogo! — tinham levado embora a carta do Governador, junto com todos os seus pertences. Aquilo significava que ele poderia ser tomado por um forasteiro, e jamais teria a chance de entrar no Castelo de Ginura para explicar sua situação. Os sentinelas pensariam que era um mercenário.

Mesmo assim, não havia outra escolha. As pessoas estavam reparando em sua presença. Olhares apreensivos eram lançados para ele de todas as direções.

— Doutor Roos?

Aquela voz falara em mentendônio. Niclays se virou.

Quando viu quem o chamava, abriu um sorriso. Um homem de silhueta esguia e óculos de casco de tartaruga acenava no meio da multidão. Os cabelos pretos, cortados bem curtos, eram grisalhos nas têmporas.

— Doutor Moyaka — gritou Niclays, tomado de alegria. — Ah, Eizaru, que maravilha ver você!

Enfim, um pouco de sorte. Eizaru era um cirurgião talentoso que fora aluno de Niclays durante um ano em Orisima. Ele e a filha, Purumé, foram os primeiros a procurá-lo em busca de aulas de anatomia, e nunca na vida Niclays tinha visto duas pessoas tão dispostas ao aprendizado. Em troca de seu conhecimento, eles lhe ensinaram muita coisa sobre a medicina seiikinesa. Conhecê-los tinha sido um alento em meio ao exílio.

Eizaru se desvencilhou da aglomeração, e eles fizeram uma reverência um para o outro antes de se abraçarem. Ao verem que o forasteiro estava acompanhado, as pessoas voltaram a cuidar da própria vida.

— Meu amigo — Eizaru falou em um tom afetuoso, ainda em mentendônio. — Eu estava pensando em escrever para você. O que faz em Ginura?

— Em razão de uma série de circunstâncias desagradáveis, ganhei um pequeno respiro de Orisima — Niclays falou em seiikinês. — O ilustre Governador de Cabo Hisan decidiu me mandar para cá em prisão domiciliar.

— Quem o trouxe para cá não deveria tê-lo abandonado na rua. Você veio de palanquim?

— Infelizmente.

— Ah. Esses carregadores muitas vezes são desordeiros mesmo. — Eizaru fez uma careta. — Por favor, venha para minha casa, antes que sua presença aqui chame a atenção de alguém. Eu me encarregarei de avisar a ilustre Governadora de Ginura sobre o que aconteceu.

— É muita bondade sua.

Niclays seguiu Eizaru por uma ponte, chegando a uma rua bem mais larga que levava diretamente ao Castelo de Ginura. Músicos tocavam à sombra, enquanto vendedores ambulantes anunciavam seus mariscos frescos e uvas-da-praia.

Ele nunca pensou que fosse ver as famosas árvores sazonais de Ginura. Seus galhos formavam uma cobertura natural sobre a rua. No momento, exibiam o deslumbrante amarelo do verão.

Eizaru morava em uma casa modesta perto do mercado de seda, com os fundos voltados para um dos muitos canais que atravessavam Ginura. Era viúvo havia uma década, mas a filha ficara com ele, para que pudessem exercer juntos a paixão pela medicina. O muro externo era enfeitado por flores de chuva, e o jardim tinha cheiro de artemísia, hortelã roxo e outras ervas.

Foi Purumé que abriu a porta para eles. Um gato de cauda curta se esfregava nos tornozelos dela.

— Niclays! — Purumé abriu um sorriso antes de fazer uma reverência. Ela usava o mesmo modelo de óculos do pai, mas o sol havia queimado sua pele e a tornado de um marrom mais escuro do que ele, e os cabelos, presos com uma faixa de tecido, ainda eram pretos até as raízes. — Por favor, entre. Que surpresa mais agradável e inesperada.

Niclays fez uma reverência de volta.

— Por favor, me perdoe pelo incômodo, Purumé. Trata-se de algo inesperado para mim também.

— Nós tivemos a honra de ser seus hóspedes em Orisima. Você é sempre bem-vindo. — Ela deu uma olhada em suas roupas sujas de viagem e soltou uma risadinha. —Mas você está precisando de outra coisa para vestir.

— Com isso eu concordo.

Quando todos entraram, Eizaru mandou suas duas serviçais ao poço.

— Descanse um pouco — disse ele para Niclays. — Você pode estar com insolação por causa da viagem. Vou imediatamente ao Castelo do Rio Branco pedir para falar com a ilustre Governadora. Depois, podemos comer.

Niclays soltou um suspiro de alívio.

— Isso seria maravilhoso.

Quando as serviçais voltaram do poço e encheram uma banheira, Niclays se desvencilhou das vestes e lavou a lama e o suor do corpo. A água fria era uma como uma bênção.

De jeito nenhum ele voltaria a viajar de palanquim. Eles teriam que arrastá-lo de volta a Orisima.

Revigorado, ele vestiu a túnica de verão que as serviçais deixaram no quarto de hóspedes. Uma xícara de chá fumegava na varanda. Ele bebeu sentado à sombra, vendo os barcos passearem pelo canal. Depois de anos de reclusão, Orisima nunca parecera tão distante.

— Eminente Doutor Roos.

Ele despertou de um cochilo agradável. Uma das serviçais estava na varanda.

— O eminente Doutor Moyaka está de volta — anunciou ela. — Ele solicita sua presença.

— Obrigado.

No andar de baixo, Eizaru o aguardava.

— Niclays. — Havia um toque de travessura em seu sorriso. — Conversei com a ilustre Governadora. Ela atendeu a meu pedido para que você permanecesse com Purumé e comigo em sua estadia na cidade.

— Ah, Eizaru. — Talvez fosse efeito do calor ou da exaustão, mas a boa notícia quase levou Niclays às lágrimas. — Tem certeza de que não é um incômodo para você?

— Claro que não é. — Eizaru o convidou para a sala ao lado. — Agora venha. Você deve estar faminto.

As serviçais faziam o possível para aliviar o calor. Todas as portas estavam abertas, as divisórias bloqueavam a entrada do sol e tigelas com gelo aguardavam sobre a mesa. Niclays se ajoelhou com Purumé e Eizaru, e eles comeram olho de lombo, vegetais em conserva, peixe-doce, alface-do-mar e algas tostadas, tudo servido com uma abundância de ovas. Enquanto comiam, conversavam sobre o que fizeram desde a última vez que se viram.

Fazia muito tempo que Niclays não tinha o prazer de uma conversa com pessoas que compartilhavam dos seus mesmos interesses. Eizaru ainda mantinha um consultório médico, que oferecia tratamentos mentendônios, além dos seiikineses, para as doenças. Purumé, por sua vez, estava trabalhando em um preparado herbal que induzia o sono profundo, o que permitia ao cirurgião extrair carnosidades do corpo sem provocar dor.

— Eu o chamo de sono florido — ela contou —, pois o ingrediente final é uma flor das Montanhas do Sul.

— Ela caminhou durante dias para encontrar essa flor na primavera — Eizaru revelou, abrindo um sorriso orgulhoso para a filha.

— Parece que será revolucionário — Niclays falou, maravilhado. — Poderia ser usado para estudar o interior de corpos *vivos*. Em Mentendon, só o que podemos fazer é abrir cadáveres. — O coração disparou. — Purumé, você precisa publicar essa descoberta. Imagine a transformação que isso representaria para a anatomia.

— Eu faria isso — ela falou, com um sorriso abatido. — Mas existe um problema, Niclays. Nuvem-de-fogo.

— Nuvem-de-fogo?

— Uma substância proibida. Os alquimistas produzem a partir da bile dos cuspidores de fogo — explicou Eizaru. — A bile é contrabandeada para o Leste por piratas sulinos, submetida a um processamento e colocada em um orbe de cerâmica com uma pitada de pólvora. Quando o pavio é aceso, o orbe explode e libera uma fumaça preta e espessa como piche. Se um dragão a respirar, dorme por vários dias. Os piratas então podem retalhar e vender as partes de seu corpo.

— Uma prática cruel — falou Purumé.

Niclays sacudiu a cabeça.

— O que isso tem a ver com o sono florido?

— Se as autoridades acreditarem que minha criação poderia ser usada para objetivos semelhantes, vão mandar suspender minha pesquisa. Podem até fechar nosso consultório.

Niclays ficou sem fala.

— É uma tristeza — Eizaru falou com um tom cansado. — Diga uma coisa, Niclays, existem estudos médicos seiikineses traduzidos para o mentendônio? Talvez Purumé possa publicar suas descobertas por lá.

Niclays soltou um suspiro.

— A não ser que as coisas tenham mudado drasticamente nos anos em que estive fora, eu duvido muito. Existem panfletos que circulam em determinados lugares, mas não têm aprovação da coroa. A Virtandade não tolera heresias, nem o conhecimento produzido pelos heréticos.

Purumé sacudiu a cabeça. Enquanto Niclays se servia de mais alguns camarões, um jovem apareceu à porta, molhado de suor.

— Eminente Doutor Roos. — Ele fez uma reverência, ainda ofegante. — Venho em nome da ilustre Governadora de Ginura.

Niclays se preparou para o pior. Ela devia ter mudado de ideia sobre a permissão de deixá-lo se hospedar lá.

— Ela me pediu para informar que o senhor tem a ordem de se dirigir ao Castelo de Ginura para uma audiência quando for mais conveniente para o ilustríssimo Líder Guerreiro.

Niclays ergueu as sobrancelhas.

— O Ilustríssimo Líder Guerreiro quer falar *comigo*? Tem certeza?

— Sim.

O serviçal fez uma reverência e se retirou.

— Então você será recebido na corte — Eizaru falou em um tom divertido. — Prepare-se. Dizem que é como recife de corais feito de flores. Uma beleza, mas tudo por lá é afiado e cortante.

— Mal posso esperar — Niclays falou, com a testa franzida. — Por que será que ele quer me ver?

— O Ilustríssimo Líder Guerreiro gosta de conversar com os colonos mentendônios. Às vezes pede para ouvir uma canção ou uma história de sua nação. Ou pode querer saber que tipo de trabalho você faz — explicou Eizaru. — Não há nada com que se preocupar, Niclays, de verdade.

— E, até lá, você está livre — lembrou Purumé, com um brilho nos olhos. — Nós podemos mostrar a cidade, agora que está fora de Orisima. Podemos visitar o teatro, conversar sobre medicina, ver o voo dos dragões... o que quer que você tenha pensado em fazer desde que chegou.

Niclays sentia que poderia chorar de gratidão.

— De verdade, meus amigos — disse ele. — Não existe nada que me agradaria mais.

19

Oeste

Loth seguiu a Donmata Marosa por mais uma passagem. A luz da tocha fazia seus olhos arderem enquanto ele passava pelas paredes suadas.

Dias depois de receber notícias dela pela última vez, ela o mandara encontrá-la novamente em um solário às escuras. Agora estavam em um labirinto de túneis atrás das paredes, onde um engenhoso sistema de canos de cobre conduzia a água das fontes termais para os dormitórios.

No fim da passagem havia uma escada em espiral. A Donmata começou a subir.

— Para onde você está me levando? — perguntou Loth, tenso.

— Vamos encontrar quem tramou o assassinato da Rainha Rosarian.

A palma da mão que segurava a tocha começou a suar.

— Aliás, me desculpe por ter obrigado você a dançar com Priessa — disse ela. — Era a única forma de passar o recado.

— Ela não poderia ter me entregado na carruagem? — resmungou ele.

— Não. Foi revistada antes de sair do palácio, e o cocheiro era um espião, que estava lá para garantir que ela não fugiria. Ninguém tem permissão para ficar longe de Cárscaro por muito tempo.

A Donmata desprendeu uma chave do cintilho. Quando Loth passou atrás dela pela porta que fora aberta, tossiu por causa da poeira dentro do aposento, onde a única luz existente era a da tocha que carregava.

A mobília fedia a doença e decadência, com um toque pungente de vinagre.

A Donmata retirou o véu e o colocou sobre uma cadeira. Loth a seguiu até uma cama de quatro colunas, mal conseguindo respirar por causa do medo, e levantou a tocha.

Havia uma figura vendada na cama. Loth reparou no rosto pálido, nos lábios pretos e nos cabelos castanhos que chegavam até a gola de um camisolão vermelho. Correntes prendiam os braços emaciados, que estavam marcados por linhas vermelhas e seguiam o traçado de suas veias.

— O que é isso? — Loth murmurou. — Esse é o assassino?

A Donmata cruzou os braços. Seu queixo se manteve imóvel, e seus olhos não expressavam nenhuma emoção.

— Lorde Arteloth — disse ela —, eu lhe apresento o senhor meu pai, Sigoso III, da Casa de Vetalda, Rei de Carne e Osso do Reino Dragônico de Yscalin. Ou o que restou dele.

Loth olhou outra vez para o homem, incrédulo.

Mesmo antes da traição de Yscalin, ele nunca vira o Rei Sigoso, mas nos retratos parecia ser um homem sadio e elegante, embora de aparência fria, com os olhos cor de âmbar característicos dos Vetalda. Sabran o convidara para a corte diversas vezes, mas ele sempre preferia mandar representantes.

— Um rei de carne e osso não passa de um fantoche de um wyrm. Um título que Fýredel pretende conceder a todos os governantes do mundo. — A Donmata contornou a cama. — Meu pai tem uma forma rara de peste dragônica. Isso permite a Fýredel... comungar com ele, de alguma forma. Usá-lo para ver e ouvir o que acontece no palácio.

— Está me dizendo que neste exato momento...

— Fique tranquilo. Eu acrescentei um sedativo na bebida que toma durante a noite — disse ela. — Não posso fazer isso com frequência, para Fýredel não desconfiar, mas isso impede o wyrm de usá-lo. Por um curto período de tempo.

Ao ouvir o som da voz dela, Sigoso se agitou.

— Eu não tinha ideia de que os wyrms eram capazes de fazer isso. — Loth engoliu em seco. — Controlar um corpo.

— Quando um Altaneiro do Oeste morre, o fogo passa para os wyverns que são seus lacaios, e para a descendência gerada por eles. Talvez essa seja uma forma parecida de vínculo.

— Há quanto tempo ele está assim?

— Dois anos.

Ele adoecera quando Yscalin traíra a Virtandade.

— Como foi que ele se tornou *isso*?

— Primeiro, você precisa ouvir a verdade — avisou a Donmata. — Meu pai se lembra do suficiente para contar.

— Marosa — gemeu Sigoso. — Maro*sss*a.

Loth fez uma careta ao ouvir a voz. Era como se houvesse um cho-calho de cascavel preso na garganta.

Sem nenhuma expressão no rosto, a Donmata se virou para ele e se pôs a remover a venda. Embora usasse luvas de veludo até os cotovelos, Loth não conseguiu respirar enquanto ela estava perto do pai, temendo que Sigoso pudesse mordê-la através do tecido ou tentar agarrar seu rosto. Quando a venda foi retirada, Sigoso arreganhou os dentes. Seus olhos não eram mais como topázios, e sim totalmente cinzentos. Sem vida como borralhas frias.

— Espero que tenha dormido bem, pai — a Donmata falou em inysiano.

— Sonhei com uma torre do relógio e uma mulher com fogo dentro dela. Sonhei que ela era minha inimiga. — O Rei Sigoso ficou olhando para Loth, flexionando os braços acorrentados. — Quem é esse?

— Esse é Lorde Arteloth Beck de Goldenbirch. Nosso novo

embaixador de Inys. — A Donmata abriu um sorriso forçado. — Pensei que você poderia contar para ele como a Rainha Rosarian morreu.

A respiração de Sigoso chiava como um fole. Seu olhar passou de um para o outro, como o de um caçador avaliando duas presas.

— Eu pus um fim em Rosarian.

A maneira como ele falou aquele nome, saboreando-o na língua como se fosse um confeito, provocou um calafrio em Loth.

— Por quê? — perguntou a Donmata.

— Aquela vadia imunda recusou a minha mão. A mão da *realeza* — es-bravejou Sigoso. Os tendões do pescoço se enrijeceram. — Ela preferiu ser a puta de piratas e da baixa nobreza em vez de unir seu sangue com a Casa de Vetalda... — A baba escorreu da boca. — Filha, eu estou ardendo.

Depois de lançar um olhar para Loth, a Donmata foi até a mesinha de cabeceira, onde havia um pano em uma tigela com água. Ela molhou o tecido e colocou sobre a testa dele.

— Mandei fazer um vestido para ela — continuou Sigoso. — Um vestido de tamanha beleza que seria irresistível para uma meretriz vai-dosa como Rosarian. Estava infundido com o veneno de basilisco que comprei de um príncipe mercador, e o mandei para Inys para ser escon-dido junto com suas demais vestes.

Loth estava trêmulo.

— Quem escondeu? — murmurou ele. — Quem escondeu o vestido?

— Ele não vai falar para ninguém além de mim — a Donmata sus-surrou. — Pai, quem escondeu o vestido?

— Um amigo no palácio.

— No palácio — repetiu Loth. — Pelo amor do Santo. Quem?

A Donmata repetiu a pergunta. Sigoso deu uma risadinha, que logo se tornou um acesso de tosse.

— O copeiro — ele falou.

Loth o encarou. A posição de copeiro fora abolida havia séculos.

O vestido tinha sido plantado no Guarda-Roupa Privativo. A Mestra dos Trajes na época era Lady Arbella Glenn, e ela nunca faria mal a sua rainha.

— Espero que tenha sobrado alguma coisa da rameira para enterrar. O veneno do basilisco é bem forte. — Ele soltou uma risada. — Até os ossos cedem ao seu efeito.

Ao ouvir isso, Loth sacou sua baselarda.

— Perdoe o senhor meu pai. — A Donmata lançou um olhar gélido para o Rei de Carne e Osso. — Eu diria que está fora de si, mas acho que esse é quem ele sempre foi.

Enojado, Loth deu um passo na direção da cama.

— O Cavaleiro da Coragem lhe deus as costas, Sigoso Vetalda — disse Loth com a voz trêmula. — Ela podia conceder a mão em casamento para quem desejasse. Que você seja condenado ao Ventre de Fogo.

Sigoso sorriu.

— É lá que eu estou — disse ele. — E é o paraíso.

O tom cinzento em seus olhos oscilou. Pontos vermelhos se acenderam, como brasas.

— Fýredel. — A Donmata pegou um copo na mesinha de cabeceira. — Pai, beba isso. Vai aliviar a dor.

Ela levou a bebida aos lábios dele. Sem tirar os olhos de Loth, Sigoso bebeu o que havia no copo. Aturdido pelo que ouvira, Loth se deixou levar pela Donmata para fora do recinto.

A mãe de Loth, Lady Annes Beck, estava com a Rainha Mãe quando ela morrera. Agora ele entendia por que nem ela nem Sabran conseguiam dizer o que quer que fosse sobre o dia em que Rosarian fora envenenada por aquele lindo vestido. Porque Lady Arbella Glenn, que a amava como a própria filha, nunca mais voltara a falar.

Loth desmoronou sobre os degraus. Estremecendo, percebeu a presença da Donmata atrás dele.

— Por que você me fez ouvi-lo? — questionou ele. — Por que simplesmente não me contou?

— Para que você pudesse ver e ouvir a verdade — respondeu ela. — E transmitir a Sabran. E assim você acreditaria em mim, em vez de ir embora ainda pensando que existe algum mistério em Yscalin.

A Donmata se sentou em um degrau atrás dele, e a cabeça dos dois ficou na mesma altura. Ela depositou um pacote embrulhado em seda sobre o colo.

— Ele consegue nos ouvir? — perguntou Loth.

— Não. Já voltou a dormir. — Ela parecia cansada. — Rezo para que Fýredel não descubra que eu o interrompi. Deve pensar que meu pai está morrendo. Para mim, está mesmo. — Ela ergueu o queixo. — Sem dúvida o wyrm quer que eu ocupe o lugar dele. Para ser uma marionete sob seu controle.

— Fýredel não se incomoda com o rei ser mantido dessa forma, acorrentado em um quarto escuro?

— Fýredel entende que meu pai não parece muito… *majestático* em sua condição atual, com o corpo em putrefação, apesar de ainda estar respirando — a Donmata falou, seca. — Mas eu preciso tirá-lo de seus aposentos quando recebo as ordens. Para que nosso senhor e mestre possa ver o palácio quando desejar. Para que possa emitir ordens para o Conselho Privativo. Para que possa garantir que não estamos nos rebelando. Para que possa nos impedir de buscar ajuda.

— Se você matasse seu pai, Fýredel saberia — disse Loth, percebendo o dilema. — E haveria uma punição.

— Da última vez que o desafiei, ele mandou uma de minhas damas para o Portão de Niunda. — A expressão dela ficou tensa. — Tive que ver enquanto as cocatrizes a desfaziam em pedaços.

Eles ficaram em silêncio e imóveis por um tempo.

— A Rainha Rosarian morreu catorze anos atrás — Loth lembrou. — Nessa época… Sigoso não estava sob o controle dragônico.

— Nem todo o mal vem dos wyrms.

A Donmata se virou para ficar de frente para ele na escada, com as costas na parede.

— Eu não me lembro de muita coisa meu pai da época de minha infância. Somente de seu olhar frio — murmurou ela. — Quando eu tinha 16 anos, minha mãe apareceu em minha alcova no meio da noite. O casamento dos dois sempre fora marcado por tensões, mas ela parecia amedrontada. E furiosa. Disse que se juntaria ao irmão, o rei Jentar, em Rauca. Nós nos vestimos como criadas e tentamos sair escondidas do palácio. Os guardas nos detiveram, claro. Fomos confinadas em nossas alcovas e proibidas de conversar uma com a outra. Mamãe subornou um guarda para me entregar uma carta, me dizendo para aguentar firme. — Ela levou a mão ao pingente no pescoço, cravado de esmeraldas. — Uma semana depois, meu pai veio me informar da morte de minha mãe. Comunicou à corte que ela tirou a própria vida, por não suportar a vergonha da tentativa de abandonar seu rei... mas eu sabia que não era nada disso. Ela jamais me deixaria sozinha com ele.

— Sinto muito — falou Loth.

— Não tanto quanto eu. — Uma expressão de nojo crispou o rosto dela. — Yscalin não merece isso, mas meu pai sim. Ele merece parecer tão corrompido por fora quanto é por dentro.

Sahar Taumargam e Rosarian Berethnet, ambas mortas pelas mãos do mesmo rei. E tudo isso enquanto Inys o considerava um amigo da Virtandade.

— Eu queria contar a verdade para Sabran. Queria pedir sua ajuda, que enviasse tropas... mas este palácio é um calabouço. O Conselho Privativo está totalmente entregue a Fýredel, morre de medo de contra-riá-lo. Seus integrantes têm familiares na cidade, que morreriam caso a ira dele fosse provocada.

Loth levou a manga da roupa ao rosto para enxugar o suor.

— Sabran era minha amiga. O Príncipe Aubrecht foi meu prometido durante muito tempo — lembrou a Donmata. — Eles devem ter um péssimo conceito sobre mim agora.

Loth sentiu uma pontada de culpa.

— Aceite nosso perdão — murmurou ele. — Nós não deveríamos ter feito suposições...

— Vocês não tinham como saber que Fýredel tinha despertado. Ou que nós estávamos sob o peso de sua asa.

— Me diga como foi que Cárscaro caiu. Me ajude a entender.

A Donmata soltou o ar com força pelo nariz.

— Dois anos atrás, houve um tremor nos Espigões — contou ela. — Fýredel despertou em uma câmara no Monte Fruma, onde fora hibernar depois da Era da Amargura. Nós estávamos bem na porta de sua casa. Prontos para o abate. Os campos de lavandas foram a primeira coisa a queimar. A fumaça preta sufocou o céu da noite. — Ela sacudiu a cabeça. — Aconteceu tudo tão depressa. Os wyverns cercaram Cárscaro antes mesmo que a guarda da cidade pudesse se posicionar nas antigas defesas. Fýredel apareceu pela primeira vez em séculos. Ele disse que incendiaria tudo e todos se meu pai não o procurasse para lhe render homenagens.

— E ele fez isso?

— Enviou um sósia primeiro, mas Fýredel descobriu o truque. Queimou o homem vivo, e meu pai foi obrigado a aparecer — disse ela. — Fýredel o levou para as montanhas. Pelo restante daquela noite, Cárscaro mergulhou no caos. As pessoas achavam que uma segunda Era da Amargura tinha começado, o que em certo sentido é verdade.

Uma tristeza terrível obscureceu os olhos dela.

— O pânico tomou conta. Milhares tentaram fugir, mas a única saída é o Portão de Niunda, que estava guardado pelos wyverns. — Ela franziu os lábios. — Meu pai voltou ao amanhecer. As pessoas viram seu rei vivo, são e salvo, e ficaram sem saber o que pensar. Ele disse que seu povo seria o primeiro a testemunhar a ascensão do mundo dragônico, se soubessem obedecer. Atrás dos muros do palácio, meu pai ordenou ao Conselho Privativo que anunciasse nossa lealdade ao Inominado. A notícia foi enviada a todas as nações, pois estavam todos amedrontados demais para desafiar a ordem. E se acovardaram também quando ele queimou o aviário, com todas as aves que restavam lá dentro. Tentei organizar um contra-ataque, mas foi inútil. Não havia muito mais que eu pudesse fazer sem perder a vida.

— Mas o restante da nação não sabia da verdade — comentou Loth.

— Cárscaro se tornou uma fortaleza naquela noite. Ninguém conseguiu mandar notícias. — Ela encostou a cabeça na parede. — Os wyrms ficam fracos assim que despertam. Durante um ano, Fýredel permaneceu no Monte Fruma, recuperando as forças. Diante dos meus olhos, ele usou meu pai para transformar minha nação em sua plataforma de poder. Diante dos meus olhos, ele destruiu as Seis Virtudes. Diante dos meus olhos, a peste voltou a se espalhar entre o meu povo. E meu lar se tornou minha prisão.

Naquele momento, Arteloth Beck fez exatamente aquilo que Gian Harlowe o alertara para não fazer.

Ele segurou a mão de Marosa Vetalda.

Ela usava luvas de veludo. Mesmo assim, era um risco, um que ele correu sem pensar duas vezes.

— Você é a própria encarnação da coragem — disse ele. — E foi abandonada por seus amigos da Virtandade.

A Donmata olhou para as mãos dos dois com a testa franzida. Loth ficou se perguntando quando devia ter sido a última vez que ela fora tocada por alguém.

— Me diga como eu posso ajudar — disse ele.

Com um gesto lento, ela colocou a outra mão sobre a dele.

— Você pode voltar para aquele aposento — falou ela, erguendo os olhos para ele —, e tocar meu pai com as mãos descobertas.

Ele demorou alguns instantes para assimilar aquelas palavras.

— Você quer que eu... me contamine?

— Eu vou explicar tudo — ela disse —, mas se fizer isso, vai receber em troca a chance de escapar de Cárscaro.

— Você mesma disse que era uma fortaleza.

— Minha mãe conhecia uma saída. — Ela levou a mão ao embrulho que trazia no colo. — Quero que você atravesse os Espigões e entregue isto a Chassar uq-Ispad, o embaixador ersyrio. Só poderá entregar isto nas mãos dele.

O homem responsável pela criação de Ead, e que a presenteara à corte oito anos antes. A Donmata abriu o invólucro de seda. Dentro do embrulho havia uma caixa de ferro com símbolos gravados.

— Na primavera, uma mulher foi capturada perto de Perunta, tentando encontrar uma embarcação para levá-la à Lássia. Passou dias nas mãos dos torturadores, mas não disse nada. Quando meu pai pôs os olhos no manto vermelho que ela usava, Fýredel ficou furioso. Ordenou que ela passasse suas últimas horas em extrema agonia.

Loth não sabia ao certo se queria ouvir aquilo.

— Naquela noite, eu a procurei. — A Donmata passou os dedos sobre a caixa. — A princípio, pensei que tivessem arrancado sua língua, mas quando ofereci vinho ela me disse que seu nome era Jondu. E falou que, se eu desse algum valor à vida humana, deveria levar o objeto que ela portava para Chassar uq-Ispad. — Ela fez uma pausa. — Eu mesma a matei. Disse a Fýredel que ela morreu por causa dos ferimentos. Era melhor do que ir para o portão. A caixa encontrada com Jondu estava trancada. Ninguém conseguia abri-la, e no fim perderam o interesse. Roubá-la foi fácil para mim. Tenho certeza de que é vital para nossa luta, e o Embaixador uq-Ispad deve saber mais a respeito.

Ela passou a mão nos padrões gravados na tampa.

— Muito provavelmente está em Rumelabar. Para chegar ao Ersyr evitando as fronteiras vigiadas por guardas, você precisa atravessar os Espigões. A forma mais segura de fazer isso passando ileso pelas criaturas dragônicas que vivem por lá agora é se contaminando. Assim, quando o farejarem, não vão atacar — continuou ela. — Jondu jurou que o embaixador conhece uma cura para a peste. Se chegar a ele a tempo, você pode viver para contar a história.

Foi quando Loth entendeu tudo.

— Você mandou o Príncipe Wilstan fazer isso — disse ela. — Ou tentou.

— Eu fiz tudo da mesma forma. Mostrei meu pai e o fiz ouvir da boca dele como Rosarian tinha morrido. E então entreguei a caixa. Porém, Fynch estava só à espera de uma oportunidade de fugir e levar à filha as notícias daqui — explicou ela. — Ele me garantiu que tinha contraído a peste. Quando me dei conta de que era mentira, fui atrás dele com a maior urgência possível. Ele abandonara a caixa no túnel secreto que leva às montanhas. Claramente em nenhum momento teve a intenção de cumprir com o que me prometeu... mas eu não posso culpá-lo por achar que conseguiria voltar para Sabran.

— Onde ele está agora? — Loth perguntou baixinho.

— Eu o encontrei não muito longe do fim do túnel — contou ela. — Foi um anfíptero.

Loth apoiou a testa sobre as mãos unidas.

Anfípteros eram criaturas dragônicas ferozes que não tinham membros. Segundo diziam, as mandíbulas poderosas sacudiam suas presas como fantóchios até deixá-las fracas demais para fugirem.

— Eu teria recolhido os restos mortais, mas fui atacada no momento em que me aproximei. No entanto, fiz as devidas preces.

— Obrigado.

— Apesar das aparências, ainda sou fiel ao Santo. E ele precisa de nós agora, Lorde Arteloth. — A Donmata pôs a mão em seu braço. — Você vai fazer o que eu pedi?

Ele engoliu em seco.

— E quanto a Lorde Kitston?

— Pode ficar aqui, e eu me encarrego de cuidar dele. Ou pode ir com você… mas também precisa se contaminar.

Nem mesmo a Cavaleira da Confraternidade esperaria que Kit fizesse aquilo. Ele já havia feito até demais.

— Fýredel vai conseguir ver através de mim? — perguntou Loth.

— Não. Você vai pegar a peste do tipo comum — disse ela. — Eu já testei essa teoria.

Ele preferiu não saber como fizera tal coisa.

— Certamente existem outros no palácio que se mantêm leais ao Santo — falou ele. — Por que não mandar um de seus próprios criados?

— Eu só confio em Priessa, e, se ela desaparecesse, levantaria suspeitas. Eu mesma iria, mas não posso deixar meu povo sem uma Vetalda ainda sã. Apesar de não ter poder para salvá-los, preciso ficar e fazer o que puder para minar o poder de Fýredel.

Ele havia julgado mal a Donmata Marosa. Ela era uma verdadeira mulher da Virtandade, aprisionada no que restou do lar que costumava amar.

— É tarde demais para mim, milorde, mas não para a Virtandade — continuou ela. — Não podemos permitir que o que aconteceu aqui em Yscalin se repita em lugar nenhum.

Loth desviou a atenção daqueles olhos opalinos faiscantes para o broche de sua padroeira em seu gibão. Duas mãos unidas em afinidade. O mesmíssimo entrelaçamento de dedos que adornavam uma aliança de compromisso amoroso.

Se a Cavaleira da Confraternidade estivesse lá, Loth sabia o que ela faria.

— Se concordar — prosseguiu a Donmata —, vou levá-lo de volta ao Rei de Carne e Osso, e você vai pôr as mãos nele. Depois, vou mostrar a saída de Yscalin.

— Ela se levantou.

— Caso se recuse, meu conselho é que se prepare para uma longa estadia em Cárscaro, Lorde Arteloth Beck.

20

Leste

Enquanto os demais guardiões do mar celebravam o fim das provas no salão de banquete, Tané estava deitada em seus aposentos, exausta. Não tinha saído de lá desde a luta contra Turosa. Um cirurgião havia limpado e suturado seu ombro, mas qualquer movimento drenava as energias, e o latejar era incessante.

No dia seguinte, descobriria se seria ginete.

Ela roeu a unha do dedo mindinho até sentir cheiro de sangue. Apenas para encontrar algo menos doloroso para fazer com as mãos, pegou seu exemplar de *Recordações da Grande Desolação*. O livro fora um presente de um dos professores em seu aniversário de 15 anos. Fazia algum tempo que não o abria, mas as ilustrações certamente serviriam para distraí-la.

Perto da meia-noite, enquanto o coro dos grilos lá fora só engrossava, ela ainda estava acordada, lendo.

Uma imagem mostrava uma mulher seiikinesa com a doença vermelha. As mãos e os olhos estavam com uma coloração escarlate. Em outra página, havia cuspidores de fogo. As asas de morcego assustaram Tané quando as vira aos 15 anos, e ainda eram capazes de provocar calafrios. A ilustração seguinte mostrava uma grande batalha na costa, em Cabo Hisan. Dragões se contorciam e se debatiam entre as ondas. As mandíbulas se cravavam nos demônios enquanto chovia fogo sobre Seiiki.

A última imagem mostrava o cometa que passara na última noite da Grande Desolação — a Lanterna de Kwiriki — despejando meteoros no mar. Os demônios alados fugiram, enquanto os dragões de Seiiki emergiram das ondas, pintados em tons reluzentes de dourado e azul.

Uma batida na porta interrompeu suas reflexões. Tané se levantou, dolorida. Quando deslizou a porta para o lado, deu de cara com Onren, vestida com uma túnica azul-escura, com os cabelos enfeitados com flores de sal. Ela segurava uma bandeja.

— Trouxe seu jantar — anunciou ela.

Tané deu um passo para o lado.

— Entre.

Ela voltou para a cama. As velas estavam no fim e queimavam com chamas baixas, enchendo o aposento de sombras. Onren baixou a bandeja, revelando um pequeno banquete. Cortes de dourada fresca, rolinhos de queijo de soja com uma crosta de ovas, algas salgadas em um caldo aromático, além de vinho com especiarias e um copo.

— O ilustre General do Mar nos deixou experimentar o seu famoso vinho envelhecido no mar. Eu teria guardado um pouco para você, mas acabou assim que foi servido — disse Onren com um sorrisinho, despejando o líquido da jarra. — Esse é um pouco menos especial, mas pode ajudar a aliviar a sua dor.

— Obrigada — disse Tané. — Foi muita gentileza sua pensar em mim, mas eu nunca gostei de vinho. Pode ficar para você.

— As provas terminaram, Tané. Você pode relaxar. Mas... acho que vou aceitar sua oferta. — Onren se ajoelhou nas esteiras. — Nós sentimos sua falta no salão de banquetes.

— Eu estava cansada.

— Pensei que fosse dizer isso. Sem querer ofender, mas parece que você não dorme há anos. E fez por merecer um descanso. — Ela pegou o copo. — Você se saiu bem contra Turosa. Talvez o desgraçado finalmente tenha entendido que não é melhor do que os plebeus que tanto despreza.

— Nós não somos mais plebeias. — Tané olhou bem para ela. — Você parece preocupada.

— Acho que perdi a chance de ser ginete hoje. Kanperu é tão bom na luta quanto na... — Ela deu um gole no vinho. — Enfim.

Então ela enfrentara Kanperu. Tané tinha sido levada para o cirurgião e não pôde ver as demais provas.

— Você se destacou em todos os outros dias — lembrou Tané. — O ilustre General do Mar vai nos avaliar de forma justa.

— Como você sabe?

— Ele é um ginete.

— Turosa vai se tornar ginete amanhã, e passou anos implicando com aqueles entre nós que vieram do campo. Ouvi dizer que ele surrou um serviçal uma vez por não ter feito uma reverência que fosse baixa o bastante. Qualquer um teria sido exilado das Casas de Aprendizagem por um comportamento como esse... mas a herança de sangue ainda significa poder.

— Você não sabe se ele vai ser um ginete só por causa disso.

— Aposto tudo o que eu tenho que sim.

O silêncio se fez. Tané mexeu no queijo de soja.

— Eu fui repreendida uma vez aos 16 anos por ir jogar na cidade — contou Onren. — Como era um comportamento indigno, não pude mais frequentar as aulas, e me disseram que eu precisaria fazer por merecer meu lugar na Casa do Leste. Passei o resto da temporada limpando banheiros. Já Turosa quase matou um serviçal e poucos dias depois já estava com uma espada na mão.

— Nossos eminentes professores têm seus motivos. Eles entendem o verdadeiro sentido da justiça.

— O motivo era que ele é neto de um ginete, e eu não sou. E amanhã esse vai ser o motivo para eu ficar de fora em vez dele.

— Não vai ser esse o motivo — retrucou Tané.

Aquilo escapou antes que ela pudesse pensar no que estava falando, como um peixe escorregadio deslizando de suas mãos.

Onren levantou as sobrancelhas. O silêncio persistiu como um sino não entoado enquanto Tané vivia seu momento de conflito interior.

— Vá em frente, Tané. Diga o que pensa. — Onren abriu um sorriso cauteloso. — Afinal de contas, somos amigas.

Era tarde demais para voltar atrás. As provas, o forasteiro, a exaustão, a culpa — tudo isso veio à tona violentamente, como as bolhas em uma panela de água fervente, e Tané não conseguia mais se segurar.

— Pelo jeito que fala, você acha que, se não se tornar ginete amanhã, não vai ser por culpa sua — ela ouviu sua voz dizer. — Eu trabalhei dia e noite desde que chegamos aqui. Enquanto isso, você não demonstrou nenhum respeito por nada. Chegou *atrasada* às provas, diante dos Miduchi. Passou as noites em tavernas, enquanto devia estar praticando, e depois se pergunta por que se saiu mal contra seu oponente. Talvez seja *esse* o motivo para você não se tornar ginete.

Onren não estava mais sorrindo.

— Então você acha que eu não mereço — ela falou, seca. — Porque... eu fui à taverna. — Ela fez uma pausa. — Ou porque fui à taverna e mesmo assim me saí melhor do que você na prova com a faca?

Tané ficou tensa.

— Seus olhos estavam vermelhos naquela manhã. Ainda estão. Você passou a noite acordada praticando.

— Claro que sim.

— E está ressentida porque eu não fiz isso. — Onren sacudiu a cabeça. — É preciso ter equilíbrio em tudo, Tané. Isso não é desrespeito. Essa posição só aparece uma vez na vida, e não deve ser desperdiçada.

— Eu sei disso — Tané falou, incomodada. — Só espero que você também saiba.

Onren abriu um sorriso fraco, mas Tané percebeu a mágoa nos olhos dela.

— Muito bem, então — disse ela, ficando de pé. — Nesse caso, é melhor eu deixá-la a sós. Não quero arrastá-la para a lama junto comigo.

Com a mesma rapidez com que borbulhou dentro dela, a raiva de Tané esfriou. Ela ficou sentada imóvel, com as mãos apoiadas na cama, tentando engolir aquela pontada de vergonha. Por fim, ela se levantou e fez uma reverência.

— Eu peço perdão, honrável Onren — murmurou ela. — Eu não deveria ter dito nada disso. Foi indesculpável.

Depois de uma pausa, a expressão de Onren se amenizou.

— Está perdoada. De verdade. — Ela soltou um suspiro. — Eu estou preocupada com você.

Tané continuou com a cabeça baixa.

— Sei que você sempre foi muito esforçada, mas durante essas provas parecia que estava querendo se punir, Tané. Por quê?

Quando Onren falava assim, era como ter Susa de volta em sua vida. Um rosto gentil e uma mente aberta. Por um instante, Tané se sentiu tentada a contar tudo para Onren. Talvez ela compreendesse.

— Não — disse ela por fim. — Eu só estava com medo. E cansada. — Tané afundou de novo na cama. — Amanhã vou me sentir melhor. Quando souber qual vai ser meu destino.

Onren deu risada.

— Ah, Tané. Do jeito que você fala, parece que a outra alternativa é a cadeia.

Tané estremeceu, mas conseguiu abrir um sorriso fingido.

— Agora vou deixar você a sós. Nós duas precisamos de um descanso. — Onren esvaziou o copo. — Boa noite, Tané.

— Boa noite.

Assim que Onren saiu, Tané apagou a lamparina a óleo e entrou debaixo das cobertas. A exaustão e a dor enfim falaram mais alto, e ela adormeceu sem sonhar.

Quando acordou, deparou com uma luminosidade dourada. Por um momento, não conseguiu entender por que o quarto estava tão claro. Parecia que a escuridão vinha envolvendo tudo fazia uma eternidade.

Ela deslizou a janela para abri-la. O sol brilhava sobre os telhados de Ginura, ainda que atrás de uma cortina de chuva.

Uma chuva com sol. Um sinal promissor.

Os serviçais logo apareceriam com seu novo uniforme. Se o dragão da sobrecota fosse prateado, ela permaneceria como uma guardiã do mar, e serviria em uma posição de comando da marinha.

Se fosse dourado, ela era uma eleita dos deuses.

Tané atravessou o quarto e acendeu o incenso no altar para uma última oração. Pediu perdão por sua grosseria com Onren, e mais uma vez pelo que havia feito na noite antes da cerimônia. Se o grande Kwiriki a absolvesse, passaria o resto da vida provando sua devoção a ele.

Os serviçais chegaram no fim da tarde. Tané ficou à espera, de olhos fechados, antes de se virar.

A túnica militar era de seda d'água. Azul como safiras. E na parte de trás da sobrecota estava o emblema do dragão, bordado com fios dourados.

———

As novas auxiliares pentearam seus cabelos em um estilo militar. A cicatriz na bochecha parecia mais proeminente, e o ombro doía, mas seus olhos brilhavam como tinta fresca.

Quando o sol foi embora, ela saiu do palanquim e pisou na areia clara da Baía de Ginura. A escolha sempre acontecia no fim do dia, pois sua antiga vida terminava ali. Ela usava botas de couro novinhas com um salto grosso, para ter uma melhor encaixe nos estribos da sela.

Um arco-íris noturno faiscava contra o roxo enevoado do céu, estampado no horizonte com vermelhos intensos. As pessoas se reuniam nos penhascos para admirar esse sinal peculiar do grande Kwiriki, e para ver os doze novos ginetes de dragões caminharem até a água.

Turosa estava entre eles, assim como todos os demais descendentes de ginetes. Tané emparelhou o passo com Onren, que abriu um sorriso. Ela também havia conquistado seu espaço no Clã Miduchi.

Na última vez em que Tané fora a uma praia, o forasteiro surgira da penumbra como uma maldição. Ainda assim, as marés dentro dela, que a conduziram àquele dia desde o berço, estavam estranhamente tranquilas.

Dez dragões seiikineses aguardavam no mar, fluidos e lindos. O sol e o arco-íris iluminavam as ondas que se chocavam contra seus corpos. Os dois guerreiros lacustres, ao que parecia, ainda não tinham chegado.

Quando seu nome foi chamado, Kanperu fez uma reverência para o General do Mar, que colocou um colar de pérolas dançantes em seu pescoço. Ele entregou a Kanperu um elmo e uma sela acolchoada. Em seguida, o General do Mar lhe deu uma máscara para proteger o rosto dos elementos e uma espada encharcada de água salgada, com uma bainha incrustrada de madrepérola, fabricada pelo melhor ferreiro de Seiiki.

Kanperu amarrou os cordões do elmo no pescoço, segurou a sela debaixo do braço e entrou na água. Quando as ondas bateram na cintura, ele ergueu a mão direita, com a palma virada para cima.

Uma dragoa azul-esverdeada estendeu o pescoço e o observou com olhos que eram como luas cheias. Quando abaixou a cabeça, Kanperu enfiou os dedos na crina e montou, tomando cuidado com os espinhos. Assim que ele e a sela estavam no devido lugar, a dragoa emitiu um grito assombroso e mergulhou no mar, encharcando todos os que estavam na praia.

Onren foi chamada em seguida, com um sorriso de orelha a orelha. Assim que estendeu a mão, o maior dos dragões — um seiikinês gigantesco com uma crina preta e escamas que pareciam de prata forjada — veio deslizando até a beira da praia. Onren ficou tensa a princípio, mas, quando fez contato com o corpo dele, relaxou e foi subindo por seu pescoço como se fosse uma escada.

— Honorável Miduchi Tané — chamou o General do Mar. — Um passo à frente.

Onren colocou a máscara no rosto. O dragão abaixou a cabeça e saiu nadando.

Tané fez uma reverência para o General do Mar e recebeu o colar de pérolas no pescoço, um sinal de que era uma eleita dos deuses. Ela pegou o elmo e a sela e, por fim, a espada na bainha. Imediatamente foi como se fizesse parte do próprio braço. Depois de amarrá-la na faixa que pendia do traje, ela entrou no mar.

A água morna e salgada envolveu suas panturrilhas, e a respiração ficou acelerada. Ela estendeu uma das mãos. Abaixou a cabeça. Fechou os olhos. A mão se mantinha firme, mas o restante do corpo tremia inteiro.

Escamas geladas roçaram seus dedos. Ela não teve coragem de olhar. No entanto, precisava. Quando fez isso, dois olhos brilhantes como fogos de artifício de uma dragoa lacustre a encaravam.

Oeste

L oth deixou seus aposentos no Palácio da Salvação pela última vez na calada da noite.

A peste dragônica estava dentro dele. Um toque na testa do Rei de Carne e Osso, um formigamento na mão, e uma ampulheta foi virada dentro de sua mente. Em pouco tempo, os grãos finos da sanidade começariam a escapar por entre seus dedos.

Ele levava no ombro uma sacola de couro, com suprimentos para a viagem pelas montanhas. Sua baselarda e espada estavam na cintura, escondidas sob o manto de inverno.

Kit o seguia pelas escadas serpenteantes.

— Espero que isso seja mesmo uma boa ideia, Arteloth — disse ele.

— É o exato oposto de uma boa ideia.

— A pirataria era uma opção melhor.

— Sem dúvida.

Eles adentravam no momento as entranhas de Cárscaro. A Donmata Marosa explicara como chegar a uma escadaria escondida a partir do Santuário Privativo, que se afunilava à medida que desciam. Loth enxugou o suor frio da testa. Tinha feito diversos apelos para Kit ficar, mas o amigo insistira em acompanhá-lo.

Uma eternidade se passou antes que suas botas pisassem em um chão plano. Loth levantou a tocha.

A Donmata Marosa estava à espera no pé da escada, com o rosto escondido sob a sombra do capuz. Diante dela havia uma grande abertura na parede.

— Que lugar é este? — perguntou Loth.

— Uma rota de fuga esquecida. Para ser usada em cercos à cidade, suponho — ela falou. — Era por aqui que mamãe e eu pretendíamos fugir.

— Por que não a usou para pedir ajuda?

— Eu tentei. — Ela abaixou o capuz. — Lorde Kitston. Você está contaminado?

Kit fez uma mesura.

— Sim, Resplandescência. Acredito que já estou mais do que afligido pela peste.

— Ótimo. — O olhar dela se voltou para Loth. — Eu enviei uma de minhas damas. Isso foi antes de saber quantas criaturas dragônicas viviam nas montanhas.

A omissão foi bem clara.

A Donmata estendeu a mão para trás e pegou dois bastões de madeira idênticos, cada um com um gancho na ponta.

— Cajados para andar no gelo. Vão ajudar vocês a manterem o equilíbrio.

Eles os aceitaram. Para Loth, ela entregou outro saco pesado, com a caixa de ferro dentro.

— Eu lhe peço para não abandonar esta tarefa que lhe incumbi, Lorde Arteloth. — Os olhos dela brilhavam como pedras preciosas à luz do fogo. — E confio que você fará isso por mim. E pela Virtandade.

Com essas palavras, ela deu um passo para o lado.

— Vamos mandar ajuda — Loth falou baixinho. — Mantenha seu pai vivo o máximo que puder. Se ele morrer, esconda-se de Fýredel. Quando a tarefa estiver concluída, vamos explicar a todos os monarcas da Virtandade o que aconteceu aqui. Você não morrerá sozinha neste lugar.

Por fim, a Donmata Marosa sorriu, ainda que discretamente. Era como se tivesse se esquecido de como fazer aquilo.

— Você tem um bom coração, Lorde Arteloth — disse ela. — Se voltar a Inys, mande meus cumprimentos a Sabran e Aubrecht.

— Farei isso. — Ele fez uma mesura. — Adeus, Resplandescência.

— Adeus, milorde.

Eles mantiveram os olhares fixos um no outro por alguns segundos. Loth abaixou a cabeça de novo e entrou na passagem.

— Que o Cavaleiro da Coragem lhe traga ânimo neste momento infeliz — Kit disse para Marosa.

— Desejo o mesmo para você, Lorde Kitston.

Os passos dela ecoaram à medida que se afastava. Loth sentiu um arrependimento repentino de não levá-la junto com eles. Marosa Vetalda, Donmata de Yscalin, aprisionada em sua torre.

A passagem era indescritivelmente escura. Uma brisa impelia Loth como uma mão a chamá-lo. Ele tropeçou imediatamente no chão irregular, por muito pouco não queimando um dos olhos na própria tocha. Estavam cercados pelo brilho de vidro vulcânico e a porosidade da pedra-pomes. O vidro espelhava a luz da tocha, alastrando centenas de reflexos diferentes.

Eles andaram pelo que pareceu serem horas, às vezes contornando o caminho, mas na maior parte do tempo em linha reta. Seus cajados batiam no chão de forma ritmada.

Em determinado momento, Kit tossiu, e Loth ficou tenso.

— Silêncio — disse ele. — Eu prefiro não acordar quem quer que viva aqui.

— Um homem deve tossir quando surge a necessidade. E *nada* vive aqui embaixo.

— Me diga se essas paredes não parecem ter sido escavadas por basiliscos.

— Ora, deixe de ser um arauto do fim. Pense nisso como mais uma aventura.

— Eu nunca quis viver uma aventura — disse Loth, preocupado. — De nenhum tipo. Neste momento, gostaria de estar na Casa Briar com uma taça de vinho quente, me preparando para levar minha rainha ao altar.

— E eu bem que gostaria de estar acordando ao lado de Kate Withy, mas infelizmente nós não podemos ter tudo.

Loth sorriu.

— Fico contente por você estar aqui, Kit.

— Imagino que esteja mesmo — Kit respondeu, com um brilho nos olhos.

Aquele lugar fazia Loth pensar no Inominado, que abrira caminho pelas profundezas da terra até alcançar o mundo da superfície. A mãe de Loth costumava contar essa história quando ele era criança, usando diferentes vozes para assustá-lo e fazê-lo rir.

Ele deu mais um passo. O chão sob seus pés emitiu um ruído grave e oco, como a barriga de um gigante.

Loth ficou paralisado, agarrando a tocha com todas as forças. Sua chama estremeceu quando outra rajada de vento frio soprou pelo túnel.

— É um tremor? — murmurou Kit. Como não teve resposta de Loth, seu tom de voz ficou mais tenso. — Loth, é um tremor?

— Silêncio. Eu não sei.

Mais um retumbar foi ouvido, dessa vez mais alto, e a terra pareceu inclinar. Loth perdeu o equilíbrio. Assim que conseguiu firmar os pés de novo, um estremecimento terrível começou — a princípio suave, como um calafrio aterrorizado, depois cada vez mais violento, até fazer seus dentes chacoalharem dentro da boca.

— É um tremor — gritou ele. — Corra. Kit, *corra*, homem. Corra!

A caixa de ferro batia com força contra suas costas. Eles saíram em disparada em meio a escuridão, buscando desesperadamente um vestígio de luz natural que apareceria em frente. Era como se o manto terrestre estivesse convulsionando.

— Loth! — a voz de Kit ressoou, impregnada de pavor. — A tocha... minha tocha apagou!

Loth se virou, ofegante, e estendeu para a frente o braço com a tocha. O amigo ficara para trás.

— Kit! — ele gritou enquanto corria de volta. — Vamos logo, homem. Siga o som da minha voz!

Um estalo. Como se houvesse gelo fino sob seus pés. Pequenas pedras caindo como uma chuva de cascalho em suas costas. Ele ergueu as mãos à cabeça quando o teto do túnel começou a desmoronar.

Por um bom tempo, pensou que fosse morrer. O Cavaleiro da Coragem o abandonara, e ele choramingou como uma criança. A escuridão o cegava. As pedras arrebentavam. O vidro estilhaçava e retinia. Ele tossiu por causa do gosto horrível da poeira.

E então, assim de repente, tudo parou.

— Kit — berrou ele. — Kit!

Ainda arfando, ele pegou a tocha — milagrosamente ainda acesa — e a agitou em todas as direções de onde ouvira Kit chamá-lo. As pedras e o vidro vulcânico preenchiam o túnel.

— Kitston!

Ele não podia estar morto. Sob circunstância *nenhuma*. Loth empurrou a parede de escombros com todas as forças, arremessou-se contra ela com os ombros várias e várias vezes, golpeou-a com o cajado e a esmurrou até ficar com as mãos sangrando. Quando enfim abriu uma passagem, enfiou a mão no entulho e foi puxando as pedras com as próprias mãos, sentindo o ar embaixo daquela pilha espesso e pegajoso, grudando em sua garganta...

Seus dedos se fecharam em torno de uma mão flácida. Ele empurrou mais uma pilha de vidro para o lado, sentindo os músculos arderem com o esforço.

E, enfim, lá estava Kit. Lá estavam os olhos que Loth conhecia, mas sem a expressão risonha característica. Aquela boca de sorriso tão fácil jamais voltaria a sorrir. Lá estava a plaqueta que usava no pescoço, idêntica à que tinha dado para Loth no último Festim da Confraternidade de que participaram. O resto de seu corpo não estava visível. Só o que Loth conseguia ver era o sangue que escorria por entre as pedras.

Um soluço desesperado escapou da garganta. Seu rosto estava lavado de suor e lágrimas, as mãos sangravam e na boca predominava o gosto de ferro.

— Perdão — disse ele com a voz embargada. — Me perdoe, Kitston Glade.

22

Oeste

O casamento de Sabran IX com Aubrecht II aconteceu quando o verão deu lugar ao outono. Era tradição que os votos fossem feitos à meia-noite, durante a lua nova, pois era nos momentos mais sombrios que o companheirismo se tornava mais necessário.

E era mesmo um momento sombrio. Nunca na história dos Berethnet um casamento acontecera com um intervalo tão curto após um funeral.

O Grande Santuário da Casa Briar, como a maioria dos santuários, era circular, inspirados nos escudos dos primeiros cavaleiros inysianos. Depois da Era da Amargura, quando o teto cedeu, Rosarian II ordenara que janelas com vitrais vermelhos fossem instaladas nas arcadas em memória do sangue que fora derramado.

Ao longo dos séculos, três árvores aleatórias haviam irrompido do piso e espalhado seus galhos sobre o corredor principal. Suas folhas já estavam marcadas por tons de dourado e ocre. Seiscentas pessoas estavam reunidas para a cerimônia, inclusive a Virtuosíssima Ordem dos Santários.

Quando a Rainha de Inys apareceu pela porta sul, todos os presentes ficaram em silêncio. Seus cabelos estavam penteados e reluziam um brilho de ébano, enfeitado com flores brancas. Uma gorjeira enfeitava seu pescoço. Ela usava uma coroa de ouro com filigranas, incrustada com rubis que refletiam a luz de cada uma das velas.

O coral começou a cantar, e as vozes se elevaram, agudas e belas. Sabran deu um passo e então parou.

De sua posição entre os castiçais, Ead observou a rainha imóvel, com os pés plantados no chão. Roslain, que a conduzia ao altar, apertou o braço dela.

— Sab — murmurou Roslain.

Sabran ajeitou a postura. Na escuridão do santuário, poucos conseguiam ver a rigidez em seus ombros, ou o tremor que poderia ser atribuído ao frio.

Um instante depois, ela estava em marcha novamente.

Seyton Combe observava sua aproximação do seu lugar entre os Duques Espirituais e suas famílias. A luz das velas revelava uma pontada de satisfação no canto de sua boca.

Ele mandara Loth para a morte por causa do que aconteceria naquela noite. Loth, que deveria estar ao lado de Sabran. Era uma tradição de Inys que os amigos mais próximos dos noivos os conduzissem até o estado de companheirismo.

Ali perto, Igrain Crest mantinha uma expressão inescrutável. Ead supôs que para ela aquilo fosse ao mesmo tempo uma vitória e uma derrota. Ela desejava o nascimento da herdeira, mas não que aquele fosse o pai. Aquilo também era uma prova de que Sabran não era mais a menina enlutada que precisava de orientação, como em sua menoridade.

O Príncipe Rubro entrou pelo outro lado do santuário. A irmã mais velha o conduzia. Ele envergava um manto que combinava com o da noiva, de pele de arminho e forrado de seda escarlate, e um gibão dourado embaixo. Como Sabran, usava luvas com abotoaduras chamativas, feitas para atraírem os olhares durante a cerimônia. Um discreto aro de prata na cabeça declarava seu pertencimento à realeza.

Sabran caminhou até ele com toda a compostura. Seu vestido de noiva era uma visão e tanto. Vermelho escuro, como vinho de cereja, com a parte da frente sobre a saia em preto, repleta de detalhes em ouro e pérolas. Suas damas, inclusive Ead, usavam as cores invertidas, vestidos pretos e estomaqueiras vermelhas.

A comitiva matrimonial se reuniu na bossa do santuário, sob um baldaquino dourado erguido sobre colunas ornamentadas. Os presentes formaram um círculo ao redor. Quando Sabran se viu iluminada pelas velas posicionadas na bossa, com Lievelyn próximo o bastante para vê-la, ela engoliu em seco.

Sabran pegou Roslain pela mão, enquanto Lievelyn entrelaçou os dedos com a irmã, e os quatro se ajoelharam nos genuflexórios. Todos os demais voltaram a seus lugares. Quando soprou sua vela, Ead avistou Chassar no meio dos presentes.

O Arquissantário de Inys tinha dedos compridos, e era tão pálido que era possível notar todo o traçado das veias nas têmporas. A Espada da Verdade figurava em prateado na frente de sua opalanda.

— Amigos — ele falou para o recinto em silêncio. — Estamos reunidos nesta noite, neste refúgio do restante do mundo, para testemunhar a união dessas duas almas no estado sagrado do companheirismo. Como a Donzela e o Santo, eles buscam se unir em alma e carne para a preservação da Virtandade. O companheirismo é de imensa valia, pois Inys se ergueu sobre o amor entre Galian, um cavaleiro de Inysca, e Cleolind, uma herege da Lássia.

A cerimônia mal havia começado e a Mãe já fora chamada de herege. Ead trocou um breve olhar com Chassar, que estava do outro lado do corredor.

Depois de pigarrear, o Arquissantário abriu um livro de orações de capa prateada e leu a história da Cavaleira da Confraternidade, que foi a primeira a se juntar ao Séquito Sagrado. Ead ouviu sem prestar muita atenção. Seu olhar estava voltado para Sabran, que se mantinha absolutamente imóvel. Lievelyn olhava para a noiva.

Quando a história terminou, Roslain e Ermuna, tendo cumprido sua função, afastaram-se do casal real. Roslain foi ficar ao lado do companheiro, Lorde Calidor Stillwater, que a puxou para perto de si. Ela não tirou nem por um instante os olhos de Sabran, que por sua vez via a amiga sair do baldaquino e a deixar com alguém que era praticamente um desconhecido.

— Pois comecemos.

O Arquissantário acenou para Lievelyn. O Alto Príncipe tirou a luva da mão esquerda e a estendeu.

— Sabran IX, da Casa de Berethnet, Rainha de Inys, seu noivo lhe estende a mão do companheirismo. Aceita ser sua fiel companheira deste dia até o fim dos dias?

Lievelyn abriu para Sabran um sorriso que mal enrugou seus olhos. As sombras tornavam difícil distinguir se ela sorria de volta quando pegou o anel do nó do amor da mão do Arquissantário.

— Amigo — disse ela. — Eu aceito.

Ela fez uma pausa, com os dentes cerrados, e Ead viu seu peito se elevar discretamente.

— Aubrecht Lievelyn — ela continuou —, eu agora o tenho como meu companheiro.

Ela pôs o anel no dedo indicador dele. Era feito de ouro, o metal reservado aos monarcas.

— Meu amigo, com quem dividirei o leito, meu parceiro constante em todas as coisas. — Outra pausa. — Eu prometo amá-lo com toda minha alma, defendê-lo com minha espada e não ceder meu favorecimento a mais ninguém. Este é o voto que lhe faço.

O Arquissantário assentiu novamente. Dessa vez foi Sabran que removeu a luva esquerda.

— Aubrecht II, da Casa de Lievelyn, Alto Príncipe do Estado Livre de Mentendon, sua noiva lhe estende a mão do companheirismo. Aceita ser seu fiel companheiro, deste dia até o fim dos dias?

— Amiga — disse Lievelyn. — Eu aceito.

Quando ele pegou o anel de Sabran do Arquissantário, a mão dela tremeu de forma quase imperceptível. Era sua última chance de se desvencilhar daquele matrimônio antes que os dois estivessem oficialmente casados. Ead olhou para Roslain, cujos lábios se moviam suavemente, como se a incentivasse. Ou talvez estivesse rezando.

Sabran ergueu o olhar para Lievelyn, e, por fim, assentiu sutilmente com a cabeça. Ele pegou sua mão esquerda, tão gentil como se tocasse uma borboleta, e deslizou o anel que reluzia no dedo da rainha.

— Sabran Berethnet, eu agora a tenho como minha companheira. Minha amiga, com quem dividirei o leito, minha parceira constante em todas as coisas. Prometo amá-la com toda minha alma, defendê-la com minha espada e não ceder meu favorecimento a mais ninguém. — Ele apertou a mão dela. — Este é o voto que lhe faço.

Fez-se um breve silêncio quando os olhares dos dois se encontraram. Então, o Arquissantário abriu os braços como se abraçasse todos os presentes, interrompendo o momento.

— Eu pronuncio que essas duas almas estão unidas no estado sagrado do companheirismo aos olhos do Santo e, através dele, de toda a Virtandade — declarou ele.

Os aplausos irromperam no santuário. O som da alegria compartilhada parecia poderoso o bastante para derrubar o teto mais uma vez. Enquanto aplaudia, Ead deu uma boa olhada nos Duques Espirituais. Nelda Stillwater e Lemand Fynch pareciam satisfeitos. Crest estava ereta como um cetro, a boca contorcida em uma linha reta, mas batendo de leve com as pontas dos dedos na palma da outra mão em uma tentativa de aplauso. Atrás deles, o Gavião Noturno era só sorrisos.

Os companheiros geralmente se beijavam depois que eram casados, mas para a realeza esse tipo de demonstração pública não era adequado. Em vez disso, Lievelyn estendeu o braço para Sabran, e desceram juntos da plataforma. E Ead viu que, apesar da tensão no rosto, a Rainha de Inys sorria para seu povo.

Ead trocou um olhar com Margret, que pegou a lacrimosa Linora pelo cotovelo. Como fantasmas, as três se retiraram discretamente.

———

Na Alcova Real, elas arrumaram a cama e examinaram cada canto em busca de perigos. Uma estátua de bronze da Cavaleira da Confraternidade fora colocada sob o vitral. Ead acendeu as velas sobre o aparador da lareira, abriu as cortinas e se ajoelhou para acender o fogo. O Arquissantário insistira que o calor era muito necessário. Havia um livro de orações na mesinha de cabeceira, aberto na história da Cavaleira da Confraternidade, com uma maçã em cima. Um símbolo da fertilidade, conforme Linora disse para Ead enquanto trabalhavam.

— É uma velha tradição pagã — explicou ela —, mas Carnelian II gostava tanto que pediu à Ordem dos Santários que a incluísse na consumação.

Ead enxugou a testa. O Arquissantário pelo jeito acreditava que a herdeira viria ao mundo sendo assada em um forno quente, como se fosse um pão.

— Preciso ir buscar alguma coisa para eles beberem — avisou Margret, colocando a mão no braço de Ead antes de sair.

Linora encheu dois aquecedores com carvões em brasa, cantarolando, e posicionou-os sob a coberta.

— Linora, pode ir participar das celebrações — Ead falou para ela. — Eu termino tudo por aqui.

— Ah, você é boa *demais*, Ead.

Quando Linora saiu, Ead se certificou de que a janela com o vitral estava bem fechada. A Alcova Real tinha passado o dia inteiro trancada e vigiada, e a única chave ficara com Roslain, mas ninguém naquela corte era inteiramente confiável.

Depois de um longo momento em que refletiu a respeito da pertinência de seu gesto, Ead pegou a rosa que colhera naquela tarde e a colocou sob o travesseiro do lado direito da cama. O travesseiro bordado com a insígnia dos Berethnet.

Que a rainha tivesse bons sonhos naquela noite, pelo menos.

As égides deram o alarme de passos que Ead reconheceu. Uma sombra apareceu na porta, e Roslain Crest examinou o quarto, com o queixo franzido.

Uma mecha de cabelo escapava de sua coifa em formato de coração. Ela olhou ao redor como se fosse um lugar desconhecido, e não o quarto onde dormira ao lado da rainha em incontáveis ocasiões.

— Milady. — Ead fez uma mesura. — Está tudo bem?

— Sim. — Roslain soltou o ar com força pelo nariz. — Sua Majestade está requisitando sua presença, Ead.

Aquilo era inesperado.

— Certamente que apenas as Damas da Alcova podem ajudá-la a se despir em...

— Como eu disse — interrompeu Roslain —, ela mandou chamá-la. E, ao que parece, você já terminou seus afazeres aqui. — Depois de uma última olhada no cômodo, Roslain voltou para o corredor, e Ead a seguiu. — Uma dama de câmara não tem permissão para tocar uma pessoa da realeza, como você sabe, mas vou ignorar isso esta noite. Caso seja necessário.

— Mas é claro.

A Câmara do Recolhimento, onde Sabran se lavava e se vestia todos os dias, era um cômodo quadrado com um teto ornamentado de gesso, o menor dos aposentos reais. As cortinas estavam fechadas.

Sabran estava descalça junto ao fogo, olhando para a lareira enquanto tirava os brincos. Seu vestido sem dúvida já estava trancado no

Guarda-Roupa Privativo, e ela estava apenas usando a roupa de baixo. Katryen removia o enchimento de sua cintura.

Ead foi até a rainha e retirou os cabelos de Sabran para o lado para alcançar a nuca, onde estava atada a gargantilha.

— Ead — disse Sabran. — Gostou da cerimônia?

— Sim, Majestade. A senhora estava magnífica.

— E não estou mais?

Ela fez a pergunta em um tom leve, mas Ead pressentiu um tom de dúvida em sua voz.

— A senhora está sempre linda. — Ead soltou o gancho que prendia as joias em seu pescoço. — Mas aos meus olhos… agora ainda mais.

Sabran a encarou.

— Você acha que o Príncipe Aubrecht também vai pensar dessa forma? — perguntou ela.

— Se não pensar, Sua Alteza Real só pode ser um louco ou um tolo.

Seus olhares se separaram quando Roslain voltou para o cômodo. Ela se aproximou de Sabran e começou a desamarrar o espartilho.

— Ead — disse ela. — A camisola.

— Sim, milady.

Enquanto Ead procurava um ferro para esquentar a veste, Sabran ergueu os braços, permitindo a Roslain tirar a roupa de baixo. As duas Damas da Alcova conduziram a rainha à tina, onde a lavaram dos pés à cabeça. Enquanto alisava a camisola, Ead arriscou uma olhada.

Sem seus apetrechos reais, Sabran Berethnet não parecia a descendente de nenhum santo, fosse verdadeiro ou falso. Era uma mortal. Ainda imponente, ainda graciosa, porém mais frágil, mais delicada de alguma forma.

Seu corpo era como uma ampulheta. Quadris arredondados, cintura estreita e seios fartos, com mamilos pontudos. Pernas compridas, fortalecidas pelas cavalgadas. Quando viu o local mais escuro entre as coxas, Ead estremeceu.

Ela voltou a atenção para sua tarefa. Os inysianos eram pudicos em relação à nudez. Ead não vira um corpo despido que não fosse o seu próprio havia anos.

— Ros, vai doer? — perguntou Sabran.

Roslain secava a pele dela com uma toalha limpa.

— Pode doer um pouco no começo, mas não dura muito — disse ela. — Mas não se Sua Alteza Real for um homem... atencioso.

Sabran olhou ao redor como se não estivesse vendo nada. Ela se voltou para seu anel do nó do amor.

— E se eu não puder conceber?

No silêncio que se seguiu à pergunta, nem um camundongo poderia respirar sem ser notado.

— Sabran — Katryen falou em um tom gentil, colocando a mão em seu braço. — É claro que vai conseguir.

Ead se manteve em silêncio. Parecia uma conversa reservada a amigos íntimos, mas ninguém lhe pediu que se retirasse.

— Minha avó não conseguiu por muitos anos — murmurou Sabran. — Os Altaneiros do Oeste levantaram voo. Yscalin me traiu. Se Fýredel e Sigoso invadirem Inys e eu não tiver uma herdeira...

— Você terá uma herdeira. A Rainha Jillian deu à luz uma linda filha, a senhora sua mãe. E, em breve, você também será mãe. — Roslain apoiou o queixo no ombro de Sabran. — Depois de terminar, fique deitada por um tempo, e durma de barriga para cima.

Sabran se recostou nela.

— Eu gostaria que Loth estivesse aqui — disse ela. — Era ele que deveria me levar ao altar. Eu prometi isso a ele. — Com o pó de arroz removido, as manchas escuras sob seus olhos estavam mais evidentes do que nunca. — Agora ele está... perdido. Em algum lugar em Cárscaro. E eu não posso fazer nada por ele.

— Loth vai ficar bem. Tenho fé que ele voltará em breve. — Roslain a abraçou com mais força. — E, quando estiver aqui, vai trazer notícias do senhor seu pai.

— Mais um rosto ausente. Loth e meu pai… e Bella também. A leal Bella, que servira três rainhas. — Sabran fechou os olhos. — É um mau presságio ela ter morrido tão perto desta data. No leito em que…

— Sabran, esta é sua noite de núpcias — disse Roslain. — Você não deve se entregar a esses pensamentos sinistros, ou vai macular a semente.

Ead esvaziou as brasas do ferro de volta na lareira. Ela se perguntou se os inysianos realmente sabiam alguma coisa útil sobre a concepção, ou se os médicos trabalhavam apenas com meros palpites.

À medida que a hora se aproximava, a rainha foi ficando mais silenciosa. Roslain sussurrava orientações em seus ouvidos, e Katryen retirava com o pente as pétalas dos cabelos.

Elas a vestiram com a camisola e uma sobreveste forrada com pele. Katryen soltou os cabelos que ficaram presos sob a gola.

— Ead, é assim que se faz no Ersyr? — perguntou Sabran quando elas se viraram para a porta.

Uma ruga apareceu na testa dela. A mesma que se mostrou quando ela descreveu seu pesadelo. Ead sentiu vontade de alisá-la com os dedos.

— Algo parecido, senhora — respondeu ela.

Em algum lugar lá fora, fogos de artifício subiram apitando. As celebrações na cidade estavam começando.

Elas conduziram Sabran para fora da Câmara do Recolhimento. Ela estava tremendo, mas mantinha a cabeça erguida.

Uma rainha não deveria demonstrar medo.

Quando as portas da Alcova Real surgiram diante delas, Roslain e Katryen se posicionaram mais perto de sua rainha. Sir Tharian Lintley e dois de seus Cavaleiros do Corpo, que montavam guarda, se ajoelharam diante dela.

— Sua Majestade — Lintley falou —, por respeito à cortesia, eu não posso guardar seu aposento hoje, em sua noite de núpcias. Confio sua proteção a seu companheiro e a suas Damas da Alcova.

Sabran pôs a mão sobre a cabeça dele.

— Sir Tharian — disse ela —, a Cavaleira da Cortesia sorri para você.

Ele ficou de pé, e, junto de seus cavaleiros, fez uma mesura. Enquanto se retirava, Katryen pegou a chave de Roslain e abriu as portas.

Ao pé da cama, o Arquissantário estava orando com um livro de orações, que lia murmurando. Aubrecht Lievelyn aguardava com seus Valetes da Câmara Interior. Seu camisolão, com barrados pretos, estava aberto até as clavículas.

— Sua Majestade — disse ele. Sob a luz do fogo, seus olhos pareciam escuros como tinteiros.

Sabran fez um levíssimo aceno de cabeça.

— Sua Alteza Real.

O Arquissantário fez o sinal da espada.

— O Santo abençoa este leito. Que gere o fruto de sua inesgotável vinha. — Ele fechou o livro de orações. — E agora é momento para os amigos se retirarem, para que os novos amigos possam se conhecer. O Santo nos concede uma boa noite, pois olha por nós na escuridão.

— Ele olha por nós na escuridão — veio o eco.

Ead não repetiu a frase junto com os demais.

As damas e os valetes fizeram suas mesuras.

— Ros — Sabran sussurrou quando Ros se endireitou.

Roslain a encarou. Longe dos olhares dos homens, ela apertou a mão de Sabran com tanta força que os dedos das duas ficaram pálidos.

Katryen conduziu Roslain para fora. Enquanto Ead as seguia até a porta, ela se virou uma última vez para a rainha, e seus olhares se encontraram.

Pela primeira vez, ela viu Sabran Berethnet como realmente era por trás da máscara: uma mulher jovem e frágil que carregava o peso de um legado de mil anos sobre os ombros. Uma rainha cujo poder seria absoluto apenas se fosse capaz de gerar uma filha. A tola que habitava em Ead teve vontade de pegá-la pela mão e tirá-la daquele quarto, mas essa tola era covarde demais para fazer qualquer coisa. Ela deixou Sabran sozinha ali, assim como as outras.

Margret e Linora estavam à sua espera. As cinco se reuniram na penumbra.

— Ela parecia bem? — Margret perguntou baixinho.

Roslain alisou o vestido com as mãos.

— Não sei. — Ela começou a andar em círculos. — Pela primeira vez na vida, eu não sei dizer.

— É natural estar nervosa. — A voz de Katryen saiu em um sussurro. — Como você se sentiu com Cal?

— Era diferente. Cal e eu fomos prometidos um ao outro ainda crianças. Ele não era um desconhecido — respondeu Roslain. — E o destino das nações não dependia do fruto de nossa união.

Elas mantiveram a vigília, com os ouvidos alertas para quaisquer movimentações na Alcova Real. Quando um quarto de hora se passou, Katryen colou o ouvido às portas.

— Ele está falando sobre Brygstad.

— Deixe os dois conversarem — disse Ead, mantendo o tom de voz baixo. — Eles mal se conhecem.

— Mas o que faremos se a união não for consumada?

— Sabran vai garantir que isso aconteça. — Roslain estava olhando para o nada. — Ela sabe que é seu dever.

A espera continuou por mais tempo. Linora, que se sentara no chão, cochilava, encostada na parede. Por fim, Roslain, que vinha se mantendo imóvel como uma estátua, começou andar em círculos mais uma vez.

— E se... — Ela contorceu os dedos. — E se ele for um monstro?

Katryen foi até ela.

— Ros...

— A senhora minha mãe me contou que Sabran VIII era abusada por seu companheiro, sabe. Ele bebia e se entregava a orgias e dirigia a ela palavras cruéis. Ela nunca contou a ninguém. Nem para suas damas de companhia. Mas então, uma noite... — Ros levou a mão espalmada à estomaqueira —, o canalha desprezível *bateu* nela. Quebrou o osso da mandíbula e fraturou seu pulso...

— E foi executado por isso. — Katryen a puxou mais para perto. — Escute. Não vai acontecer nada com Sab. Eu vi como Lievelyn trata as irmãs. Ele tem o coração de um cordeirinho.

— Ele pode até ser a imagem de um cordeirinho — disse Ead —, mas os monstros muitas vezes têm uma aparência inofensiva. Eles sabem bem como se disfarçar. — Ela olhou bem para as duas. — Nós cuidaremos dela, e ficaremos de ouvidos atentos. Lembrem por que portamos lâminas, além de joias.

Roslain a encarou, e fez um leve aceno. Um instante depois, Katryen fez o mesmo. Naquele momento, Ead soube que elas fariam qualquer coisa por Sabran. Tirariam uma vida, ou abririam mão das suas. Qualquer coisa.

Ao bater da hora, algo mudou na Alcova Real. Linora despertou e tapou a boca com a mão.

Ead se aproximou da porta. Apesar da espessura da madeira, era possível ouvir o bastante para entender o que estava acontecendo lá dentro. Quando terminou, ela assentiu para as Damas da Alcova.

Sabran havia cumprido seu dever.

Pela manhã, Lievelyn deixou a Alcova Real pouco depois das nove horas. Apenas quando a Porta Menor foi fechada, as damas de companhia foram até sua rainha.

Sabran estava deitada na cama, com as cobertas na altura dos seios. Ela ou Lievelyn abrira as cortinas, mas o céu estava nublado, e pouca luz entrava no recinto.

Ela olhou por cima do ombro quando as damas entraram. Roslain correu para o seu lado.

— Está tudo bem, Majestade?

— Sim. — Sabran parecia cansada. — Acredito que sim, Ros.

Roslain deu um beijo na mão dela.

Quando Sabran se levantou, Katryen a cobriu imediatamente com um manto. Enquanto Ead ia até o leito com Margret e Linora, as duas Damas da Alcova conduziram Sabran à poltrona junto ao fogo.

— Hoje vou ficar em meus aposentos. — Sabran prendeu uma mecha de cabelo atrás da orelha. — Estou com desejo de comer frutas.

— Lady Linora — disse Katryen —, vá buscar amoras e peras para Sua Majestade. E uma taça de gemada, por favor.

Linora se retirou, parecendo incomodada por ter sido despachada. Assim que a porta se fechou, Roslain se ajoelhou diante de Sabran, fazendo a saia do vestido inflar ao seu redor.

— Oh, Sab, eu estava tão… — Ela sacudiu a cabeça. — Correu tudo bem com Sua Alteza Real?

— Perfeitamente — respondeu Sabran.

— De verdade?

— De verdade. A sensação foi estranha, mas Sua Alteza Real foi… atencioso. — Ela pôs a mão na barriga. — É possível que eu já esteja grávida?

Uma gestação era improvável depois de uma única noite, mas os inysianos não sabiam muita coisa sobre o corpo e seu funcionamento.

— É preciso esperar até o momento certo do mês para saber — Roslain falou ao se levantar, sempre paciente. — Se o sangue não vier, você está esperando uma criança.

— Não necessariamente — disse Ead.

Quando Sabran e as demais Damas da Alcova se voltaram em sua direção, ela fez uma leve mesura.

— Às vezes o corpo prega certos truques, Majestade. Isso se chama falsa gravidez.

Margret assentiu ao ouvir isso.

— A certeza só vem quando a criança começa a crescer — concluiu Ead.

— Mas obviamente temos fé que você vai engravidar muito em breve — acrescentou Katryen.

Sabran apertou os braços da poltrona.

— Então preciso me deitar com Aubrecht de novo — disse ela. — Até ter certeza.

— A criança vai vir em seu devido tempo. — Roslain deu um beijo na cabeça dela. — Por enquanto, pense apenas em ter um casamento feliz. Talvez você e o Príncipe Albrecht possam ir a uma lua de mel. O Castelo de Glowan é muito agradável nesta época do ano.

— Eu não posso deixar a capital — respondeu Sabran. — Não com um Altaneiro do Oeste à solta.

— Não vamos falar sobre Altaneiros do Oeste. — Roslain acariciou os cabelos da rainha. — Não agora.

Margret entrou na conversa.

— Já que estamos em busca de outro assunto — disse ela, com um brilho provocativo nos olhos —, por que não nos conta sobre a *sua* noite de núpcias, Ros?

Katryen deu uma risadinha, e Roslain abriu um leve sorriso quando Sabran lançou um olhar malicioso para a amiga.

Linora voltou com as frutas no momento em que Roslain falava sobre seu casamento com Lorde Calidor Stillwater. Depois que a cama estava feita, foram todas para a Câmara do Recolhimento, onde Sabran se sentou ao lado da tina. Ela permaneceu em silêncio enquanto Katryen passava cremegralina nos cabelos, e lhe entregou água-de-rosas para enxaguar a boca. A pedido dela, Margret começou a tocar o virginal.

— Mestra Duryan — Katryen falou —, ajude a enxaguar os cabelos de Sua Majestade, por favor. Eu preciso ir ter com o Lorde Camerlengo.

— Claro.

Katryen apanhou o cesto de vime e saiu. Enquanto isso, Ead se juntou a Roslain ao lado da tina.

Ela despejou a água do jarro, lavando a espuma de aroma doce. Quando estendeu a mão para pegar a toalha, Sabran a segurou pelo pulso.

Ead ficou imóvel. Uma dama de câmara não tinha permissão para tocar a rainha, e, dessa vez, Roslain não havia feito nenhuma promessa de ignorar aquilo.

— A rosa estava com um cheiro delicioso, Mestra Duryan.

Sabran entrelaçou os dedos com os dela. Imaginando que ela diria algo mais, Ead se inclinou para a frente, mas, em vez disso, Sabran Berethnet a beijou no rosto.

Os lábios dela eram macios como plumas de cisne. Um arrepio se espalhou pelo corpo de Ead, que precisou se segurar para não soltar um suspiro.

— Obrigada — disse Sabran. — Foi um gesto generoso.

Ead olhou para Roslain, que parecia perplexa.

— O prazer foi todo meu, senhora — respondeu ela.

Do lado de fora, o palácio estava envolto pela névoa. A chuva escorria pelas janelas embaçadas da Câmara do Recolhimento. A rainha se recostou no assento como se estivesse em seu trono.

— Ros, quando Kate voltar, mande-a de volta para o Lorde Carmelengo — falou Sabran. — Ela precisa comunicá-lo de que a Mestra Ead Duryan acaba de ser elevada à posição de Dama da Alcova.

PARTE II
Não ouso declarar

Considere a maneira como deveria agir,
Pense na avidez da armadilha,
Na rede que ela mesmo tecera,
Conscientemente ou não...

— Marion Angus

23

Sul

O gancho do cajado afundou na neve, e Lorde Arteloth Beck abaixou a cabeça contra o vento que soprava nos Espigões. Sob as luvas, os dedos estavam vermelhos como se tivessem sido mergulhados em garancina. Sobre os ombros ele levava uma carcaça de uma ovelha-montesa.

As lágrimas ficaram congeladas em seu rosto por dias, mas agora o frio já havia penetrado até os ossos. Ele não conseguia pensar tanto em Kit, já que cada passo era uma agonia. Um gesto de misericórdia do Santo.

A noite caíra. A neve se impregnava na barba. Ele saltou uma correnteza de lava, que escorria de uma fenda na encosta, e rastejou para dentro da caverna, onde caiu em um sono intermitente. Quando recobrou as forças, se compeliu a empilhar a lenha e os gravetos que coletara. Ele riscou a pedra e soprou, fazendo a chama crescer. Então, acalmando os nervos, começou a esfolar a ovelha. Quando abriu o primeiro animal que caçou, na terceira noite, ele vomitou e chorou até a garganta ficar rouca. Agora, suas mãos estavam versadas nos movimentos necessários à sobrevivência.

Quando terminou, ele confeccionou um espeto. No início, temia que os wyrms fossem ver as fogueiras e voar para lá como mariposas ao redor de uma vela, mas aquilo nunca aconteceu.

Ele limpou as mãos na neve do lado de fora da caverna, depois jogou um pouco sobre o sangue, para abafar o rastro. Dentro do abrigo, abriu o animal e rogou à Cavaleira da Cortesia que desviasse os olhos. Depois de comer o máximo que podia e separar as partes comestíveis restantes, Loth enterrou a carcaça e voltou a calçar as luvas. A visão dos dedos com as pontas vermelhas o deixava nauseado.

A irritação na pele já estava se espalhando pelas costas — pelo menos era o que parecia. Ele não tinha como saber se a coceira era real ou sugestão de sua imaginação. A Donmata Marosa não dissera exatamente de quanto tempo ele dispunha, certamente para impedi-lo de entrar em uma contagem regressiva de seus dias.

Com frio, ele voltou para junto do fogo e apoiou a cabeça na bagagem. Descansaria por algumas horas e depois voltaria lá para fora.

Deitado ali, enrolado no manto, verificou a bússola presa em um cordão no pescoço. A Donmata o instruíra a seguir na direção sudoeste até chegar ao deserto, que ele atravessaria até chegar a Rauca, a capital ersyria, e então se juntar a uma caravana até Rumelabar, onde Chassar uq-Ispad vivia em uma enorme propriedade. Ead fora criada lá, como uma protegida dele.

Seria uma jornada árdua e, se quisesse evitar o destino dos contaminados, precisaria se apressar. Não havia um mapa na bagagem, mas ele encontrara uma bolsa com sóis de ouro e prata. Todas as moedas ostentavam a imagem de Jentar, o Esplêndido, Rei do Ersyr.

Loth enfiou a bússola de volta dentro da camisa. Uma febre esquentava sua testa. Desde que suas mãos começaram a avermelhar, os sonhos o deixavam encharcado de suor. Sonhava com Kit, sepultado em vidro vulcânico manchado de sangue, preso para sempre entre um mundo e outro. Sonhava com Sabran morrendo ao dar à luz, e em sua impotência em impedir que aquilo acontecesse. E, inexplicavelmente, sonhava com a Donmata Marosa dançando em Ascalon, antes de acabar aprisionada em sua torre, à mercê da marionete que seu pai havia se tornado.

Ele se virou ao ouvir um farfalhar na entrada da caverna. Com os ouvidos em alerta, ficou imóvel e à espera.

Garras se chocaram contra a pedra. O fogo tinha se reduzido a brasas e cinzas, mas havia luminosidade suficiente para Loth conseguir vislumbrar a monstruosidade.

Uma plumagem branca como ossos e pernas rosadas escamosas. Três dedos em cada pé. Uma crista carnuda sobre o bico. Loth nunca vira algo tão horrendo, tão *errado*. Ele invocou o Cavaleiro da Coragem, mas só o que encontrou foi um abismo de medo.

Era uma cocatriz.

Um som gutural estalou das profundezas da garganta do animal, e a pele do pescoço balançou. Os olhos eram como duas bolhas de sangue encravadas na cabeça. Imóvel nas sombras, Loth observou a asa rasgada e ensanguentada e a sujeira na plumagem. Uma língua parecida com uma lesma esfregava as lesões.

Trêmulo de medo, Loth afrouxou o fecho do pacote que trazia junto ao peito e agarrou seu cajado. Enquanto a cocatriz lambia as feridas, ele sacou a espada e foi se aproximando da entrada da caverna, colado à parede mais próxima.

A cocatriz levantou a cabeça em um sobressalto. Depois de soltar um guincho ensurdecedor, endireitou-se. Loth avançou e saltou sua cauda, para em seguida correr como nunca, para fora da caverna e encosta abaixo, com as botas escorregando no gelo. Em sua fuga tresloucada, perdeu o equilíbrio e saiu rolando, agarrado à bagagem como se fosse a mão do próprio Santo.

Garras puxaram seus ombros por cima. Ele gritou, sentindo o chão ficar cada vez mais distante. A espada escapou da mão, mas o cajado continuava preso pelas pontas de seus dedos.

A cocatriz levantou voo por cima de um desfiladeiro. O corpo da criatura estava penso no lado da asa quebrada. Loth esperneou e se debateu até perceber, mesmo em meio ao pânico, que a cocatriz era a única coisa o que o impedia de sofrer uma queda fatal. Ele ficou imóvel sob as guarras dela, que soltou um grito triunfal.

O chão firme surgiu sob seus pés. No instante em que sentiu as garras relaxarem, Loth repuxou o ombro e rolou para o lado. O impacto sacudiu cada osso de seu corpo.

A fera o transportara do cume para uma parte baixa da montanha. Ofegante, Loth se levantou do chão e apanhou o cajado. Ele costumava caçar montado a cavalo com Sabran, mas nessas ocasiões nunca tinha sido a presa.

Uma cauda branca escamada o atingiu na altura da barriga. Ele voou para trás e bateu a cabeça em uma pedra saliente, sentindo a barriga se contrair em protesto, mas manteve o controle da arma nas mãos.

Que morresse ali se fosse preciso, mas pelo menos levaria aquele monstro com ele.

Atordoado pelo impacto, ele brandiu o cajado. A cocatriz bateu o pé no chão, eriçou as penas do pescoço e disparou ruidosamente em sua direção. Loth arremessou o cajado como uma lança. A cocatriz se encolheu para se esquivar, e a única arma que tinha despencou no desfiladeiro.

Dessa vez, a chicotada da cauda quase jogou Loth no precipício. A cocatriz continuou avançando, com uma sequência de cacarejos. Suas garras estalavam contra o chão de pedra. Ele se encolheu todo e cerrou os dentes com tanta força que o maxilar doeu. Um calor se espalhou pelas ceroulas.

Um pé pesado baixou sobre suas costas. Um bico começou a rasgar o manto. Com um soluço que sacudiu todo o corpo, ele tentou se agarrar a um grãozinho de alegria. A primeira memória que lhe veio foi do dia do nascimento de Margret, e de como era linda, com aqueles olhos enormes e as mãozinhas miúdas. As danças com Ead a cada Festim da Confraternidade. As caçadas do amanhecer ao pôr do sol com Sabran.

O tempo passado na Biblioteca Real com Kit, lendo em voz alta os poemas dele.

Um segundo ruído ecoou, e o peso da pata desapareceu. Loth abriu os olhos e viu a cocatriz se contorcendo como uma gigante abobalhada. Estava se defrontando com outra criatura, que ostentava pelos, em vez de escamas e penas. A fera dragônica berrava e guinchava e golpeava com a cauda, mas os esforços eram em vão — o recém-chegado rasgou sua garganta.

A cocatriz caiu imóvel. O sangue escorria de sua carcaça. O vencedor soltou um rugido e a arremessou no abismo.

Agora tudo estava imóvel, e Loth pôde ver quem era seu salvador. Tinha a forma de um mangusto, com uma cauda que parecia um chicote e uma pelagem marrom-escura que se tornava branca nas patas e no focinho — mas era *gigantesco*, do tamanho de um urso nortenho. Seus beiços estavam manchados de sangue.

Um ichneumon. O arqui-inimigo natural dos wyrms. Eram os heróis de muitas lendas inysianas, mas ele jamais sonhara que pudessem ainda existir.

O Santo encontrara uma dessas criaturas quando viajava da Lássia para Inys, a qual carregara a Donzela no lombo quando estava cansada demais para prosseguir.

O ichneumon lambeu os dentes para limpá-los. Quando olhou para Loth, escancarou-os de novo.

Seus olhos eram redondos e cor de âmbar, lupinos, cercados por uma pelagem preta. A cauda tinha listras brancas na ponta. Naquele momento, estava com o rosto coberto de tufos ensanguentados de penas. Foi andando na direção de Loth com passos inacreditavelmente leves para seu peso e tamanho, e farejou o manto.

Com gestos inseguros, Loth estendeu a mão. Quando farejou a luva, o ichneumon grunhiu. Devia sentir nele a peste, o cheiro de seu inimigo de longa data. Loth se manteve imóvel enquanto sentia o hálito quente da criatura umedecer seu rosto. Depois de um tempo, o ichneumon dobrou as pernas dianteiras e soltou um latido.

— O que foi, amigo? — perguntou Loth. — O que você quer que eu faça?

Ele seria capaz de jurar que a criatura suspirara. Então, enfiou a cabeça sob o braço dele.

— Não. Eu tenho a peste. — A voz estava fraca por causa da exaustão. — Não chegue perto.

Então lhe ocorreu que nunca ouvira falar de um animal que houvesse contraído a peste dragônica. A pelagem do ichneumon exalava calor — um suave calor animal, e não a quentura abrasadora do fogo de um wyrm.

Recobrando as forças, Loth pôs a bagagem no ombro. Enfiando os dedos na pelagem, montou no ichneumon.

— Eu preciso ir até Rauca, se me mostrar o caminho — disse ele.

O ichneumon latiu de novo e disparou montanha abaixo. Enquanto corria, com patas velozes como o vento, Loth fez uma prece de gratidão à Donzela e ao Santo. Sabia que foram eles que o colocaram naquele caminho, e pretendia segui-lo até o fim, a qualquer custo.

Ao amanhecer, o ichneumon parou em um penhasco rochoso. Loth sentiu o cheiro da terra esturricada pelo sol e o aroma das flores. Diante deles estavam os sopés arenosos dos Espigões — e, mais adiante, um deserto que se estendia até onde os olhos podiam alcançar, parecendo ouro em pó sob o sol. Era quase uma miragem em meio ao calor, mas ele sabia que era real.

Contrariando todas as possiblidades, Loth viu diante de si o Deserto do Sonho Intranquilo.

24

Oeste

O início do outono foi uma época agridoce. Ead esperava notícias de Chassar sobre a permissão da Prioresa para que permanecesse em Inys mais um tempo, porém nenhuma mensagem chegou.

À medida que os ventos ficaram mais frios e que as modas de verão eram substituídas por trajes vermelhos e marrons com forro de pele, a corte foi se apaixonando pelo príncipe consorte. Para surpresa de absolutamente todos, ele e Sabran começaram a comparecer juntos a bailes de máscaras e apresentações teatrais na Câmara da Presença. Aquele tipo de entretenimento sempre existiu, mas a rainha não os frequentava havia anos, a não ser quando eram celebrações de noivado. Ela convocava os bobos da corte e ria de suas estrepolias. Pedia às damas de companhia que dançassem para ela. Às vezes segurava a mão do companheiro, e eles sorriam um para o outro como se não houvesse mais ninguém no mundo.

Ead se manteve próxima o tempo todo. Naqueles tempos, era raro vê-la longe da rainha.

Não muito tempo depois do casamento, Sabran acordou um dia e viu sangue nos lençóis. Aquilo fez com que tivesse um acesso de raiva que deixou Roslain contorcendo as mãos e o restante do Alto Escalão de Serviço pisando em ovos. Até o Príncipe Aubrecht se ausentou naquele dia, para caçar na Floresta de Chesten.

Para Ead, não foi uma reação surpreendente. Sabran era uma rainha, e trazia desde o berço a expectativa de que o mundo tinha a obrigação de lhe dar o que ela desejasse, e *quando* desejasse — mas não tinha como obrigar seu próprio ventre a frutificar.

— Acordei hoje com um desejo de comer cerejas — Sabran comentou com Ead certa manhã. — O que você acha que isso significa?

— Não é mais época de cerejas, Majestade — foi a resposta de Ead. — Talvez seja saudade da fartura do verão.

A rainha pareceu incomodada, mas não disse mais nada. Ead continuou a escovar seu manto.

Ela não cederia aos caprichos de Sabran naquele assunto. Katryen e Roslain diziam o que ela queria ouvir, mas Ead decidiu só dizer o que precisava ser ouvido.

Sabran nunca fora uma mulher paciente. Em pouco tempo, começou a mostrar relutância em acompanhar seu companheiro à noite, ficando com suas damas para jogar cartas até de madrugada. Durante o dia, ficava cansada e irritadiça. Katryen expressou para Roslain o temor de que aquele estado mental pudesse tornar seu ventre menos acolhedor, o que fez Ead querer bater a cabeça dela contra a parede até todos seus dentes caírem.

Não era só a ausência da gravidez que perturbava a rainha. A defesa de Mentendon contra os wyrms nos Espigões estava se tornando um fardo financeiro bem maior que o esperado. Lievelyn trouxera um dote, mas em breve chegaria ao fim.

Ead tinha acesso a esse tipo de informações agora. Um conhecimento íntimo e secreto. Sabia que Sabran às vezes passava horas na cama, prostrada por uma tristeza que era uma herança sanguínea de sua linhagem. Sabia da cicatriz na coxa esquerda dela, uma lembrança de quando ela caíra de uma árvore aos 12 anos. E sabia que ela ao mesmo tempo esperava aquela gravidez e a temia mais do que tudo no mundo.

Sabran podia chamar a Casa Briar de seu ninho, mas naquele momento era mais uma jaula. Os rumores rondavam os corredores e claustros. As próprias paredes pareciam estar prendendo o fôlego.

Ead também não escapava ilesa desses rumores. Não havia quem não especulasse o que uma convertida de sangue inferior podia ter feito para se tornar uma Dama da Alcova. Nem mesmo ela fazia ideia do motivo que levara Sabran a escolhê-la em detrimento de tantas nobres que faziam parte do Alto Escalão de Serviço. Linora lançava olhares atravessados para ela a todo instante, mas Ead não prestava atenção nela. Já vinha lidando com aquelas cortesãs cabeças de vento havia oito anos.

Certa manhã, ela vestiu um de seus trajes de outono e saiu para tomar um ar fresco antes que Sabran acordasse. Ultimamente, ela precisava acordar com a cotovia se quisesse passar algum tempo sozinha com seus pensamentos. Passava a maior parte do dia com Sabran, e seu acesso à rainha era quase ilimitado.

Era um amanhecer fresco e limpo, com os claustros misericordiosamente em silêncio. O único som era o arrulhar de um pombo-torcaz. Ead se aninhou na gola de pele do manto ao passar pela estátua de Glorian III, a rainha que liderara Inys durante a Era da Amargura. Ela estava retratada cavalgando de armadura, com a barriga de grávida quase estourando e a espada erguida em uma postura desafiadora.

Glorian assumira o poder no dia em que Fýredel matara seus pais. A guerra viera inesperadamente, mas Glorian, a Defensora, não fraquejara. Era casada com o Duque de Córvugar, um homem mais velho, e havia prometido sua filha ainda não nascida a Haynrick Vatten de Mentendon, tudo isso enquanto comandava a defesa de Inys. No dia em que a filha nascera, ela levara o bebê ao campo de batalha para mostrar a seus exércitos que havia esperança. Ead não conseguia determinar se fora um ato de loucura ou valentia.

Havia outras histórias como a dela. Outras rainhas que fizeram grandes sacrifícios por Inys. Era o legado dessas mulheres que Sabran Berethnet carregava nos ombros.

Ead virou à direita em um corredor e pegou um caminho de cascalho ladeado por castanheiros. Ao final, além dos muros do palácio, ficava a Floresta de Chesten, tão antiga quanto Inys.

Havia uma estufa nos jardins, feita de ferro fundido e vidro. Um tordo levantou voo do teto quando Ead entrou naquele ambiente de calor úmido.

Os lírios flutuavam em um pequeno tanque. Quando encontrou os crócus de outono, ela se agachou e soltou uma tesoura do cintilho. No Priorado, as mulheres consumiam açafrão por vários dias antes de tentarem engravidar.

— Mestra Duryan.

Ela ergueu o olhar, sobressaltada. Aubrecht Lievelyn estava ao seu lado, vestindo um manto castanho-avermelhado.

— Sua Alteza Real. — Ela se levantou e fez uma mesura, guardando a planta dentro do manto. — Perdão. Eu não vi o senhor.

— Pelo contrário, eu que peço desculpas por incomodá-la. Não pensei que ninguém mais acordasse tão cedo.

— Nem sempre, mas eu aprecio a luz que aparece antes do nascer do sol.

— Eu aprecio o silêncio. A corte é tão movimentada.

— A vida na corte é diferente em Brygstad?

— Talvez não. Existem olhares e cochichos em toda corte, mas os cochichos aqui são… bem, não é meu papel reclamar. — Ele abriu um sorriso gentil. — Posso perguntar o que está fazendo?

Seu primeiro instinto foi ficar na defensiva diante daquele interesse, mas Lievelyn nunca lhe pareceu ter segundas intenções.

— Com certeza o senhor sabe que Sua Majestade sofre de terrores noturnos — disse ela. — Eu estava procurando um pouco de lavanda para moer e pôr embaixo do travesseiro.

— Lavanda?

— Proporciona um sono tranquilo.

Ele assentiu.

— Você pode procurar no Canteiro do Boticário — disse ele. — Posso acompanhá-la?

O pedido a pegou de surpresa, mas Ead não estava em condições de recusar.

— Sim, claro, Sua Alteza.

Eles saíram da estufa no momento em que a metade superior do Sol despontou no horizonte. Ead se perguntou se deveria puxar conversa, mas Lievelyn parecia satisfeito em admirar a beleza dos jardins depois da geada enquanto caminhavam lado a lado. Sua Guarda Real os seguia à distância.

— É verdade que Sua Majestade não dorme bem — ele falou por fim. — Seus deveres pesam sobre ela.

— Assim como os seus devem lhe pesar.

— Ah, mas para mim é mais fácil. É Sabran quem vai gerar nossa filha. Quem vai lhe dar vida. — Abrindo outro sorriso, ele apontou para a Floresta de Chesten. — Diga uma coisa, Mestra Duryan, a Dama do Bosque já foi vista entre essas árvores?

Um calafrio percorreu o corpo de Ead.

— Essa é uma lenda muito antiga, Alteza. Confesso que fico surpresa que o senhor já tenha ouvido falar dela.

— Um de meus novos atendentes inysianos me contou. Pedi a ele que me relatasse algumas das histórias e dos costumes daqui. Nós temos elfos-da-mata e lobos vermelhos e coisas do tipo em Mentendon, claro, mas uma bruxa que matava crianças me parece uma história particularmente violenta.

— Inys já foi uma nação violenta no passado.

— Verdade. Graças ao Santo que não é mais.

Ead olhou para a floresta.

— A Dama do Bosque nunca apareceu por aqui, que eu saiba — disse ela. — O Haith, que é seu bosque, fica mais ao norte, perto de Goldenbirch, onde nasceu o Santo. As pessoas só entram lá para fazer peregrinações na primavera.

— Ah. — Ele deu uma risadinha. — Que alívio. Cheguei a imaginar que olharia pela minha janela algum dia e a veria bem ali.

— Não há nada a temer, Alteza.

Eles logo chegaram ao Canteiro do Boticário, que ficava em um pátio perto da Grande Cozinha, onde as fornalhas estavam sendo acesas.

— Posso fazer as honras? — perguntou Lievelyn.

Ead lhe entregou a tesoura.

— Claro.

— Obrigado.

Eles se agacharam ao lado do arbusto de lavanda, e Lievelyn tirou as luvas, com um sorriso juvenil no rosto. Talvez considerasse incômodo poder fazer tão poucas coisas com as próprias mãos. Seus Valetes da Câmara Interior deviam cuidar de tudo, desde servir a comida até lavar seus cabelos.

— Sua Alteza Real — disse Ead—, perdoe minha ignorância, mas quem governa Mentendon em sua ausência?

— A Princesa Ermuna é a regente em exercício quando estou em Inys. Obviamente, espero que a Rainha Sabran e eu em algum momento cheguemos a um acordo que me permita passar mais tempo em casa. Assim posso ser tanto o consorte como um governante. — Ele passou um caule entre os dedos. — Minha irmã é uma força da natureza, mas eu temo por ela. Mentendon é um reino frágil, e nossa casa real ainda é recente.

Ead observou o rosto dele enquanto falava. Seu olhar estava voltado para o anel do nó do amor.

— Este também é um reino frágil, Alteza — disse ela.

— É o que estou percebendo.

Ele cortou a flor de lavanda e entregou para ela. Ead se levantou e espanou a terra das saias, mas Lievelyn não parecia ter a menor pressa para ir embora.

— Soube que você nasceu no Ersyr — disse ele.

— Sim, Alteza. Sou uma parente distante de Chassar uq-Ispad, embaixador do Rei Jentar e da Rainha Saiyma, e fui criada como sua protegida.

Era a mentira que vinha contando havia oito anos, e saía naturalmente.

— Ah — disse Lievelyn. — Rumelabar, então.

— Sim.

Lievelyn calçou as luvas novamente. Ele olhou por cima do ombro, para o local onde sua Guarda Real o aguardava na entrada do jardim.

— Mestra Duryan — ele falou, com um tom mais baixo —, fico feliz de tê-la encontrado por acaso esta manhã, pois gostaria de seu conselho em um assunto particular, caso tenha a bondade de me concedê-lo.

— O que me capacitaria a isso, Sua Alteza?

— O fato de ser uma Dama da Alcova. — Ele limpou a garganta. — Eu gostaria de levar Sua Majestade às ruas, para distribuir doações ao povo de Ascalon, tendo em vista uma viagem mais longa no verão. Soube que ela nunca fez uma visita formal a nenhuma de suas províncias. Antes de tocar nessa questão com ela... queria saber se você sabe o motivo para esse comportamento.

Um príncipe pedindo seus conselhos. As coisas haviam mudado mesmo.

— Sua Majestade não circula em meio ao povo desde a coroação — disse Ead. — Por causa... da Soberana Rosarian.

Lievelyn franziu a testa ao ouvir aquilo.

— Eu entendo que a Rainha Mãe foi cruelmente assassinada — ele falou. — Mas isso foi em seu próprio palácio, não nas ruas.

Ead observou aquele rosto sincero. Havia algo nele que a impelia à franqueza.

— Existem pessoas mal-intencionadas em Ascalon, inebriadas do mesmo mal que contaminou Yscalin, que desejam o retorno do Inominado — disse ela. — E derrubariam a Casa de Berethnet para isso. Alguns conseguiram inclusive entrar no Palácio de Ascalon. Assassinos.

Lievelyn ficou em silêncio por um momento.

— Eu não sabia disso. — Ele pareceu perturbado, e Ead se perguntou sobre quais assuntos Sabran conversava com ele. — Eles conseguiram se aproximar dela?

— Chegaram bem perto. O último veio no verão, mas não tenho dúvida de que o mandante continue tramando contra Sua Majestade.

Ele cerrou os dentes.

— Entendo — murmurou ele. — Obviamente, não é minha intenção pôr Sua Majestade em perigo. Por outro lado, para o povo da Virtandade, ela é um farol de esperança. Agora que um Altaneiro do Oeste voltou, as pessoas *precisam* se lembrar do amor e da devoção de sua rainha por elas. Principalmente se ela for forçada a, digamos, aumentar os impostos para fabricar novas embarcações e armas.

Ele estava falando sério.

— Alteza, eu suplico para que espere o nascimento de sua filha antes de apresentar essa ideia a Sua Majestade — Ead falou. — Uma princesa vai dar aos plebeus todo o consolo e confiança de que necessitam.

— Infelizmente, as crianças não podem ser concebidas só porque as desejamos muito. Pode levar um bom tempo para a chegada de uma herdeira, Mestra Duryan. — Lievelyn soltou o ar com força pelo nariz. — Como companheiro dela, eu deveria conhecê-la melhor que ninguém, mas minha noiva tem o sangue do Santo. Que mortal neste mundo é capaz de conhecê-la?

— O senhor irá — respondeu Ead. — Eu nunca a vi olhar para ninguém como olha para o senhor.

— Nem mesmo Lorde Arteloth Beck?

Aquele nome a fez ficar tensa.

— Alteza?

— Eu ouvi os boatos. Cochichos sobre um caso amoroso — continuou Lievelyn após certa hesitação. — Fiz minha proposta à Rainha Sabran mesmo assim, mas de tempos em tempos me pergunto se...

Ele limpou a garganta, parecendo constrangido.

— Lorde Arteloth é uma pessoa muito querida para Sua Majestade — disse Ead. — Eles são amigos desde que eram crianças, e se amam como irmãos. Apenas isso. — Ela manteve o olhar firme nos olhos dele. — Não importa o que dizem os boatos.

O rosto dele se amenizou e se abriu em um sorriso novamente.

— Acho que eu não tenho nada que dar ouvidos a fofocas, tem razão. Sem dúvida existem muitas sobre mim — disse ele. — Lorde Seyton me contou que Lorde Arteloth está em Yscalin. Deve ser um homem de muita coragem, para encarar o perigo com tanto destemor.

— Sim, Alteza — Ead disse baixinho. — Ele é mesmo.

Um breve silêncio se instaurou entre os dois, apenas interrompido pelo canto dos pássaros.

— Agradeço seus conselhos, Mestra Duryan. Foi muita generosidade sua. — Lievelyn levou a mão ao broche de seu padroeiro, que era um espelho do dela. — Agora entendo por que Sua Majestade lhe tem em tão alta estima.

Ead fez uma mesura.

— Isso é pura bondade de sua parte, Sua Alteza Real. E também de Sua Majestade.

Inclinando-se em sinal de cortesia, ele se retirou.

Aubrecht Lievelyn não era nenhum arganaz. Era ambicioso o bastante

343

para desejar transformações efetivas, e tinha o que parecia ser um interesse nato dos mentendônios por ideias perigosas. Ead rezou para que ele ouvisse seus conselhos. Seria loucura Sabran aparecer publicamente com sua vida sob ameaça.

Nos aposentos reais, Ead encontrou a rainha acordada e organizando uma caçada. Por não contar com um cavalo que fosse seu, foi cedido a Ead um puro-sangue dos Estábulos Reais.

Truyde utt Zeedeur, que assumira a posição de Ead como Dama de Câmara de Segunda Classe, estaria na comitiva da caçada. Quando as duas ficaram cara a cara, Ead ergueu as sobrancelhas. A garota lhe deu as costas, sem nenhuma expressão no rosto, e subiu em seu cavalo baio.

Ela deveria estar perdendo a esperança em seu amante. Se Sulyard tivesse mandado notícias, ela não estaria tão desolada.

Sabran se recusava a caçar com cães. Seria preciso matar as presas sem artifícios, ou então não capturar nada. Enquanto a comitiva cavalgava na direção da Floresta de Chesten, Ead sentiu uma avidez repentina por aquela caçada. Ela se deliciou como vento nos cabelos. Os dedos coçavam para puxar a corda de um arco.

O autocontrole era indispensável. Caso exagerasse nos abates, levantaria questionamentos sobre como aprendera a atirar tão bem. Ela ficou para trás de início, observando as demais.

Roslain, que segundo diziam alimentava um gosto pela falcoaria, era desajeitada com um arco na mão. Perdeu a paciência logo na primeira hora. Truyde utt Zeedeur abateu uma galinhola. Margret tinha a melhor pontaria entre as damas de companhia — ela e Loth eram ambos bons caçadores —, mas ninguém foi capaz de superar a rainha. Os batedores que buscavam as presas mal conseguiam acompanhar o ritmo enquanto ela se embrenhava pela floresta. Ao meio-dia, já haviam juntado um bom lote de coelhos.

Quando viu um cervo entre as árvores, Ead quase se deixou levar. Uma dama de companhia sensata permitiria que a rainha saísse como a grande vencedora, mas talvez ela pudesse fazer *um* abate sem levantar suspeitas.

A flecha voou. O cervo despencou. Margret, sentada na montaria, foi a primeira a alcançá-lo.

— Sab — gritou ela.

Ead seguiu a rainha trotando até a clareira. A flecha havia varado o olho do cervo.

Exatamente onde ela mirara.

Truyde utt Zeedeur foi a segunda a chegar. Ela olhou para a carcaça com o rosto crispado.

— Ao que parece, vamos ter carne de veado para o jantar. — Sabran estava com o rosto vermelho de frio. — Pensei que você não caçasse com frequência, Ead.

Ead inclinou a cabeça.

— Algumas pessoas têm habilidades inatas, Majestade.

Sabran sorriu. Ead se pegou sorrindo de volta.

— Vejamos se você tem outras *habilidades inatas*. — Sabran virou a montaria. — Venham, ladies… vamos apostar uma corrida de volta à Casa Briar. Um prêmio para a vencedora.

Em meio a gritos de celebração, as mulheres esporearam os cavalos atrás dela, deixando os valetes encarregados de recolher os animais abatidos.

Elas irromperam da floresta e chegaram retumbando ao gramado. Em pouco tempo, Ead estava pescoço a pescoço com a rainha, ambas rindo até perder o fôlego, incapazes de abrir distância uma da outra. Com os cabelos agitados ao vento e os olhos brilhando pela emoção da caçada, Sabran Berethnet parecia quase despreocupada, e pela primeira vez em anos Ead sentiu as próprias preocupações se desprenderem dos ombros. Como as sementes de um dente-de-leão sopradas pelo vento.

Sabran passou o resto do dia de bom humor. Ao anoitecer, permitiu que todas as damas de companhia se recolhessem, para que pudesse cuidar de questões de Estado na Biblioteca Privativa.

Ead herdara um quarto duplo de Arbella Glenn, mais próximo dos aposentos reais que seu antigo alojamento. Era composto de dois cômodos adjacentes, com revestimento de madeira nas paredes, tapeçarias decorativas e uma cama de quatro colunas. As janelas com mainel davam vista para os jardins.

As criadas já haviam acendido o fogo. Ead retirou a roupa de cavalgada e limpou o suor com um pano seco.

Às oito horas, bateram à porta. Era Tallys, a jovem e gentil ajudante de cozinha.

— Seu jantar, Mestra Duryan. — Ela fez uma mesura. Por mais que Ead dissesse que o gesto era desnecessário, ela sempre fazia questão. — O pão está gostoso e fresquinho. Dizem que vem uma geada forte por aí.

— Obrigada, Tallys. — Ead pegou a bandeja com a comida. — Diga, criança, como vão seus pais?

— As coisas não andam muito boas para minha mãe — admitiu Tallys. — Ela quebrou o braço e não pode trabalhar por um tempo, e o senhorio é muito intolerante. Eu mando a eles tudo o que ganho, mas… como ajudante de cozinha, é muito pouco. Não estou reclamando, mestra — ela se apressou em acrescentar. — Tenho muita sorte de trabalhar aqui. Está sendo um mês difícil, só isso.

Ead colocou a mão na bolsa.

— Aqui. — Ela entregou algumas moedas para Tallys. — Isso deve bastar para pagar o aluguel até o inverno.

Tallys ficou olhando para as peças de metal.

— Ah, Mestra Duryan. Eu não posso…

— Por favor. Eu tenho economias suficientes e poucos gastos. Além disso, não somos educadas para praticar a generosidade?

Tallys assentiu, os lábios trêmulos.

— Obrigada — sussurrou ela.

Quando ela se retirou, Ead comeu o jantar à mesa. Pão fresco, cerveja amanteigada e uma sopa temperada com sálvia fresca.

Alguma coisa bateu na janela.

Uma águia das areias estava pousada do lado de fora, com os olhos amarelos fixos nela. Sua plumagem tinha a cor dourada da manteiga de amêndoa, escurecendo para o castanho na ponta das asas. Ead correu até a janela para abrir.

— Sarsun.

A ave saltou para dentro e inclinou a cabeça. Ead ajeitou as penas eriçadas com as pontas dos dedos.

— Há quanto tempo, meu amigo — ela falou em selinyiano. — Vejo que conseguiu evitar o Gavião Noturno.

Ele piou.

— Quietinho. Assim você vai acabar no aviário com aqueles pombos tolos.

Ele bateu a cabeça contra a palma da mão dela. Ead sorriu e acariciou suas asas até que ele estendeu uma perna. Com cuidado, ela retirou o pergaminho ali amarrado. Sarsun voou para a cama dela.

— Ah, sim, fique à vontade.

Ele a ignorou e começou a aprumar as plumas.

O pergaminho estava selado. Combe poderia interceptar qualquer coisa que chegasse através de mensageiros ou pombos, mas Sarsun era esperto o bastante para driblá-lo. Ead leu a mensagem codificada:

A Prioresa lhe concede permissão para continuar em Inys até que a rainha dê à luz uma filha. Quando a notícia do nascimento chegar, eu irei procurá-la.

Da próxima vez, não discuta.

Chassar tinha conseguido.

A exaustão desabou sobre ela de uma só vez. Ead jogou a carta no fogo. Quando estava sob as cobertas, Sarsun se aninhou em seu braço como se fosse um filhotinho. Ead acariciou a cabeça dele com o dedo.

Ler aquela mensagem a encheu de tristeza e alívio ao mesmo tempo. Uma oportunidade de ir para casa havia se apresentado em uma bandeja de prata, mas lá estava ela, por escolha própria, no lugar que passara anos desejando abandonar. Por outro lado, aquilo significava que seus anos na corte não tinham sido em vão. Ela poderia proteger Sabran até que desse à luz.

No fim, não importava o quanto ela ficasse. Era seu destino envergar o manto vermelho. Nada mudaria aquilo.

Ela se lembrou do toque frio da mão de Sabran na sua. Quando dormiu, sonhou com uma rosa vermelha roçando seus lábios.

———

Ead estava vestida e a caminho dos aposentos reais ao amanhecer, pronta para o Festim de Início de Outono. Sarsun partira durante a noite. Tinha uma longa jornada pela frente.

Quando Ead passou pelos Cavaleiros do Corpo e entrou na Câmara Privativa, encontrou Sabran já de pé. A rainha estava com um vestido de seda marrom com mangas de fios de ouro, e os cabelos penteados em tranças e adornados com topázios.

— Majestade. — Ead fez uma mesura. — Eu não sabia que a senhora já estava de pé.

— Acordei com os passarinhos. — Sabran pôs seu livro de lado. — Venha. Sente-se aqui comigo.

Ead se juntou a ela no setial.

— Estou contente que tenha vindo até aqui — disse Sabran. — Tenho algo de natureza particular para lhe contar antes do festim. — O sorriso dela revelou tudo. — Estou grávida.

A princípio, a cautela de Ead falou mais alto.

— Tem certeza, Majestade?

— Mais do que absoluta. Já passou e muito a época de minhas regras. Finalmente.

— Senhora, isso é maravilhoso — Ead falou em um tom afetuoso. — Meus parabéns. Estou contentíssima pela senhora e pelo Príncipe Aubrecht.

— Obrigada.

Quando Sabran olhou para a própria barriga, o sorriso murchou. Ead viu uma ruga aparecer na testa dela.

— Você ainda não deve contar para ninguém — a rainha falou, recobrando a compostura. — Mesmo Aubrecht sequer faz ideia. Somente Meg, os Duques Espirituais e minhas Damas da Alcova sabem de minha condição. Meus conselheiros concordaram que faremos o anúncio quando a barriga começar a aparecer.

— E quando a senhora vai contar para Sua Alteza Real?

— Em breve. Quero fazer uma surpresa.

— Garanta que ele esteja sentado quando receber a notícia.

Sabran sorriu de novo ao ouvir aquilo.

— Sim — ela falou. — Eu preciso ser gentil com meu arganaz.

Uma filha consolidaria a posição dele na corte. Naquele momento, Aubrecht seria o homem mais feliz no mundo.

Às dez horas, Lievelyn se encontrou com a rainha diante das portas do Pavilhão de Banquetes. Um degelo prateado fazia os jardins reluzirem. O príncipe consorte usava um casaco pesado, com forro de pele de lobo, que parecia fazer sua silhueta parecer mais larga do que era. Ele fez uma mesura para Sabran, mas, à vista de todos, ela o puxou pela nuca e o beijou.

Ead sentiu um calafrio. Ficou observando enquanto Lievelyn abraçava Sabran e a puxava para junto de si.

As damas de companhia deram risadinhas. Quando o casal enfim se desvencilhou, Lievelyn sorriu e beijou Sabran na testa.

— Um bom dia, Majestade — disse ele, e os dois foram caminhando de braços dados, com Sabran se apoiando no companheiro e os mantos dos dois se misturando como tinta.

— Ead — disse Margret. — Tudo bem com você?

Ead assentiu. A sensação em seu peito já tinha se amenizado, mas deixou uma sombra inominável dentro dela.

Quando Sabran e Lievelyn entraram no Pavilhão de Banquetes, uma multidão de cortesãos se ergueu para recebê-los. O casal real se encaminhou para a mesa elevada junto com os Duques Espirituais, enquanto as damas de companhia se acomodavam em pares nos bancos. Ead nunca vira os Duques Espirituais tão contentes. Igrain Crest sorria, e Seyton Combe, que geralmente tornava sombrio qualquer recinto em que entrava, parecia incapaz de parar de esfregar as mãos.

O Festim do Início do Outono era um evento marcado pela extravagância. O vinho escuro fluía, espesso, pesado e doce, e Lievelyn estava foi presenteado com um enorme bolo de frutas com rum — seu favorito desde a infância —, que foi recriado de acordo com a famosa receita mentendônia.

Nas mesas, a colheita da estação abarrotava as bandejas revestidas de cobre. O prato principal era um pavão branco com o bico folheado a ouro, assado e banhado em um molho de mel e cebola, depois recoberto novamente com suas plumas, que dava a impressão de estar vivo. Abrunhos mergulhados em água-de-rosas. Maçãs cortadas ao meio e recheadas com uma geleia vermelha. Torta de amora com especiarias revestidas por uma crosta estriada e tortinhas de carne de veado. Ead e Margret emitiam ruídos de solidariedade enquanto Katryen lamentava o sumiço de seu admirador, cujas cartas de amor tinham parado de chegar.

— Sabran deu a notícia? — perguntou Katryen, falando bem baixo.
— Ela queria que vocês soubessem.

— Sim. Graças à Donzela por sua misericórdia — falou Margret.

— Eu estava começando a achar que fosse explodir de irritação se mais uma pessoa viesse comentar que Sua Majestade parecia *muito bem* ultimamente.

Ead olhou para trás, para se certificar de que ninguém estava escutando.

— Katryen — murmurou ela—, tem certeza de que o sangue de Sabran não veio?

— Sim. Não se preocupe, Ead. — Katryen deu um gole no vinho de frutas silvestres. — Sua Majestade vai começar a montar o escalão de serviço para a princesa assim que possível.

— Pelo Santo. Isso vai criar mais alvoroço do que a morte da pobre Arbella — Margret comentou, seca.

— Um escalão de serviço — Ead levantou uma sobrancelha. — Uma criança precisa de ter seu próprio escalão de serviço?

— Ah, sim. Uma rainha não tem tempo para cuidar de uma criança — disse Katryen, acrescentando em seguida: — Bem, pensando melhor, Carnelian III fez questão de amamentar pessoalmente a filha, mas isso não é comum. A princesa vai precisar de amas de leite, de uma governanta, de tutores particulares e assim por diante.

— Quantas pessoas farão parte desse escalão de serviço?

— Cerca de duzentas.

Um escalão de serviço tão numeroso parecia excessivo. Por outro lado, tudo em Inys parecia excessivo.

— Me digam — continuou Ead, ainda curiosa —, o que aconteceria se Sua Majestade tivesse um filho?

Katryen inclinou a cabeça ao ouvir aquilo.

— Acredito que não haveria problemas — especulou ela. — Mas

nunca aconteceu em toda a história dos Berethnet. Claramente a vontade do Santo é que a ilha seja um Rainhado.

Quando os pratos enfim foram retirados e as conversas começaram, o cerimonialista bateu com um cajado no chão.

— Sua Majestade — anunciou ele —, a Rainha Sabran.

Lievelyn ficou de pé e estendeu a mão para sua companheira. Ela a segurou e se levantou, e a corte também se pôs de pé.

— Membros da corte — começou ela —, nós damos boas-vindas ao Festim do Início do Outono. A época da colheita, amada acima de tudo pelo Cavaleiro da Generosidade. Deste dia em diante, o inverno começa a se aproximar pouco a pouco de Inys. É uma temporada que os wyrms detestam, pois é o calor que sustenta seu fogo interno.

Houve aplausos.

— Hoje nós anunciamos mais uma razão para celebrar — continuou ela. — Este ano, para assinalar o Festim da Generosidade, nós faremos uma jornada a Ascalon.

Os murmúrios subiram até o teto. Seyton Combe engasgou com seu vinho quente.

— Durante essa visita — disse Sabran, com uma determinação firme no olhar —, nós rezaremos no Santuário de Nossa Dama, faremos doações aos pobres e confortaremos aqueles cujo lar e sustento foi prejudicado por Fýredel. Mostrando-nos assim ao povo, nós lhes lembraremos de que estamos unidos sob a Espada da Verdade, e que nenhum Altaneiro do Oeste será capaz de abalar nosso espírito.

Ead se voltou para Lievelyn. Ele evitou o olhar dela.

O conselho não fora incisivo o bastante. Ela devia ter feito mais para martelar o perigo naquela cabeça dura como um tacho de metal.

Ele era um tolo, e Sabran também. Tolos coroados.

— Isso é tudo. — A rainha retornou a seu assento. — Agora, acredito que temos mais um prato a servir.

Os aplausos ressoaram pelo Pavilhão de Banquetes. Imediatamente, os criados entraram com mais bandejas, e todas as atenções se voltaram para o festim.

Ead não encostou em mais nada. Não era nenhuma adivinha, porém qualquer um com o mínimo de inteligência seria capaz de ver que aquilo terminaria em derramamento de sangue.

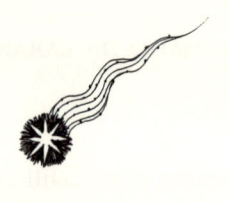

25

Leste

Depois de uma inglória chegada a Ginura, Niclays Roos se tornou um convidado de honra da casa dos Moyaka. Até que o Líder Guerreiro se dignasse a vê-lo, ele estava livre para fazer o que quisesse, desde que estivesse acompanhado de seus anfitriões seiikineses. Felizmente, Eizaru e Purumé estavam mais do que felizes por cumprir esse papel.

Os três se juntaram à multidão nas ruas para o festival do Crepúsculo do Verão, que marcava o início do outono. Muitos cidadãos seiikineses costumavam viajar para Ginura para o que era amplamente considerado o mais espetacular dos quatro festivais das árvores. Os ambulantes grelhavam peixes-lâminas nos fogões, cozinhavam pedaços de abóbora doce em caldo de peixe e serviam vinho com especiarias e chá para afugentar o frio. As pessoas comiam ao ar livre, sob as folhas douradas que se desprendiam como sementes de bordo dos galhos e, quando a última caía, viam as novas brotarem e crescerem, vermelhas como o amanhecer, ao longo de toda a noite.

Para Niclays, era como um novo sopro de vida. Seus amigos o levaram para passeios na praia. Mostraram a ele o Órfã Enlutada, a maior formação rochosa vulcânica do Leste, que constituía o único dente na boca da baía. Usaram uma luneta para ver os focenídeos no mar.

E pouco a pouco, e *temerariamente*, Niclays se permitiu sonhar com um futuro naquela cidade. Talvez as autoridades seiikinesas esquecessem da sua existência. Talvez, como ele se comportara tão bem, decidissem deixá-lo viver o restante de seu exílio fora de Orisima. Era um fio de esperança, ao qual ele se agarrou como um marujo naufragado a uma boia de salvação.

Panaya enviara os livros dele de Orisima com um bilhete de Muste, que o informara de que seus amigos no serviço postal lhe mandavam calorosas lembranças e torciam para seu breve retorno. Niclays até ficaria emocionado caso os considerasse amigos, ou se estivesse interessado em suas lembranças, calorosas ou não. Agora que sentira o gosto da liberdade, a ideia de voltar a Orisima, para aqueles mesmos vinte rostos espalhados por poucas ruas, parecia intolerável.

A embarcação mentendônia *Gadeltha* aportara no portão de desembarque trazendo um saco de cartas de sua terra natal. Niclays recebeu duas.

A primeira veio fechada com o selo da Casa de Lievelyn. Ele abriu às pressas e leu as palavras escritas com uma caligrafia caprichada.

De Brygstad, Estado Livre de Mentendon,
através da Autoridade Portuária de Ostendeur
Fim da primavera, 1005 EC

Senhor,
Soube através dos registros de meu falecido tio-avô que você permanece em estado de exílio em nosso entreposto comercial de Orisima, e que pediu clemência à Casa de Lievelyn. Depois de analisar seu caso, sinto informar que não posso lhe conceder a permissão para voltar a Mentendon. Sua conduta foi considerada uma grande afronta pela Rainha Sabran de Inys, e convidá-lo à retornar para a corte no momento só agravaria seu rancor.

Caso você possa conceber alguma maneira de apaziguar a Rainha Sabran, eu reconsideraria com prazer esta lamentável decisão.

A seu dispor,

Aubrecht II, Alto Príncipe do Estado Livre de Mentendon, Arquiduque de Brygstad, Defensor das Virtudes, Protetor da Soberania de Mentendon, etc.

Niclays amassou a carta. Devia haver alguma razão política para o novo Alto Príncipe estar tão cauteloso em relação a Sabran. Pelo menos ele se mostrara cortês, e disposto a repensar a questão caso Niclays encontrasse uma forma de pacificar Sua Amargura Real. Ou de conquistar o próprio Lievelyn. Até mesmo ele poderia se sentir tentado pelo elixir da vida.

Ele abriu a segunda carta com o coração disparado. Aquela havia sido escrita mais de um ano antes.

De Ascalon, Rainhado de Inys,
através da Casa Aduaneira de Zeedeur
Início do verão, 1004 EC

Caríssimo tio Niclays,

Perdão por passar tanto tempo sem escrever. Os afazeres do Alto Escalão de Serviço têm me mantido ocupada, e quase nunca tenho a chance de ir a algum lugar desacompanhada. A corte inysiana se preocupa profundamente com o que suas jovens damas fazem em seus horários livres! Rogo para que esta carta chegue a Ostendeur antes da partida da próxima embarcação para o Leste.

Eu lhe peço para que me mande notícias sobre como está se saindo em Orisima. Enquanto isso, eu venho me ocupando com as lembranças dos livros que me deixou, que no momento estão guardados no Pavilhão das Sedas. Acredito ter chegado a uma teoria, e estou certa de que a relevância de um certo objeto foi subestimada. Seria possível que me escrevesse contando tudo o que sabe sobre a Tabuleta de Rumelabar? Já chegou a uma resposta para o enigma proposto?

Com todo meu amor, Truyde

(Observação para a Casa Aduaneira de Zeedeur: Eu agradeceria caso fossem ágeis na entrega desta correspondência à Autoridade Portuária de Ostendeur. Saudações de sua marquesa.)

Niclays leu aquelas palavras de novo, com um meio sorriso no rosto e os olhos marejados.

Ele devia ter recebido essa carta muito antes da chegada de Sulyard. Ela podia tê-lo alertado para esperar pela chegada do rapaz, mas Lorde Seyton Combe, o mestre espião de Inys, era capaz de decifrar qualquer código.

Niclays respondera as cartas anteriores dela, mas desconfiava que tivessem sido destruídas. Os exilados não tinham permissão para escrever para casa. E, mesmo que *pudesse* falar com ela, não tinha boas novas para dar.

Naquele fim de tarde, Purumé e Eizaru o levaram ao rio para observar as garças noturnas. No dia seguinte, Niclays decidiu ficar no quarto, aplicando gelo no tornozelo. Enquanto cuidava de uma dor de cabeça provocada pelo excesso de estímulo, ele se pegou pensando em Sulyard.

Ele deveria se envergonhar por estar se divertindo enquanto o rapaz apodrecia na cadeia, e especialmente por deixá-lo acreditar que concluiria a missão em seu lugar. Uma missão baseada em um enigma não resolvido e um perigoso interesse passional que Truyde herdara de Jannart.

Uma paixão pela verdade. Um enigma que àquela altura se recusava a deixar Niclays em paz. Ao meio-dia, ele solicitou às serviçais uma caixa de apetrechos de escrita e pintou as palavras com o pincel, só para poder vê-las por escrito.

> *O que está abaixo deve ser equilibrado pelo que está acima,*
> *e aí reside a precisão do universo.*
> *O fogo ascende da terra, a luz descende do céu.*
> *O excesso de um inflama o outro,*
> *e aí reside a extinção do universo.*

Niclays relembrou o que havia aprendido sobre o enigma na universidade. O enigma vinha da Tabuleta de Rumelabar, encontrada muitos séculos antes nos Montes Sarras.

Mineradores ersyrios tinham descoberto um templo subterrâneo naquelas montanhas, com estrelas entalhadas no teto e árvores em chamas no piso. Um bloco de pedra celeste ficava em seu cerne, e as palavras inscritas nele, no sistema de escrita da primeira civilização do Sul, arrebatou a mente dos acadêmicos de todo o mundo.

Niclays sublinhou uma parte do enigma e contemplou seu significado.

O fogo ascende da terra.

Os wyrms, talvez. Segundo se dizia, o Inominado e seus seguidores nasceram do Ventre de Fogo no núcleo do mundo.

Ele sublinhou outra parte.

A luz descende do céu.

A chuva de meteoros. O evento que deu fim à Era da Amargura, debilitou os wyrms e fortaleceu os dragões do leste.

O excesso de um inflama o outro, e aí reside a extinção do universo.

Um alerta contra a disparidade. Segundo essa teoria, o universo dependia do equilíbrio entre o fogo e a luz das estrelas, mensurado em um conjunto de balanças cósmicas. Muito peso de um dos lados as faria tombar.

A extinção do universo.

O mais próximo que o mundo chegara de seu fim aconteceu com a vinda do Inominado e seus seguidores. Algum tipo de desequilíbrio no universo teria *criado* tais monstros de fogo?

O sol castigava sua nuca. Ele se pegou caindo no sono. Quando Eizaru o despertou, seu rosto estava grudado no pergaminho, e ele se sentia pesado como um saco de milhete.

— Boa tarde, meu amigo. — Eizaru deu uma risadinha. — Estava trabalhando em alguma coisa?

— Eizaru. — Limpando a garganta, Niclays se soltou. — Não, não. É só uma trivialidade.

— Entendo — disse Eizaru. — Bem, se já tiver terminado, pensei que gostaria de ir comigo à cidade. Os pescadores trouxeram uma carga de caranguejos prateados do Mar sem Fim, mas no mercado acabam em um piscar de olhos. Você deveria provar antes de voltar a Orisima.

— Eu espero sinceramente *nunca mais* voltar a Orisima.

O amigo hesitou.

— Eizaru — disse Niclays, preocupado. — O que foi?

Eizaru enfiou a mão dentro da túnica, com os lábios franzidos, de onde tirou um pergaminho e lhe entregou. O selo estava rompido, mas Niclays viu que era o da Vice-Rainha de Orisima.

— Recebi isso hoje — Eizaru falou. — Depois da audiência com o ilustríssimo Líder Guerreiro, você deve voltar a Orisima. Um palanquim virá buscá-lo.

De repente, aquele pergaminho adquiriu o peso de uma rocha. Era como se fosse sua sentença de morte.

— Não se desespere, Niclays — falou Eizaru, colocando uma das mãos em seu ombro. — A ilustre Rainha Sabran vai ceder em algum momento. Enquanto isso, Purumé e eu solicitaremos a permissão para visitá-lo em Orisima.

Niclays precisou de todas as suas forças para esconder a decepção, que engoliu como se fosse um punhado de espinhos.

— Seria maravilhoso. — Ele abriu um sorriso fingido. — Então vamos. Acho melhor desfrutar da cidade enquanto posso.

———

Purumé estava ocupada tratando de um osso fraturado, então, depois que se vestiu, Niclays foi sozinho com Eizaru até o mercado de peixes. O mar soprava um vento ardido sobre a cidade, embaçando os óculos e, no estado de aflição em que se encontrava, os olhares que recebia pareciam mais cheios de suspeita do que nunca. Quando passaram por uma loja de túnicas, a proprietária olhou feio para ele.

— Portador da doença — esbravejou ela.

Niclays estava abatido demais para responder. Eizaru lançou um olhar severo para a mulher por cima dos óculos, e ela deu as costas para os dois.

Naquele momento de distração, Niclays pisou na bota de alguém.

Ele ouviu alguém respirar fundo. Eizaru o segurou a tempo de evitar sua queda, mas a jovem seiikinesa em cujo pé ele pisara não teve a mesma sorte. O cotovelo dela esbarrou em um vaso, que se estatelou nas pedras do pavimento.

Maldição, ele parecia um elefante em uma casa de chá.

— Perdão, honorável dama — Niclays falou, fazendo uma reverência profunda. — Foi uma desatenção minha.

O vendedor olhava desolado para os cacos espalhados no chão. Com gestos lentos, a mulher se virou para Niclays.

Seus cabelos pretos estavam presos em um coque no alto da cabeça. Ela usava calças com pregas, uma túnica militar azul-escura e uma sobrecota de veludo. Levava uma bela espada presa à cintura. Quando notou o brilho na túnica, Niclays ficou inevitavelmente boquiaberto. A não ser que estivesse enganado, aquilo era seda *d'água*. Erroneamente nomeada, já que não era exatamente uma seda, e sim fios de cabelo. Fios de crina de dragão, para ser mais preciso. Repelia a umidade como óleo.

A mulher deu um passo em sua direção. O rosto era marrom e anguloso, e os lábios estavam ressecados. Pérolas dançantes adornavam o pescoço.

No entanto, o que chamou a atenção de Niclays, nos poucos momentos em que seus olhares se cruzaram, foi a cicatriz. Atravessava a bochecha esquerda antes de se curvar perto do canto do olho.

Exatamente como um anzol.

— Forasteiro — murmurou ela.

Niclays percebeu que a multidão ao redor tinha ficado quase em silêncio. Os pelos de sua nuca se eriçaram. Ficou com a impressão de que havia cometido uma transgressão bem maior do que ser desastrado.

— Honorável cidadão, o que este homem faz em Ginura? — a mulher perguntou a Eizaru, seca. — Ele deveria estar em Orisima, com os demais colonos mentendônios.

— Honrada Miduchi. — Eizaru fez uma mesura. — Humildemente nos desculpamos pela interrupção em seu dia. Esse é o eminente Doutor Roos, um anatomista do Estado Livre de Mentendon. Está aqui para ter com o ilustríssimo Líder Guerreiro.

A mulher olhou para um e depois para outro. As marcas em torno de seus olhos eram indicativas de noites mal dormidas.

— Qual é o seu nome? — ela perguntou a Eizaru.

— Moyaka Eizaru, honrada Miduchi.

— Não perca este homem de vista, honorável Moyaka. Ele deve estar sempre acompanhado.

— Eu compreendo.

Ela lançou um último olhar para Niclays antes de se afastar, pisando duro. Quando ela se virou, ele viu um dragão dourado nas costas da sobrecota.

Tinha cabelos compridos e escuros, e uma cicatriz no alto da bochecha esquerda. No formato de um anzol.

Pelo amor do Santo, *só podia* ser ela.

Eizaru pagou ao vendedor pela mercadoria que fora quebrada e conduziu Niclays às pressas para uma ruazinha com calçamento de pedra.

— Quem era aquela, Eizaru? — Niclays perguntou em mentendônio.

— A honrada Dama Tané. Ela é uma Miduchi. A ginete da grande Nayimathun das Neves Profundas. — Eizaru enxugou o pescoço com um lenço. — Eu devia ter feito uma mesura mais profunda.

— Eu vou reembolsá-lo pelo vaso. Er, em algum momento.

— Foram só algumas moedas, Niclays. O conhecimento que você me transmitiu em Orisima vale muito mais.

Niclays concluiu que Eizaru era o mais próximo que havia conhecido de alguém que não possuía defeito nenhum.

Os dois chegaram ao mercado de peixes na hora exata. Os caranguejos prateados pulavam das redes de palha de trigo, reluzentes como as armaduras do cavaleiro. Niclays quase se perdeu em meio ao empurra-empurra que se seguiu, mas o amigo emergiu vitorioso, ainda que com os óculos tortos.

O sol estava quase se pondo quando voltaram para casa. Niclays fingiu outra dor de cabeça e se recolheu ao seu quarto, onde se sentou ao lado da lamparina e esfregou a testa.

Ele sempre se orgulhara de seu cérebro, mas andava um tanto desocupado ultimamente. Estava mais do que na hora de colocá-lo para trabalhar.

Tané Miduchi era, sem sombra de dúvidas, a mulher que Sulyard encontrara na praia. Aquela cicatriz a denunciava. Ela trouxera um forasteiro para dentro de Cabo Hisan naquela fatídica noite e o entregara à musicista, que agora estava mofando na prisão. Ou que já perdera a cabeça.

O gato de cauda curta saltou em seu colo, ronronando. Niclays o acariciou distraidamente entre as orelhas.

O Grande Édito exigia que todos os habitantes da ilha entregassem os invasores às autoridades imediatamente. Miduchi devia ter feito tal coisa. Por que, em vez disso, havia recrutado uma amiga para ajudá-la a escondê-lo no entreposto comercial mentendônio?

Quando se deu conta, Niclays soltou um "ha!" tão alto que o gato pulou de seu colo, assustado.

Os *sinos*.

Os sinos tocaram no dia seguinte, anunciando a cerimônia que permitiria a Miduchi se tornar uma ginete. Com a descoberta de um forasteiro em Cabo Hisan na noite anterior, o porto seria fechado até que se garantisse que não haveria sinal da doença vermelha. Miduchi escondeu Sulyard em Orisima — um lugar isolado do resto da cidade — para não atrapalhar a cerimônia. Colocou sua ambição acima da lei.

Niclays considerou suas opções.

Sulyard concordara em contar aos interrogadores sobre a mulher com a cicatriz em forma de anzol. Talvez tivesse feito isso, mas ninguém se dera conta de quem era. Ou levara a sério a palavra do invasor. Niclays, por outro lado, contava com a proteção da aliança entre Seiiki e Mentendon. Foi aquilo o que o protegera de uma punição, e poderia vir a ajudá-lo de novo.

Ele ainda poderia salvar Sulyard. Caso criasse a coragem necessária para acusar Miduchi durante sua audiência com o Líder Guerreiro, diante de outras testemunhas, a Casa de Nadama precisaria tomar uma atitude, ou correria o risco de aparentar descaso em relação a seus parceiros comerciais mentendônios.

Niclays estava certo de que havia alguma forma de reverter isso a seu favor. Só não sabia como.

Purumé chegou em casa ao cair da noite com os olhos vermelhos de cansaço, e as serviçais prepararam para o jantar o caranguejo prateado com legumes cortados em tiras bem finas e arroz com castanhas cozido no vapor. A carne branca e tenra era deliciosa, mas Niclays estava absorto demais em seus pensamentos para apreciá-la. Quando terminaram a refeição, Purumé se retirou, e Niclays permaneceu à mesa com Eizaru.

— Meu amigo — Niclays falou —, por favor me perdoe pela possível ignorância da minha pergunta.

— Ignorância é *não* fazer perguntas.

Niclays pigarreou.

— Essa ginete de dragões, a Dama Tané — começou ele. — Pelo que entendo, os ginetes são quase tão estimados quanto os dragões. É isso mesmo?

O amigo ficou pensativo por um tempo.

— Eles não são deuses — disse Eizaru. — Não existem altares em sua homenagem, mas são reverenciados. O ilustríssimo Líder Guerreiro é descendente de um ginete que lutou durante a Grande Desolação, como você bem sabe. Os dragões veem seus ginetes como seus equivalentes entre os humanos, o que é a maior das honrarias.

— Tendo isso em mente — Niclays continuou, tentando fazer parecer que se tratava de uma conversa causal —, se você soubesse que um deles cometeu um crime, o que faria?

— Se eu tivesse absoluta certeza de que isso é verdade, eu faria uma denúncia ao comandante, o ilustre General do Mar, no Castelo da Flor de Sal. — Eizaru inclinou a cabeça para o lado. — Por que a pergunta, meu amigo? Você acredita que um deles *realmente* cometeu um crime?

Niclays sorriu consigo mesmo.

— Não, Eizaru. Eu estava só especulando. — Ele aproveitou para mudar de assunto: — Ouvi dizer que o fosso ao redor do Castelo de Ginura tem peixes com corpos que parecem de vidro. Quando brilham à noite, é possível ver suas espinhas. Me diga, isso é verdade?

Ele adorava a sensação deliciosa da aparição de uma boa ideia.

Tané conseguiu firmar o pé e se impulsionou com todas as forças, estendendo as mãos em busca de algo a que se agarrar. Abaixo dela, o mar se chocava contra um aglomerado de rochas.

Ela estava a meio caminho do alto da formação vulcânica que se elevava do mar na entrada da Baía de Ginura. Era chamada de Órfã Enlutada, pois ficava ali sozinha, como uma criança cujos pais se perderam em um naufrágio. Enquanto os dedos roçaram a rocha, a outra mão escorregou no musgo marinho.

O estômago se revirou. Por um momento, pensou que fosse cair e arrebentar todos os ossos — mas, então, empurrou o corpo para cima e encontrou apoio para as mãos, agarrando-se como uma craca. Com um último e tremendo esforço, chegou ao patamar mais acima e lá ficou, ofegante. Tinha sido uma imprudência fazer a escalada sem luvas, mas precisava provar para si mesma de que era capaz.

A mente se voltava o tempo todo para aquele mentendônio que encontrara na rua, e o jeito como ele olhara para ela. Como se a tivesse *reconhecido*. Era impossível, claro — ela nunca o vira antes. No entanto, por que aquela expressão de susto?

Era um homem grandalhão. Ombros largos, peito largo, barriga proeminente. Olhos como cravos, pálpebras caídas por causa da idade, em um rosto pálido e arredondado. Cabelos grisalhos com alguns resquícios de uma cor acobreada. Uma boca cercada e marcas expressões. Óculos redondos.

Roos.

Por fim, ela compreendeu.

Roos. Um nome que Susa lhe sussurrara tão brevemente que quase foi carregado pelo vento.

Ele escondera o forasteiro.

Não havia motivo para estar em Ginura. A não ser que fosse para testemunhar sobre aquela noite. Aquele pensamento provocou um aperto no peito. Ela se lembrou do olhar perspicaz dele, e aquilo a fez estremecer.

Cerrando os dentes, ela estendeu a mão para continuar a escalada. Fosse o que fosse que Roos soubesse a seu respeito e sobre Susa, não havia nenhuma prova. E o forasteiro já estaria morto àquela altura.

Quando chegou ao topo, ficou em pé, com as palmas das mãos sangrando. As sedas d'água funcionavam como plumas — uma rápida sacudida e já secavam.

Era possível ver Ginura inteira dali. O Castelo da Flor de Sal brilhava sob os últimos raios de sol.

A dragoa a aguardava em um abrigo natural. Seu verdadeiro nome era impronunciável por humanos, então ela era chamada de Nayimathun. Nascida havia muito, muito tempo no Lago das Neves Profundas, trazia inúmeras cicatrizes da Grande Desolação. Todas as noites, Tané subia até o abrigo e se sentava ao lado da dragoa até o sol nascer. Era exatamente como sempre havia sonhado.

A princípio, a comunicação foi difícil. Nayimathun não dava ouvidos a Tané quando usava a linguagem respeitosa mais adequada para tratar uma deusa. As duas deveriam ser como parentes próximas, ela falou. Como irmãs. Caso contrário, não poderiam voar juntas. Dragões e ginetes precisavam compartilhar de um único coração.

Tané não sabia como lidar com aquela regra. Durante toda a vida, falou com os mais velhos em um tom respeitoso, e agora uma *deusa* queria conversar como se as duas fossem melhores amigas. Pouco a pouco, hesitando, ela foi contando à dragoa sobre sua infância em Ampiki, sobre o incêndio que levou seus pais, sobre os anos de treinamento na Casa do Sul. Nayimathun escutava tudo pacientemente.

Enquanto o sol mergulhava no oceano, Tané foi andando descalça até a dragoa, que estava com a cabeça aninhada no pescoço dobrado. Aquela posição a fez pensar em um pato adormecido.

Ela se ajoelhou ao lado de Nayimathun e pôs a mão espalmada sobre as escamas. A audição dos dragões não era como a dos humanos. O tato os ajudava a sentir as vibrações de uma voz.

— Boa noite, Nayimathun.

— Tané. — Nayimathun abriu apenas um olho. — Sente-se comigo.

A voz dela era como uma concha de guerra e o canto de uma baleia e o rugido distante de uma tempestade comprimidos em palavras que eram como o vidro esculpido pelo mar. Ouvi-la deixava Tané até zonza.

Ela se sentou e se recostou nas escamas sempre úmidas de sua dragoa. Eram deliciosamente frias.

Nayimathun farejou o ar.

— Você está ferida.

O sangue ainda escorria da mão. Tané fechou o punho.

— Só um pouco — ela falou. — Eu saí às pressas e esqueci as luvas.

— Não é preciso ter pressa, pequenina. A noite mal caiu. — Uma respiração funda fez toda a extensão do corpo da dragoa vibrar. — Acho que poderíamos falar sobre as estrelas.

Tané olhou para o céu, onde os pequenos olhos prateados estavam começando a despontar.

— Estrelas, Nayimathun?

— Sim. Eles ensinam sobre as estrelas em suas Casas de Aprendizagem?

— Um pouco. Na Casa do Sul, nossos professores explicaram o nome das constelações e como nos orientar a partir delas. — Tané hesitou. — No vilarejo onde nasci, dizem que as estrelas são os espíritos das pessoas que fugiram do Inominável. Elas subiram escadas e se esconderam no céu para esperar pelo dia quando todos os cuspidores de fogo cairão mortos no mar.

— Os plebeus podem ser mais sábios que os acadêmicos. — Nayimathun olhou bem para ela. — Você é minha ginete agora, Tané. Portanto, tem o direito de compartilhar do conhecimento de minha espécie.

Nenhum de seus professores avisara que aquilo aconteceria.

— Seria uma honra para mim recebê-lo — ela falou.

Nayimathun voltou o olhar para o céu. Seus olhos brilharam ainda mais, como se fossem espelhos do luar.

— A luz das estrelas foi o que nos gerou — ela falou. — Todos os dragões do Leste vieram originalmente do céu.

Sentada ao lado da dragoa, Tané admirava suas formas reluzentes, a fileira de espinhos sob seu queixo, na coroa de sua cabeça, azuis como um hematoma recente. Era aquele o órgão que lhe permitia voar.

Nayimathun percebeu que ela estava olhando.

— Essa parte de mim assinala o local onde meus ancestrais caíram das estrelas e bateram a cabeça no mar — explicou ela.

— Eu pensei... — Tané umedeceu os lábios. — Perdão, Nayimathun, mas pensei que os dragões nasciam de ovos.

Ela sabia que sim. Ovos que eram como vidro nebuloso, lisos e úmidos, com um brilho incandescente em seu interior. Podiam passar séculos dentro da água antes que um dragão emergisse como um serzinho pequeno e frágil. Mesmo assim, questionar uma deusa fazia sua voz tremer.

— Hoje, sim — confirmou Nayimathun. — Mas nem sempre.

Ela ergueu a cabeça para o céu outra vez.

— Nossos ancestrais vieram no cometa que vocês chamam de Lanterna de Kwiriki, antes de existirem os filhos da carne. Choveu luz sobre a água, e dessa água surgiu a espécie dos dragões.

Tané ficou olhando para ela.

— Mas, Nayimathun, como um cometa pode gerar um dragão?

— Ele deixa para trás uma substância. Uma luz derretida das estrelas que cai no mar e nos lagos. Como essa substância tomou a forma de dragões é um conhecimento que não tenho. O cometa vem do plano celestial, onde ainda não habito. Quando o cometa passa, nossas forças se regeneram ao máximo. Botamos ovos, e eles vingam, e recuperamos todos os poderes que já tivemos. Mas, pouco a pouco, nossa força vai se esvaindo. E precisamos esperar a próxima vinda do cometa para reavê-la.

— Não existe outra forma de recuperar as forças?

Nayimathun a encarou com seus olhos antiquíssimos, que faziam Tané se sentir minúscula.

— Outros dragões preferem não compartilhar isso com seus ginetes, Miduchi Tané, mas eu vou presenteá-la com esse conhecimento — retumbou a voz dela.

— Eu agradeço.

Ela se arrepiou toda. Certamente nenhum ser humano era digno de receber tamanha sabedoria de uma deidade.

— O cometa acabou com a Grande Desolação, mas já tinha vindo a este mundo muitas vezes antes — explicou Nayimathun. — Uma vez, muitas luas atrás, deixou para trás duas joias celestiais, ambas infundidas com seu poder. Fragmentos sólidos do cometa. Com eles, nossos ancestrais eram capazes de controlar as ondas. Sua presença nos permitiu manter nossas forças por mais tempo do que éramos capazes antes. No entanto, esses fragmentos estão perdidos há quase mil anos.

Sentindo a tristeza em sua dragoa, Tané acariciou as escamas. Embora brilhassem como as de peixes, eram marcadas por cicatrizes, cindidas por dentes e chifres.

— Como esses objetos tão preciosos se perderam? — ela quis saber.

Nayimathun soltou um leve suspiro.

— Quase mil anos atrás, um ser humano as usou para fazer o mar se fechar sobre o Inominado — disse ela. — Foi assim que o derrotaram. Depois disso, as duas joias desapareceram da história, como se nunca tivessem existido.

Tané sacudiu a cabeça.

— Um ser humano — ela repetiu, e em seguida se lembrou das lendas que vinham do Oeste. — O nome dele era Berethnet?

— Não. Foi uma mulher do Leste.

Elas ficaram em silêncio. A água pingava da rocha acima da cabeça das duas.

— Nós já tivemos muitos poderes, Tané — continuou Nayimathun. — Podíamos trocar de pele, como cobras, e mudar de forma. Já ouviu a lenda seiikinesa de Kwiriki e a Donzela da Neve?

— Sim.

Tané a havia escutado muitas vezes na Casa do Sul. Era uma das histórias mais antigas de Seiiki.

Há muito tempo, quando surgiram das ondas pela primeira vez, os dragões do Mar do Sol Dançante fizeram um acordo entre si para se tornar amigos dos filhos da carne, cujas fogueiras avistaram em uma praia próxima. Levaram como presentes peixes dourados para mostrar suas boas intenções — mas os ilhéus, amedrontados e desconfiados, arremessaram lanças nos dragões, que despareceram entristecidos de volta para profundezas do mar, e não foram mais vistos por muitos anos.

No entanto, uma jovem que testemunhara a aproximação dos dragões lamentava sua ausência. Todos os dias ela andava pela grande floresta e cantava sua desolação pelas lindas criaturas que vieram à ilha por tão pouco tempo. Na história, ela não tinha nome, como muitas das mulheres das narrativas mais antigas. Era apenas a *Donzela da Neve*.

Em uma manhã fria, a Donzela da Neve encontrou um pássaro ferido ao passar por um riacho. Ela fez um curativo em sua asa e o alimentou com gotas de leite. Depois de um ano sob seus cuidados, o pássaro se fortaleceu, e ela o levou aos penhascos para soltá-lo.

Foi naquele instante que o pássaro se transformou em Kwiriki, o Grande Ancião, que fora ferido no mar e havia assumido uma nova forma para escapar do perigo. A Donzela da Neve ficou felicíssima, assim como o grande Kwiriki, pois ele agora sabia que os filhos da carne tinham a bondade dentro de si.

Para agradecer à Donzela da Neve pelos cuidados, o grande Kwiriki entalhou um trono com seu próprio chifre, que se chama Trono do Arco-Íris, e criou para ela um lindo consorte, o Príncipe da Noite Dançante, a partir da espuma do mar. A Donzela da Neve se tornou a primeira Imperatriz de Seiiki, e voou pela ilha com o grande Kwiriki, ensinando às pessoas a amar os dragões e não fazer mal a eles. Sua linhagem governou Seiiki até ser extinta na Grande Desolação, e o Primeiro Líder Guerreiro pegou em armas para vingar seu sangue.

— Essa história é verdadeira — revelou Nayimathun. — Kwiriki de fato assumiu a forma de um pássaro. Com o tempo, aprendemos a assumir muitas aparências diferentes. Conseguíamos alterar nosso tamanho, criar ilusões, conceder sonhos. Nosso poder era imenso.

Porém, não mais.

Tané ficou escutando o mar logo abaixo. Ela se imaginou como uma concha, carregando aquele rugido em sua barriga. Quando as pálpebras começaram a pesar, Nayimathun olhou para ela.

— Há alguma coisa perturbando você.

Tané ficou tensa.

— Não — disse ela. — Só estou pensando em como estou feliz. Agora tenho tudo o que sempre quis.

Nayimathun resmungou, e uma lufada de névoa saiu das narinas.

— Não há nada que você não possa me contar.

Tané tentou não encarar aquele olhar. Cada fibra de seu ser dizia para não mentir diante de uma deusa, mas ela *não* podia contar a verdade sobre o forasteiro. Por um crime como aquele, sua dragoa poderia rejeitá-la.

Ela preferia morrer a ver isso acontecer.

— Eu sei — foi tudo o que ela disse.

A pupila do olho da dragoa se transformou em uma poça escura. Tané podia ver seu próprio rosto refletido ali.

— Minha intenção era levá-la de volta ao castelo, mas preciso descansar esta noite — disse Nayimathun.

— Eu entendo.

Um rugido leve percorreu o corpo da dragoa.

— Ele está se mexendo — disse Nayimathun, como que para si mesma. — O peso das sombras paira sobre o Oeste.

— Quem está se mexendo?

A dragoa fechou os olhos e baixou a cabeça de novo para aninhá-la juntou ao pescoço.

— Fique comigo até o sol nascer, Tané.

— Claro.

Tané se deitou ao lado dela. Nayimathun se moveu para mais perto e se enrodilhou ao seu redor.

— Durma — disse a dragoa. — As estrelas olharão por nós.

O corpo da dragoa barrava o vento. Quando Tané pegava no sono encostada junto da criatura com a qual sempre sonhara, embalada pelas batidas de seu coração, teve a curiosa sensação de que estava de volta ao ventre materno.

E também sentiu que havia algo se aproximando. Como uma rede se fechando em torno de um peixe que se debatia.

26

Oeste

A notícia do passeio real a Ascalon se espalhou por Inys, da Baía das Fogueiras aos penhascos das Quedas, sempre cobertos pela neblina. Depois de longos catorze anos, a Rainha Sabran se apresentaria ao povo da capital, e a cidade se preparou para lhe dar as boas-vindas. Antes que Ead notasse, o dia do passeio chegara.

Enquanto se vestia, escondeu suas lâminas. Duas sob as saias, outra atrás da estomaqueira, uma quarta enfiada no cano da bota. A adaga ornamental portada por todas as Damas da Alcova era a única que podia ficar à mostra.

Às cinco horas, ela se juntou a Katryen nos aposentos reais e foi acordar Sabran e Roslain.

Para sua primeira aparição pública desde a coroação, as damas de companhia precisavam deixar a rainha mais do que bonita. Precisavam fazê-la parecer divina. Ela foi vestida com veludo de um tom escuro de azul-marinho, um cintilho de cornalinas e uma estola de pele de pantera, que a destacavam contra o cetim cor de bronze e as peles castanhas das pessoas ao redor. Daquela forma, ela invocaria memórias da Rainha Rosarian, que adorava usar azul.

Um broche em forma de espada foi fixado no corpete. Em toda a Virtandade, ela era a única que podia ter o Santo como seu padroeiro.

Roslain, cujos cabelos estavam adornados com enfeites de âmbar e vidro vermelho, assumiu a tarefa de selecionar as joias. Ead pegou um pente e, segurando os ombros de Sabran, deslizou os dentes pela cascata de cabelos pretos até cada uma das mechas deslizarem entre seus dedos.

Sabran permanecia imóvel. Os olhos estavam vermelhos pela falta de sono.

Ead suavizou seus gestos. Sabran inclinou a cabeça na direção do toque. A cada passada do pente, a postura dela ia perdendo um pouco da tensão, e a pressão com que cerrava os dentes se atenuou. Enquanto trabalhava, Ead apoiou o dedo na pele exposta atrás da orelha de Sabran, para mantê-la parada no lugar.

— Você está linda hoje, Ead — disse Sabran.

Era a primeira coisa que ela dizia desde que acordara.

— É muita gentileza de Sua Majestade dizer isso. — Ead tentava desfazer um nó mais teimoso. — Está ansiosa pela visita à cidade?

A princípio, Sabran não respondeu. Ead continuou penteando.

— Estou ansiosa para ver meu povo — ela respondeu por fim. — Meu pai sempre me incentivou a andar entre as pessoas, mas... eu não conseguia.

Sabran devia estar pensando na mãe. O motivo por trás de ter visto pouca coisa no mundo além do interior reluzente de seus palácios nos últimos catorze anos.

— Eu gostaria de poder anunciar que estou grávida. — Ela passou a mão na estomaqueira encrustada de pedras preciosas. — O Médico Real me aconselhou a esperar até minha filha crescer um pouco mais.

— O que eles querem ver é a *senhora*. Não se sua barriga está grande ou não — disse Ead. — De qualquer forma, o anúncio poderá ser feito em algumas semanas. E imagine a alegria que isso vai dar às pessoas.

A rainha estudou o rosto dela. E então, de forma bastante inesperada, segurou a mão dela.

— Me diga uma coisa, Ead — ela falou. — Como você consegue encontrar sempre as palavras certas para me confortar?

Antes que Ead pudesse responder, Roslain se aproximou. Ead deu um passo para trás, e Sabran soltou sua mão, mas ela ainda sentia os resquícios daquele toque contra sua palma. Os ossos finos. As juntas delicadas.

Sabran deixou que as outras damas a conduzissem para a tina. Katryen se encarregou de pintar os lábios dela, enquanto Ead fazia seis tranças em seus cabelos e as amarrava em uma roseta na parte de trás da cabeça, deixando o resto solto e ondulando à vontade. Por último, veio a coroa de prata.

Quando estava pronta, a rainha se olhou no espelho. Roslain ajeitou a coroa.

— Só um último toque — disse ela, prendendo um colar no pescoço de Sabran. De safiras intercaladas com pérolas, e um pingente em formato de cavalo-marinho. — Você deve se lembrar.

— Claro. — Sabran passou a mão no pingente com uma expressão distante. — Foi minha mãe quem me deu.

Roslain pôs a mão em seu ombro.

— Que ela esteja com a senhora. Ela estaria orgulhosa.

A Rainha de Inys se observou no espelho por mais um momento. Depois, finalmente, tomou fôlego e se virou.

— Minhas ladies — ela falou com um leve sorriso —, como eu estou?

Katryen ajeitou uma mecha de cabelo na coroa e assentiu com a cabeça.

— Como uma descendente do Santo, Majestade.

Às dez horas, o céu era de um azul ofuscante. As damas de companhia seguiram a rainha até os portões da Casa Briar, onde Aubrecht Lievelyn estava à espera com os seis Duques Espirituais, envergando um grande manto. Seyton Combe, como sempre, exibia um sorriso clemente nos lábios. Ead precisou conter a vontade de arrancá-lo da cara dele.

O Gavião Noturno parecia todo satisfeito consigo mesmo, mas não fizera nenhum progresso na questão dos assassinos. E, para sua frustração, Ead também não. Por mais que quisesse investigar, seus afazeres não lhe deixavam muito tempo para isso.

Se os assassinos fossem atacar de novo, seria naquele dia.

Enquanto Sabran era conduzida à carruagem real, Igrain Crest estendeu a mão para a neta.

— Roslain — disse ela com um sorriso. — Como você está bonita hoje, criança. A joia do meu mundo.

— Ah, vovó, é muita generosidade sua. — Roslain fez uma mesura e a beijou no rosto. — Que tenhamos um bom dia.

— Só podemos torcer para que seja *mesmo* um bom dia, Lady Roslain — murmurou Lorde Ritshard Eller. — Eu não gosto da ideia de ter a rainha andando entre os plebeus.

— Vai dar tudo certo — disse Combe. Seu grande-colar de ofício refletia a luz do sol. — Sua Majestade e Sua Alteza Real estarão bem protegidos. Não estão é verdade, Sir Tharian?

— Hoje mais do que nunca, Sua Graça — falou Lintley, curvando-se com elegância.

— Hum. — Eller não parecia muito convencido. — Muito bem, Sir Tharian.

Ead compartilhou uma carruagem com Roslain e Katryen. Enquanto se afastavam do palácio e se embrenhavam na cidade, ela olhou pela janela.

Ascalon era a primeira e única capital de Inys. As ruas com calçamento de pedras eram o lar de milhares de pessoas de todos os cantos da Virtandade e além. Antes que Galian voltasse àquelas ilhas, eram um aglomerado de territórios sempre em conflito, governado por diversos senhores de terras e príncipes de pouca monta. Galian unira todos sob a mesma coroa. A coroa dele.

A capital que construíra, batizada em homenagem à espada, segundo diziam, outrora fora um paraíso. Agora estava repleta de perigos e imundície como qualquer outra cidade.

A maioria das construções era de pedra. Depois da Era da Amargura, quando o fogo consumira Inys, uma lei fora decretada para banir os telhados de palha. Apenas algumas casas de madeira, apontadas por Rosarian II, puderam permanecer de pé, devido à sua beleza. Os troncos escuros, dispostos em edificações opulentas, formavam um contraste marcante com o branco da argamassa que os juntava.

Os distritos mais ricos eram realmente repletos de riquezas. No de Rainhato havia vinte ourives e duas vezes mais prateiros. A Rua Hend era onde se concentravam as oficinas, onde os inventores criavam novas armas para defender Inys. Na Ilha de Knells, a Travessa Pounce era o ponto de encontro de poetas e dramaturgos, e o Beco Brazen, o dos livreiros. Mercadorias de todo o mundo eram vendidas no grande mercado da Praça Werald. Utensílios reluzentes de cobre, além de porcelanas e joias de ouro da Lássia. Pinturas e marchetarias e a cerâmica esmaltada com sal de Mentendon. O raro vidro vermelho da antiga República Serena de Carmentum. Incensos de óleos aromáticos e pedras celestes do Ersyr.

Nos distritos mais pobres que a comitiva real visitaria naquele dia, como a Zona de Kine e os Setts, a vida não era tão bonita. Naqueles locais predominavam a desordem, os bordéis — disfarçados de hospedarias para não chamar a atenção da Ordem dos Santários — e as cervejarias onde os gatunos contavam suas moedas roubadas.

Dezenas de milhares de inysianos saíram às ruas para um breve vislumbre de sua rainha. A visão de toda aquela gente era inquietante para Ead. Não houve assassinos desde o casamento, mas ela estava certa de que a ameaça permanecia viva.

A procissão real parou diante do Santuário de Nossa Dama, que, segundo se acreditava, era onde estava a tumba de Cleolind. (Ead sabia que não era verdade.) Era a construção mais alta de Inys, maior até que a Torre Alabastrina, feita de uma pedra alva que reluzia sob o sol.

Ead desceu da carruagem para a luz do dia. Fazia muito tempo que não andava pelas ruas de Ascalon, mas as conhecia bem. Antes de Chassar presentear Sabran com ela, tinha passado um mês circulando por cada artéria e veia da cidade, para que soubesse se orientar caso precisasse um dia fugir da corte.

Uma grege se reunira nos degraus do santuário, sedenta pela atenção de sua rainha. Haviam espalhado flores-da-rainha e lírios sobre as pedras. Enquanto as damas de companhia e as Damas de Câmara Extraoficiais saíam de suas carruagens acompanhadas de Oliva Marchyn, Ead observava a multidão.

— Não estou vendo Lady Truyde — comentou ela com Katryen.

— Ela está com dor de cabeça. — Katryen franziu os olhos. — Que belo dia para isso.

Margret se posicionou ao lado delas.

— Eu esperava muita gente — disse ela, enquanto seu hálito se condensava em vapor à sua frente —, mas, pelo Santo, acho que a cidade inteira apareceu. — Ela apontou com o queixo para a carruagem real. — Lá vamos nós.

Ead se pôs em alerta.

Quando Lievelyn apareceu, os inysianos aplaudiram como se fosse o retorno do próprio Santo. Sem se deixar impressionar, ele ergueu uma das mãos em saudação antes de estendê-la para Sabran, que desceu com toda a compostura.

O rugido da multidão ficou tão alto, e tão depressa, que para Ead parecia transcender o som e ganhar um corpo físico. Arrancou o ar de seus pulmões e retumbou em suas entranhas. Ela sentiu Katryen estremecer de emoção ao lado, e viu Margret boquiaberta, enquanto os inysianos se ajoelhavam diante de sua rainha. Chapéus foram retirados e lágrimas foram derramadas, e Ead achou que os gritos fossem abalar o Santuário de Nossa Dama. Sabran parecia ter sido atingida por um raio. Ead a observou enquanto absorvia tudo aquilo. Desde o dia em que fora coroada, ela se escondera em seus palácios. Ela se esquecera de seu significado para o povo. A encarnação da esperança. Seu escudo e sua salvação.

Ela se recuperou prontamente. Embora não tivesse acenado, sorriu e deu a mão para Lievelyn. Os dois permaneceram lado a lado por um tempo, permitindo que seus súditos expressassem sua adoração por eles.

O Capitão Lintley foi andando na frente, com uma das mãos no cabo com guarda em forma de cesto da espada. Os Cavaleiros do Corpo e cerca de trezentos guardas, posicionados ao longo do caminho a ser percorrido, estavam a postos para proteger a rainha e o príncipe em seu passeio pela cidade.

Enquanto seguia atrás de Sabran, Ead observava a multidão, esquadrinhando cada rosto e cada mão. Nenhum assassino que se prezasse ignoraria uma oportunidade como aquela.

O Santuário de Nossa Dama era tão magnífico por dentro quanto por fora, com um teto abobadado e janelas trifoliadas lá no alto que banhavam a comitiva com feixes de luz roxa. Os guardas ficaram à espera do lado de fora.

Sabran e Lievelyn se dirigiram à tumba. Era um bloco de mármore de aparência solene, posicionado em uma reentrância atrás do altar. Segundo se acreditava, a Donzela jazia incólume em uma câmara selada mais abaixo. Não havia nenhuma efígie.

O casal real se ajoelhou nos genuflexórios diante da tumba e abaixou a cabeça. Depois de um tempo, Lievelyn se afastou para deixar Sabran fazer sua prece a sós. As Damas da Alcova foram se ajoelhar ao seu lado.

— Abençoada Donzela — disse Sabran para a tumba —, eu sou Sabran IX. Minha coroa é sua, meu rainhado é seu, e todos os dias busco glorificar a Casa de Berethnet. Busco ser dotada de sua compaixão, de sua coragem e de sua tolerância.

Ela fechou os olhos, e sua voz se transformou em um espectro de sussurro.

— Confesso que não sou muito parecida com você. Que sou impaciente e arrogante. Durante muito tempo negligenciei meu dever para com esta nação, me recusando a presentear meu povo com uma princesa, e em vez disso busquei maneiras erráticas de prolongar minha própria vida.

Ead olhou para ela. A rainha tirou a luva com forro de pele e pousou a mão sobre o mármore.

Estava rezando para uma tumba vazia.

— Eu lhe peço isso, como uma descendente sua que a ama. Me permita gestar minha filha até o devido tempo. Permita que ela nasça sadia e vigorosa. Me permita dar esperança ao povo da Virtandade. Eu farei qualquer coisa por isso. Morrerei para dar a vida a minha filha. Sacrificarei tudo por ela, mas permita que nossa casa não chegue ao fim junto comigo.

A voz dela era firme, mas o rosto era a imagem da fadiga. Ead a observou, e em seguida lhe estendeu a mão.

A princípio, Sabran ficou tensa. Um instante depois, entrelaçou os dedos com o dela e assim os deixou.

Mulher nenhuma deveria temer que sua própria existência não era o bastante.

Quando Sabran se ergueu, as damas fizeram o mesmo. Ead enrijeceu sua postura. A parte seguinte da jornada seria a mais perigosa. Sabran e Lievelyn se encontrariam com os desafortunados de Ascalon e distribuiriam bolsas com ouro. Enquanto desciam os degraus do santuário, Sabran se mantinha próxima de seu companheiro.

A comitiva prosseguiria a pé a partir dali. Eles seguiram caminho pela Via Berethnet, ladeados pelos guardas. Na metade do percurso, atravessaram a Praça Marion, e um paneleiro gritou:

— Faça uma filha com ela logo, ou volte para Mentendon!

Lievelyn permaneceu impassível, mas Sabran cerrou os dentes. Enquanto o homem era arrastado para longe pelos guardas, ela esticou os dedos para Lievelyn, segurando a mão dele.

Para chegar à Zona de Kine, era preciso atravessar o distrito da Várzea de Sylvan, onde as ruas eram sombreadas por árvores perenes e o Teatro Carnelian se destacava sobre as barracas dos vendedores. O barulho era retumbante, e o ar estalava de empolgação.

Conforme Sabran parou para admirar um tecido, algo atraiu o olhar de Ead para a padaria do outro lado da rua. Agachado na varanda estava um indivíduo com um pedaço de tecido sobre o nariz e a boca. Sob os olhos de Ead, ele levantou o braço.

Uma pistola reluziu ao luar.

— Morte à Casa de Berethnet — gritou ele.

Foi como se o tempo ficasse mais lento. Sabran olhou para cima, e alguém deixou escapar um grito de pavor, mas Ead já estava lá. Ela colidiu com Sabran e a enlaçou pela cintura, e ambas foram ao chão enquanto a pistola era descarregada, produzindo um estampido que era como se o mundo estivesse se partindo. Os berros irromperam da multidão quando um velho tombou, atingido pela bala destinada à rainha.

Ead aterrissou com força sobre o quadril, se enrolou em volta de Sabran, que se agarrou a ela com um braço sobre a barriga. Em seguida, Ead a levantou e a entregou a Lievelyn. Ele a afastou para longe do tiroteio.

— A rainha — berrou o Capitão Lintley. — Todas as espadas para defender a rainha.

— Lá em cima — apontou Ead. — Matem-no!

O atirador já tinha saltado para a varanda ao lado. Lintley fez pontaria com sua balestra, mas a seta errou o alvo por dois dedos. Ele praguejou e preparou outro projétil.

Ead se colocou diante de Sabran. Lievelyn sacou a espada para protegê-la pelas costas. As outras damas de companhia entraram em formação ao redor da rainha. Com o olhar no atirador, que saltava como um antílope de telhado em telhado, Ead sentiu seu corpo inteiro gelar. Ela olhou para o outro lado da rua.

Eles não usavam antefaces. Não eram como os assassinos do palácio. Em vez disso, escondiam os rostos com as máscaras usadas para se proteger da peste dragônica, do mesmo tipo que os médicos usavam na Era da Amargura. Assim que o primeiro deles se destacou da multidão para atacar a comitiva real, Ead arremessou a adaga que levava no cintilho, acertando o agressor na garganta.

A multidão se dispersou. Em meio ao caos, o agressor seguinte apareceu repentinamente perto deles.

— Foda-se a Casa de Berethnet — gritou ele para Sabran, chocando-se contra um dos Cavaleiros do Corpo, que o jogou para trás e nele cravou sua espada. — Vivas ao Inominado!

— O Deus da Montanha! — elevou-se a invocação não muito longe dali. — Seu reinado está por vir!

Arautos do fim. Em questão de segundos, Lintley trocou a balestra pela espada e neutralizou a ameaça mais próxima. O galante cavaleiro então foi à luta, deixando em seu lugar um homem que escolhera a dedo para proteger a Rainha de Inys. A agressora deteve o passo e, quando Lintley avançou, ela se virou e fugiu. Um mosquete foi disparado e espalhou suas tripas pelo calçamento.

Em meio ao gritos, Ead procurou pelo Gavião Noturno, mas o pânico reinava, havia corpos demais ao redor. Sabran permaneceu firme no lugar, com os punhos cerrados nas laterais do corpo, se recusando ficar abaixada ou se ajoelhar.

Uma tranquilidade sobrenatural tomou conta de Ead. Enquanto arremessava mais duas lâminas, esqueceu-se de que as Damas da Alcova não eram treinadas para o combate. Ela deixou cair o manto secreto que usara durante todos aqueles anos. Só sabia que precisava cumprir seu dever. Era preciso manter Sabran viva.

A dança da guerra a chamava. Como da primeira vez que tinha caçado um basilisco. Como uma rajada de fogo, ela avançou sobre a leva seguinte de agressores, brandindo suas lâminas enquanto eles caíam mortos ao seu redor.

Ela então voltou a si. Lintley a encarava, com o rosto todo respingado de sangue. Um grito chamou a atenção dele para outra coisa. Linora. Ela berrava aterrorizada, implorando, enquanto dois dos arautos do fim tentavam jogá-la no chão. Ead e Lintley foram correndo para onde ela estava, mas uma faca abriu a garganta dela antes que os dois pudessem chegar. O sangue espirrou, e já era tarde demais. Ela estava morta.

Ead tentou se recuperar do choque, mas a bile subiu à garganta. Sabran ficou olhando para a dama moribunda. Os Cavaleiros do Corpo se postaram em torno da rainha, mas estavam cercados, a ameaça vinha de todas as partes. Outra figura mascarada avançou contra os membros da realeza, mas Roslain, com uma ferocidade que Ead nunca vira antes, cravou a faca na coxa do homem. Um grito foi ouvido por trás da máscara.

— O Inominável vai ressurgir — gritou uma voz, ofegante. — Nós lhe prometemos nossa lealdade. — Seus olhos eram enevoados e obscuros. — Morte à Casa de Berethnet!

Roslain o atacou na garganta, mas ele a esmurrou na cabeça, jogando-a para trás. Sabran gritou de raiva. Ead se desvencilhou da confusão e correu até ela no momento em que o patife brandia sua faca contra Lievelyn, que ergueu a espada bem a tempo de impedir o golpe com a própria lâmina.

A luta que se seguiu foi rápida e violenta. Lievelyn era mais forte, e contava com anos de treinamento para respaldar cada um dos movimentos. Com um corte brutal, estava tudo acabado.

Sabran se afastou do cadáver. Seu companheiro olhou para a própria espada e engoliu em seco. O sangue escorria da lâmina.

— Sua Majestade, Sua Alteza Real, venham comigo. — Um Cavaleiro do Corpo tinha se destacado da escaramuça. A armadura revestida em cobre estava mais vermelha do que antes. — Eu conheço um lugar seguro neste distrito. O Capitão Lintley me ordenou que os levasse para lá. Precisamos ir agora.

Ead apontou uma das facas para ele. A maioria dos Cavaleiros do Corpo usava elmos quando estava fora do palácio, e a voz por trás daquele soava abafada demais.

— Ninguém vai a lugar nenhum — disse ela. — Quem é você?

— Sir Grance Lambren.

— Tire seu elmo.

— Calma, Mestra Duryan. Eu reconheço a voz dele — disse Lievelyn. — Não é seguro que Sir Grance remova seu elmo.

— Ros... — Sabran estava estendendo a mão para sua Dama Primeira. — Aubrecht, carregue Ros, por favor.

Ead procurou por Margret e Katryen, mas elas não estavam por perto. Linora estava caída em uma poça de sangue, com o olhar vidrado dos mortos.

Lievelyn pegou Roslain nos braços e seguiu Sir Grance Lambren, que tentava apressar Sabran. Praguejando contra Lievelyn por sua credulidade, Ead seguiu atrás dele. Os demais Cavaleiros do Corpo se esforçavam para se juntar à rainha, mas estavam em desvantagem numérica.

Como tinham conseguido orquestrar uma ofensiva tão numerosa?

Ela alcançou Sabran e Lievelyn no momento em que Lambren os

fazia dobrar uma esquina e desaparecer das vistas daqueles que estavam na Via Berethnet. Ele os levou por um solo sepulcral tomado pelo mato até a Travessa Quiver, para um santuário em ruínas. Conseguiu colocar o casal real para dentro, mas, quando Ead chegou à porta, barrou sua entrada.

— Vá procurar as outras damas, mestra.

— Eu vou continuar seguindo a rainha, Sir — disse Ead. — Ou é você quem não vai.

Lambren não se mexeu. Ela apertou com força o cabo de suas facas.

— Ead. — Era Sabran. — Ead, onde você está?

O cavaleiro permaneceu como uma estátua por mais um instante, mas então deu um passo para o lado. Quando Ead passou, ele embainhou a espada e trancou as portas atrás de si. Quando tirou o elmo, Ead pôde ver o rosto vermelho de Sir Grance Lambren, que lançou a ela um olhar de intensa hostilidade.

O interior do santuário estava no mesmo estado de desordem do campo sepulcral. Ervas daninhas cresciam por entre as janelas quebradas. Roslain estava deitada no altar, imóvel, a não ser pelo subir e descer do peito. Sabran, que a havia coberto com o próprio manto, estava ao lado, segurando a mão inerte sem perder a compostura.

Lievelyn andava em círculos, com o rosto crispado.

— Aquelas pobres almas lá fora. Lady Linora... — O rosto dele estava sujo de sangue. — Sabran, preciso voltar para as ruas e ajudar o Capitão Lintley. Fique aqui com Sir Grance e Mestra Duryan.

Imediatamente, Sabran correu até ele.

— Não. — Ela o segurou pelos cotovelos. — Eu ordeno que fique.

— Minha espada está a seu serviço tanto quanto qualquer outra — respondeu Lievelyn. — Minha Guarda Real...

— Meus Cavaleiros do Corpo também estão lá fora — Sabran interrompeu —, mas se nós morrermos, os esforços deles para nos proteger teriam sido em vão. Eles precisarão pensar em nos salvar, além de salvar a si mesmos.

Lievelyn segurou o rosto dela entre as mãos.

— Doce Sabran — falou ele. — Eu vou ficar bem.

Pela primeira vez, Ead pôde ver a extensão do amor dele por Sabran, e aquilo a abalou.

— Maldição, você é meu companheiro. Com quem compartilhei o leito. Carne de minha carne. Meu... meu coração — esbravejou Sabran, com o rosto tenso e a voz rouca. — E não deixará sua filha órfã, Aubrecht Lievelyn. Não nos deixará aqui chorando sua morte.

O rosto dele mudou de expressão. A esperança se acendeu como uma luz em seus olhos.

— É verdade?

Olhando bem para ele, Sabran pegou a mão de Lievelyn e a puxou até sua barriga.

— É verdade — disse ela, quase em sussurro.

Lievelyn soltou um suspiro. Um sorriso se abriu em sua boca, e ele acariciou o rosto dela com o polegar.

— Então eu sou o mais afortunado dos príncipes — murmurou ele. — E juro que nossa filha vai ser a princesa mais amada do mundo. — Respirando fundo, ele puxou Sabran para junto do peito. — Minha rainha. Minha bênção. Vou amar vocês duas até me tornar digno de minha boa fortuna.

— Isso você já é. — Sabran o beijou no queixo. — Não está usando o meu anel do nó do amor?

Ela apoiou o rosto no ombro dele, acariciando as costas dele com as mãos e fechando os olhos quando ele a beijou na testa. Fosse qual fosse a tensão presente ali, já havia se dissipado. A chama da discórdia se apagou quando os corpos dos dois se uniram.

Houve batidas na porta.

— Sabran — uma voz gritou. — Majestade, é Kate, e com Margret também! Por favor, nos deixe entrar!

— Kate, Meg... — Sabran se afastou imediatamente de Lievelyn.

— Abra as portas — ela gritou para Lambren. — Depressa, Sir Grance.

Lentamente, Ead se deu conta do ardil. Não era Lady Katryen Withy atrás daquela porta. Era alguém se passando por ela. Um arremedo de imitação.

— Não — disse ela, brusca. — Parado aí.

— Como ousa contestar minhas ordens? — Sabran se virou para ela. — Quem lhe deu essa autoridade?

A rainha estava vermelha de raiva, mas Ead se manteve firme.

— Majestade, não é Katryen...

— Acho que eu conheço a voz dela. — Sabran apontou com o queixo para Lambren. — Deixe minhas damas entrarem. Agora.

Ele era um Cavaleiro do Corpo, e, portanto, obedeceu.

Ead não perdeu tempo. Uma das adagas já estava cortando os ares quando Lambren abriu as portas e alguém entrou correndo no santuário. E, conseguindo escapar da morte com uma esquiva perfeita, disparou uma pistola contra Lambren e a apontou para Ead.

Lambren desmoronou com um estrondo da armadura contra o chão de pedra. A bala estava encravada entre seus olhos.

— Não se mova, ersyria — disse a voz. A pistola fumegava. — Abaixe essa faca.

— Para você poder matar a Rainha de Inys? — disse Ead, e permaneceu imóvel. — Seria mais fácil você disparar com essa pistola no *meu* coração... mas imagino que só tenha uma bala, caso contrário estaríamos todos mortos.

Não houve resposta.

— Quem mandou você aqui? — Sabran endireitou os ombros. — Quem está conspirando pelo fim da linhagem do Santo?

— O Copeiro não lhe deseja nenhum mal, Majestade, a não ser quando não escuta a voz da razão. A não ser quando conduz Inys por caminhos errados.

Copeiro.

— Caminhos — continuou a agressora, a voz abafada pela máscara contra a praga —, que levarão Inys ao pecado.

Quando a pistola foi apontada para o casal real, Ead atirou a última faca, acertando a assassina no coração bem no momento em que disparava a arma.

Sabran se encolheu. Ead chegou até ela rapidamente e sentiu a umidade em seu corpete, molhado de suor, mas não havia sinal de sangue. O vestido ainda estava intacto.

Atrás delas, Aubrecht Lievelyn caiu sobre um dos joelhos. As mãos estavam no gibão, onde uma mancha escura se espalhava.

— Sabran — murmurou ele.

Ela se virou.

— Não — sussurrou ela, rouca. — Aubrecht...

Como se estivesse a uma enorme distância, Ead viu a Rainha de Inys correr até seu companheiro e deitá-lo no chão, murmurando seu nome enquanto o sangue do coração dele encharcava as saias dela. Enquanto o abraçava e implorava para que ficasse com ela, e ele se esvaía. Enquanto se dobrava sobre ele, segurando sua cabeça.

Enquanto ele parava de se mexer de uma vez por todas.

— Aubrecht. — Sabran ergueu os olhos, banhados em lágrimas. — Ead. Ead. Ajude, por favor...

Ead não teve tempo de ir até ela. As portas voltaram a se abrir, e uma segunda assassina entrou no santuário, ofegante. Imediatamente, Ead tomou a espada das mãos mortas de Lambren e prensou a assassina contra a parede.

— Tire essa máscara, ou juro para você que arranco seu rosto junto — ameaçou ela.

Duas mãos enluvadas revelaram uma figura pálida. Truyde utt Zeedeur encarou o corpo inerte do Alto Príncipe de Mentendon.

— A minha intenção não era que ele morresse — sussurrou ela. — Eu só queria ajudá-la, Majestade. Só queria que me ouvisse.

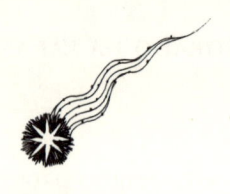

27

Leste

Niclays Roos estava *tramando* algo. E era um plano tão perigoso e impetuoso que ele quase se questionou se era mesmo de autoria sua, um eterno covarde.

Ele criaria o elixir e conseguiria voltar para o Oeste mesmo que fosse a última coisa que fizesse. E realmente poderia ser. Para escapar de Orisima de uma vez por todas, e revitalizar seu trabalho, era preciso se arriscar. Era preciso conseguir aquilo que as leis do Leste lhe negavam.

Ele precisava de sangue de dragão, para analisar como os deuses se regeneravam.

E sabia exatamente por onde começar.

As serviçais estavam atarefadas na cozinha.

— Em que podemos ajudar, eminente Doutor Roos? — uma delas perguntou quando Niclays apareceu na porta.

— Preciso enviar um recado.

Antes que perdesse a pouca coragem que lhe restava, ele entregou a carta.

— Precisa ser entregue à honrada Dama Tané no Castelo da Flor de Sal antes do pôr do sol. Vocês a entregarão para os mensageiros em meu nome?

— Sim, eminente Doutor Roos. Como quiser.

— Não diga quem foi que enviou — ele se apressou em acrescentar.

Ela pareceu hesitar, mas prometeu que não diria. Ele lhe entregou dinheiro suficiente para pagar um mensageiro, e ela partiu.

Agora só restava esperar.

Felizmente, a espera significava mais tempo para ler. Enquanto Eizaru fazia compras no mercado e Purumé cuidava de pacientes, Niclays se sentou no quarto, com o gato de cauda curta ronronando ao seu lado, e se debruçou sobre *O preço do ouro*, seu texto favorito sobre alquimia. Seu exemplar já estava bem desgastado.

Quando estava avançando para um novo capítulo naquela tarde, um fragmento de uma seda delicada caiu do livro.

Niclays prendeu a respiração. Ele recolheu o pedaço de tecido e o alisou antes que o gato o deixasse em frangalhos. Fazia anos desde que não se dedicava a analisar o maior mistério de sua vida.

A maior parte dos livros e documentos em sua posse pertenceram a Jannart, que deixara metade de sua biblioteca para Niclays, além de sua esfera armilar, um relógio de vela lacustre e um punhado de outros objetos curiosos. Havia diversos volumes belíssimos na coleção — manuscritos com iluminuras, tratados raros, livros de oração em miniatura —, mas nada era capaz de deixar Niclays mais obcecado do que aquele minúsculo pedaço de papel de seda. Não porque havia inscrições em um idioma que ele era incapaz de decifrar, nem porque era claramente antiquíssimo — e sim porque, na tentativa de desvendar esse segredo, Jannart tinha perdido a vida.

Aleidine, sua viúva, o entregara para Truyde, que atravessara o luto pelo avô se agarrando a seus pertences. A menina mantivera o fragmento dentro de um medalhão por um ano.

Pouco antes de Niclays se mudar para Inys, Truyde aparecera na casa dele em Brygstad. Ela usava um pequeno rufo, e seus cabelos — idênticos ao de Jannart — derramavam cachos sobre seus ombros.

"Tio Niclays", ela falara em um tom sério, "sei que você vai embora em breve. O senhor meu avô estava segurando este pedaço de papel quando morreu. Tentei entender o que dizia, mas minha educação limitada não me ensinou o suficiente para isso". Ela o estendera com a mão enluvada. "Papai diz que você é muito inteligente. Acho que vai conseguir compreender o que está escrito."

"Isso pertence a você, criança", ele respondera, apesar do desejo ardoroso de tomá-lo nas mãos. "A senhora sua avó lhe deu."

"Acho que deveria ser seu. Eu quero que fique com você. Só me escreva e me conte se conseguir entender o que significa."

Ele nunca foi capaz de mandar a boa notícia que ela pedira. Com base na escrita e no material usados, o fragmento vinha do Leste antigo, mas isso foi tudo o que Jannart conseguiu estabelecer antes de seu falecimento. Muitos anos se passaram, e Niclays ainda não sabia por que ele estava agarrado àquilo em seu leito de morte.

Ele o enrolou com cuidado e o guardou no estojo ornamentado que ganhara de presente de Eizaru. Depois de secar os olhos e respirar fundo, abriu novamente seu exemplar de *O preço do ouro*.

Naquela noite, depois de jantar com Eizaru e Purumé, Niclays fingiu ir dormir. Quando a noite caiu, ele escapuliu às escondidas do quarto e pôs um chapéu que pertencia a Eizaru. Em seguida, saiu para a escuridão.

Ele conhecia o caminho até a praia. Evitando os sentinelas, atravessou às pressas os mercados noturnos, com a cabeça baixa e a bengala na mão.

Não havia lanternas acesas para denunciar sua chegada à praia. Ninguém estava lá além dela.

Tané Miduchi esperava ao lado de uma poça de maré. A aba do elmo mantinha o rosto escondido na sombra. Niclays se deteve a uma certa distância.

— Você me honrou mesmo com sua presença, Dama Tané.

Ela demorou um certo tempo para responder.

— Você fala seiikinês.

— Sim, claro.

— O que você quer?

— Um favor.

— Eu não lhe devo favor nenhum. — A voz dela soava fria e comedida. — Poderia matá-lo aqui e agora.

— Imaginei que fosse me ameaçar, e foi por isso que deixei um bilhete a respeito de seu crime com o eminente Doutor Moyaka. — Era uma mentira, mas ela não tinha como saber disso. — Todos na casa estão dormindo agora, mas se eu não voltar para queimar o que escrevi, todos vão saber o crime que cometeu. Duvido que General do Mar vai mantê-la entre seus ginetes... você, alguém que pode ter permitido que a doença vermelha chegasse a Seiiki.

— Você subestima o que sou capaz de fazer para manter essa posição.

Niclays deu uma risadinha.

— Você deixou um homem inocente e uma moça entregues à própria sorte, para morrer no meio da merda e no mijo em uma cela de prisão, só para que sua cerimônia especial ocorresse ao seu agrado — ele lembrou. — Não, Dama Tané. Eu não subestimei nada. Sinto que a conheço muito bem.

Ela ficou quieta por um tempo. E então:

— Você disse *uma moça*.

Obviamente, ela não fazia ideia.

— Duvido que se importe com o pobre Sulyard — Niclays falou —, mas sua amiga do teatro também foi presa. Eu estremeço só de pensar no que podem ter feito para tentar arrancar seu nome da boca dela.

— Você está mentindo.

Niclays notou que ela franzia os lábios. Era só o que conseguia ver do rosto dela.

— Vim lhe oferecer um trato justo — disse ele. — Eu saio daqui hoje sem dizer nada sobre seu envolvimento com Sulyard. Em troca do meu silêncio, você me traz sangue e escamas de seu dragão.

Ela se mexeu como um pássaro prestes a levantar voo. Em um piscar de olhos, havia uma lâmina afiada pressionada contra o pescoço dele.

— Sangue — ela sussurrou — e escamas.

A mão dela tremeu. Os instintos de Niclays gritavam para que recuasse, mas ele continuou perfeitamente imóvel, marcando sua posição.

— Você me faria mutilar um dragão. Profanar a carne de uma deidade — disse a ginete.

Ele conseguia ver os olhos dela agora, ainda mais afiados que a lâmina.

— As autoridades não vão se limitar a decapitá-lo. Vão queimar você vivo. A água dentro de você é poluída demais para ser purificada.

— Imagino se não vão queimar *você* pelos seus crimes. Dar guarida a um invasor. Ignorar o bloqueio marítimo. Expor toda a nação de Seiiki ao perigo. — Niclays cerrou os dentes ao sentir a faca pressionar com mais força sua pele. — Sulyard vai confirmar o que eu disser. Ele descreveu seu rosto em detalhes, inclusive essa sua cicatriz. Ninguém ouviu, claro, mas se a minha voz se juntar à dele...

Era ela que tremia agora.

— Então você está me ameaçando — ela falou, recolhendo a faca. — Só que não para salvar Sulyard. Está usando o sofrimento dos outros para seu próprio benefício. Você é mesmo um lacaio do Inominado.

— Ah, não é nada tão interessante quanto isso, Dama Tané. Sou só um velho solitário tentando sair desta ilha para morrer em minha própria terra. — O suor molhava o colarinho de Niclays. — Eu entendo que você deve precisar de algum tempo para obter o que preciso. Vou estar aqui nesta praia daqui quatro dias, ao anoitecer. Se não comparecer, aconselho que deixe Ginura o mais rápido que puder.

Ele fez uma mesura profunda e a deixou lá, sozinha sob as estrelas.

———

O sol se derramava como o sangue de uma ferida. Tané se sentou no penhasco que se elevava sobre a Baía de Ginura, vendo as ondas se espatifarem como cristal branco nas rochas mais abaixo.

Seu ombro latejava no local onde Turosa a havia cortado. Ela bebeu o vinho trazido das cozinhas, que desceu queimando do céu da boca até o peito.

Aquelas eram suas últimas horas como a Dama Tané do Clã Miduchi. Apenas alguns dias depois de receber seu novo nome, ela o perderia.

Tané passou o dedo pelo contorno da cicatriz na bochecha, que a tornara tão memorável para Sulyard. A cicatriz que ganhara quando salvara Susa. Não era a única — havia outra, uma marca mais profunda na lateral do corpo. Ela não se lembrava como recebera aquela cicatriz.

Pensou em Susa, definhando na prisão. E depois no que Roos queria que ela fizesse. O estômago se contorceu como um peixe fora d'água.

Desfigurar até mesmo a imagem de um dragão era proibido sob pena de morte. Roubar o sangue e a armadura de uma deidade era mais do que um crime. Certos piratas usavam nuvem-de-fogo para colocar os dragões para dormir, içando-os para suas embarcações e arrancando tudo o que poderiam vender no mercado das sombras em Kawontay, dos dentes à banha que ficava sob suas escamas. Era o mais grave dos crimes no Leste, cujos envolvidos os Líderes Guerreiros anteriores puniam com execuções públicas brutais.

Ela não compactuaria com essa crueldade. Depois de todas as batalhas que Nayimathun travara na Grande Desolação, que deixaram tantas cicatrizes, Tané não a mutilaria mais uma vez. Fosse o que fosse o que Roos pretendia fazer com o sangue sagrado, não seria bem-visto em Seiiki.

Ainda assim, ela também não podia arriscar a vida de Susa — não tendo sido a responsável por arrastar a amiga para aquela confusão.

Tané esfregou os dedos na cabeça, puxando os cabelos como costumava fazer quando era mais nova. Seus professores batiam em sua mão para que parasse com aquilo.

Não. Ela não daria o que Roos queria. Ela se apresentaria diante do General do Mar e confessaria o que fizera. Isso lhe custaria Nayimathun e seu lugar entre os ginetes. E tudo pelo que ela se esforçara para conseguir desde criança — mas era o que merecia, e poderia salvar sua única amiga do gume da espada.

— Tané.

Ela ergueu o olhar.

Nayimathun voava na beirada do penhasco, com uma luz pulsante em sua coroa.

— Grande Nayimathun — sussurrou Tané com a voz rouca.

Nayimathun inclinou a cabeça. Seu corpo ondulava sob o vento, como se ela fosse leve como papel. Tané estendeu as mãos e tocou com a testa no chão.

— Você não veio à Órfã Enlutada hoje à noite — disse Nayimathun.

— Perdão.

Como não podia tocar a dragoa, Tané reforçava as palavras com as mãos enquanto falava com ela.

— Eu não posso mais vê-la. Lamento muito, grande Nayimathun, de verdade. — Sua voz estava prestes a ceder ao choro, como um pedaço de madeira podre submetido a uma grande pressão. — Preciso me apresentar ao ilustre General do Mar. Tenho algo a confessar.

— Eu gostaria que você viesse voar comigo, Tané. Podemos conversar sobre o que a está incomodando.

— Eu somente a desonraria.

— Vai me desobedecer também, filha da carne?

Aqueles olhos brilhando como círculos de fogo e aquela boca cheia de dentes não deixavam muito espaço para argumentação. Tané não poderia desobedecer a uma deusa. Seu corpo era um recipiente feito de água, e toda água pertencia aos dragóes.

Era possível, ainda que perigoso, montar em um dragão sem uma sela. Ela se levantou e foi até a beirada do penhasco. O corpo se arrepiou quando Nayimathun abaixou a cabeça, permitindo que Tané segurasse na crina e apoiasse uma das botas em seu pescoço para se sentar sobre ela. Nayimathun fluiu para longe do castelo...

... e mergulhou.

Um calafrio se espalhou pelo corpo de Tané enquanto elas despencavam em direção ao mar. Ela não conseguia respirar, tanto por causa do medo como da alegria. Era como se o coração tivesse saído pela boca, fisgado por um anzol como um peixe.

Um espinhaço de rochas se aproximava cada vez mais das duas. O vento rugia em seus ouvidos. Pouco antes de atingirem a água, o instinto a fez abaixar a cabeça.

O impacto quase a arrancou da montaria. A água invadiu sua boca e seu nariz. Suas coxas doíam e seus dedos enrijeceram pelo esforço de se segurar enquanto Nayimathun nadava, agitando a causa e balançando as pernas, graciosa como um cetáceo. Tané se esforçou para manter os olhos abertos. O ombro queimava com o fogo restaurador que só o mar era capaz de acender.

As bolhas subiam como luas-marinhas ao seu redor. Nayimathun voltou à superfície, levando Tané consigo.

— Para cima ou para baixo? — perguntou Nayimathun.

— Para cima.

Escamas e músculos se flexionaram sob o corpo de Tané. Ela ajeitou o aperto na crina escorregadia. Com um grande salto, Nayimathun se elevou acima da baía, fazendo chover sobre as ondas.

Tané se virou para olhar por cima do ombro. Ginura já estava bem mais abaixo dela. Parecia uma pintura, real e irreal ao mesmo tempo, um mundo flutuante à beira-mar. Ela se sentiu viva, *realmente* viva, como se fosse a primeira vez que respirasse. Naquele momento não era mais a Dama Tané do Clã Miduchi, nem ninguém mais. Era uma pessoa sem rosto e sem forma. Uma lufada de vento sobre o mar.

Era assim que a morte devia parecer. Tartarugas cravejadas de joias apareceriam para conduzir seu espírito ao Palácio das Muitas Pérolas, e seu corpo seria entregue às ondas. Só o que restaria seria a espuma.

Ao menos, seria o que aconteceria caso não tivesse cometido uma transgressão. Apenas ginetes descansavam com os dragões. Em vez disso, ela permaneceria assombrando o oceano por toda a eternidade.

A bebida ainda circulava em seu sangue. Nayimathun voou mais alto, cantando em um idioma ancestral. A respiração das duas formava nuvens diante da boca.

O mar abaixo delas era vasto. Tané se aninhou junto à crina de Nayimathun de um jeito que o vento mal a tocava. Incontáveis estrelas brilhavam mais acima, cristalinas, sem nenhuma nuvem para obscurecê-las. Olhos de dragões que ainda não haviam nascido. Quando adormeceu, Tané sonhou com elas, um exército descendo dos céus para expulsar as sombras. Sonhou que era pequena como uma semente, e que todas as suas esperanças iam se ramificando, como em uma árvore.

Ela se mexeu, sentindo-se quente e letárgica, com uma leve dor nas têmporas.

Foi preciso algum tempo para despertar de vez, pois estava profundamente absorta no sonho. Quando se lembrou de tudo, a pele gelou de novo, e ela percebeu que estava deitada sobre uma rocha.

Ela rolou de lado. Na escuridão, ela só conseguia ver a silhueta de sua dragoa.

— Onde estamos, Nayimathun?

As escamas roçaram na pedra.

— Em algum lugar — rugiu a dragoa. — Em lugar nenhum.

Estavam em uma caverna marinha. A água entrava pelo lado de fora. No local onde se chocava contra a pedra, luzes fracas surgiam e desapareciam, como as das pequenas lulas fluorescentes que às vezes iam dar nas praias de Cabo Hisan.

— Agora me diga como você nos desonrou — Nayimathun falou.

Tané envolveu os joelhos com um dos braços. Caso ainda houvesse alguma coragem dentro dela, não era suficiente para voltar a dizer não para uma dragoa.

Ela falou baixinho. Não guardou nenhum segredo. Enquanto narrava tudo o que acontecera desde a chegada do forasteiro com quem cruzara na praia, Nayimathun se manteve em silêncio absoluto. Tané baixou a testa até o chão e ficou à espera de seu julgamento.

— Levante-se — disse Nayimathun.

Tané obedeceu.

— Esse acontecido não desonra a mim — a dragoa falou. — Desonra o mundo.

Tané abaixou a cabeça. Ela prometera a si mesma que não choraria de novo.

— Eu sei que não posso ser perdoada, grande Nayimathun. — Ela manteve o olhar voltado para as próprias botas, mas o queixo tremia. — Vou me apresentar ao ilustre General do Mar de manhã. Você po-pode escolher outro ginete.

— Não, filha da carne. Você é minha ginete, designada sob jura para mim diante do mar. E tem razão quando diz que não pode ser perdoada, mas somente porque não houve crime.

Tané a encarou.

— Mas *houve* um crime. — A voz dela tremia. — Eu violei o recolhimento. Escondi um forasteiro. Desrespeitei o Grande Édito.

— Não. — Um sibilado ecoou pela caverna. — Oeste ou Leste, Norte ou Sul, isso não faz diferença para o fogo. A ameaça vem de baixo, não de longe.

A dragoa estava deitada no chão, e seus olhos estavam bem próximos de Tané.

— Você escondeu o rapaz. E o poupou da espada.

— Eu não fiz isso por bondade — explicou Tané. — Foi porque...

— Seu estômago se revirou. — Porque eu queria que tudo na minha vida corresse como o planejado. E achei que aquilo estragaria tudo.

— Isso é uma decepção para mim. E uma desonra para você. Mas não é imperdoável. — Nayimathun inclinou a cabeça. — Diga, minha pequena. Por que o inysiano veio a Seiiki?

— Ele queria ver o ilustríssimo Líder Guerreiro. — Tané umedeceu os lábios. — Parecia desesperado.

— Então o Líder Guerreiro deve recebê-lo. O Imperador dos Doze Lagos também deve ouvir suas palavras. — Os espinhos nas costas dela se eriçaram. — A terra tremerá sob o mar. Ele está se inquietando.

Tané não ousou perguntar sobre quem ela estava falando.

— O que devo fazer, Nayimathun?

— Você está fazendo a pergunta errada. Precisa perguntar o que *nós* devemos fazer.

28

Sul

Rauca, a capital do Ersyr, era o último grande assentamento humano que restava no Sul. Enquanto percorria o labirinto de caminhos cercados de muros altos, Loth se viu à mercê dos estímulos a seus sentidos. Montanhas de especiarias coloridas, jardins com flores que espalhavam seu perfume pelas ruas, torres de vento altíssimas adornadas com vidro azul — aquilo era diferente de tudo o que ele conhecia.

Em meio ao burburinho da cidade, o ichneumon ao seu lado não atraía muitos olhares. Eles não deviam ser tão raros no Ersyr como mais ao norte. Ao contrário das criaturas que povoavam as lendas, aquele não parecia saber falar.

Loth tentava evitar as aglomerações. Apesar do calor, estava coberto até o pescoço com o manto, mas ainda se enchia de pânico quando alguém chegava perto demais.

O Palácio de Marfim, sede da Casa de Taumargam, se elevava sobre a cidade como um deus silencioso. Os pombos revoavam, cercando-o, carregando as mensagens do povo da cidade. Seus domos reluziam em tons de ouro, prata e bronze, tão brilhantes como o céu que espelhavam, e as paredes eram de um branco imaculado, com janelas arqueadas esparramadas como o padrão de um tecido de renda.

Era para a Casa de Taumargam que Chassar uq-Ispad atuava como embaixador. Loth tentou tomar a direção do palácio, mas o ichneumon tinha outra ideia. Ele conduziu Loth para um mercado coberto, onde o ar era doce como uma sobremesa.

— Eu realmente não sei aonde você pensa que está indo — disse Loth por entre os lábios rachados. Ele estava certo de que o animal era capaz de entendê-lo. — Podemos parar para beber água, por favor, meu senhor?

Seria melhor ter poupado a saliva. Quando passaram por uma barraca que vendia cantis de sela, todos cheios de água cristalina, ele não conseguiu mais suportar. Começou a remexer na bolsa de moedas que levava na bagagem. O ichneumon olhou para trás e rosnou.

— Por favor — disse Loth em um tom cauteloso.

O ichneumon bufou, mas em seguida se sentou. Loth se virou para o vendedor e apontou para o menor cantil, feito de vidro iridescente. O homem respondeu em sua própria língua.

— Eu não falo ersyrio, senhor — Loth falou, desolado.

— Ah, você é inysiano. Me desculpe. — O vendedor abriu um sorriso que enrugou o canto de seus olhos. Como a maioria dos ersyrios, tinha a pele de um subtom dourado e cabelos escuros. — São oito sóis.

Loth hesitou. Como era rico, não tinha experiência em barganhar com vendedores.

— Isso… me parece um preço bem alto — murmurou ele, ciente de que dispunha apenas de uma quantia limitada.

— Os artesãos em vidro da minha família são os melhores de Rauca. Eu jamais poderia manchar nosso bom nome vendendo meus produtos por menos do que valem, meu amigo.

— Muito bem. — Loth enxugou a testa, sofrendo demais com o calor para retrucar. — Vi algumas pessoas usando tecidos sobre o rosto. Onde posso comprar um?

— Você veio sem um *pargh*… ora, é muita sorte sua não ter ficado cego por causa da areia. — Estalando a língua, o vendedor sacudiu um pedaço de tecido branco diante dele. — Tome. Um presente para você.

— É muita bondade sua.

Loth estendeu a mão para pegar o tecido. Estava com tanto medo de que a peste pudesse se tornar visível sob a luva que quase o derrubou. Depois de cobrir o rosto inteiro, menos os olhos, com o *pargh*, entregou para o homem um punhado das moedas de sua bolsa.

— Que a alvorada brilhe sobre você, amigo — o vendedor falou.

— E sobre você também — disse Loth, um tanto sem jeito. — Sei que você já foi generoso até demais, mas gostaria de perguntar se pode me ajudar. Estou no Ersyr para procurar Sua Excelência, Chassar uq-Ispad, embaixador do Rei Jentar e da Rainha Saiyma. Por acaso ele reside no Palácio de Marfim?

— Ha. Seria muita sorte sua encontrá-lo. Sua Excelência está sempre viajando — o mercador falou com uma risadinha. — Mas, se estiver por aqui nesta época do ano, só pode ser em sua propriedade em Rumelabar. — Ele entregou o cantil para Loth. — As caravanas partem da Morada dos Pombos ao amanhecer naquela direção.

— Eu também posso mandar uma carta neste lugar?

— Claro.

— Obrigado. Um bom dia para você.

Loth se afastou e esvaziou o cantil em três longos goles. Arfando, ele limpou a boca.

— A Morada dos Pombos — ele comentou com o ichneumon. — Que nome mais bonito. Você me leva para lá, meu amigo?

O ichneumon o conduziu para o que parecia ser o pavilhão central do mercado, onde as barracas ofereciam pétalas secas de rosas, tigelas de fios de açúcar e um chá cor de safira recém-saído da chaleira. Quando saíram, o sol já mergulhara no horizonte e lamparinas de vidro colorido estavam sendo acesas.

Era impossível passar direto pela Morada dos Pombos. Revestida de azulejos cor-de-rosa, era cercada por um muro que conectava quatro enormes pombais com formato de colmeia de abelha. Loth logo percebeu que o mais próximo era destinado para correspondências que seguiam para o Oeste. Ele entrou na estrutura hexagonal arejada, onde milhares de pombos se aninhavam em seus recantos.

Em sua última noite em Cárscaro, ele tinha escrito uma carta para Margret. E teve uma ideia de como fazê-la passar pela vigilância de Combe. Um cuidador de aves a pegou, junto com uma moeda, e prometeu que a correspondência seria enviada ao amanhecer.

Cansado até os ossos, Loth deixou que o ichneumon o guiasse pelo pombal e o indicasse uma construção com o mesmo tipo de treliça nas janelas que havia no palácio. Embora a mulher ersyria ali presente não falasse inysiano, de alguma forma foi possível comunicar, com gestos fervorosos e largos sorrisos, que ele queria passar a noite lá.

O ichneumon permaneceu do lado de fora. Loth estendeu a mão para acariciá-lo entre as orelhas.

— Espere por mim, meu amigo — ele murmurou. — Adoraria ter sua companhia em outro deserto.

Um breve latido foi sua única resposta. Ele logo viu a cauda do ichneumon desaparecendo por uma passagem.

Mais adiante na passagem havia uma mulher, encostada em um pilar, de braços cruzados. O rosto dela estava escondido atrás de uma máscara de bronze. Usava calça balão, enfiada nas botas com aberturas para os dedos, e um casaco de brocado que chegava até as coxas. Incomodado com o olhar que ela lhe lançava, Loth virou as costas e voltou para a hospedaria.

O pequeno quarto dava para o jardim, onde os pés de limão-doce cercavam uma lagoa artificial. Ele ficou até zonzo ao sentir aquele perfume enjoativo. Em seguida, deitou na cama desconhecida, coberta de travesseiros compridos e sedas floridas, e queria mais do que tudo dormir.

Em vez disso, se ajoelhou ao lado da janela e chorou por Kitston Glade.

O Santo lhe concedeu o sono depois que ele não aguentava mais soluçar. Acordou no meio da madrugada, dolorido e com os olhos inchados, com a bexiga cheia exigindo sua atenção. Depois de se aliviar, foi tateando de volta até o quarto.

Pensar em Kit partiu seu coração no meio. A tristeza era como um buraco aberto dentro dele, drenando todos os pensamentos positivos.

Do lado de fora, os pombos começavam a arrulhar. Os domos lustrosos do Palácio de Marfim absorviam as luzes e brilhavam como velas. Acima deles, as estrelas serpenteavam pela escuridão.

Ele não estava mais no Oeste. Aquela não era uma terra leal à Virtandade, e sim a terra de um falso profeta. Ead confessara para ele que achava lindos os ensinamentos do Arauto da Alvorada quando criança, mas aquilo fez Loth estremecer. Ele não conseguia imaginar como seria viver sem o consolo e a estrutura proporcionados pelas Seis Virtudes. Ficou contente por ela ter se convertido quando se mudara para a corte.

A brisa esfriou sua pele. Ele ansiava por um banho, mas temia que a peste envenenasse a água. Precisaria queimar os lençóis quando se levantasse pela manhã e ressarcir o prejuízo à dona da hospedaria.

O fogo pinicava suas costas. Suas mãos estavam se tornando escamosas, e ele não poderia continuar usando luvas por muito tempo sem levantar suspeitas. Rezou para que Chassar uq-Ispad tivesse mesmo a cura para a doença.

A Cavaleira da Confraternidade já havia lhe enviado o ichneumon. Ele não morreria daquela forma.

Loth dormiu de novo, sem ter sonhos, até que foi despertado.

Seus membros tremiam incontrolavelmente. A febre tomava conta de seu corpo, mas ele tinha certeza de que era outra coisa que o fizera despertar. Ele tateou em busca da espada, mas então se lembrou que estava perdida.

— Quem está aí? — Ele sentiu o gosto de sal nos lábios. — Ead?

Uma sombra se moveu sob a luz do luar. Uma máscara de bronze se inclinou sobre ele, e então só o que restou foi a escuridão.

29

Leste

Chovia de novo na capital. Tané se ajoelhou à mesa em seus aposentos privativos no Castelo da Flor de Sal.

Depois de sua confissão, Nayimathun a levara ao castelo, onde ela permanecera. A dragoa avisara que voltaria a Cabo Hisan para procurar Sulyard. Se ele tivesse a proteção de uma deusa, o pedido precisaria ser ouvido na corte. Nayimathun também mandaria que Susa fosse libertada da prisão. Elas se encontrariam na praia ao nascer do sol e iriam juntas ter com o General do Mar e contar a verdade.

Tané tentou comer o jantar, mas suas mãos tremiam. A maioria dos ginetes tinha sido convocada para reforçar a Guarda Superior do Mar no assentamento costeiro de Sidupi. A Frota do Olho de Tigre atacara com um contingente de cem piratas, que estavam saqueando à vontade.

Ela pediu um chá, que foi trazido por uma de suas auxiliares pessoais, que estavam sempre por perto para servi-la quando necessário.

O dormitório nos alojamentos internos era mais bonito do que ela jamais poderia ter sonhado, com um teto abobadado e treliçado e esteiras com um perfume agradável. As folhas de ouro brilhavam nas paredes com pinturas ornamentadas, e uma cama macia a aguardava.

Mesmo em meio a tanto luxo, ela não conseguia comer nem dormir.

As mãos tremiam enquanto ela terminava o chá. Se ao menos pudesse dormir, a espera por Nayimathun passaria mais depressa.

Tané acabara de dar o primeiro passo na direção da cama quando o chão estremeceu e retumbou sob o castelo. Ela se jogou contra a parede. A força do tremor fez suas pernas cederem, derrubando-a sobre as esteiras.

A lamparina bruxuleou. Três das auxiliares vieram correndo até o quarto. Uma delas se ajoelhou ao lado de Tané, enquanto as outras a seguravam pelo cotovelo e a colocavam de pé. Ela respirou fundo quando apoiou o peso no tornozelo esquerdo, e elas a levaram às pressas para a cama.

— Está ferida, Dama Tané?

— Foi uma torção — respondeu Tané. — Nada mais.

— Vamos trazer alguma coisa para a dor — a mais jovem das auxiliares falou. — Espere aqui, honrada Miduchi.

As três se retiraram.

Gritos confusos e distantes entravam pela janela aberta. Já haviam ocorrido terremotos em Seiiki, mas o último acontecera havia muito tempo.

As auxiliares trouxeram uma bacia com gelo. Tané enrolou alguns cubos em um pano e pressionou contra o tornozelo dolorido. A queda havia reacendido a dor em seu ombro e em seu flanco esquerdo, onde ficava a antiga cicatriz.

Quando o gelo estava quase derretido, ela soprou a lamparina e se deitou, tentando encontrar uma posição confortável. A lateral do corpo doía como se tivesse sido atingida por um coice de cavalo. Mesmo quando sucumbiu ao sono, sentiu aquele latejar, como se fosse um segundo coração.

Uma batida a despertou sobressaltada. Por um momento, pensou que estivesse de volta à Casa do Sul, atrasada para a aula.

— Dama Tané.

Não era a voz de suas auxiliares.

A dor em seu flanco estava torturante a essa altura. Com a visão ainda turva, ela se levantou, tentando não forçar o tornozelo.

Seis soldados mascarados estavam à espera do lado de fora do quarto. Todos usavam as túnicas militares verdes do exército terrestre.

— Dama Tané — um deles falou com uma reverência —, perdão pela interrupção, mas você precisa vir conosco imediatamente.

Era incomum que soldados do exército terrestre entrassem no Castelo da Flor de Sal.

— Ainda é madrugada — disse Tané, tentando falar com um tom confiante. — Quem está me chamando, honorável soldado?

— A ilustre Governadora de Ginura.

A autoridade mais poderosa da região. Magistrada-chefe de Seiiki, responsável por administrar a justiça para os cidadãos de posição elevada.

Tané sentiu seu sangue gelar dentro das veias repentinamente. Seu corpo não parecia ancorado no chão, e a mente conjecturava possibilidades terríveis, sendo a pior delas que Roos já tivesse procurado as autoridades. Talvez fosse melhor ir por bem, bancando a inocente. Uma fuga seria considerada uma admissão de culpa.

Nayimathun logo voltaria. Não importava o que acontecesse: para onde quer que fosse levada, sua dragoa viria em seu socorro.

— Muito bem.

O soldado relaxou a postura.

— Obrigado, Dama Tané. Vamos mandar suas serviçais para a auxiliar em se vestir.

As serviçais trouxeram seu uniforme. Colocaram a sobrecota sobre seus ombros e amarraram a faixa azul em torno de sua cintura. Assim que ela estava vestida e sozinha, ela pegou a lâmina que mantinha debaixo do travesseiro e escondeu na manga.

Os soldados a escoltaram pelo corredor. Cada vez que pisava com o pé esquerdo no chão, ela sentia uma dor subir pela panturrilha. Eles a conduziram pelo castelo quase deserto para a noite lá fora.

Um palanquim a aguardava no portão. Ela deteve o passo. Todos os seus instintos lhe diziam para não entrar.

— Dama Tané — um dos soldados falou —, não se pode recusar a convocação da ilustre Governadora.

Uma movimentação atraiu seu olhar. Onren estava voltando para o castelo com Kanperu. Ao avistarem Tané, correram até ela.

— Como membro do Clã Miduchi, acredito que posso agir de acordo com a minha vontade — disse ela, se sentindo mais corajosa.

Ela viu os olhos do homem piscarem atrás da máscara.

Onren e Kanperu já estavam junto dela.

— Honorável Tané, aconteceu alguma coisa? — perguntou Kanperu.

A voz dele era áspera e retinida. Como uma espada sendo retirada da bainha. Diante de mais dois ginetes, os soldados se inquietaram.

— Esses soldados querem me levar para o Castelo do Rio Branco, honorável Kanperu — respondeu Tané. — Mas não me dizem por que estou sendo convocada.

Kanperu encarou o capitão com a testa franzida. Era quase uma cabeça mais alto que os demais soldados.

— Com que direito você convoca uma ginete sem comunicação prévia? — questionou ele. — A Dama Tané é uma eleita dos deuses, mas está sendo levada do castelo como se fosse uma ladra.

— O ilustre General do Mar foi informado, Cavalheiro Kanperu.

Onren ergueu as sobrancelhas.

— Pois bem — ela falou. — Eu vou confirmar isso com ele assim que estiver de volta.

Os soldados se mantiveram em silêncio. Lançando um olhar severo para eles, Onren puxou Tané de lado.

— Não se preocupe — disse ela baixinho. — Deve ser uma trivialidade qualquer. Ouvi dizer que a Governadora gosta de afirmar sua autoridade até para o Clã Miduchi. — Ela fez uma pausa. — Tané, você não parece nada bem.

Tané engoliu em seco.

— Se eu não estiver de volta em uma hora — ela falou —, você avisará a grande Nayimathun?

— Claro. — Onren sorriu. — O que quer que seja, logo isso irá se resolver. Até amanhã.

Tané assentiu e tentou sorrir de volta. Onren observou quando ela entrou no palanquim, que deixou as instalações do castelo.

Ela era uma ginete de dragões. Não havia nada a temer.

Os soldados a carregaram pelas ruas, pelo mercado noturno, por sob as árvores sazonais. As risadas escapavam de todas as tavernas. Apenas quando passaram pelo Teatro Imperial Tané se deu conta de que não estava indo para o Castelo do Rio Branco, onde vivia a ilustre Governadora de Ginura. Estavam a caminho da extremidade sul da cidade.

O medo comprimiu seu peito. Ela estendeu a mão para abrir a porta do palanquim, mas estava trancada por fora.

— Este não é o caminho certo — gritou ela. — Para onde estão me levando?

Não houve resposta.

— Eu sou uma Miduchi. Sou a ginete da grande Nayimathun das Neves Profundas. — A voz dela falhou. — Como ousam me tratar assim?

Tudo que ouvia eram passos.

Quando o palanquim enfim parou e ela viu onde estava, seu estômago foi parar na boca. A porta foi destrancada e deslizou para o lado.

— Honrada Miduchi — disse um dos soldados. — Por favor, venha comigo.

— Como ousa — Tané murmurou. — Como você *ousa* me trazer para um lugar como este?

Um cheiro de podridão invadiu suas narinas, amplificando o medo. Ela procurou por uma oportunidade de fugir. Nem mesmo uma ginete poderia enfrentar tantos sentinelas, não sem uma espada, e de qualquer forma não havia para onde correr. Tané desceu do palanquim e caminhou com o queixo erguido, sentindo a lateral do corpo latejar a cada passo, com os punhos cerrados.

Ela não poderia ter sido levada até lá para ser morta. Não sem um julgamento. Não sem Nayimathun. Ela era uma eleita pelos deuses, estava protegida, segura.

Enquanto os soldados a conduziam para a Prisão de Ginura, o zumbido dos insetos atraiu seu olhar para o alto. Três cabeças cobertas de moscas, inchadas pela decomposição, vigiavam a rua do poleiro em cima do portão.

Tané olhou para o menos deteriorado deles. Os cabelos cor de palha, empastados de sangue, a língua para fora. As feições já haviam afrouxado, mas ela o reconheceu. Sulyard. Tentou manter a compostura, mas sua coluna enrijeceu, o estômago revirando, e a boca ficou seca como sal.

Ela tinha ouvido falar que em Inys, o lugar distante de onde vinha o fantasma d'água, as pessoas se reuniam para ver as execuções em público. Em Seiiki não faziam isso. A maior parte da cidade sequer sabia que, na prisão, uma jovem de 17 anos estava ajoelhada em uma vala, com os braços amarrados atrás das costas, esperando por seu fim. Seus longos cabelos tinham sido raspados.

Os soldados levaram Tané até a prisioneira e a seguraram. Um oficial estava falando, mas ela não conseguia ouvir em meio à pulsação rugindo em seus ouvidos. A mulher levantou a cabeça ao ouvir o som dos passos, e Tané desejou que ela não tivesse feito isso, pois assim pôde reconhecê-la.

— Não — Tané falou com a voz embargada. — Não. Eu ordeno que parem com isso!

Susa a encarou de volta. A esperança se acendeu em seus olhos, mas logo foi abafada pela tristeza.

— Eu sou uma eleita dos deuses — Tané gritou para o carrasco.

— Ela está sob minha proteção. A grande Nayimathun vai fazer o céu desabar na sua cabeça por isso!

No entanto, era como se o homem fosse feito de pedra.

— Não foi ela. Fui eu. A culpa é *minha*, o crime foi meu...

Susa sacudiu a cabeça, os lábios trêmulos. A chuva se acumulava em seus cílios.

— Tané — ela se apressou em dizer —, desvie o olhar.

— Susa...

Os soluços se acumularam em sua garganta. *Foi um equívoco. Parem com isso.* Dedos se encravavam em seu braço enquanto ela se debatia, perdendo todo o autocontrole, e cada vez mais mãos a seguravam. *Parem com isso.* Tudo o que ela conseguia ver era Susa quando criança, com flocos de neve coroando a cabeça, e o sorriso quando Tané segurou a mão dela.

O carrasco ergueu a espada. Quando a cabeça rolou pela vala, Tané caiu de joelhos.

Comigo, você vai estar sempre segura.

Quando a ginete de dragões não apareceu na praia no horário combinado, Niclays, tentando ser otimista, supôs que encontrara um contratempo, e tratou de procurar um lugar confortável para se acomodar. Tinha trazido consigo uma bolsa com algum de seus livros e pergaminhos, inclusive o fragmento que Truyde lhe dera, que observou sob a luz de uma lamparina de ferro.

O relógio de bolso estava aberto ao lado dele. O relógio — símbolo moderno do Cavaleiro da Temperança. Um símbolo de moderação, comedimento, autocontrole. Era a virtude dos tediosos, mas também dos estudiosos e filósofos, que acreditavam que ela incentivava a autorreflexão e a busca pelo conhecimento. Sem dúvida era o mais próximo do pensamento racional que as Seis Virtudes eram capazes de chegar.

Deveria ter sido a virtude de seu padroeiro. Em vez disso, em seu décimo segundo aniversário, Niclays escolhera o Cavaleiro da Coragem.

O seu broche agora estava enferrujando em Brygstad. Ele o arrancara no dia em que fora exilado.

Uma hora se passou, e depois mais outra. A verdade era inquestionável.

A Dama Tané achou que ele estava blefando.

A promessa do amanhecer já se insinuava no horizonte. Niclays fechou o relógio. Estava perdida sua chance de um retorno glorioso a Ostendeur com um recém-criado elixir da vida.

Purumé e Eizaru ficariam horrorizados se soubessem o que ele pedira para a ginete fazer. Era algo que o igualava a um pirata, mas criar o maldito elixir era sua única forma de voltar para casa, o único instrumento de barganha com as casas reais do outro lado do Abismo.

Ele suspirou. Para salvar Sulyard, precisava contar ao Líder Guerreiro sobre Tané Miduchi e seu crime contra Seiiki. Seria o que ele deveria ter feito de imediato, caso fosse uma pessoa melhor.

Enquanto ia embora da praia, ele deteve o passo. Por um instante, teve a impressão de que as estrelas haviam sido apagadas. Quando olhou melhor, e distinguiu a movimentação da luz, ficou paralisado.

Havia algo descendo.

Algo enorme.

A coisa se movia como se estivesse mergulhando na direção da água. Um estandarte de um verde iridescente e manchado. Um órgão em forma de bexiga dominava a cabeça, reluzindo um azul cintilante. O mesmo brilho que pulsava sob as escamas.

Uma dragão lacustre. Niclays observou, ávido, quando a criatura pousou na areia, com a graciosidade de um pássaro.

Uma rocha grande e gasta despontava da areia como se fosse um ombro curvado. Ele se escondeu atrás da pedra, sem tirar os olhos da criatura. Pela maneira como virava a cabeça, estava claramente à procura de algo.

Niclays se abaixou e soprou a lamparina. Observou a criatura serpentear pela praia, cada vez mais perto de seu esconderijo. Ela falou.

— Tané.

Suas enormes patas dianteiras caminhavam na beira da água. Niclays estava quase próximo o bastante para tocar uma das escamas. Uma peça-chave para seu trabalho estava ao alcance de suas mãos. Ele permaneceu agachado atrás da pedra, espichando o pescoço para olhar. Os olhos da criatura eram como cata-ventos.

— Tané, o rapaz está morto — falou ela em seiikinês. — Sua amiga também. — Ela arreganhou os dentes. — Tané, onde você está?

Então, aquela era a montaria de Tané. A criatura farejou o ar, alargando as narinas.

Foi quando uma lâmina gelada encostou na garganta dele, uma mão tapou sua boca. Niclays soltou um ruído abafado.

A criatura voltou a cabeça na direção da rocha.

Niclays estremeceu. Não ouvia nada de seu próprio corpo, nem a pulsação, nem a respiração, mas era capaz de visualizar em detalhes a espada em sua garganta. Uma lâmina curvada. A lâmina era afiada o bastante para fazer sua vida se esvair caso se movesse alguns poucos centímetros.

Um sibilo cortou a noite. Depois outro.

E mais outro.

O dragão rosnou. A garra raspou na rocha, produzindo um som de espada se chocando contra espada.

Uma fumaça preta tomou conta da praia. Tinha um cheiro acre, como o de cabelo queimado e enxofre. E pólvora. *Nuvem-de-fogo.* Com um gesto abrupto, Niclays foi colocado de pé, e então saiu cambaleando pelas nuvens de fumaça, sufocando, puxado por uma figura com o rosto escondido atrás de um pano. A areia se tornou escorregadia sob os pés, dificultando seus passos.

— Espere — ele falou para a pessoa que o capturou. — Espere, maldição...

Uma cauda irrompeu a toda velocidade do meio da fumaça e acertou um golpe violentíssimo na barriga. Ele foi jogado de costas na areia, onde ficou caído, entorpecido e sem fôlego, com os óculos pendurados em uma das orelhas.

Ele foi perdendo os sentidos, intoxicado pela fumaça preta, que entrava pelas narinas e saía com a mesma consistência.

Um som de lamento, como o de uma baleia moribunda. Um estrondo que abalou a terra. Ele viu Jannart andando descalço pela praia, com um leve sorriso nos lábios.

— Jan — murmurou Niclays, mas ele desapareceu.

Duas botas chegaram afundando na areia.

— Me dê um motivo para eu não cortar sua cabeça — disse uma voz em seiikinês. Uma faca com cabo de osso reluziu diante de Niclays. — Você tem alguma coisa a oferecer à Frota do Olho de Tigre?

Ele tentou falar, mas sua língua estava dormente como se tivesse sido picada por abelhas. "Alquimista", ele queria dizer. "Sou um alquimista. Poupe minha vida."

Alguém pegou a bolsa dele. O tempo pareceu se fragmentar quando mãos cobertas de cicatrizes remexiam seus livros e pergaminhos. Então, o cabo da faca o atingiu na têmpora, e a escuridão varreu para longe todas suas preocupações.

30

Oeste

Truyde utt Zeedeur estava aprisionada na Torre da Solidão. Sob a ameaça de tortura, confessou seus diversos crimes. Depois que a visita real fora anunciada, ela procurara uma companhia de teatro chamada Servidores da Veracidade, uma trupe que se dizia independente, que não era apadrinhada por nenhum nobre e que era considerada um bando de vadios pelas autoridades. Truyde prometera a eles mecenato, além de dinheiro a suas famílias, em troca de sua ajuda.

O ataque simulado tinha como intenção convencer Sabran de que estava correndo um perigo mortal, tanto da parte de Yscalin como do Inominado. Truyde pretendia usar aquilo como justificativa para requisitar que a rainha abrisse negociações com o Leste.

O que ela não fora capaz de prever foi o que acontecera em seguida. As pessoas que de fato odiavam a Casa de Berethnet se infiltraram na encenação. Uma delas — Bess Weald, cuja casa em Rainhato estava abarrotada de panfletos escritos por arautos do fim — matara Lievelyn. Vários membros inocentes dos Servidores da Veracidade também foram mortos durante o enfrentamento, além de vários guardas da cidade, dois Cavaleiros do Corpo e Linora Payling, cujos pais enlutados já tinham ido buscar.

Truyde poderia não ter intenção de matar ninguém, mas seus bons intuitos não valeram de nada.

Ead já escrevera para Chassar para informá-lo do ocorrido. A Prioresa não ficaria satisfeita em saber que Sabran e a criança que gestava tinham corrido tamanho risco de morte.

A Casa Briar fora tomada pelo samito cinzento do luto. Sabran se fechara na Câmara Privativa. Lievelyn fora mantido no Santuário de Nossa Dama até a chegada de uma embarcação para fazer seu traslado para casa. Sua irmã Ermuna seria coroada, com a Princesa Bedona assumindo o primeiro lugar em sua linha de sucessão.

Alguns dias depois que Lievelyn fora conduzido para casa, Ead percorreu o caminho até os aposentos reais. Em geral, o início da manhã era um momento de paz, mas ela não conseguia aliviar a tensão que sentia em suas costas.

Tharian Lintley a vira tirar quatro vidas durante a emboscada. Devia ter percebido que ela fora treinada. Em meio a um confronto sangrento, ela duvidava que mais alguém tivesse visto, e estava claro que Lintley não denunciara sua afinidade com as facas, mas ela pretendia manter a discrição mesmo assim.

Para uma Dama da Alcova, porém, isso era mais fácil de falar do que fazer. Principalmente quando a própria rainha a tinha visto matar.

— Ead.

Ela se virou e deu de cara com uma esbaforida Margret, que a segurou pelo braço.

— É Loth — murmurou a amiga. — Ele me mandou uma carta.

— Quê?

— Venha comigo, depressa.

Com o coração disparado, Ead a seguiu até uma sala vazia.

— Como foi que Loth conseguiu fazer uma carta passar por Combe?

— Mandou para um dramaturgo que mamãe apoia. Ele conseguiu me entregar durante a visita a Ascalon. — Margret tirou um bilhete amassado do meio das saias. — Veja.

Ead reconheceu imediatamente a caligrafia. Seu coração se alegrou ao ver aquela letra novamente.

Caríssima M, não direi muito, por medo que esse bilhete seja interceptado. As coisas em Cárscaro não são o que parecem. Kit está morto, e receio que Neve também esteja em perigo. Cuidado com o Copeiro.

— Lorde Kitston morreu — murmurou Ead. — Como?

Margret engoliu em seco.

— Rezo para que ele esteja enganado, mas... Kit faria qualquer coisa pelo meu irmão. — Margret passou a mão no selo. — Ead, isto foi mandado da Morada dos Pombos.

— Rauca — disse Ead, atordoada. — Ele foi embora de Cárscaro.

— Ou *fugiu*. Talvez tenha sido assim que Kit... — Margret apontou para a última linha. — Veja isso. Você não falou que a mulher que atirou em Lievelyn mencionou um copeiro?

— Sim. — Ead leu o bilhete outra vez. — Neve é Sabran, imagino.

— É. Loth a chamava de Princesa Neve quando os dois eram pequenos — disse Margret. — Mas juro que não entendi nada dessa insinuação de intriga. Não *existe* um copeiro oficial designado à rainha.

— Loth foi enviado para encontrar o Príncipe Wilstan, que estava investigando a morte da Rainha Rosarian — Ead falou baixinho. — Talvez as duas coisas estejam relacionadas.

— Talvez — concordou Margret. O suor brotou em sua testa. — Ah, Ead, eu queria tanto contar para Sab que ele está vivo, mas Combe descobriria como recebi o bilhete. Tenho medo de fechar essa porta para Loth.

— Ela está de luto por Lievelyn. Não dê a ela uma falsa esperança de que o amigo esteja voltando. — Ead apertou a mão de Margret.

— Deixe essa história do Copeiro comigo. Eu vou investigar e descobrir o responsável.

Respirando fundo, Margret assentiu.

— Chegou mais uma carta do papai também. — Ela sacudiu a cabeça. — Mamãe diz que ele está cada vez mais inquieto. Não para de dizer que tem uma coisa da maior importância para transmitir a quem vai herdar Goldenbirch. A não ser que Loth volte...

— Você acha que é a névoa mental?

— Talvez. Mamãe me disse para não ceder. Vou voltar em breve, mas não agora. — Margret enfiou a carta de volta nas saias. — Preciso ir. Vamos tentar nos encontrar para jantar.

— Sim.

Elas seguiram cada uma seu caminho.

Loth correra um enorme risco para mandar aquele bilhete. Ead levaria a sério seu alerta. Sabran tinha visto a morte de perto demais na cidade, mas isso não aconteceria de novo.

Não enquanto Ead estivesse lá.

A gravidez estava cobrando o preço sobre a saúde de Sabran. Roslain acordava com a cotovia para segurar seus cabelos enquanto ela vomitava em uma bacia. Em algumas noites, Katryen dormia ao lado delas em uma cama dobrável.

Só um punhado de pessoas sabia sobre a gravidez. Aquele não era o momento para anunciar tal coisa, quando ainda estavam nos primeiros dias do luto.

A cada dia, a rainha saía da Alcova Real, onde passara a noite de núpcias, parecendo mais abalada do que no dia anterior. A cada dia, as manchas sob seus olhos pareciam mais escuras. Nas raras ocasiões em que falava, era com aspereza.

Portanto, quando ela se manifestou certa noite sem ser solicitada, Katryen quase derrubou seu bordado.

— Ead — disse a Rainha de Inys —, você vai ser minha companheira de leito esta noite.

Às nove horas, as Damas da Alcova a despiram, mas, pela primeira vez, Ead também vestiu sua camisola naquele momento. Roslain a puxou de lado.

— É preciso deixar uma luz acesa no quarto a noite toda — explicou ela. — Sabran fica com medo se acorda em meio à escuridão. Eu considero mais prático deixar uma vela na mesa de cabeceira.

Ead assentiu.

— Vou fazer isso.

— Ótimo.

Roslain parecia querer dizer mais coisas, porém se conteve. Quando foi assegurado que a Alcova Real estava segura, ela conduziu as demais damas de companhia para fora e trancou as portas.

Sabran já estava reclinada na cama. Ead se acomodou ao lado dela e se cobriu.

Por um bom tempo, elas ficaram em silêncio. Katryen sabia como manter Sabran otimista, e Roslain lhe dava conselhos. Ead se perguntou qual seria seu papel. Escutá-la, talvez.

Ou lhe dizer a verdade. Talvez fosse isso o que Sabran mais valorizava.

Havia anos ela não dormia tão perto de alguém. Seus sentidos estavam todos voltados para Sabran. O piscar dos olhos de cílios escuros. O calor do corpo. O movimento de subida e descida do peito.

— Ando tendo muitos pesadelos ultimamente — disse ela, quebrando o silêncio. — Seu remédio ajudou, mas o Doutor Bourn me disse que não posso tomar nada enquanto estou grávida. Nem mesmo água-de-dormir.

— Longe de mim contestar o Doutor Bourn, mas talvez a senhora possa usar a água-de-rosas em um unguento — sugeriu Ead. — Isso vai acalmar a pele, e pode ajudar a evitar os pesadelos também.

Sabran assentiu e colocou a mão na barriga.

— Vou pedir amanhã. Talvez sua presença afaste os pesadelos por hoje, Ead. Mesmo se as rosas não puderem.

Os cabelos dela estavam soltos, repartidos como cortinas, e Ead via os ombros através deles.

— Eu nunca agradeci você. Por tudo o que fez na Travessa Quiver — disse ela. — Mesmo com toda a angústia que senti, eu vi como você lutou bem para me proteger. — Ela ergueu o queixo. — Foi você que matou os outros assassinos? É você a vigilante noturna?

A expressão dela era impenetrável. Ead queria fazer o que sua vontade mandava — contar a verdade —, mas o risco era grande demais. Se Combe ficasse sabendo, ela seria expulsa da corte.

— Não, senhora — disse ela. — Talvez o vigilante pudesse ter protegido o Príncipe Aubrecht, o que eu não consegui fazer.

— Não era sua obrigação proteger o príncipe — disse Sabran, com o perfil metade na sombra, metade sob a luz dourada. — Foi por minha culpa que Aubrecht morreu. Você me disse para não abrir aquela porta.

— A assassina teria encontrado uma forma de chegar até ele, fosse naquele dia ou em algum outro — respondeu Ead. — Alguém pagou uma bela soma a Bess Weald para garantir a morte do Príncipe Aubrecht. O destino dele estava selado.

— Isso pode até ser verdade, mas eu devia ter escutado. Você sempre foi verdadeira comigo. Não tenho como pedir perdão a Aubrecht, mas... estou pedindo o seu, Ead Duryan.

Foi preciso se esforçar para olhá-la nos olhos. Sabran não fazia ideia do quanto Ead *não* era verdadeira com ela.

— Está concedido — disse Ead.

Sabran soltou o ar com força pelo nariz. Pela primeira vez em oito anos, Ead sentiu uma pontada de remorso pelas mentiras que contara.

— Truyde utt Zeedeur precisa pagar o preço da traição, não importa o quanto é jovem — afirmou Sabran. — Pela lei, eu devo exigir que a Alta Princesa Ermuna a condene à morte. Ou talvez você prefira que eu lhe conceda misericórdia, Ead, já que considera isso tão reconfortante.

— A senhora deve fazer com ela o que achar melhor.

Na verdade, Ead não queria ver a garota morta. Era tola e perigosa, e sua estupidez causara um massacre, mas tinha só 17 anos. Ainda haveria tempo para ela se redimir em vida.

Mais um silêncio se fez, e então a rainha se virou para ela. Assim de perto, Ead conseguia ver os anéis pretos em torno das íris, em contraste com o verde tão vivo.

— Ead — começou ela —, eu não posso conversar com Ros nem Kate sobre isso, mas vou falar com você. Não acho que sua opinião sobre mim mudaria. Acho que você... entenderia.

Ead entrelaçou os dedos com os da rainha.

— Pode sempre falar à vontade comigo — disse ela.

Sabran chegou mais perto. A mão dela era fria e delicada, e os dedos pareciam vazios sem as joias. Ela havia enterrado o anel do nó do amor nos Jardins Afundados para marcar o local onde seria construído o memorial.

— Você me perguntou, antes que eu aceitasse Aubrecht como consorte, se queria me casar — disse ela, quase baixo demais para ser escutada. — E agora confesso, apenas para seus ouvidos, que não. E... continuo não querendo.

A revelação pairou no ar entre elas. Era uma conversa perigosa. Com a ameaça de invasão, os Duques Espirituais logo tentariam incitar Sabran a se juntar a outro companheiro, mesmo com a herdeira já crescendo dentro dela.

— Nunca pensei que fosse dizer essas palavras em voz alta. —

O sussurro se transformou em um quase riso. — Sei que Inys está diante de uma guerra. Sei que esses monstros dragônicos estão despertando pelo mundo todo. Sei que minha mão fortaleceria qualquer uma de nossas atuais alianças, e que as outras nações da Virtandade foram trazidas para nosso lado através da instituição sagrada do companheirismo.

Ead assentiu.

— Mas?

— Eu tenho medo.

— Por quê?

Sabran ficou imóvel por um tempo. Uma de suas mãos estava na barriga, enquanto Ead segurava a outra.

— Aubrecht era gentil comigo. Um homem bom e carinhoso — disse ela por fim, com a voz presa na garganta —, mas quando estava dentro de mim, mesmo quando eu sentia prazer, parecia...

Ela fechou os olhos.

— Parecia que meu corpo não era mais totalmente meu. E... eu continuo me sentindo dessa mesma forma agora.

Ela baixou os olhos para a elevação que mal era visível no abdome, coberta pela seda aveludada da camisola.

— As alianças sempre foram forjadas e fortalecidas pelos casamentos reais — disse ela. — Apesar de Inys ter a maior marinha do Oeste, nós não temos um exército terrestre bem treinado. Nossa população é pequena. Se nos invadirem, vamos precisar de todo o apoio que pudermos conseguir... mas todas as nações da Virtandade vão se considerar na obrigação de defender as suas fronteiras primeiro. No entanto, com um casamento, vêm certas estipulações legais. Garantias de apoio militar.

Ead se manteve em silêncio.

— Eu nunca tive a menor propensão para o casamento, Ead. Não do tipo que as pessoas da realeza precisam contrair, nascido não do amor, e sim do medo do isolamento — murmurou Sabran. — Mas, se eu me recusar, o mundo vai fazer seu julgamento. Orgulhosa demais para vincular minha nação a outra. Egoísta demais para ceder minha filha ao amor de um pai caso eu venha a falecer. É assim que me verão. Quem sairia em defesa de uma rainha como essa?

— Aqueles que a chamam de Sabran, a Magnífica. Aqueles que a viram derrotar Fýredel.

— Em breve vão se esquecer disso, quando as embarcações inimigas encobrirem o horizonte — respondeu Sabran. — Meu sangue não tem como deter os exércitos de Yscalin.

Ela baixou as pálpebras.

— Não precisa dizer nada para me confortar, Ead. Você me deixou desabafar, apesar de meus medos serem egoístas. A Donzela me concedeu a criança que eu pedi, e só o que consigo fazer é... fraquejar.

Apesar do fogo aceso na lareira, a pele dela estava arrepiada.

— Do lugar de onde venho — disse Ead—, nós não chamaríamos de *egoísta* o que a senhora fez.

Sabran olhou para ela.

— A senhora acabou de perder seu companheiro. E está grávida dele. Claro que está se sentindo vulnerável. — Ead apertou a mão dela. — A gravidez nem sempre é fácil. Ao que me parece, esse é o segredo mais bem guardado do mundo. Falamos disso como se não existisse nada melhor, mas a verdade não é assim tão simples. Ninguém fala abertamente sobre as dificuldades. O desconforto que carrega. Então, agora que a senhora está sentindo o peso dessa condição, acredita que é a única a se sentir assim. E colocou a culpa em si mesma.

Sabran engoliu em seco ao ouvir isso.

— Seu medo é natural. — Ead olhou bem para ela. — Não deixe que ninguém a convença do contrário.

Pela primeira vez desde a emboscada, a Rainha de Inys sorriu.

— Ead — disse ela —, eu não sei como sobrevivi até agora sem você...

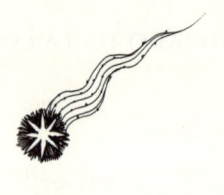

31

Leste

O Castelo do Rio Branco não tinha esse nome por causa de um rio, e sim devido ao fosso de conchas do mar que o cercava. Atrás da construção ficava a antiquíssima Floresta do Pássaro Ferido e, além dela, o ameaçador e brutal Monte Tego. Um ano antes do dia Dia da Escolha, todos os aprendizes enfrentaram o desafio de chegar a seu cume, onde diziam que o espírito do grande Kwiriki descia para abençoar os que eram merecedores.

De todos os aprendizes da Casa do Sul, apenas Tané chegara até o alto do pico. Quase congelada, passando mal por causa da altitude, escalara a duras penas o trecho final, vomitando sangue na neve.

Ela não se sentira humana durante aquele esforço final. Só uma lanterna de papel fina e rasgada pelo vento, agarrada ao que restava de uma alma. Porém, quando não havia mais nada a escalar e ela olhara para cima e não vira nada além da beleza terrível do céu, encontrara forças para ficar de pé. E teve a certeza de que o grande Kwiriki estava com ela, *dentro* dela.

No entanto, aquele sentimento nunca pareceu tão distante. Ela voltou a ser uma lanterna rasgada. Praticamente sem vida.

Não sabia nem quantos dias tinha passado na prisão. O tempo virou uma espécie de poço sem fundo. Ela mantinha as mãos em concha sobre as orelhas, para que tudo o que pudesse ouvir fosse o som do mar.

Então, outras mãos a levaram até um palanquim. E, depois de ser escoltada passando por um posto de sentinelas, entrou em um cômodo com teto alto e paredes pintadas com cenas da Grande Desolação, e depois em uma varanda coberta.

A Governadora de Ginura dispensou seus soldados. Estava de pé, com uma postura impecável e as feições contorcidas de desgosto.

— Dama Tané — disse ela friamente.

Tané fez uma reverência e se ajoelhou sobre as esteiras. Aquele título já lhe parecia algo que pertencia à outra vida.

Do lado de fora, um pesareiro cantava. Segundo diziam, seu *hic-hic-hic,* que lembrava o choramingo de uma criança, já levara uma imperatriz à loucura. Tané se perguntou se também não destruiria sua mente, caso o escutasse por tempo suficiente.

Ou talvez já estivesse destruída.

— Tempos atrás — falou a Governadora—, um prisioneiro a acusou de um crime seríssimo. Ele foi trazido a Seiiki de Mentendon. Foi condenado à morte de acordo com o Grande Édito.

Uma cabeça no portão, com os cabelos empastados de sangue.

— O prisioneiro contou aos magistrados em Cabo Hisan que, quando chegou lá, uma mulher o encontrou na praia. Ele descreveu a cicatriz sob o olho dela.

Tané apoiou as mãos suadas nas coxas.

— Me diga — continuou a Governadora —, por que uma aprendiz com histórico impecável, que veio do nada, que recebeu a raríssima oportunidade de ser uma escolhida dos deuses, arriscaria tudo, inclusive a segurança de todos os cidadãos desta ilha, fazendo uma coisa como essa?

Tané demorou um bom tempo para reencontrar sua voz. Ela a perdera em uma vala cheia de sangue.

— Havia boatos circulando. Dizendo que aqueles que violassem o recolhimento seriam recompensados. Só uma vez na vida, eu queria ser destemida. Correr um risco. — Nem parecia que era Tané quem estava falando. — Ele... saiu do mar.

— Por que você não notificou as autoridades?

— Pensei que a cerimônia seria cancelada. Pensei que o porto seria fechado, que os deuses não viriam. Que eu poderia nunca me tornar uma ginete.

Como aquilo soava covarde. Uma atitude egoísta e insensata. Quando explicara aquilo para Nayimathun, a dragoa entendera. No entanto, agora a vergonha era esmagadora.

— Ele me pareceu uma mensagem. Enviada pelos deuses. — Ela mal conseguia falar. — Eu sempre fui muito afortunada. Durante toda a minha vida, o grande Kwiriki foi bom demais comigo. Todos os dias, eu esperava para ver quando o favorecimento dele desapareceria. Quando o forasteiro chegou, senti que era aquele o momento. No entanto, eu não estava pronta. Eu precisava... eliminar o vínculo dele comigo. Escondê-lo até conseguir o que queria.

Só o que ela conseguia ver eram suas mãos, com as unhas roídas até a carne, marcada por cicatrizes pálidas.

— O grande Kwiriki favorecia *mesmo* você, Dama Tané. — A Governadora soou quase piedosa. — Se tivesse feito uma escolha diferente, esse favorecimento ainda poderia ser seu.

O pássaro lá fora, fazendo seu *hic-hic-hic*. Uma criança que jamais poderia ser consolada.

— Susa era inocente, ilustre Governadora — disse Tané. — Eu a forcei a me ajudar.

— Não. Nós interrogamos o sentinela que ela convenceu a deixá-la entrar em Orisima. Ela foi uma participante ativa. Mais leal a você do que a Seiiki.

A Governadora franziu os lábios.

— Estou ciente de que uma dragoa pediu clemência para ela. Infelizmente, essa informação chegou até mim tarde demais.

— Nayimathun — sussurrou Tané. — Onde está ela?

— Isso nos leva ao segundo assunto que temos a tratar, ainda mais sério. Pouco antes do amanhecer, um grupo de caçadores aportou na Baía de Ginura.

— Caçadores?

— A Frota do Olho de Tigre. A grande Nayimathun das Neves Profundas foi... levada.

Tané sentiu todas as sensações abandonarem seu corpo. Seus punhos se fecharam.

— A Guarda Superior do Mar fará de tudo para recuperá-la, mas é raro que nossos deuses sejam poupados da carnificina que os aguarda em Kawontay. — A Governadora cerrou o maxilar por um instante. — É muito doloroso para mim dizer isso, mas é bem provável que já não possamos fazer mais nada pela grande Nayimathun.

Tané estremeceu.

O estômago era como um saco de veneno dentro do corpo. Ela tentou não imaginar o que Nayimathun estaria sofrendo. Era uma ideia tão intolerável que fez sua visão oscilar e os lábios tremerem.

Ela estava condenada, e não tinha mais nada nem ninguém a perder. Talvez, como um ato final, pudesse levar consigo um pouco da sujeira que maculava Seiiki.

— Existe uma outra pessoa envolvida — disse ela, baixinho. — Roos. Um cirurgião de Orisima. Ele tentou me chantagear. Me pediu sangue e escamas de dragão para seu trabalho. É um sujeito sem um pingo de moralidade ou bondade dentro de si. — Ela sentiu seus olhos faiscarem. — Deve tê-los ajudado a pegar a grande Nayimathun. Não deixe que ele faça mal a nenhum outro dragão. Ele precisa ser levado à justiça.

A Governadora ficou pensativa por um tempo.

— Roos está desaparecido — ela disse por fim.

Tané a encarou.

— Foi à praia ontem à noite, segundo seus amigos. Achamos que pode ter fugido da ilha.

Se Roos estava com a Frota do Olho de Tigre, isso já equivalia a uma sentença de morte. Alguém como ele certamente acabaria pisando no calo da pessoa errada.

Aquilo não trouxe nenhum consolo para Tané. Seu inimigo não estava mais lá, mas ela havia perdido sua dragoa. E também sua amiga. E o sonho que nunca merecera.

— Eu cometi um erro. Um erro terrível.

Isso era tudo o que lhe restava.

— De fato.

Um silêncio se fez entre as duas.

— De acordo com a lei, você deveria ser executada — informou a Governadora. — Seu egoísmo e sua ganância poderiam ter destruído Seiiki. Mas, por respeito à grande Nayimathun, e ao que você poderia ter sido, serei misericordiosa hoje. Você vai passar o resto de seus dias na Ilha da Pluma, onde pode aprender a servir ao grande Kwiriki da maneira correta.

Tané se levantou e fez uma reverência, e os soldados a levaram de volta para o palanquim. Ela pensou que fosse suplicar ou chorar ou pedir perdão, mas, no fim das contas, não sentiu nada além de um vazio.

32

Sul

O reflexo da água dançava em um teto arqueado. O ar estava frio, mas não a ponto de provocar arrepios. Loth percebeu tudo isso antes de se dar conta de que estava despido.

Estava deitado sobre um tapete. À sua direita, havia um tanque quadrado e, à esquerda, um recesso esculpido na rocha, onde brilhava uma lamparina a óleo.

De forma repentina, uma dor subiu pelas costas. Ele se virou de bruços e vomitou, e então sentiu o que o acometia.

A fervura do sangue.

Em Inys, parecia um pesadelo distante. Uma história para contar à beira da lareira nas noites sem luar. Agora ele sentia o que o mundo inteiro sofrera na Era da Amargura. Entendeu por que o Leste fechara seus portos.

O sangue borbulhava como óleo. Ele gritou na escuridão que o envolvia, e a escuridão gritou de volta. Uma colmeia se partiu em algum lugar dentro dele, e um enxame de abelhas enfurecidas se espalhou por seus órgãos, deixando-os em chamas. E, enquanto os ossos estalavam com o calor, e as lágrimas escorriam pelo rosto, só o que ele desejava era morrer.

Um vislumbre de uma lembrança. Em meio à névoa vermelha, ele precisava chegar ao tanque que tinha visto e assim apagar o incêndio interior. Ele começou a se levantar, movendo-se como se estivesse sobre carvão em brasa, mas uma mão fria tocou sua testa.

— Não — disse uma voz. Uma voz que era como a luz do sol. — Quem é você?

Os lábios dele queimavam.

— Lorde Arteloth Beck — disse ele. — Por favor, fi-fique longe de mim. Eu tenho a peste.

— Onde você encontrou a caixa de ferro?

— A Donmata Marosa. — Ele estremeceu. — Por favor...

O medo o fez se desfazer em soluços, mas em pouco tempo havia outra pessoa ao seu lado, levando um jarro a seus lábios. Ele bebeu.

Quando acordou de novo, estava em uma cama, ainda sem roupa, na mesma câmara subterrânea de antes.

Levou um bom tempo para ele ousar se mexer. Não havia dor, e a vermelhidão tinha sumido das mãos.

Loth fez o sinal da espada sobre o peito. O Santo, em sua misericórdia, parecia ter achado por bem poupá-lo.

Ele continuou deitado por um bom tempo, à espera de passos ou vozes. Por fim, ficou de pé sobre as pernas trêmulas, tão fraco que se sentiu zonzo. Os ferimentos provocados pela cocatriz estavam cobertos de unguento. Até a lembrança do sofrimento estava se esvaindo, mas uma alma caridosa o havia curado e acolhido, e ele precisava estar apresentável quando fosse cumprimentar quem quer que fosse o responsável.

Ele mergulhou no tanque. Aquele chão liso era uma bênção para os pés maltratados.

Loth não se lembrava de nada do que acontecera depois de sua chegada a Rauca. Uma vaga recordação de um mercado veio à mente, e uma sensação de estar em movimento, e depois a hospedaria. Após isso, só um branco completo.

A barba estava grande demais para seu gosto, mas não havia navalha por perto. Depois de se refrescar, ele saiu e vestiu o robe deixado na mesinha de cabeceira.

Ele teve um sobressalto quando a viu. Uma mulher de manto verde, segurando uma lamparina na palma da mão. Sua pele marrom era escura, assim como os olhos, e os cabelos caíam cacheados ao redor do rosto.

— Você precisa vir comigo.

Ela falou em inysiano com um sotaque lássio. Loth se recuperou do susto.

— Quem é você, mestra?

— Chassar uq-Ispad está lhe convidando para sua mesa.

Então o embaixador o encontrara, de alguma forma. Loth queria fazer mais perguntas, mas não achou dentro de si a audácia para interrogar aquela mulher, que o encarava com olhos frios e implacáveis.

Ele a seguiu por uma série de corredores sem janela, escavados em uma pedra rosada e iluminada com lamparinas a óleo. Devia ser onde o embaixador morava, embora não parecesse em nada com o lugar sobre o qual Ead lhe contara, onde passara a infância. Não havia nada de passagens ao ar livre, nem vistas deslumbrantes dos Montes Sarras. Só reentrâncias aqui e ali, todas contendo uma estatueta de bronze de uma mulher segurado uma espada e uma orbe.

A guia deteve o passo diante de um arco, onde havia uma cortina translúcida pendurada.

— Por aqui — disse ela.

Depois se retirou, levando consigo a luz.

A câmara por trás do véu era pequena, com um teto baixo. Um ersyrio alto estava sentado à mesa, e usava um turbante prateado na cabeça. Quando Loth entrou, ele ergueu o olhar.

Chassar uq-Ispad.

— Lorde Arteloth. — O embaixador apontou para outra cadeira. — Por favor, sente-se. Deve estar muito cansado.

A mesa estava repleta de frutas. Loth se sentou na cadeira do outro lado.

— Embaixador uq-Ispad — ele falou com a voz um pouco rouca. — É a você que devo agradecer por ter salvado a minha vida?

— Eu falei em seu favor, mas não sou eu o respoonsável — foi a resposta. — Esta propriedade não é minha, nem o remédio que você tomou. No entanto, seguindo o espírito da hospitalidade ersyria, pode me chamar de Chassar.

A voz dele não era como Loth se lembrava. O Chassar uq-Ispad que conhecera na corte era sempre bem-humorado, e não alguém que demonstrava uma calma que chegava a ser desesperadora.

— É muita sorte sua estar sentado a esta mesa — disse Chassar. — Poucos homens procuram o Priorado e sobrevivem para vê-lo.

Um outro homem serviu para Loth uma taça de um vinho pálido.

— Priorado, Excelência? — perguntou Loth, perplexo.

— Você está no Priorado da Laranjeira, Lorde Arteloth. Na Lássia.

Na Lássia. Impossível.

— Eu estava em Rauca — respondeu ele, ainda mais confuso. — Como isso é possível?

— O ichneumon. — Chassar serviu uma bebida para si. — Eles são velhos aliados do Priorado.

Aquilo não explicou absolutamente nada para Loth.

— Aralaq encontrou você nas montanhas. — Ele baixou a taça. — Foi ele que pediu a uma das irmãs para acolher você.

Priorado. Irmãs.

— Aralaq — repetiu Loth.

— O ichneumon.

Chassar deu um gole na bebida. Loth então notou que havia uma águia das areias pousada ali perto, com a cabeça inclinada. Ead já havia elogiado aquelas aves de rapina por sua inteligência.

— Você parece confuso, Lorde Arteloth — Chassar falou em um tom mais leve. — Vou explicar tudo. Mas, para fazer isso, primeiro preciso lhe contar uma história.

Aquela era a recepção mais estranha que ele já experimentara na vida.

— Você conhece a história da Donzela e do Santo. Sabe que um cavaleiro resgatou uma princesa de um dragão e a levou para um reino do outro lado do mar. Sabe que eles fundaram uma grande cidade e viveram felizes para sempre. — Ele abriu um sorriso. — Nada do que você sabe é verdade.

O silêncio foi tamanho que Loth ouviu a águia das areias eriçar suas penas.

— Sei que é um seguidor do Arauto da Alvorada, Sua Excelência — disse Loth por fim —, mas eu lhe peço para não dizer blasfêmias em minha presença.

— Os Berethnet são os blasfemos. *Eles* são os mentirosos.

Loth se calou, atordoado. Ele sabia que Chassar uq-Ispad era um descrente, mas ouvir aquilo foi um choque.

— Quando o Inominado veio para o Sul, para a cidade de Yikala — continuou Chassar —, o Alto Governante Selinu tentou apaziguá-lo com um sorteio de vidas. Até as crianças eram sacrificadas, caso fossem sorteadas. Sua única filha, a Princesa Cleolind, jurou para o pai que era capaz de matar a fera, mas Selinu a proibiu. Cleolind foi obrigada a ver seu povo sofrer. Porém, um dia, ela foi a eleita para o sacrifício.

— É isso o que diz o Santário — disse Loth.

— Fique em silêncio e veja se aprende alguma coisa. — Chassar pegou uma fruta roxa na tigela. — No dia em que Cleolind deveria morrer, um cavaleiro do Oeste chegou à cidade. Carregava uma espada chamada Ascalon.

— Exatamente…

— Silêncio, ou vou arrancar sua língua.

Loth fechou a boca.

— Esse *galante* cavaleiro — Chassar falou, com um tom carregado de desdém — prometeu matar o Inominado com sua espada encantada. Porém, ele tinha duas condições. A primeira era que Cleolind se tornasse sua esposa, e voltasse com ele a Inysca como a rainha consorte. A segunda era que o povo dela se convertesse às Seis Virtudes da Cavalaria, um código cavalheiresco que ele decidira transformar em religião, tendo a si mesmo como divindade. Uma fé inventada.

Ouvir o Santo sendo descrito como um andarilho louco era insuportável. *Fé inventada*, ora essa. As Seis Virtudes eram o código pelo qual todos os cavaleiros inysianos se guiavam na época. Loth abriu a boca, mas se lembrou do aviso e novamente a fechou.

— Apesar do medo — Chassar continuou —, o povo lássio *não* queria se converter a uma nova religião. Cleolind explicou isso ao cavaleiro e rejeitou os termos propostos. Porém, Galian estava tão consumido pela ganância e a luxúria que foi enfrentar a fera mesmo assim.

Loth quase engasgou.

— Não havia luxúria em seu coração. O amor dele pela Princesa Cleolind era casto.

— Tente não ser tão irritante, milorde. Galian, o Impostor, era um bruto. Um bruto egoísta e sedento de poder. Para ele, a Lássia era só um campo onde colher uma noiva com sangue da realeza e devotos de uma religião por ele fundada, tudo para seu próprio benefício. Ele se tornaria um deus e unificaria Inysca sob sua coroa.

Chassar serviu mais um pouco de vinho, enquanto Loth fervilhava de raiva.

— Obviamente, seu amado Santo foi atingido de imediato, foi ao chão com um ferimento leve e se mijou todo. E Cleolind, uma mulher de coragem, pegou a espada que ele deixara cair. Ela seguiu o Inominado até as profundezas da Bacia Lássia, onde ele tinha feito sua morada. Poucos tinham coragem de entrar naquela floresta, pois seu mar de árvores era vasto e não havia mapas para guiar viajantes. Ela seguiu o rastro da fera até um grande vale. Naquele vale crescia uma laranjeira de uma altura impressionante e uma beleza nunca vista. O Inominado estava enrolado no tronco como uma cobra. Eles lutaram pelo vale e, embora Cleolind fosse uma guerreira poderosa, a fera incendiou seu corpo. Agonizando, ela rastejou até a árvore. O Inominado ficou triunfante, certo de sua vitória, e abriu a boca para cuspir fogo nela mais uma vez... mas, quando estava sob os galhos, o fogo não podia atingi-la. Cleolind, perplexa com o milagre, viu que a árvore frutificava diante dela. Quando ela comeu o fruto, ficou curada. Não só curada, mas *transformada*. Ela podia ouvir os suspiros na terra. A dança do vento. Estava renascida como uma chama viva. Ela enfrentou a fera novamente, e dessa vez cravou Ascalon sob uma de suas escamas. Gravemente ferido, o Inominado fugiu. Cleolind retornou triunfante para Yikala e baniu Sir Galian Berethnet de sua terra, devolvendo a espada para que ele nunca mais voltasse com o pretexto de buscá-la. Ele fugiu para as Ilhas de Inysca, onde contou uma falsa versão dos acontecimentos, e foi coroado Rei de...

Loth bateu com a mão fechada na mesa. A águia das areias gritou em protesto.

— Eu não ficarei sentado à sua mesa ouvindo você difamar a minha fé — disse Loth, quase em susurro. — Cleolind foi *junto* com ele para Inys, e as rainhas Berethnet são suas descendentes.

— Cleolind doou suas riquezas — retomou Chassar, ignorando a interrupção de Loth — e voltou para a Bacia Lássia com suas damas de honra, onde fundou o Priorado da Laranjeira, uma casa de mulheres abençoadas com a chama sagrada. Uma casa de magas, Lorde Arteloth. *Feitiçaria*.

— A missão do Priorado é matar wyrms e proteger o Sul do poder dragônico. A líder desse lugar é a Prioresa, que é a mais amada pela

Mãe. E eu receio, Lorde Arteloth, que essa grande dama acredita que você pode ter matado uma de suas filhas.

Ao notar a perplexidade de Loth, Chassar se inclinou para a frente com um olhar incisivo.

— Você estava na posse de uma caixa de ferro que estivera em poder de uma mulher chamada Jondu.

— Eu não sou nenhum assassino. Jondu foi capturada pelos yscalinos — insistiu Loth. — Antes de morrer, entregou a caixa para a Donmata de Yscalin, que a passou para mim. — Ele tateou até encontrar o encosto da cadeira e se levantou. — Ela me implorou para que eu a entregasse a você. Pois já está em suas mãos — disse ele, desesperado. — Agora preciso ir embora deste lugar.

— Então Jondu está morta. Sente-se, Lorde Arteloth — Chassar falou friamente. — Você ficará aqui.

— Para ouvir você insultar minha fé ainda mais?

— Porque aquele que procura o Priorado nunca mais pode sair de seus domínios.

Loth gelou por dentro.

— Não é fácil para mim dizer isso, Lorde Arteloth. Eu conheço a senhora sua mãe, e lamento que ela nunca mais o verá de novo... mas você não pode ir embora. Nenhum forasteiro pode. Existe um risco grande demais de você revelar a alguém a existência do Priorado.

— Você... — Loth sacudiu a cabeça. — Você não pode... isso é *loucura*.

— Aqui se leva uma vida confortável. Não tanto quanto a que você tinha em Inys — Chassar admitiu —, mas você estará seguro aqui, distante dos olhares do mundo.

— Eu sou o herdeiro de Goldenbirch. Sou amigo da Rainha Sabran IX. Não admito ser insultado dessa maneira! — Ele bateu com as costas na parede. — Ead sempre disse que você era um homem bem-humorado. Se isso for algum tipo de brincadeira, Excelência, me diga de uma vez.

— Ah. — Chassar soltou um suspiro. — Eadaz. Ela me contou sobre a amizade de vocês.

Alguma coisa mudou dentro de Loth. E, pouco a pouco, ele começou a entender.

Não Ead, e sim *Eadaz*. A sensação de ser tocado pela luz do sol. Os segredos dela. A infância obscura. Mas não, aquilo *não* podia ser verdade... Ead tinha se convertido às Seis Virtudes. Rezava no santuário duas vezes por dia. Não podia ser uma herege, uma praticante das artes proibidas. Simplesmente *não podia*.

— A mulher que você conhece como Ead Duryan é uma mentira, Arteloth. Eu criei essa identidade para ela. Seu verdadeiro nome é Eadaz du Zāla uq-Nāra, uma irmã do Priorado. Eu a coloquei em Inys, por ordem da antiga Prioresa, para proteger Sabran IX.

— Não.

Ead, com quem ele bebia vinho e dançava em todo Festim da Confraternidade desde os 22 anos. Ead, a mulher com quem seu pai achava que ele deveria se casar.

Ead Duryan.

— Ela é uma maga. E das mais talentosas — disse Chassar. — Vai voltar para cá assim que Sabran der à luz.

Cada palavra cravava mais fundo a facada da traição. Ele não tinha como suportar continuar ouvindo aquilo. Empurrou a cortina e saiu às cegas pela passagem, mas deu de cara com a mulher de verde. E, então, ele viu que ela não estava segurando uma lamparina a óleo.

Estava *segurando o fogo*.

— A Mãe está com você, Arteloth. — Ela sorriu para ele. — Durma.

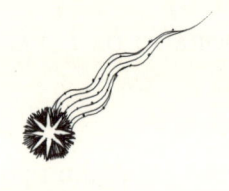

33

Leste

Estavam na sala mais alta do Palácio de Brygstad, onde com frequência passavam a noite às escondidas quando o Alto Príncipe estava fora. As paredes eram repletas de tapeçarias, e as janelas estavam embaçadas por causa do calor do fogo. Era lá que as pessoas da realeza davam à luz. Sob uma abóboda estrelada.

Em outras noites, se escondiam no Bairro Velho, em um quarto que Jannart mantinha em uma hospedaria chamada Sol em Esplendor, conhecida por sua discrição. Abrigava muitos amantes que fugiam das leis da Cavaleira da Confraternidade. Alguns, como Jannart, estavam presos a matrimônios que não escolheram. Outros não eram casados. Outros haviam se apaixonado por pessoas muito acima ou abaixo de sua posição. Todos amavam de uma forma que lhes custaria caro na Virtandade.

Naquele dia, Edvart tinha partido com metade da corte, a filha e o sobrinho para sua residência de verão na Floresta das Noivas. Jannart prometera a Edvart que se juntaria a eles em breve para caçar o mítico Lobo Sangyno que rondava o norte de Mentendon.

Niclays nunca soube ao certo se Edvart conhecia a verdade sobre sua relação com Jannart. Talvez tivesse feito vistas grossas. Se o assunto se tornasse público, o Alto Príncipe não teria escolha a não ser banir Jannart, seu melhor amigo, por quebrar seu voto à Cavaleira da Confraternidade.

Um pedaço de lenha tombou da pilha. Diante da lareira, Jannart estava debruçado sobre seus manuscritos, espalhados pelo tapete. Nos anos anteriores, deixara de lado sua arte para perseguir a paixão pela história. Sempre se sentira perturbado pelas perdas calamitosas do conhecimento ocorridas na Era da Amargura — o incêndio de bibliotecas, a destruição de arquivos, a ruína irrecuperável de antigas construções — e, com seu filho Oscarde assumindo parte das responsabilidades no ducado, ele poderia enfim se dedicar a preencher as lacunas históricas.

Niclays estava deitado na cama, nu, observando a pintura estrelada. Alguém dedicara uma enorme dose de esforço para fazer uma reprodução fiel do céu.

— O que foi?

Jannart não precisou desviar os olhos para saber que havia alguma coisa errada. Niclays soltou um suspiro.

— Um wyvern nos arredores de nossa capital deveria abalar até a sua moral.

Havia três dias, dois homens tinham se aventurado em uma caverna a oeste de Brygstad e topado com um wyvern adormecido. Era um fato conhecido que os seres dragônicos encontraram lugares para dormir espalhados pelo mundo todo depois da Era da Amargura, e que quem procurasse com afinco poderia encontrar um em qualquer nação.

No Estado Livre de Mentendon, a lei determinava que, caso fossem descobertas, essas feras deveriam ser deixadas em paz, sob pena de morte. Havia um medo onipresente de que despertar um deles faria todos os demais acordarem — mas aqueles homens se consideravam acima da lei. Inebriados por sonhos de se tornarem cavaleiros, sacaram as espadas e tentaram matar a criatura. Desgostoso por ser despertado de forma tão bruta, o wyvern devorara seus agressores e saíra furioso da caverna. Ainda enfraquecido demais pelo longo sono para conseguir cuspir fogo, mesmo assim conseguira massacrar diversos moradores de uma cidadezinha próxima antes que uma alma corajosa cravasse uma flecha em seu coração.

— Clay — disse Jannart—, eram só dois rapazes arrogantes sendo tolos. Ed vai garantir que isso nunca mais aconteça.

— Talvez os duques sejam ingênuos demais para perceber isso, mas existem tolos arrogantes pelo mundo todo. — Niclays se serviu de uma taça de vinho escuro. — Havia uma mina abandonada não muito longe de Rozentun, sabe. Segundo os boatos que circulavam entre as crianças, uma cocatriz morava lá e tinha botado um punhado de ovos antes de cair no sono. Uma menina que eu conhecia quebrou a coluna tentando entrar lá. Um garoto se perdeu no meio da escuridão, e nunca foi encontrado. Eram tolos e arrogantes, os dois.

— Me impressiona que, depois de tantos anos, ainda escuto histórias novas sobre sua infância. — Jannart arqueou a sobrancelha, com a boca se contorcendo em um sorriso. — Você foi atrás dos ovos de ouro?

Niclays soltou um risinho de deboche.

— Que ideia. Eu passei pela entrada da caverna uma ou outra vez, mas o amor da sua vida já era um covarde convicto desde menino. Tenho medo demais da morte para persegui-la.

— Bem, eu só tenho a agradecer por sua falta de ousadia. Confesso que também tenho medo da sua morte.

— E eu devo lembrar que, como é dois anos mais velho do que eu, a aritmética da morte joga contra você.

Jannart sorriu.

— Não vamos falar da morte quando ainda existe tanto a viver.

Ele se levantou, e Niclays absorveu as linhas fortes de seu corpo, esculpidas por anos de prática de esgrima. Aos 50 anos, ainda era tão arrebatador quanto no dia em que os dois se conheceram. Os cabelos chegavam até a cintura, e com o tempo tinham assumido um tom mais escuro de ruivo, grisalho nas raízes. Niclays ainda não entendia como podia ter conseguido manter o amor daquele homem por tantos anos.

— Daqui a pouquíssimo tempo, pretendo fugir com você para a Lagoa Láctea, e lá vamos viver uma vida sem nomes e sem títulos. — Jannart subiu na cama, colocou as mãos nas laterais do corpo de Niclays e o beijou. — Além disso, se continuar assim, você provavelmente vai morrer antes de mim. Talvez seja melhor parar de me trair com o vinho de Ed... — disse ele, estendendo a mão para a taça.

— Você tem seus livros empoeirados, eu tenho o vinho. — Niclays deu uma risadinha e tirou a taça do alcance dele. — Nós fizemos um acordo.

— Entendi. — Jannart fez outra tentativa, meio de brincadeira, de apanhar a taça. — E quando foi que fizemos esse acordo?

— Hoje. Talvez você estivesse dormindo.

Jannart desistiu e se deitou na cama ao seu lado. Niclays tentou ignorar a pontada de remorso.

Eles vinham brigando por causa da fraqueza pelo vinho há anos. Niclays se controlara na bebedeira o suficiente para não ficar embriagado a ponto de se esquecer do que fazia, como acontecera tantas vezes em sua juventude, mas as mãos tremiam se passava muito tempo sem tomar alguns goles. Ultimamente, Jannart parecia cansado demais desse assunto para discutir. Era doloroso para Niclays decepcionar a única pessoa que o amava.

O vinho escuro era seu consolo. Com aquele líquido doce e espesso, ele preenchia o vazio que se abria em seu peito sempre que olhava para o dedo, onde não havia um anel do nó do amor. Aliviava a dor de viver uma mentira.

— Você acha mesmo que a Lagoa Láctea existe? — murmurou ele.

Era um lugar citado em contos e cantigas de ninar. Um refúgio para os amantes.

Jannart passou um dedo ao redor do umbigo de Niclays.

— Acredito — disse ele. — Já reuni evidências suficientes para crer que no mínimo ela existia antes da Era da Amargura. Ed ouviu dizer que os descendentes ainda vivos da família de Nerafriss sabem onde fica, mas só contam para quem faz por merecer.

— Isso me exclui da conversa, então. É melhor você ir sozinho.

— Você não vai se livrar de mim assim tão fácil, Niclays Roos. — Jannart aproximou a cabeça da sua, e os narizes se tocaram. — Mesmo se nunca encontrarmos a Lagoa Láctea, podemos ir para outro lugar.

— Para onde?

— Para algum lugar no Sul, talvez. Onde a Cavaleira da Confraternidade não tenha nenhuma autoridade — disse Jannart. — Existem lugares não mapeados para além do Portão de Ungulus. Talvez outros continentes.

— Eu não sou nenhum explorador.

— Mas poderia ser, Clay. Poderia ser qualquer coisa, e jamais deveria pensar que não. — Jannart passou o polegar pela bochecha de Niclays. — Se eu tivesse me convencido de que não era um pecador, jamais teria beijado a boca que tanto desejava. Os lábios de um homem com cabelos de um tom de ouro rosado, que pelas leis de uma cavaleira morta há muito tempo não poderia ter o meu amor.

Niclays tentou não se perder naqueles olhos cinzentos típicos dos Vatten. Mesmo depois de tantos anos, olhar para aquele homem o deixava sem fôlego.

— E quanto a Aleidine? — perguntou ele.

Tentou soar curioso, em vez de amargurado. Era uma questão difícil para Jannart, que passara décadas se dividindo entre sua companheira e seu amante, arriscando seriamente sua posição na corte. Niclays não tinha essa preocupação. Nunca se casara, e ninguém tentara forçá-lo a isso.

— Ally vai ficar bem — disse Jannart, apesar da testa franzida. — Vai ser a Duquesa Viúva de Zeedeur, uma mulher rica e poderosa.

Jannart gostava de Aleidine. Apesar de nunca a ter amado como os companheiros se amam, os dois construíram uma amizade sólida e íntima em seus trinta anos de casamento. Ela cuidava de seus negócios, teve um filho com ele, governou o Ducado de Zeedeur ao seu lado sem nunca deixar de amá-lo incondicionalmente.

Quando eles fossem embora, Niclays sabia que Jannart sentiria falta dela e da família que formaram juntos — mas, aos olhos de Jannart, ele dedicara sua juventude a eles. E agora queria viver seus últimos anos ao lado do homem que amava.

Niclays segurou a mão dele, a que tinha o anel do nó do amor.

— Vamos em breve — ele falou em um tom mais leve, para distraí--lo. — Viver escondido assim está me envelhecendo.

— A idade te faz bem, minha raposa dourada. — Jannart o beijou. — Nós vamos, sim. Eu prometo.

— Quando?

— Quero passar mais alguns anos com Truyde. Ela precisa criar lembranças do avô.

A menina tinha só 5 anos e já se mergulhava com todas as forças em tudo o que Jannart lhe mostrava, folheando os livros com os lábios franzidos e determinados. Tinha os mesmos cabelos que Jannart.

— Mentiroso — disse Niclays. — Você quer é garantir que ela dê continuidade a seu legado como pintor, já que Oscarde não tem a menor aptidão artística.

Jannart riu com vontade.

— Talvez.

Eles continuaram deitados por mais um tempo, com os dedos entre-laçados. A luz do sol banhava o quarto com um brilho dourado.

Os dois estariam juntos, sozinhos, em breve. Niclays disse a si mesmo que aquilo era verdade, como vinha fazendo por anos e anos. Mais um ano, talvez dois, até Truyde crescer um pouco mais. Eles deixariam a Virtandade para trás.

Quando Niclays se virou para olhá-lo, Jannart sorriu — aquele sorriso malicioso que levantava só um canto da boca. Agora que estava mais velho, a bochecha se enrugava de uma forma que o deixava ainda mais bonito. Niclays ergueu a cabeça para beijá-lo, e Jannart segurou o rosto com as duas mãos, como se o estivesse emoldurando em um de seus retratos. Niclays traçou uma linha pela tela em branco do abdome de Jannart, fazendo o corpo dele se arquear e se acender. Apesar de se conhecerem até de olhos fechados, a força de seu abraço parecia uma coisa nova.

A noite caiu, e os dois se aninharam diante do fogo, com os olhos pesados e molhados de suor. Jannart passou os dedos nos cabelos de Niclays.

— Clay — murmurou ele. — Vou precisar passar um tempinho fora.

Niclays levantou a cabeça.

— Como assim?

— Você deve estar se perguntando o que eu faço na minha sala o dia todo — comentou Jannart. — Algumas semanas atrás, herdei um fragmento de texto da minha tia, que foi Vice-Rainha de Orisima por quarenta anos.

Niclays soltou um suspiro. Quando Jannart se envolvia com um mistério, virava um abutre em cima de uma carcaça, movido por sua natureza de não deixar nada para trás além de um esqueleto. Da mesma forma que Niclays era atraído pela alquimia e pelo vinho, Jannart era obcecado pela restauração do conhecimento.

— Pois me conte mais — falou Niclays, tentando ao máximo possível esconder sua decepção.

— O fragmento é muito antigo, de séculos atrás. Quase tenho medo de mexer, para não acabar se desintegrando. De acordo com o diário dela, minha tia o recebeu de um homem que lhe disse para levá-lo embora do Leste e nunca mais trazê-lo de volta.

— Que misterioso. — Niclays apoiou a cabeça nos braços dele. — O que isso tem a ver com sua viagem?

— Eu não consigo ler o texto. Preciso ir até a Universidade de Ostendeur para ver se alguém por lá conhece o idioma. Acho que é um seiikinês antigo, mas alguma coisa naqueles caracteres me parece muito estranha. Alguns são maiores, outros menores, e são espaçados de um jeito peculiar. — O olhar dele estava distante. — Existe uma mensagem escondida ali, Clay. Minha intuição me diz que é uma peça vital da história. Algo de uma importância muito maior do que qualquer coisa que já estudei. Eu *preciso* entender aquilo. Ouvi falar de uma biblioteca que pode me ajudar nisso.

— Onde fica esse lugar, exatamente? — Niclays quis saber. — Faz parte da Universidade?

— Não. É… um tanto isolado. A alguns quilômetros de Wilgaström.

— Ah, *Wilgaström*. Que interessante.

Era uma cidadezinha pacata à beira do Rio Lint. Não havia wyverns por lá.

— Pois bem, volte logo — disse Niclays. — Assim que você partir, Ed vai tentar me envolver em uma caçada ou jogo de raquete ou algum outro passatempo que implique *conversar com cortesãos*.

Jannart o puxou para mais perto.

— Você vai sobreviver. — O sorriso desapareceu do rosto dele e, apenas por um instante, os olhos se tornaram obscuros. — Eu jamais me afastaria de você sem um bom motivo, Clay. Palavra de honra.

— Eu acredito na sua palavra, Zeedeur.

Existia um reino entre o sonho e a vigília, e Niclays estava preso nele. Enquanto despertava, uma lágrima escorreu do canto do olho.

A chuva caía em seu rosto. Estava em um barco a remo, sendo balançado como um bebê no berço. Havia pessoas ao seu redor, conversando, e uma sede terrível fazia sua garganta queimar.

Lembranças vagas surgiam no fundo de sua mente. Mãos o arrastando. Comida sendo enfiada entre seus lábios, quase o fazendo morrer engasgado. Um pano colocado sobre o nariz e a boca.

Ele tateou em busca da beirada do barco e vomitou. Ao redor da embarcação só havia as ondas verdes, cristalinas como uma floresta de vidro.

— Pelo Santo… — A voz dele soou seca. — Água — ele pediu em seiikinês. — Por favor.

Ninguém respondeu.

Era crepúsculo. Ou amanhecer. O céu estava nublado, mas o sol ainda conseguia conferir ao ambiente um resquício de luz dourada. Niclays piscou por causa da chuva em seus olhos e observou as velas alaranjadas mais acima, iluminadas por dezenas de lamparinas. Um navio fantasma, envolto na névoa marinha. Um de seus captores lhe deu um tapa na cabeça e rugiu alguma coisa no idioma lacustre.

— Está bem — murmurou Niclays. — Está bem.

Ele foi suspenso pelas cordas que amarravam seus pulsos e forçado sob a ameaça de uma faca até uma escada. A visão do navio o deixou boquiaberto e espantou os últimos resquícios de sono que ainda permaneciam.

Era um galeão de nove mastros, com o casco revestido em ferro, pelo menos duas vezes maior do que um Altaneiro do Oeste. Niclays nunca vira uma embarcação de dimensões tão colossais, nem mesmo em águas inysianas. Ele colocou os pés descalços nos degraus de madeira e subiu, acossado por gritos e zombarias.

Estava entre piratas, sem dúvida nenhuma. Pelo verde-jade das ondas, aquele provavelmente era o Mar do Sol Dançante, que desaguava no Abismo — o oceano escuro que separava o Leste do Oeste, Norte, e Sul. Era o mar que ele atravessara quando viajara para Seiiki tantos anos antes.

Seria o mar onde ele morreria. Os piratas não eram conhecidos por sua misericórdia, ou seu tratamento cortês quanto a reféns. Era surpreendente até que Niclays tivesse chegado até ali sem ter sua garganta cortada.

Depois de subir, ele foi puxado pelas cordas, cruzando o convés. Ao seu redor havia diversos homens e mulheres do Leste, com alguns do Sul espalhados entre eles. Vários piratas lançavam olhares desconfiados para ele, enquanto outros o ignoravam. Muitos tinham palavras em seiikinês tatuadas na testa: *assassinato, furto, incêndio, blasfêmia* — os crimes pelos quais foram punidos.

Niclays foi amarrado a um dos mastros, onde se pôs a refletir sobre sua condição. Aquele devia ser o maior navio já construído, o que significava que ele tinha sido pego pela Frota do Olho de Tigre: piratas especializados no comércio de partes de dragões no mercado das sombras. Além disso, como todos os piratas, se dedicavam a diversos outros crimes.

Eles haviam tomado todos os seus pertences, inclusive o texto pelo qual Jannart tinha morrido — o fragmento que supostamente jamais deveria voltar ao Leste. Era a última coisa de Jannart ainda em posse de Niclays e, maldição, ele a perdera. Aquele pensamento o fez querer chorar, mas era preciso convencer aqueles piratas de que precisavam de um velho em seu meio. Abrir o berreiro não era um bom meio de chegar a esse fim.

Pareceu que meses se passaram antes que alguém o abordasse. A essa altura, o sol já estava se levantando.

Uma mulher lacustre parou diante dele. Os lábios estavam pintados em um tom escuro. Sobre os cabelos grisalhos estava um enfeite, feito em um tom de dourado e repleto de ornamentos afiados, cada qual uma pequena obra de arte. Na cintura, uma espada tão dourada quanto o enfeite, e duas vezes mais afiada. As rugas que marcavam sua pele marrom indicavam os muitos anos passados sob o sol.

Ela estava ladeada por seis piratas, inclusive um gigante sepulino de bigode cujo peito nu era tão apinhado de tatuagens que não parecia mais haver pele virgem em seu corpo. Tigres colossais rasgavam corpos de dragões em seu tronco, e o sangue se misturava ao mar entalhado em seus ombros. Uma pérola assinalava o local de seu coração.

A líder — pois sem dúvida era isso que ela era — usava um casaco comprido de seda d'água preta. O braço direito perdido havia sido substituído por uma réplica articulada de madeira, com cotovelo, dedos e polegar, encaixado por um suporte metálico no ombro e mantido no lugar com uma correia de couro que atravessava o peito. Niclays duvidava que aquilo fosse muito útil em situações de batalha, mas era uma invenção notável, diferente de tudo o que já vira no Oeste.

A mulher observou Niclays, depois voltou para o meio dos piratas, que abriram caminho para ela passar. O gigante desamarrou as cordas e carregou Niclays até a cabine dela, decorada com espadas e bandeiras cor de sangue.

Duas pessoas estavam paradas em um canto. Uma mulher robusta com pele marrom sardenta e marcas de expressão em torno da boca, e um homem muito magro, alto e pálido, que parecia muito, muito velho. Vestia uma túnica de seda vermelha esfarrapada que passava dos joelhos.

A pirata se acomodou em um trono, aceitando um cachimbo de madeira e bronze oferecido pelo homem e inalou os fumos ali dentro, que Niclays não identificou. Ela permaneceu encarando Niclays em meio à fumaça azulada antes de lhe dirigir a palavra em lacustre. A voz dela era grave e comedida.

— Meus piratas não costumam fazer reféns — a mulher sardenta traduziu para o seiikinês —, a não ser quando estamos com escassez de marujos. — Ela arqueou uma sobrancelha para Niclays. — Você é especial.

Ele sabia muito bem que não poderia falar sem permissão, mas inclinou a cabeça. A intérprete esperou a capitã voltar a se pronunciar.

— Você foi encontrado na praia em Ginura, portando certos documentos — continuou a intérprete. — Um deles é parte de um manuscrito antigo. Como esse item foi parar em suas mãos?

Niclays fez uma reverência profunda.

— Ilustre capitã — disse ele, dirigindo-se à mulher lacustre —, isso me foi deixado por um amigo querido depois de sua morte. Eu o trouxe comigo quando vim do Estado Livre de Mentendon para Seiiki, na esperança de descobrir seu significado.

As palavras foram repassadas à mulher em lacustre.

— E conseguiu? — veio então a resposta.

— Ainda não.

Os olhos dela faiscavam como vidro vulcânico.

— Você está na posse desse item há uma década e o carrega como se fosse um talismã, mas diz não saber nada a respeito. É uma alegação curiosa — a intérprete disse depois que a capitã terminou de se manifestar. — Talvez uma surra inspire você a dizer a verdade. Quando a pessoa vomita sangue, os segredos costumam sair junto.

O suor encharcou as costas de Niclays.

— Por favor — disse ele. — Essa *é* a verdade. Tenha misericórdia.

Ela riu baixinho de sua resposta.

— Eu não me tornei a senhora de todos os piratas tendo misericórdia por ladrões mentirosos.

Senhora de todos os piratas.

Aquela não era uma capitã qualquer. Era a temida senhora do Mar do Sol Dançante, que conquistara inúmeras embarcações, uma mestra do caos com quarenta mil piratas sob seu comando. Era a Imperatriz Dourada, a inimiga da ordem, que emergira da pobreza para erguer sua própria nação em meio às ondas — uma nação além do domínio dos dragões.

— Ilustríssima Imperatriz Dourada. — Niclays se postou diante dela. — Perdão por não demonstrar o respeito apropriado. Eu não sabia quem era. — Os joelhos imploravam por um alívio, mas ele continuou com a testa no chão. — Me permita navegar com a senhora. Eu tenho a oferecer minhas habilidades como anatomista, meu conhecimento, minha lealdade. Farei o que a senhora pedir. Só poupe minha vida.

A Imperatriz Dourada pegou o cachimbo novamente.

— Eu teria perguntado seu nome, caso tivesse mostrado o mínimo de dignidade — foi a resposta. — Mas de agora em diante você será chamado de Lua-Marinha.

Os piratas parados na porta caíram na gargalhada. Niclays fez uma careta. *Lua-Marinha* era o termo seiikinês para medusa, uma criatura marítima gelatinosa e invertebrada que era arrastada pela vontade das correntes.

— Você diz que é um anatomista — a intérprete falou para Niclays, fazendo pausas de tempos em tempos para ouvir a capitã. — Por acaso acontece que estou precisando de um cirurgião no navio. A última se revelou uma envenenadora traiçoeira. Queria se vingar pela ruína de seu vilarejo de merda, então colocava pó de bicho-da-seda amarelo no meu vinho.

A Imperatriz Dourada deu outra tragada no cachimbo e soltou uma lufada de fumaça.

— Mas, no fim, aprendeu que a água salgada é tão mortal quanto veneno — concluiu.

Niclays engoliu em seco.

— Não gosto de desperdiçar aquilo que posso usar. Prove sua capacidade, e podemos voltar a conversar — determinou a Imperatriz Dourada.

— Obrigado. — A voz dele falhou. — Obrigado, ilustríssima capitã. Por sua misericórdia.

— Isso não é misericórdia, Lua-Marinha. São negócios.

Ela se recostou no assento e então voltou a falar.

— Mas trate de ser leal a mim — continuou a intérprete. — Não existem segundas chances na Frota do Olho de Tigre.

— Eu compreendo. — Niclays reuniu toda a coragem que tinha. — Ilustríssima Imperatriz Dourada, eu tenho mais uma pergunta a fazer, se for possível.

Ela o encarou.

— Onde está o dragão que foi levado da praia?

— Sob o convés — foi a tradução. — Sob o efeito da nuvem-de-fogo. Mas não por muito tempo. — Ela o atravessou com o olhar. — Voltamos a conversar em breve, Lua-Marinha. Agora, você precisa fazer sua primeira cirurgia.

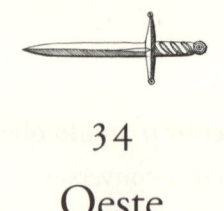

34

Oeste

Quando foi formalmente anunciado que a Rainha Sabran estava grávida, o povo de Inys encerrou seu luto e saiu para celebrar nas ruas. O Príncipe Aubrecht estava morto, mas, ao presenteá-los com a nova governante da Virtandade, ele garantira mais uma geração a salvo do Inominável.

Embora Sabran tradicionalmente passasse metade do ano na Casa Briar, ninguém reclamou quando ela decretou que a corte voltaria ao Palácio de Ascalon para o restante de sua gestação. Cada corredor da residência de inverno estava impregnado de lembranças do príncipe consorte, e foi decidido de comum acordo que seria melhor para a Rainha Sabran mudar de ares.

Novos vestidos foram confeccionados para se adaptarem ao corpo. A câmara de descanso diurno foi arejada pela primeira vez em décadas. As conversas no palácio tinham a agitação de um borboletário, e a cada refeição os cortesãos brindavam à rainha. As risadas ressoavam altas como sinos.

Ninguém via aquilo que as Damas da Alcova testemunhavam todos os dias. Os enjoos que a atormentavam em todas as horas. A exaustão constante. As noites que ela passava em claro, desconfortável com as mudanças que sofria no corpo.

Roslain dissera em particular às damas de companhia que aquele era o período mais perigoso da gravidez. Sabran não deveria fazer esforço. Não podia sair para caçar, nem para fazer caminhadas vigorosas, nem se entregar a pensamentos desagradáveis. Elas precisariam trabalhar juntas para mantê-la tranquila e bem-humorada.

A vida da criança era prioridade em relação à da mãe, já que não havia evidências de que as mulheres da Casa de Berethnet pudessem conceber mais do que uma vez em vida. O desânimo de Sabran não era à toa. O momento de dar à luz era o único em que sua autoridade divina não bastava para protegê-la, e a cada dia se aproximava um pouco mais.

Como se fossem necessárias mais confirmações dos perigos que a cercavam, os Duques Espirituais faziam questão de relembrá-la daquilo todos os dias.

— É fundamental planejarmos nossas ações. Yscalin pode empreender uma invasão a qualquer momento — Igrain Crest disse a ela certa manhã. — Nossas defesas foram fortalecidas desde que Fýredel apareceu, de acordo com suas ordens, mas é preciso fazer mais. Fomos informados de que o Rei de Carne e Osso está construindo uma nova frota na Baía das Medusas. Cerca de cinquenta navios já estão prontos.

Sabran demorou um pouco antes de responder.

— Uma frota de invasão.

Suas olheiras estavam carregadas.

— Receio que sim, Majestade — Crest falou, em um tom mais gentil. — Assim como seu primo, o Lorde Almirante.

A Duquesa da Justiça chegara enquanto Sabran fazia seu desjejum. Ela estava de pé sob um facho de luz do sol, que reluzia no broche de sua padroeira.

— Vamos abrir negociações com Hróth imediatamente — disse ela. — Os casacos-de-lobo vão assustar Sigoso. Para aumentar nossas chances de recebermos essa ajuda, claro, podemos dizer que Sua Majestade pelo menos aceitou o pedido de longa data do Caudilho de Askrdal. Quando o Rei Raunus souber que…

— O pedido de Askrdal não será aceito — interrompeu Sabran. — O

Rei Raunus é um monarca da Virtandade, e um parente distante meu. Vejamos quantas tropas *ele* nos oferece antes de oferecermos alguma coisa de nossa parte.

Katryen respirou fundo. Não era do feitio de Sabran interromper Crest.

A própria Crest também pareceu ter sido pega de surpresa. No entanto, abriu um sorriso mesmo assim.

— Majestade — ela falou —, compreendo que deva ser difícil, considerando o falecimento ainda recente do Príncipe Aubrecht. Mas acredito que se lembra do que eu lhe disse no dia anterior a sua coroação. A espada precisa ser azeitada, para que a confraternidade possa ser renovada. É melhor não ser uma parente distante de Raunus, e sim uma parente próxima e querida. É preciso se casar de novo.

Sabran desviou o olhar para a janela.

— Não vejo necessidade disso no momento.

Dessa vez, o sorriso desapareceu do rosto de Crest. Ela se voltou primeiro para Katryen, depois para Ead.

— Majestade — ela falou em um tom de quem fazia um apelo à razão —, talvez seja melhor continuarmos esta conversa em particular.

— Por que, Igrain? — Sabran perguntou, seca.

— Porque é uma questão diplomática sensível. — Depois de uma breve pausa, ela complementou: — Com sua licença, Lady Katryen, Mestra Duryan. Eu gostaria de conversar a sós com a Rainha Sabran.

Ead fez uma mesura e começou a se retirar, assim como Katryen, mas Sabran disse:

— Não. Ead, Kate, fiquem onde estão.

Depois de um instante de hesitação, as duas reassumiram suas posições. Sabran se levantou da cadeira e apoiou as mãos nos braços do móvel.

— Sua Graça — ela falou para Crest —, seja o que for que deseja dizer sobre essa questão, pode ser dito na frente de minhas damas. Elas não estariam aqui se não fossem de minha absoluta confiança.

Ead trocou um olhar com Katryen.

Crest abriu outro sorriso forçado.

— Com relação ao Rei Raunus — continuou ela —, nós *precisamos* da confirmação de que Sua Majestade está comprometido com a defesa de Inys. Mandarei o Embaixador Sterbein a Elding imediatamente, mas ele teria mais poder de barganha se o pedido fosse aceito.

Ao ouvir isso, Sabran pôs a mão na barriga.

— Igrain — ela falou em um tom de voz baixo —, você enfatizou para mim durante muito tempo a necessidade de uma herdeira. Meu dever irrefutável. Em respeito a isso, não vou aceitar outro companheiro, nem sequer pensar a respeito desse assunto, enquanto estiver grávida, nem deixar que a tensão provocada em mim por esse assunto prejudique minha filha. — O olhar dela era firme. — Ofereça alguma outra coisa a Raunus. E vejamos o que ele oferece em troca.

Foi uma tática inteligente de evasão. Crest não poderia insistir na discussão sem parecer que estava ignorando o bem-estar da herdeira.

— Majestade — disse ela, com a decepção estampada no rosto —, só o que posso fazer é aconselhá-la. A decisão é sua, assim como as consequências.

Igrain fez uma mesura e saiu da Câmara Privativa. Sabran ficou observando enquanto ela se retirava, sem esboçar nenhuma expressão.

— Ela insiste demais — a rainha falou baixinho quando as portas se fecharam. — Eu não percebia isso quando era mais jovem. E eu a admirava demais para ver o quanto ela odeia ser contrariada.

— Sua Graça só faz aquilo que acredita ser o melhor — respondeu Katryen. — E ela tem uma determinação comparável à sua.

— Minha determinação nem sempre foi o que é hoje. Eu também já fui como vidro derretido, que ainda não tinha uma forma definitiva. Sinto que tomei uma forma que a desagrada.

— Que absurdo. — Katryen se sentou no braço do trono. — Dê

alguns dias para Sua Graça digerir seu descontentamento. Ela vai superar isso, assim como no caso de sua escolha pelo Príncipe Aubrecht. — Ela tocou bem de leve a barriga de Sabran. — A única coisa em que a senhora deve pensar agora é nisto aqui.

Dois dias depois, um farol de sinalização foi aceso em Poleiro, assinalando que um perigo se aproximava da costa. Sabran recebeu Lorde Lemand Fynch, seu primo, enquanto ainda estava de camisola.

— Majestade, lamento informar que o *Anbaura* foi avistado no Estreito do Cisne esta manhã — disse ele. — Apesar de não ter atacado, a Casa de Vetalda está claramente fazendo um reconhecimento de nossas defesas navais. Como Lorde Almirante, dei ordem a sua marinha que mantivesse outros batedores a distância, mas, como seu primo, eu lhe suplico que peça auxílio ao Rei Raunus. As embarcações dele seriam muito úteis na proteção de nossa costa leste.

— O Embaixador Sterbein já está a caminho de Elding. Também solicitei os inflamantes da Alta Princesa Ermuna em troca do apoio inysiano em sua fronteira com Yscalin — respondeu Sabran. — Se o Rei de Carne e Osso vier sibilar na direção de nossa costa de novo, peço que lhe dê um lembrete do motivo pelo qual a marinha inysiana é conhecida como a mais poderosa do mundo.

— Sim, Majestade.

— Mande também mercenários para a Baía da Medusa. Devem ser escolhidos a dedo por você, e de uma lealdade inquestionável a Inys. — Os olhos dela eram duros como esmeraldas. — Quero que a frota dele seja incendiada.

O primo refletiu a respeito.

— Uma incursão em território dragônico poderia provocar uma resposta armada.

— O Cavaleiro da Coragem nos incentiva a enfrentar mesmo os maiores perigos na defesa da Virtandade, Sua Graça. Não vejo por que esperar o derramamento de sangue antes de defender esta ilha — disse Sabran. — Mande um recado a Sigoso. Se quiser brincar com fogo, é ele quem sairá queimado.

Fynch fez uma mesura.

— Assim será feito, Majestade.

Ele se retirou com passos acelerados. Dois Cavaleiros do Corpo fecharam as portas após sua saída.

— Se Yscalin deseja vir à guerra, eu aceito, mas precisamos estar prontos — murmurou Sabran. — Se Raunus não estiver com uma disposição muito generosa, pode ser minha sina ter de me casar com o Caudilho de Askrdal. Por Inys.

Casar-se com um homem com idade para ser seu avô. Até mesmo Katryen, uma cortesã experiente, torceu o nariz. Sabran cruzou os braços sobre a barriga.

— Venha. — Ead pôs a mão em suas costas. — Vamos tomar um ar enquanto a neve ainda está intocada.

— Ah, *sim*. — Katryen aceitou a sugestão com entusiasmo. — Podemos colher abrunhos e amoras. E, sabe, Sabran, Meg disse que viu um filhote de porco-espinho alguns dias atrás. Podemos ajudar os criados a afugentar os coitadinhos para que não acabem indo parar na armação de uma fogueira.

Sabran assentiu, mas seu rosto permanecia uma máscara impassível. E Ead sabia que, em sua mente, ela estava presa na própria armação de fogueira, apenas esperando pela mão invisível que iria acendê-la.

———

Não muito tempo depois do anúncio, Ead estava outra vez na Câmara Privativa, bordando rosas em uma touquinha de bebê. Como o perfume das rosas mantinha os pesadelos sob controle, Sabran as queria em tudo o que a filha usaria nos primeiros dias de vida.

Havia algo que Ead precisava fazer antes de ir embora. Certa noite, quando as outras damas estavam ocupadas e Sabran descansava, ela foi até a Torre da Solidão, onde Truyde utt Zeedeur permanecia presa.

Os guardas estavam em alerta máximo, porém ela não precisava de siden para entrar em lugares proibidos. Quando o relógio da torre bateu as onze, ela chegou ao andar mais alto da torre.

Vestindo nada além de uma anágua encardida, a Marquesa de Zeedeur era uma sombra da beldade que costumava ser. Os cachos estavam embaraçados e ensebados, e o rosto estava só pele e osso. Uma corrente serpenteava entre seu tornozelo e a parede.

— Mestra Duryan. — O olhar continuava intenso como sempre. — Veio cantar de galo em cima de mim?

Ela chorara quando vira o príncipe morto. Ao que parecia, o luto já tinha passado.

— Isso não seria muito cortês — disse Ead. — E somente a Cavaleira da Justiça pode julgar você.

— Você nem reconhece o Santo, sua herege.

— Palavras pesadas para uma traidora. — Ead olhou para a palha no chão, encharcada de mijo. — Você não parece estar com medo.

— Por que estaria?

— Você é a responsável pela morte do príncipe consorte. Isso é um crime de alta traição.

— O que você não sabe é que eu conto com uma proteção aqui, que é a de ser uma cidadã mentendônia — disse Truyde. — A Alta Princesa vai me julgar em Brygstad, mas estou confiante de que não serei executada. Afinal, ainda sou *muito* jovem.

Os lábios dela estavam rachados. Ead tirou um odre do corpete e, depois de uma hesitação inicial, Truyde bebeu.

— Vim perguntar o que você achava que ganharia com isso — Ead falou.

Truyde engoliu a cerveja.

— Você já sabe. — Ela limpou a boca. — Não vou repetir nada.

— Você queria que Sabran temesse pela própria vida. Queria que ela achasse que havia batalhas demais para enfrentar sozinha. Imaginou que com isso ela pediria ajuda para o Leste — disse Ead. — Foi por isso também que você deixou os assassinos entrarem no Palácio de Ascalon?

— Assassinos?

Como dama de companhia, ela não devia ter sido informada.

— Alguém já tinha tentado matá-la antes? — insistiu Truyde.

Ead assentiu.

— Você sabe qual é a identidade desse Copeiro que a atiradora invocou?

— Não. E já disse isso ao Gavião Noturno. — Truyde desviou o olhar. — Ele diz que vai arrancar o nome de mim, de uma forma ou de outra.

Ead notou que acreditava na ignorância dela a respeito daquilo. Fossem quais fossem seus defeitos, a garota parecia determinada a proteger Inys.

— O Inominado vai despertar, assim como seus lacaios já o fizeram — Truyde falou. — Existindo ou não uma rainha em Inys ou um Sol no céu, ele vai despertar.

A corrente deixara o tornozelo dela ensanguentado, raspando na pele.

— Você é uma feiticeira. Uma herege. *Você* acredita que a Casa de Berethnet é a única coisa que mantém a fera aprisionada?

Ead tampou o odre e se sentou.

— Eu não sou uma feiticeira — disse ela. — Sou uma maga. Uma praticante de uma coisa que você pode chamar de magia.

— Magia não existe.

— Existe, sim — Ead retrucou —, e se chama *siden*. Foi o que usei para proteger Sabran de Fýredel. Talvez isso sirva para confirmar que estamos do mesmo lado, apesar dos métodos diferentes. E, apesar de você ser uma fanática perigosa, cuja loucura causou a morte de um príncipe.

— Nunca foi minha intenção que ele morresse. Era só uma encenação. Foram pessoas desorientadas que não faziam parte dela que envenenaram tudo. — Truyde fez uma pausa para tossir, e a cena dava pena.

— Mesmo assim, a morte do Príncipe Aubrecht pode *sim* servir para abrir caminho para uma aliança com o Leste. Sabran está livre para se casar com um nobre de lá, o Imperador Perpétuo dos Doze Lagos, talvez. Entreguem a mão dela e peçam um exército para matar todos os wyrms.

Ead deu risada.

— Ela prefere tomar veneno a dividir o leito com um amante de wyrms.

— Espere só até o Inominado dar as caras em Inys. Espere até o povo ver que a Casa de Berethnet foi fundada sobre uma mentira. Existem pessoas que já acreditam nisso — disse Truyde, erguendo as sobrancelhas. — Elas viram um Altaneiro do Oeste. Viram que Yscalin está se fortalecendo. Sigoso sabe a verdade.

Ead estendeu o odre outra vez.

— Você se arriscou muito por causa dessa… sua crença — disse ela enquanto Truyde bebia. — Não deve ser só um mero palpite. Me diga quem plantou essa semente.

Truyde pareceu distante, e, por um bom tempo, Ead pensou que ela não fosse responder.

— Só vou dizer isso a você porque sei que ninguém vai dar ouvidos a uma traidora — ela disse por fim. — Talvez sirva para plantar a semente em você também. — Ela abraçou os joelhos com os braços. — Você é de Rumelabar. Acredito que já deva ter ouvido falar de uma tabuleta de pedra celeste muito antiga que foi escavada das minas de lá.

— Eu a conheço — respondeu Ead. — Um objeto de interesse dos alquimistas.

— Eu li a respeito pela primeira vez na biblioteca de Niclays Roos, o melhor amigo do meu avô. Quando ele foi banido, confiou a mim seus livros mais importantes — contou Truyde. — A Tabuleta de Rumelabar fala do equilíbrio entre o fogo e a luz das estrelas. Ninguém nunca soube interpretá--la. Os alquimistas e estudiosos teorizaram que o equilíbrio é simbólico, e diz respeito ao mundano e ao místico, à raiva e à temperança, à humanidade e à divindade, mas eu acho que essas palavras devem ser tomadas literalmente.

— Você *acha*. — Ead sorriu. — E é assim tão mais inteligente que os alquimistas que estudaram esse assunto por séculos?

— Talvez não — admitiu Truyde. — Mas a história está cheia de chamados estudiosos que eram medíocres. Não, mais inteligente não... só mais disposta a correr riscos.

— E que riscos você correu?

— Eu fui a Gulthaga.

A cidade que ficava à sombra do Monte Temível, e que estava soterrada sob as cinzas.

— Meu avô disse à família que faria uma visita a Wilgastrōm — Truyde continuou —, mas morreu de peste dragônica, que contraiu em Gulthaga. Meu pai me contou a verdade quando eu tinha 15 anos. Fui até a Cidade Soterrada sozinha. Para ver o que atraíra meu avô até lá.

O mundo todo acreditava que o finado Duque de Zeedeur tinha morrido de varíola. Sem dúvida a família tinha ordenado que se espalhasse a mentira para não causar pânico.

— Gulthaga nunca foi escavada, mas existe uma passagem pelo tufo até as ruínas — disse Truyde. — Alguns textos antigos sobreviveram. Eu encontrei aqueles que o meu avô estava estudando.

— Você foi a Gulthaga *sabendo* que a peste dragônica existia por lá. Isso é loucura, criança.

— Foi por isso que fui mandada a Inys. Para aprender a temperança. Mas, como você pode ver, Mestra Duryan, o Cavaleiro da Temperança não é o meu patrono. — Truyde sorriu. — O meu é o Cavaleiro da Coragem.

Ead esperou.

— Uma ancestral minha era Vice-Rainha de Orisima. Pelos diários dela, soube que o cometa que encerrou a Era da Amargura e que apareceu quando os wyrms tombaram também fortaleceu os dragões do Leste. — Os olhos dela se iluminaram. — Meu avô conhecia um pouco do antigo idioma de Gulthaga. Ele traduziu alguns tratados de astronomia. Os escritos revelaram que esse cometa, a Estrela de Longas Madeixas, causa uma queda de estrelas toda vez que passa.

— E o que *isso* tem a ver com todo o resto da história, pode me dizer?

— Acho que tem relação com a Tabuleta de Rumelabar. Acho que é o cometa que mantém o fogo sob o mundo controlado — explicou Truyde. — O fogo vai ganhando força com o tempo, e a queda de estrelas o esfria. Antes que se torne forte demais.

— Mas está se fortalecendo agora. Onde está seu cometa?

— Esse é o problema. Acredito que, em algum momento da história, alguma coisa perturbou o ciclo. Agora o fogo está ficando forte demais, depressa demais. Com uma rapidez que o cometa não é capaz de conter.

— Você *acredita* — Ead retrucou, frustrada.

— Da mesma forma que as pessoas acreditam em deuses. Muitas vezes com menos provas do que as que eu tenho — argumentou Truyde. — Nós tivemos sorte na Era da Amargura. A chegada da Estrela de Longas Madeixas coincidiu com a ascensão do Exército Dragônico. Aquilo nos salvou na época, mas, quando chegar a hora de novo, Fýredel já vai ter subjugado a humanidade. — Ela segurou Ead pelo pulso, os olhos faiscando. — O fogo vai subir assim como antes, quando o Inominável vier ao mundo. Até consumir todos nós.

A convicção era visível no rosto dela, com o maxilar cerrado.

— É por *isso* que acredito que ele vai voltar — ela concluiu, com um tom triunfante. — E é por isso que acho que a Casa de Berethnet não tem nada a ver com a história.

Elas ficaram se encarando por um tempo. Ead desvencilhou o pulso da mão dela.

— Eu gostaria de ter piedade de você, criança — disse Ead —, mas só sinto frieza no coração. Você pescou algumas coisas nas águas da história e juntou fragmentos desconexos em uma imagem que dá algum sentido à morte de seu avô... mas sua determinação em querer que seja verdade não muda nada.

— É *minha* verdade.

— Muitos morreram pela sua verdade, Lady Truyde. Acredito que você vai ter que conviver com isso — disse Ead.

Uma corrente de vento entrou pela seteira. Truyde se virou por causa do frio, esfregando os braços.

— Vá ficar com a Rainha Sabran, Ead. Me deixe aqui com as minhas crenças, e eu deixo você com as suas — disse ela. — Em breve veremos quem estava certa.

Enquanto caminhava de volta para Torre da Rainha, Ead escavou suas memórias em busca das palavras exatas entalhadas na Tabuleta de Rumelabar. Ela não guardara na memória os primeiros versos, mas ela se lembrava do restante.

... O fogo ascende da terra, a luz descende do céu.
O excesso de um inflama o outro,
e aí reside a extinção do universo.

Um enigma. O tipo de bobagem sobre a qual os alquimistas ficavam brigando por falta de coisa melhor para fazer. Entediada com sua vida privilegiada, a garota atribuíra seu próprio significado àquelas palavras.

No entanto, Ead continuou pensando a respeito. Afinal, o fogo *de fato* ascendia da terra — através dos wyrms, e da laranjeira. As magas comiam seu fruto e se tornavam veículos da chama.

Os sulinos dos tempos antigos poderiam conhecer alguma verdade que desapareceu dos registros da história?

A incerteza lançou sombras em sua mente. Se houvesse *alguma* ligação entre a árvore e o cometa e o Inominável, certamente a Prioresa saberia. Contudo, tanto conhecimento tinha se perdido ao longo dos séculos, tantos registros foram destruídos...

Ead deixou de lado aquele pensamento quando entrou nos aposentos reais. Decidiu que não pensaria mais sobre a garota na torre.

Na Grande Alcova, a Rainha de Inys estava sentada na cama, com uma taça de leite de amêndoas na mão. Quando Ead se acomodou diante do fogo, trançando os cabelos, sentiu o olhar de Sabran perfurá-la como a ponta de uma faca.

— Você ficou do lado delas.

Ead parou o que estava fazendo.

— Senhora?

— Você concordou com Ros e Kate sobre o nome.

Já haviam se passado dias desde aquela conversa. A questão deveria estar borbulhando dentro dela desde então.

— Eu queria que a minha filha levasse com ela alguma coisa do pai — Sabran falou, amargurada. — Pode até ser um tanto mórbido, mas foi o último lugar onde estivemos juntos. Onde ele soube que teria uma filha. Onde jurou que ela seria amada.

O remorso cresceu dentro de Ead.

— Eu queria apoiá-la — respondeu ela —, mas achei que Lady Roslain estava certa sobre não quebrar a tradição. E ainda acho. — Ela amarrou a ponta da trança. — Perdão, Majestade.

Com um suspiro, Sabran bateu na cama.

— Venha. A noite está fria.

Ead assentiu e se levantou. O Palácio de Ascalon não retinha tão bem o calor quanto a Casa Briar. Ela deixou apenas duas velas acesas antes de se enfiar debaixo das cobertas.

— Você está diferente — comentou Sabran. — O que está incomodando você, Ead?

Uma menina com uma cabeça cheia de ideias perigosas.

— Essa conversa toda de invasão — respondeu Ead. — São tempos de incerteza.

— Tempos de traição. Sigoso traiu não só o Santo, mas toda a humanidade. — Sabran segurou o corpo com mais força. — Inys sobreviveu à Era da Amargura, mas foi por pouco. Com vilarejos reduzidos a cinzas, cidades incendiadas. Nossa população foi dizimada e, mesmo séculos depois, os exércitos que posso reunir não serão tão numerosos quanto os de antes. — Ela deixou a taça de lado. — Não posso pensar nisso agora. Preciso... dar à luz a Glorian. Mesmo se os três Altaneiros do Oeste juntarem suas forças contra o meu rainhado, o Inominado não terá como se juntar a eles.

A camisola era aberta na barriga, como se fosse para deixar a criança respirar. Veias azuis despontavam em suas laterais.

— Eu rezei à Donzela, pedindo para que preenchesse meu ventre. — Sabran soltou o ar com força. — Não sei ser uma boa rainha. Nem uma boa mãe. Hoje, pela primeira vez, eu... quase me ressenti dela.

— Da Donzela?

— Jamais. A Donzela faz o que julga necessário. — Uma mão pálida descansou sobre a barriga. — Estou ressentida... com a criança que ainda nem nasceu. Uma inocente. — A voz dela ficou tensa. — O povo já a transformou na nova rainha, Ead. Estão falando sobre sua beleza e esplendor. Eu não esperava por isso, não de forma assim tão repentina. Quando ela nascer, minha missão terá sido cumprida.

— Senhora, isso não é verdade — Ead falou, tentando ser gentil.

— Ah, não? — Sabran passou a mão na barriga em movimentos circulares. — Glorian vai crescer rápido, e todos vão esperar que, mais cedo ou mais tarde, eu abdique em favor dela. Quando o mundo me considerar velha demais.

— Nem todas as rainhas Berethnet abdicaram. O trono é seu pelo tempo que a senhora desejar.

— É considerado um ato de ganância se manter no trono por tempo demais. Até Glorian, a Defensora, abdicou, apesar da popularidade.

— Talvez, quando sua filha estiver crescida, a senhora já se sinta pronta para descer do trono. Para levar uma vida mais tranquila.

— Talvez. Ou talvez não. Sobrevivendo ou morrendo ao dar à luz, eu vou ser descartada. Como uma casca de ovo.

— Sabran.

Quando se deu conta do que estava fazendo, Ead já tinha estendido o braço para tocar o rosto dela. Sabran se virou para olhá-la.

— Sempre haverão tolos e bajuladores que abandonam o seu lado para adular uma recém-nascida — disse Ead. — Que façam isso. Que mostrem quem são de verdade. — Ela capturara o olhar de Sabran com o seu. — Como eu disse, o medo é natural, mas a senhora não pode se deixar consumir por ele. Não com tanta coisa em jogo.

A pele contra a palma de sua mão era fria e macia como uma pétala. Um hálito quente acariciava seu pulso.

— Fique do meu lado quando eu for dar à luz. E depois — murmurou Sabran. — Você precisa estar sempre comigo, Ead Duryan.

Chassar voltaria para buscá-la dali a seis meses.

— Vou ficar ao seu lado pelo tempo que puder — garantiu Ead.

Era tudo o que podia prometer.

Com um aceno de cabeça, Sabran chegou mais perto e apoiou a cabeça no ombro de Ead, que ficou imóvel, tentando se habituar à proximidade, aos contornos dela.

Os calafrios se espalharam por sua pele. Era possível sentir o cheiro doce da cremegralina dos cabelos, a pressão da barriga. Ead temeu que fosse assustar a criança enquanto dormia, então virou o corpo das duas para que Sabran ficasse de costas, e as duas se encaixaram perfeitamente. Sabran segurou a mão de Ead e a puxou para mais perto, para segurá-la. Ead jogou a coberta das duas sobre os ombros. Em pouco tempo, a rainha havia pegado no sono.

O aperto da mão dela era leve, mas Ead ainda sentia o pulsar na ponta dos dedos. Imaginou o que Prioresa diria se a visse assim. Sem dúvida a reprenderia. Ela era uma irmã do Priorado, destinada a exterminar wyrms, e estava lá, consolando a tristeza de uma Berethnet.

Alguma coisa estava mudando dentro dela. Um sentimento, tímido como um botão de rosa, estava desabrochando.

Ela nunca teve a intenção de nutrir qualquer coisa que não fosse indiferença por aquela mulher. No entanto, sabia que, quando Chassar voltasse, seria difícil partir. Sabran precisaria mais do que nunca de uma amiga. Durante meses Roslain e Katryen só se preocupariam com a recém-nascida e com berços e com amas de leite. Sabran não ficaria bem durante aquele tempo. Ela deixaria de ser o sol da corte para ficar à sombra de uma criança.

Ead adormeceu com o rosto colado a uma mecha de cabelos pretos. Quando acordou, Sabran estava imóvel ao seu lado.

Um pulsar batucava em sua têmpora. A siden podia estar dormente, mas seus instintos estavam despertos.

Havia alguma coisa errada.

O fogo estava baixo, e as velas, quase no fim. Ead se levantou para aparar os pavios.

— Não — murmurou Sabran. — O sangue.

Pela expressão de sofrimento no rosto, ela estava dormindo. Sonhando, ao que parecia, com a Dama do Bosque.

Kalyba não era uma maga qualquer. Pelo pouco de que Ead se lembrava a seu respeito, tinha dons que eram desconhecidos no Priorado, inclusive a imortalidade. Talvez a capacidade de provocar sonhos fosse outro. Contudo, por que Kalyba se preocuparia em atormentar a Rainha de Inys?

Ead voltou para junto de Sabran e pôs a mão em sua testa. Ela estava encharcada de suor. A camisola estava grudada no corpo, e as mechas de cabelo, coladas no rosto. Com um aperto no peito, Ead foi verificar se ela estava com febre, mas a pele estava fria como gelo. Palavras incoerentes escapavam de seus lábios.

— Shhh. — Ead pegou o cálice e levou aos lábios dela. — Beba, Sabran.

Sabran deu um gole no leite e afundou de novo nos travesseiros, contorcendo-se como uma gatinha que era segurada pelo cangote. Era como se tentasse escapar do pesadelo. Ead se sentou ao lado dela e acariciou seus cabelos úmidos.

Talvez fosse porque Sabran estava tão fria que Ead percebeu imediatamente quando a própria pele esquentou.

Um ser dragônico estava por perto.

Ead se esforçou para manter a calma. Com Sabran ainda imóvel, limpou o suor e ajeitou as cobertas de modo a deixar apenas o rosto dela exposto à noite. Ela não alertaria ninguém, porque isso revelaria seus poderes.

Ela só poderia esperar.

O primeiro aviso foram os gritos nas muralhas do palácio. Ead se levantou imediatamente.

— Sabran, depressa. — Ela envolveu a rainha com um dos braços. — Venha comigo agora mesmo.

Os olhos da rainha se abriram.

— Ead, o que foi?

Ead a ajudou a colocar os chinelos e o robe.

— A senhora precisa descer para as adegas de vinho subterrâneas imediatamente.

A chave virou na fechadura da porta. O Capitão Lintley apareceu, armado de sua balestra.

— Majestade — disse ele, fazendo uma mesura tensa —, um bando de criaturas dragônicas está a caminho, liderado por um Altaneiro do Oeste. Nossas forças estão a postos, mas a senhora precisa vir conosco agora mesmo, antes que eles passem pelas muralhas.

— Um bando — Sabran repetiu.

— Sim.

Ead observou a hesitação dela. Aquela era a mulher que tinha saído a campo aberto para enfrentar Fýredel.

Não era de sua natureza se esconder.

— Majestade — apelou Lintley. — Por favor. Sua segurança é fundamental.

Sabran assentiu.

— Muito bem.

Ead enrolou a coberta mais pesada sobre os ombros dela, Roslain apareceu na porta, com o rosto iluminado pela vela que segurava na mão.

— Sabran, depressa, é preciso ir depressa... — disse ela.

Lançando um último e indecifrável olhar para Ead, Sabran saiu escoltada por Lintley e Sir Gules Heath, que mantinha a mão em suas costas para tranquilizá-la. Ead esperou que a Grande Alcova fosse esvaziada antes de sair correndo.

Em seus aposentos, ela trocou de roupa e vestiu um manto com capuz antes de pegar seu arco longo. Ela precisaria de uma pontaria certeira. Apenas determinadas partes de um Altaneiro do Oeste podiam ser perfuradas.

As flechas eram bem grandes. Ela as pegou e escondeu sob a manga em uma braçadeira de couro. Fazia doze anos que enfrentara um wyrm pela última vez sem a siden, mas, de todas as pessoas na cidade, era quem tinha a melhor possibilidade de afugentar um Altaneiro do Oeste.

Ela precisava de um bom local para se posicionar. A Casa Carnelian, onde muitos cortesãos eram hospedados, proporcionaria uma visão desobstruída.

Ead tomou o caminho da Escadaria Florell, que ligava o terceiro andar à escada principal da Torre da Rainha. Era possível ouvir os Cavaleiros do Corpo descendo por lá.

Ela acelerou o passo. Os degraus espiralados iam sendo deixados para trás em alta velocidade. Em pouco tempo, emergiu para o frio ardido da noite. Com passos leves, sem ser vista pelos guardas, encontrou um arco ornamental na face norte da Casa Carnelian. Cada um dos adornos nas paredes oferecia um bom apoio para as mãos.

Um vento forte fazia seus cabelos esvoaçarem enquanto escalava. Seu corpo não era tão forte como costumava ser na Lássia, e fazia tempo que não submetia os membros a tamanha provação. Estava toda dolorida quando conseguiu chegar ao telhado.

Os Cavaleiros do Corpo e as damas de companhia surgiram da Torre da Rainha e formaram um círculo protetor em torno de Sabran e Heath. O grupo saiu pelo vestíbulo e atravessou o Jardim do Relógio de Sol.

Quando estavam na metade do caminho, Ead contemplou uma visão que pareceria impensável apenas um ano antes.

Wyverns se aproximando do Palácio de Ascalon, gritando como corvos que cercavam uma carcaça.

Ela nunca vira nada parecido com aquilo em toda sua vida. Aquelas não eram criaturas com olhos opacos recém-despertadas do sono, buscando algo para comer. Era uma declaração de guerra. Não só os wyverns tinham a audácia de aparecer na capital, mas estavam vindo em *bando*. Quando o medo ameaçou paralisá-la, ela pensou nas lições que aprendera o Priorado.

Wyverns só podiam voar em um número tão elevado se fossem reunidos por um Altaneiro do Oeste. Se ela matasse seu líder, eles se dispersariam.

A respiração se condensava em vapor ao redor dela. O Altaneiro do Oeste ainda não havia se mostrado, mas ela sentiu seu cheiro no ar, fétido como o da fumaça emitida por uma montanha de fogo. Ela tirou uma flecha da aljava.

Aquelas flechas foram projetadas pela Mãe. Longas o bastante para perfurar a armadura dragônica mais densa, feitas com o metal do Monte Temível, congelavam ao menor toque do frio ou da neve.

Os dedos formigavam. O cheiro de enxofre se espalhou pelo pátio, e a neve derreteu sob suas botas.

Ela reconheceu a cadência das asas quando a ouviu. Retumbante como os passos de um gigante.

A cada *vump*, a terra tremia. Um ritmo constante que marcava um luto iminente.

O Altaneiro do Oeste rasgou a noite. Quase tão grande quanto Fýredel, tinha escamas pálidas como ossos. Pousou ao lado da tore do relógio e, com um movimento avassalador da cauda, arremessou para longe um grupo de guardas do palácio. Mais soldados o atacaram, com espadas e lanças. Com aquela monstruosidade bloqueando o caminho, Lintley e os Cavaleiros do Corpo não conseguiam mais alcançar a entrada dos porões.

Nos dias seguintes à aparição de Fýredel, diversas armas nas muralhas do Palácio de Ascalon foram montadas sobre armações de madeira, o que permitia girá-las. Canhões disparavam pedras no invasor. Duas o atingiram no flanco, outra na coxa — com força suficiente para fraturar um osso em um wyvern —, mas só serviram para irritar o Altaneiro do Oeste, que atingiu as muralhas com a cauda coberta de espinhos, varrendo para longe os guardas que tentavam mirar um arpão. Os gritos foram sufocados assim que começaram.

Ead arrastou a flecha pela neve, para congelá-la, e a posicionou no arco. Tinha visto Jondu derrubar um wyvern com um único tiro bem mirado, mas aquele era um Altaneiro do Oeste, e seu braço não estava mais tão forte para esticar a corda ao máximo. Os anos de bordados foram minando suas forças. Sem aquilo, e sem sua siden, a chance de acerto era mínima.

Ela soltou o ar com força. Soltou a corda e, com um baque, a flecha voou em direção ao wyrm, que por fim se mexeu, fazendo o projétil errar seu flanco. Ead olhou para Lintley no setor noroeste do Jardim do Relógio de Sol, apressando seus protegidos para a cobertura da Galeria de Mármore.

Retroceder para a Torre da Rainha deixaria Sabran às vistas do wyrm. Eles estavam encurralados. Se Ead conseguisse distrair a fera, e se fossem rápidos, seria possível passar despercebidos e correr para as adegas subterrâneas dos porões.

Outra flecha já estava na mão um instante depois, encaixada e apontada. Dessa vez, ela mirou em uma parte mais macia da cabeça antes de disparar. O projétil acertou uma pálpebra escamada.

A pupila em formato vertical se contraiu, e o Altaneiro do Oeste virou a cabeça para encará-la. Agora toda a atenção da fera estava voltada para Ead.

Ela congelou uma terceira flecha.

Depressa, Lintley.

— Wyrm — gritou ela em selinyiano. — Eu sou Eadaz du Zāla

uq-Nāra, uma criada de Cleolind. Eu carrego a chama sagrada. Trate de deixar a cidade intacta, ou eu me encarregarei de fazê-lo tombar.

Os Cavaleiros do Corpo tinham chegado ao final da Galeria de Mármore. O wyrm a encarou com olhos verdes como um salgueiro. Ela nunca vira aquela cor em um ser dragônico.

— Maga — a criatura respondeu no mesmo idioma —, seu fogo foi consumido. O Deus da Montanha está a caminho.

A voz reverberou como uma pedra de moer pelo palácio. Ead sequer piscou.

— Pergunte para Fýredel se meu fogo foi consumido — respondeu ela.

O wyrm sibilou.

A maioria das criaturas dragônicas era fácil de distrair, mas não aquela, cujos olhos se voltaram para onde estavam os Cavaleiros do Corpo. As armadilhas revestidas em cobre refletiram as chamas, atraindo seu olhar.

— Sabran.

Ead sentiu um calafrio chegar até seus ossos. O wyrm disse aquele nome com uma certa suavidade. Uma familiaridade.

Aquela suavidade não durou muito. Com os dentes arreganhados, a fera jogou a cabeça para cima e falou na língua dragônica. Enquanto os wyverns faziam chover bolas de fogo, os Cavaleiros do Corpo se dividiram, apavorados. Metade recuou para a Galeria de Mármore, enquanto outros fugiram para o Pavilhão de Banquetes. Lintley estava entre esses últimos, assim como Margret. E Heath, sempre destemido. Ead o viu com o escudo levantado, protegendo Sabran com a espada em punho. Ela estava encurvada sobre a barriga.

O wyrm arreganhou a mandíbula. A Galeria de Mármore derreteu sob seu hálito de fogo, cozinhando vivos os cavaleiros lá dentro.

Ead soltou a corda do arco. Com tremenda força, a flecha atravessou a distância entre a maga e o wyrm.

Aquela era sua nova vida. Ele devia ter se sentido grato por sua casinha em Orisima. De repente, se pegou amargando a falta de sua pequena lareira, da cama que deixava arejar sob o sol, das paredes escuras e das esteiras do chão. Nada daquilo pertencia a ele, mas pelo menos havia um teto sobre sua cabeça.

Um par de botas apareceu diante dele, que se encolheu, esperando outro chute.

— Pelas lágrimas dos deuses. Veja só seu estado.

A intérprete estava de pé diante dele, com uma das mãos sobre a boca. Dessa vez, usava um xale e luvas que o deixaram morrendo de inveja. Uma cabeleira escura, temperada de fios grisalhos, caía em pequenos cachos sobre o rosto dela. Uma faixa de seda os mantinha longe dos olhos.

— Ainda não se habituou ao mar, pelo que vejo, Velho Rubro — disse ela.

Niclays piscou algumas vezes. Ela demonstrava um domínio impecável de seu idioma. Não havia muita gente além dos mentendônios que falava sua língua.

— Não acredito que você esteja em condições de comer, mas achei melhor trazer sua comida mesmo assim. — Com um sorriso largo, ela entregou uma tigela para ele. — A Imperatriz Dourada me mandou dizer que você agora é o novo mestre cirurgião. Deve estar disponível a qualquer hora do dia para atender os marujos.

— A medusa foi um teste, então — disse ele, desanimado.

— Receio que sim. — Ela se agachou para beijá-lo no rosto. — Laya Yidagé. Bem-vindo a bordo do *Perseguidor*.

— Niclays Roos. Eu desejaria conhecê-la em uma condição mais digna, minha cara dama. — Ele estreitou os olhos para a comida. Arroz e pedaços de uma carne rosada. — Santo. Isso é enguia crua?

— Agradeça por não estar mais se mexendo. O último refém precisou arrancar a cabeça de uma no dente. Antes de ter a cabeça *dele* arrancada, claro. — Laya se ajeitou ao lado dele. — Cure mais alguns piratas e você pode ganhar enguia cozida. E um lugar um pouco mais hospitaleiro para dormir.

— É mais provável que eu acabe matando um deles. Tenho formação em anatomia, mas não sou nenhum mestre cirurgião.

— Sugiro que continue fingindo que é. — Ela jogou um pedaço do manto em cima dele. — Aqui. Para se esquentar.

— Obrigado. — Niclays puxou o tecido para mais perto de si e abriu um sorriso cauteloso para ela. — Eu imploro para que me distraia deste arremedo de refeição. Me diga como acabou navegando com a temida Imperatriz Dourada.

Enquanto ele separava os grãos limpos do arroz ensanguentado, foi isso o que ela fez.

Laya nascera na linda cidade de Kumenga, famosa por suas academias, por seu vinho dourado e suas águas cristalinas. Quando criança, tinha sede de conhecer o mundo, um interesse alimentado por seu pai, um explorador que lhe ensinara diversos idioma.

— Um dia, ele partiu para o Leste, determinado a ser o primeiro sulino a pôr os pés aqui em séculos — contou ela. — Nunca voltou para casa, claro. Ninguém nunca volta. Anos depois, paguei aos piratas do Mar de Carmentum para me trazerem ao outro lado do Abismo para procurá-lo. — A chuva escorria pelo rosto dela. — Fomos atacados por uma embarcação desta frota. Todos acabaram mortos, mas eu implorei por minha vida em lacustre, o que surpreendeu o capitão. Ele me levou até a Imperatriz Dourada, e eu virei sua intérprete. Era isso ou a espada.

— Há quanto tempo trabalha para ela?

— Tempo demais — foi a resposta, acompanhada de um suspiro.

— Você deve querer voltar para o Sul.

— É óbvio, mas seria uma tola se tentasse fugir — disse ela. — Eu não sou navegadora, Velho Rubro, e o Abismo é vasto.

Ela estava certa.

— E você acha, Mestra Yidagé...

— Laya.

— Laya. Você acha que a Imperatriz Dourada me permitiria dar uma olhada no dragão nos conveses inferiores?

Laya ergueu as sobrancelhas.

— E por que você iria querer fazer isso, pode me dizer?

Niclays hesitou.

Seria mais seguro se calar. Afinal, muita gente temia ou ridicularizava a alquimia — mas ele sentiu que Laya, depois de passar anos em um navio pirata, não devia se deixar impressionar tão facilmente.

— Sou um alquimista — disse ele, baixinho. — Não dos melhores, um amador, na verdade, mas venho tentando, na última década, criar um elixir da imortalidade.

As sobrancelhas dela se ergueram ainda mais.

— Até agora só fracassei nessa empreitada, em grande parte graças à escassez de bons ingredientes. Como os dragões vivem séculos, eu esperava... estudar aquele que está lá embaixo. Antes de chegarmos a Kawontay.

— Antes de todas as partes do corpo do dragão serem vendidas, no caso. — Laya balançou a cabeça. — Normalmente eu não aconselharia um pedido como esse.

— Mas?

— A Imperatriz Dourada tem um grande interesse na imortalidade. Sua alquimia pode fazer você cair nas graças dela. — Ela chegou mais perto, a ponto de o hálito dos dois formarem uma única nuvem. — Existe um motivo para este navio se chamar *Perseguidor*, Niclays. Já ouviu falar na história da amoreira?

Niclays franziu a testa.

— *A* amoreira?

— É uma lenda pouco conhecida no Leste. É mais um mito do que uma história. — Laya se recostou na amurada. — Séculos atrás, dizem que existia uma feiticeira que governava uma ilha chamada Komoridu. Pombos pretos e corvos brancos voavam para lá, pois era ela a mãe de todos os rejeitados. A história é contada do ponto de vista de uma mulher sem nome, que é humilhada pelo povo de Ginura. Ela ouve boatos a respeito de Komoridu, onde todos são bem-vindos, e decide ir para lá, custe o que custar. Quando finalmente consegue, vai visitar a mítica feiticeira, cujo poder vem de uma amoreira. A fonte de vida eterna.

O coração dele começou a bater como um tamboril.

— A lenda sobreviveu, mas ninguém nunca conseguiu encontrar Komoridu — disse Laya. — Durante séculos, o pergaminho que continha a história foi mantido na Ilha da Pluma. Alguém o roubou dos arquivos sagrados e o entregou à Imperatriz Dourada… mas logo ficou claro que havia uma parte faltando. Uma parte que ela considera vital.

Niclays se sentiu como se tivesse sido atingido por um raio.

Minha tia o recebeu de um homem que lhe disse para levá-lo embora do Leste e nunca mais trazê-lo de volta.

— Sim. E você o trouxe para ela.

Ao ver sua expressão de perplexidade, Laya sorriu.

— A última peça do quebra-cabeça — confirmou ela.

O quebra-cabeça.

Jannart.

Um som reverberou pelas entranhas do navio. O *Perseguidor* se inclinou, lançando Niclays em cima de Laya.

— É uma tempestade? — ele perguntou, com um tom de voz um pouco mais agudo que o habitual.

— Shhh.

O som que veio a seguir foi um eco do anterior. Franzindo a testa, Laya se levantou. Niclays esfregou um pouco as pernas para aliviar a dormência e fez o mesmo. A Imperatriz Dourada estava no tombadilho.

A embarcação estava no limiar do Abismo, o lugar que os dragões temiam, onde a água passava de verde a um tom de preto. E sem uma única ondulação na superfície.

Naquele mar impossível, cada estrela, cada constelação, cada dobra e espiral do cosmo estavam refletidas. Era como se houvesse dois firmamentos, e a embarcação fosse um navio fantasma, à deriva entre os dois mundos. Um mar que se transformou em espelho, para que o céu enfim pudesse ver seu reflexo.

— Você já viu algo assim? — Niclays murmurou.

Laya fez que não com a cabeça.

— Isso não é natural.

Nem uma única onda se chocava contra os cascos da frota. As embarcações se mantinham imóveis como se estivessem em terra firme. A tripulação do *Perseguidor* se manteve em um silêncio inquieto, mas Niclays Roos não mostrava sinais de agitação, encantado pela visão daquele universo duplicado. Um mundo em equilíbrio, como o descrito na Tabuleta de Rumelabar.

O que está abaixo deve ser equilibrado pelo que está acima, e aí reside a precisão do universo.

Palavras que nenhuma pessoa viva era capaz de entender. Palavras que levaram Truyde a mandar seu amado atravessar o mar com um apelo que não seria ouvido. Um rapaz que àquela altura devia estar morto.

Vozes gritaram em toda uma variedade de idiomas. Niclays cambaleou para trás quando um jato explodiu sobre o convés, encharcando seus cabelos de água quente. O momento de tranquilidade se dissolveu.

As bolhas fervilhavam em torno do casco. Laya segurou o braço dele e correu para o mastro mais próximo, agarrando-se aos cabos.

— Laya, o que está acontecendo? — Niclays gritou para ela.

— Não sei. Segure firme!

Niclays piscou para tirar a água salgada dos olhos, arfando. Ele soltou um grito quando a água invadiu a frota, destruindo um barco a remo e derrubando piratas para fora do convés. Os gritos deles se perderam em meio a um som que a princípio pareceu um trovão.

E então, enquanto o mar despontava sobre a lateral do *Perseguidor*, ele apareceu. Uma massa de escamas vermelhas como fogo. Incrédulo, Niclays observou a cauda que terminava em espinhos terríveis, e asas com envergadura suficiente para cobrir o Rio Bugen de uma margem à outra. Em meio ao rugido do mar e os uivos do vento, um Altaneiro do Oeste voou baixo sobre a frota e gritou em triunfo.

— O MESTRE — gritou ele. — EM BREVE. EM BREVE. EM BREVE.

36

Oeste

Os rouxinóis desaprenderam a cantar. Ead estava deitada ao lado de Sabran na cama dobrável, ouvindo a respiração dela.

Muitas vezes desde a aparição do wyrm, ela mergulhava em sonhos sobre o que acontecera naquela noite. Sobre ter carregado Sabran até o Médico Real. Sobre o espinho horrendo que ele arrancara da barriga dela. Sobre o sangue. Sobre a figura enrolada em panos que levaram para longe. Sobre Sabran imóvel na cama, como se estivesse em seu féretro.

Uma brisa soprou na Grande Alcova. Ead se virou.

Embora ela tivesse visto o Doutor Bourn e seus assistentes para garantir que ferveram tudo o que encostara em Sabran, aquilo não bastara. Mesmo assim, houve uma inflamação. Ela ficara queimando de febre, e à beira da morte por dias — mas resistira. Lutara pela vida como Glorian, a Defensora.

No fim, conseguira se arrastar para longe da beira do túmulo, exausta de corpo e alma. Quando a febre cedera, o Médico Real concluíra que o espinho que arrancara dela tinha vindo do corpo do Altaneiro do Oeste. Temendo que aquilo pudesse ter transmitido a peste à rainha, mandara o material para uma especialista mentendônia em anatomia dragônica. A conclusão dela era apavorante demais até para ser mencionada.

A Rainha de Inys não estava contaminada com a peste, mas nunca mais conseguiria engravidar.

Mais uma brisa atravessou o quarto. Ead se levantou da cama e fechou a janela.

As estrelas pontilhavam o céu da meia-noite. Abaixo delas, Ascalon piscava sob as luzes das tochas. Algumas pessoas deviam estar acordadas, rezando pela proteção contra aquilo que os plebeus chamavam de Wyrm Branco.

Eles não detinham a informação que vinha atormentando os Duques Espirituais e as Damas da Alcova. Além do Médico Real, apenas um punhado de pessoas conhecia o segredo mais perigoso do mundo.

A linhagem Casa de Berethnet terminaria em Sabran IX.

Ead aparou o pavio de uma das velas e a acendeu mais uma vez. Desde a vinda do Wyrm Branco, Sabran passou a ter ainda mais medo do escuro.

Fragmentos de evidências históricas coletados no mundo inteiro confirmavam que havia cinco Altaneiros do Oeste. Havia imagens deles entalhadas nas cavernas de Mentendon e pintadas nos bestiários produzidos logo após a Era da Amargura.

De acordo com aquelas evidências, nenhum dos Altaneiros do Oeste possuía olhos verdes.

— Ead.

Ela olhou por cima do ombro. Sabran era uma silhueta por trás das cortinas transparentes ao redor da cama.

— Majestade — disse Ead.

— Abra a janela.

Ead pôs a vela sobre o aparador da lareira.

— A senhora vai pegar friagem.

— Eu posso ser infértil — esbravejou Sabran —, mas, enquanto estiver viva, ainda sou sua rainha. Me obedeça.

— A senhora ainda está convalescendo. Se piorar por causa de um resfriado, o Secretário Principal vai mandar arrancar minha cabeça.

— Que maldição, sua cadela obstinada. Eu *mesma* mando arrancar sua cabeça se não obedecer às minhas ordens.

— Fique à vontade. Duvido muito que tenha alguma utilidade quando estiver separada do meu pescoço.

Sabran se virou para encará-la.

— Eu vou te matar. — Os tendões do pescoço dela estavam saltados. — Eu desprezo todos vocês, seus corvos presunçosos. Só pensam no que podem tirar de mim. Uma pensão, uma propriedade, uma herdeira... — A voz dela ficou embargada. — Malditos sejam todos vocês. Eu prefiro me jogar da Torre Alabastrina a aceitar um pingo que seja de sua piedade.

— Já chega — explodiu Ead. — A senhora não é mais criança. Já chega de choramingar.

— Abra a janela.

— Venha abrir, então.

Sabran soltou uma risadinha pequena e sombria.

— Eu poderia mandar queimar você por sua insolência.

— Se isso for tirar a senhora da cama, eu dançaria alegremente em cima da pira.

O relógio da torre badalou uma vez. Estremecendo, Sabran desabou de novo no travesseiro.

— Meu destino era morrer dando à luz — murmurou ela. — Meu destino era dar vida a Glorian. E então, ceder a minha.

Os seios dela vazaram durante dias depois da perda, e a barriga ainda estava redonda. Enquanto tentava se curar, o próprio corpo continuava abrindo a ferida.

Ead acendeu mais duas velas. Ela se compadecia de Sabran, tanto que pensou que as próprias costelas fossem quebrar de tanta dor, tamanho o aperto no peito, mas não podia tolerar seus ataques de raiva em auto-ódio. As rainhas de Berethnet eram propensas aos que os inysianos chamavam de *coita mental* — períodos de tristeza que podiam ter ou não uma causa discernível. Carnelian V era conhecida como Pomba Lamentosa, e segundo rumores na corte havia tirado a própria vida ao se afogar em um rio. Combe encarregou as Damas da Alcova de garantir que Sabran não seguisse pelo mesmo caminho.

Seria bom ser uma mariposa na janela da Câmara do Conselho naquela noite. Alguns Duques Espirituais estariam argumentando que a verdade jamais deveria ser revelada. Enchimentos sob os vestidos. Uma criança órfã com cabelos pretos e olhos cor de jade. Alguns no conselho poderiam até sugerir essas ideias, mas a maioria se recusaria a se curvar a qualquer uma que não fosse uma Berethnet.

— Eu tinha certeza... — Sabran cerrou os punhos no ar. — Deveria ser favorecida pelo Santo. Eu expulsei Fýredel. Por que fui abandonada agora?

Ead precisou engolir a própria culpa. Sua égide tinha alimentado aquela mentira.

— Senhora — disse ela —, é preciso manter a fé. Não adianta ficar pensando no...

Mais uma risada sem nenhuma alegria a interrompeu.

— Você está parecendo Ros. Não preciso de outra Ros. — Sabran enrijeceu as mãos. — Talvez eu devesse pensar em coisas mais leves. É o que Ros me diria. Em que eu posso pensar, Ead? Em meu companheiro morto, em meu ventre infértil, ou na certeza de que o Inominado está a caminho?

Ead se ajoelhou para atiçar o fogo.

Sabran falou muito pouco durante dias, mas, quando dizia alguma coisa, era para ferir e magoar. Tinha esbravejado com Roslain por ficar quieta demais. Provocado as damas de companhia que serviam suas refeições. Mandado uma pajem sumir de suas vistas, levando a menina às lágrimas.

— Eu serei a última Berethnet. Sou a destruidora da minha própria casa. — Ela se agarrou aos lençóis. — Esse é o meu feito. Por adiar o momento de dar à luz por tanto tempo. Por tentar evitá-lo.

Ela baixou a cabeça.

Ead foi até a Rainha de Inys. Abriu a cortina e se sentou à beira da cama. Sabran estava quase sentada, inclinada sobre o abdome ferido.

— Eu fui egoísta. Queria... — Sabran soltou o ar com força pelo nariz. — Pedi a Niclays Roos que me fizesse um elixir, uma coisa que preservasse a minha juventude, para que eu nunca precisasse engravidar. Quando ele não conseguiu fazer isso, foi banido para o Leste — sussurrou ela.

— Sabran...

— Eu virei as costas para o Cavaleiro da Generosidade, apesar de tudo o que ele me deu. Me ressenti por precisar dar uma única coisa em troca.

— Pare com isso — Ead falou com firmeza. — A senhora tinha um grande fardo para carregar, e fez isso com muita valentia.

— É um chamado divino. — O rosto dela brilhava com as lágrimas. — O mesmo governo, há mais de mil anos. Trinta e seis mulheres da Casa de Berethnet tiveram filhas em nome de Inys. Por que eu não poderia fazer isso também? — Ela levou uma das mãos à barriga. — Por que isso teve que acontecer?

Ead a segurou de leve pelo queixo ao ouvir aquilo.

— Não é culpa *sua* — disse ela. — Lembre-se disso, Sabran. A senhora não pode ser responsabilizada por nada disso.

Sabran se afastou do toque.

— O Conselho das Virtudes vai tentar de tudo, mas meu povo não é tolo — disse ela. — A verdade vai vir à tona. A Virtandade vai entrar em colapso sem aquilo que a mantém de pé. A fé no Santo será destruída. Os santuários vão ficar abandonados.

Aquela profecia não era infundada. Até Ead sabia que o colapso da Virtandade provocaria um turbilhão de tumultos. Em parte, era por isso que ela estava lá. Para preservar a ordem.

Ela fracassara.

— Não existe lugar para mim na corte celestial — continuou Sabran. — Quando eu estiver apodrecendo debaixo da terra, os Duques Espirituais, cujo sangue vem do Séquito Sagrado, vão postular o meu trono. — Outra risada seca escapou da garganta dela. — Talvez nem esperem a minha morte para começar a disputa. Eles acreditavam no meu poder para manter o Inominado acorrentado, mas esse poder vai acabar junto com a minha morte.

— Então sua segurança sem dúvida é do interesse deles. — Ead tentou soar reconfortante. — Querem ganhar tempo para se preparar para o que vem pela frente.

— Em segurança, talvez, mas não no trono. Alguns devem estar se perguntando agora mesmo se não devem agir o quanto antes. Eleger um novo governante antes que Fýredel volte para nos destruir. — Sabran dizia tudo isso em tons esvaziados de emoção. — Vão questionar se a história da minha divindade era verdadeira, para começo de conversa. Eu mesma venho questionando isso. — Ela levou a mão de novo à barriga. — Agora que me mostraram que eu sou só carne e osso.

Ead sacudiu a cabeça.

— Vão me pressionar para nomear um deles como sucessor. Mesmo se fizer isso, os outros podem não acatar — disse Sabran. — Os nobres vão erguer seus estandartes em defesa dos diferentes postulantes. Inys ficará dividida. E, enquanto estiver enfraquecida, o Exército Dragônico voltará. E Yscalin está a postos para ajudar. — Ela fechou os olhos. — Eu não posso testemunhar isso, Ead. Não posso testemunhar a queda deste rainhado.

Ela provavelmente temera aquele desfecho desde o início.

— Ela era tão... delicada. Glorian — sussurrou Sabran, a voz fraca.
— Como o tracejado do interior de uma folha. A estrutura frágil que
resta depois que o verde vai embora. — Ela voltou seu olhar para o
nada. — Eles tentaram escondê-la de mim, mas eu vi.

Uma outra dama de companhia teria dito que a criança estava segura
na corte celestial. Roslain teria narrado uma imagem de uma bebê de
cabelos pretos sendo embalada nos braços de Galian Berethnet e sorrindo
para sempre em um castelo no céu.

Ead não fez tal coisa. Essa imagem não confortaria Sabran em seu
luto. Pelo menos ainda não.

Ela segurou uma das mãos geladas da rainha entre as suas para aque-
cê-la. Estremecendo em seu leito enorme, Sabran parecia mais uma
criança do que uma rainha.

— Ead, tem uma bolsinha de ouro no cofre — disse ela, apontando
com o queixo para o baú onde guardavam suas joias. — Vá até a cidade.
Ao mercado das sombras. Lá vendem um veneno chamado viúva nobre.

Ead ficou sem fôlego.

— Não seja tola — murmurou ela.

— Como ousa chamar a última Berethnet de tola?

— Não tenho escolha, quando está falando como uma.

— Estou pedindo isso não como sua rainha, mas como uma pe-
nitente — disse Sabran. — Seu rosto estava tenso, e o queixo tremia.
— Não consigo viver sabendo que meu povo está condenado à morte
pelas mãos do Inominado ou por uma guerra civil. Eu jamais ficaria em
paz comigo mesma. — Ela puxou de volta a mão. — Pensei que você
entenderia. Que me ajudaria.

— Eu entendo melhor do que a senhora imagina. — Ead pôs a mão
no rosto dela. — A senhora tentou cultivar um coração de pedra. Mas
não precisa ter medo de descobrir que não tem um. Apesar de ser a
rainha, ainda é uma pessoa de carne e osso.

Sabran sorriu de um jeito de partir o coração.

— É isso o que significa ser uma rainha, Ead — ela falou. — A nação e o corpo são uma só coisa.

— Então não pode matar o corpo em nome da nação. — Ead a encarou. — Portanto, não, Sabran Berethnet. Não vou lhe trazer veneno. Não agora. Nem nunca.

Aquelas palavras saíram de um lugar que ela tentava manter trancado. Onde tinha florescido uma rosa.

Sabran a olhou com uma expressão que Ead nunca vira antes. Toda a melancolia se atenuou, deixando-a com um olhar curioso e determinado. Ead podia ver todo o verde dos olhos dela, e cada um dos cílios, e o reflexo das velas em suas pupilas. A luz das chamas dançava no ombro dela. Quando Ead estendeu a mão para alcançá-la com a ponta dos dedos, Sabran se inclinou em direção ao seu toque.

— Ead, fique comigo — disse ela.

A voz saiu quase baixa demais para ser ouvida, mas Ead sentiu cada palavra em sua carne.

Os lábios das duas estavam muito próximos, a um sopro de distância. Ead não ousou se mexer, por medo de estragar o momento. A pele estava sensibilizada pelo desejo de ter Sabran junto de si.

Sabran emoldurou o rosto de Ead entre as mãos. Seu olhar continha tanto uma pergunta quanto o temor de obter uma resposta.

Uma mecha de cabelo preto roçou a clavícula, e Ead pensou na Prioresa e na laranjeira. Pensou no que Chassar diria se soubesse que seu sangue fervia pela farsante, que rezava para um túmulo vazio da Mãe. Descendente de Galian, o Impostor. Sabran chegou mais perto, e Ead beijou a Rainha de Inys da mesma forma que faria com uma amante.

Seu corpo se tornou transparente como vidro. Uma flor se abrira para o mundo. Quando Sabran abriu os lábios de Ead com os seus, Ead entendeu, com uma intensidade de tirar o fôlego, que o que desejara durante meses era abraçá-la daquela forma. Quando se deitava ao lado de Sabran e ouvia seus segredos. Quando colocara a rosa embaixo do travesseiro. Foi uma percepção que abalou até as profundezas de seu ser.

Elas ficaram imóveis. Os lábios se demorando, tocando-se de leve.

O coração de Ead estava acelerado demais, carregado demais. De início, ficou até sem respirar — até mesmo o menor movimento poderia afastá-las —, mas então Sabran a abraçou, falando seu nome com a voz embargada. Ead sentiu a batida de um coração junto ao seu. Suave e inquieto como uma borboleta.

Ela se sentia perdida e ancorada e à deriva, tudo ao mesmo tempo. No limiar do sonho, porém mais acordada do que nunca. Os dedos mapearam o corpo de Sabran, atraídos para a pele por instinto. Foram traçando a cicatriz a partir da coxa dela, passaram pelos cabelos, acariciaram o lugar sob os seios inchados.

Sabran se inclinou para trás para olhá-la. Ead teve um vislumbre do rosto dela sob a luz das velas — a testa lisa, os olhos determinados e escuros — antes de as duas se juntarem de novo, em um beijo quente que formava um novo mundo, como se o brilho do nascer das estrelas estivesse nos lábios delas. Elas eram como favos de mel, com sua natureza secreta, frágil e complexa. Ead estremeceu quando o toque da noite envolveu sua pele.

Ela sentiu o arrepio se espalhando por Sabran. A camisola deslizando pelo ombro dela e indo além até descansar nos quadris, para que Ead pudesse seguir o caminho da coluna e juntar as mãos na base de suas costas arqueadas. Ela a beijou no pescoço e atrás da orelha, e Sabran sussurrou seu nome inclinando a cabeça para expor as concavidades nas laterais da garganta. O luar as preencheu como se fosse leite.

O silêncio na Grande Alcova era vasto, como a noite e todas as suas estrelas. Ead ouvia cada farfalhar da seda, cada roçar das mãos pelos lençóis. As respirações estavam abafadas, aprisionadas pela possibilidade de uma batida na porta, uma chave na fechadura, uma tocha que exporia sua união. Aquilo acenderia a chama do escândalo, um incêndio que cresceria até incinerar as duas.

Só que Ead era amiga do fogo, e adentraria uma fornalha em troca de uma noite com Sabran Berethnet. Que viessem com suas espadas e tochas.

Que viessem.

Depois, ficaram deitadas sob a luz da lua de sangue. Pela primeira vez em anos, a Rainha de Inys dormia sem uma vela acesa.

Ead olhou para o dossel da cama. Ela sabia de uma coisa agora, que expulsou todo o restante de sua mente.

Fosse qual fosse o desejo do Priorado, ela não poderia abandonar Sabran.

Enquanto ela se mexia nas profundezas do sono, Ead sentiu o cheiro dela. Cremegralina e lilases, misturado com o cravo do pomo aromático. Imaginou fugir com ela para a Lagoa Láctea, a terra das fábulas onde seu nome nunca seria empecilho para nada.

Aquilo era um sonho impossível.

Uma luz leve começou a entrar na Grande Alcova. Pouco a pouco, Ead foi se tornando ciente de si mesma, e de Sabran. Os cabelos pretos espalhados sobre o travesseiro. O toque de pele com pele. Os raios de sol ainda não chegavam à cama, mas ela se sentia tão aquecida que era como se já estivessem lá.

Ela não sentiu arrependimentos. Sentia confusão, e um frio na barriga, mas sem nenhum desejo de fazer o tempo retroceder.

Naquele momento ouviu uma batida, e foi como se uma nuvem tivesse passado diante do sol.

— Majestade.

Katryen.

Sabran ergueu a cabeça. Olhou primeiro para Ead, com olhos pesados, depois para a porta.

— Que aconteceu, Kate?

A voz de Sabran ainda estava pesada de sono.

— Queria saber se a senhora deseja tomar um banho esta manhã. Foi uma noite fria.

Ela estava tentando atrair a rainha para fora do quarto havia dois dias.

— Prepare o banho — disse Sabran. — Ead vai bater na porta quando eu estiver pronta.

— Sim, senhora.

Os passos foram se afastando. Sabran se virou, e Ead ficou temerosa de encará-la. A essa altura o sol estava de pé, e elas se olharam como se estivessem se vendo pela primeira vez.

— Ead — disse Sabran baixinho —, não precisa se sentir obrigada a continuar como minha companheira de leito. — Com gestos lentos, ela se sentou. — Os deveres de uma Dama de Alcova não se estendem ao que fizemos ontem à noite.

Ead ergueu as sobrancelhas.

— Está achando que eu fiz isso por dever?

Sabran encolheu os joelhos junto ao peito e desviou o olhar. Magoada, Ead se levantou da cama.

— A senhora está equivocada, Majestade. — Ela vestiu a camisola e pegou uma manta da cadeira. — É melhor se levantar. Kate está esperando.

Sabran olhava pela janela. O sol tornava seus olhos claros como o verde do berilo.

— É quase impossível para uma rainha dizer o que vem da reverência e o que vem do coração. — Aqueles olhos buscaram os de Ead. — Me diga a verdade, Ead. Foi por escolha própria que se deitou comigo ontem, ou se sentiu obrigada por causa de minha posição?

Os cabelos dela estavam embaraçados na altura dos ombros. Ead sentiu sua irritação se amenizar.

— Sua tola — disse ela. — Eu não me sentiria obrigada nem pela rainha nem por ninguém. Por acaso não lhe digo sempre a verdade?

Sabran sorriu ao ouvir aquilo.

— Até demais — respondeu ela. — Você é a única pessoa que faz isso.

Ead se inclinou para beijá-la na testa, mas, antes que pudesse fazer isso, Sabran segurou seu rosto e colou os lábios entreabertos aos seus. Quando enfim se afastaram, Sabran abriu um sorriso genuíno, raro como uma rosa no deserto.

— Venha. — Ead estendeu o manto sobre os ombros dela. — Eu gostaria de vê-la caminhando sob o sol hoje.

A vida na corte começou a ser retomada naquela manhã. Sabran convocou os Duques Espirituais a sua Câmara Privativa. Ela mostraria que, apesar de ferida no corpo e no espírito, ainda estava muito viva. Providenciaria a convocação de novos soldados, contrataria mercenários e aumentarias as verbas destinadas aos inventores na esperança de que criassem armas melhores. Quando os Altaneiros do Oeste voltassem, Inys reagiria.

Pelo que Ead pôde ver, os Duques Espirituais ainda não tinham tocado no assunto da sucessão, mas era só uma questão de tempo. Eles se voltariam para o futuro em breve, para empreender a guerra contra Yscalin e os dois Altaneiros do Oeste que estavam prontos para despertar e unir o Exército Dragônico. Não havia herdeira, nem a possibilidade de uma. Era o Inominado que estava a caminho.

Ead retomou seus afazeres. Porém, as noites pertenciam à Sabran. Aquele segredo era como vinho para ela. Quando estavam atrás da cortina do leito, todo o resto era esquecido.

Na Câmara Privativa, Sabran tocava o virginal. Estava fraca demais para fazer a maioria das outras coisas, e não havia muito com o que pudesse ocupar seu tempo. O Doutor Bourn dissera que ela não estaria em condições de caçar em menos de um ano.

Ead estava perto dela, escutando. Roslain e Katryen se mantinham em silêncio ao lado, distraídas com a costura. Estavam confeccionando lencinhos bordados com as iniciais da rainha, que seriam distribuídos pela cidade para animar o povo.

— Majestade.

Todas as cabeças se viraram. Sir Marke Birchen, um dos Cavaleiros do Corpo, estava parado à porta, com a armadura revestida em cobre.

— Boa noite, Sir Marke — disse Sabran.

— A Duquesa da Coragem solicita uma audiência, Majestade. Ela tem documentos que precisam de sua assinatura.

— Claro.

Sabran ficou de pé. Ao fazer isso, cambaleou perigosamente e se apoiou no virginal.

— Majestade… — Sir Marke fez menção de ir até ela, mas Ead, que estava mais perto, já a tinha reequilibrado.

Roslain e Katryen foram correndo até lá.

— Sabran, está se sentindo mal? — Roslain pôs a mão na testa dela. — Vou chamar o Doutor Bourn.

— Calma. — Sabran pôs a mão na barriga e respirou fundo. — Damas, me deixem sozinha para assinar esses documentos para Sua Graça, mas voltem para me ajudar a me despir.

Roslain franziu os lábios.

— Vou trazer o Doutor Bourn quando voltar — disse ela. — Só para dar uma examinada, Sab, por favor.

Sabran assentiu. Depois que todos saíram, Ead se virou, e elas trocaram olhares.

Em outros tempos, a Câmara da Presença estaria lotada de cortesãos, esperando Sabran chegar para fazer suas requisições. Agora estava silenciosa, como vinha sendo desde que Sabran tinha se recolhido a seus aposentos. Roslain foi fazer uma visita à avó, enquanto Katryen voltou aos seus aposentos para jantar. Como ainda não estava com fome, e não tinha nada para distraí-la de sua preocupação com Sabran, Ead foi se sentar a uma mesa na Biblioteca Real.

Enquanto a escuridão crescia do lado de fora, pela primeira vez em vários dias, ela se perguntou sobre o que fazer.

Precisava contar a verdade para Chassar. Se Sabran estivesse certa sobre o que aconteceria em Inys a seguir, Ead precisaria ficar para protegê-la, e teria que explicar a situação pessoalmente para Chassar. Depois de muita deliberação, ela acendeu uma vela, mergulhou seu cálamo na tinta e escreveu:

De Ascalon, Rainhado de Inys,
Através da Casa Aduaneira de Zeedeur
Fim do outono, 1005 EC

Sua Excelência,
Há tempo demais que não recebo notícias suas. Sem dúvida está ocupado com seu sempre diligente trabalho para o Rei Jentar e a Rainha Saiyma. Pensa em visitar Inys em breve?
Sua amiga leal e mais humilde tutelada,
Ead Duryan

Ela endereçou a correspondência ao Embaixador uq-Ispad. Uma solicitação cortês de sua tutelada.

O gabinete do Mestre dos Correios era adjacente à biblioteca. Ead o encontrou vazio. Colocou a carta na caixa para ser encaminhada, junto com as moedas necessárias para o transporte por aves. Se Combe a considerasse insuspeita, um pombo levaria a carta para Zeedeur, e outro para o Gabinete de Cartas em Brygstad. Em seguida, seria mandada para a Morada dos Pombos e, por fim, um mensageiro a conduziria na travessia do deserto.

Chassar receberia a solicitação em meados do inverno. A Prioresa não ficaria satisfeita quando ouvisse o que Ead tinha a pedir, mas, ao tomar conhecimento do perigo, conseguiria entender.

A noite já caíra quando Ead saiu da Biblioteca Real, no momento em que Sir Tharian Lintley estava entrando.

— Mestra Duryan. — Ele baixou a cabeça. — Boa noite. Eu esperava encontrá-la aqui.

— Capitão Lintley. — Ead retribuiu o gesto. — Como vai?

— Vou indo — disse ele, mas havia uma ruga de preocupação na testa. — Perdão por incomodá-la, Ead, mas Lorde Seyton Combe me pediu para levá-la até ele.

— Lorde Seyton. — O coração dela se acelerou. — Sua Majestade me pediu para voltar aos aposentos reais às onze.

— Sua Majestade já se recolheu esta noite. Ordens do Doutor Bourn. — Lintley lançou para ela um olhar de pesar. — E... bem, acho que não é um simples convite.

Claro. O Gavião Noturno não fazia convites.

— Muito bem — disse Ead, com um sorriso forçado. — Vamos lá.

37

Oeste

O Secretário Principal mantinha um escritório bem organizado no andar logo abaixo da Câmara do Conselho. Seu *covil*, como alguns chamavam, embora o espaço fosse quase decepcionante em sua simplicidade. Era bem diferente do esplendor de que Combe provavelmente desfrutava em seu lar ancestral, o Castelo Strathurn.

O corredor que levava para lá estava povoado de atendentes. Todos usavam o broche da Cavaleira da Cortesia, com as asas que os assinalavam como servidores de sua linhagem.

— A Mestra Ead Duryan, Sua Graça. — Lintley abaixou a cabeça. — Uma Dama da Alcova.

Ead fez uma mesura.

— Obrigado, Sir Tharian. — Combe estava escrevendo em sua mesa. — Isso é tudo.

Lintley fechou a porta atrás de si. Combe levantou os olhos para Ead e tirou os óculos.

O silêncio prosseguiu, até que um pedaço de lenha despencou de sua pilha na lareira.

— Mestra Duryan — Combe falou —, lamento informar que a Rainha Sabran não necessita mais de seus serviços como Dama de Alcova. O Lorde Camerlengo a dispensou formalmente dos Altos Escalões de Serviço, e revogou todos os privilégios inerentes à função.

Ead sentiu a nuca arrepiar.

— Sua Graça — disse ela —, eu desconheço que tenha ofendido Sua Majestade de alguma forma.

Combe abriu um sorrisinho.

— Ora essa, Mestra Duryan — disse ele. — Eu conheço você. Sei o quanto é esperta, e o desprezo que sente por mim. Você sabe por que está aqui.

Ela se manteve em silêncio, então ele continuou:

— Hoje à tarde, recebi um relato dando conta de que você estava em um... um estado inapropriado de nudez ontem à noite na Grande Alcova. Assim como Sua Majestade.

As pernas amoleceram, mas Ead manteve a compostura.

— Quem relatou tal coisa? — perguntou ela.

— Eu tenho olhos em todas as partes. Inclusive nos aposentos reais — disse Combe. — Um dos Cavaleiros do Corpo, apesar de ser tão dedicado à Sua Majestade, também relata a mim.

Ead fechou os olhos. Estava tão inebriada com Sabran que deixara de tomar as devidas cautelas.

— Me diga, Combe — falou ela —, que diferença faz para você o que acontece no leito da rainha?

— O leito da rainha é o que garante a estabilidade da nação. Ou o fim dessa estabilidade. O leito real, Mestra Duryan, é o que separa Inys do caos.

Ead se limitou a encará-lo.

— Sua Majestade deve se casar de novo. Para dar a impressão de que está tentando conceber a herdeira que salvará Inys — continuou Combe. — Isso pode lhe valer muitos anos duradouros no trono. Dessa forma, não posso permitir que as damas de companhia se tornem amantes.

— Imagino que tenha sido assim que você convocou Lorde Arteloth — disse Ead. — Na calada da noite, enquanto Sabran dorme.

— Não pessoalmente. Felizmente, tenho um grupo de leais atendentes, que atuam em meu nome. Mesmo assim — Combe acrescentou, sarcástico —, os relatos sobre meus trabalhos noturnos se espalharam. Eu tenho consciência de como sou conhecido na corte.

— Os relatos combinam com você.

A lareira crepitava à direita dele, deixando o outro lado de seu rosto na sombra.

— Durante anos de atuação como Secretário Principal, já retirei da corte diversas pessoas. Minha predecessora pagava subornos para quem queria manter longe, mas eu não sou assim tão perdulário. Prefiro usar melhor meus exilados. Eles se tornam meus lançadiços e, caso consigam o que peço, são convidados a voltar. Sob circunstâncias que beneficiam a todos. — Combe entrelaçou os dedos de juntas grossas. — E assim minha teia sussurra ao meu redor.

— Sua teia já sussurrou mentiras antes. Eu conheci Sabran em carne — disse Ead—, mas Loth nunca o fez.

Enquanto falava, Ead já começava a calcular sua fuga. Ela precisava chegar a Sabran.

— Lorde Arteloth era *mesmo* diferente — admitiu Combe. — Um homem virtuoso. Pela primeira vez, me doeu fazer o que era preciso.

— Lamento dizer, mas isso não me desperta nenhuma compaixão.

— Ah, mas eu não espero nenhuma compaixão, mestra. Nós, que somos a adaga oculta da coroa, os torturadores, os informantes, os espiões e os carrascos, quase nunca a recebemos.

— Ainda assim, você é um descendente da Cavaleira da Cortesia. — comentou Ead. — O que não combina em nada com o que você faz.

— Muito pelo contrário. É o meu trabalho nas sombras que permite que a cortesia continue mostrando sua face na corte. — Combe a observou por alguns instantes. — Eu estava falando sério naquele dia no baile. Considerava você uma amiga. Admirava a maneira como ascendeu na corte sem pisar em nenhum calo, o seu comportamento... mas você cruzou uma linha que não pode ser cruzada. Não com ela. — Ele parecia quase lamentar. — Seria melhor se isso não tivesse acontecido.

— Se me tirar do lado de Sua Majestade, ela *saberá*. E vai encontrar uma forma de se livrar de *você*.

— Espero que esteja enganada, Mestra Duryan, para o bem dela. Creio que você não percebeu o quanto a posição dela ficou frágil agora que não existe a esperança de uma herdeira. — Combe a encarou. — Ela precisa de mim mais do que nunca. Sou fiel a ela por suas qualidades como governante, e pelo legado da Casa, mas entre os meus colegas Duques Espirituais estão aqueles que não vão querer que ela continue no trono, agora que deixou de cumprir seu principal dever como uma rainha da Casa Berethnet.

Ead manteve sua expressão cautelosamente neutra, um tambor de guerra ressoava em seu peito.

— Quem?

— Ah, eu tenho minhas suspeitas quanto a quem agirá primeiro. Pretendo ser o escudo dela nos dias que estão por vir — disse Combe. — E você, infelizmente, não está nos meus planos. Pelo contrário, representa uma ameaça.

Talvez nem esperem a minha morte para a disputa começar.

— Falden, você pode vir até aqui? — Combe falou, mais alto. A porta se abriu, e um dos atendentes entrou. — Faça o favor de acompanhar Mestra Duryan até a carruagem.

— Sim, Sua Graça.

O homem pôs a mão no ombro de Ead. Quando a direcionou para a porta, Combe disse:

— Espere, Mestre Falden. Eu mudei de ideia. — Não havia nenhuma expressão no rosto dele. — Pode matá-la.

O corpo todo de Ead ficou tenso. Imediatamente, o atendente a pegou pelos cabelos, expondo seu pescoço à lâmina.

O calor brilhou em suas mãos. Ela torceu o braço que a segurava e, com alguns poucos movimentos, o atendente estava no chão, gritando de dor, com o ombro deslocado.

— Aí está — Combe disse baixinho.

O atendente estava ofegante, segurando o braço contra si. Ead olhou para as próprias mãos. Ao reagir a uma ameaça, a última gota de sua siden, as reservas mais profundas, haviam aflorado à superfície.

— Lady Truyde espalhou boatos sobre sua feitiçaria há algum tempo. — Combe viu o brilho nas pontas dos dedos dela. — Eu ignorei tudo, claro. Parecia só o ressentimento invejoso de uma jovem cortesã. Depois ouvi falar de sua… habilidade *curiosa* com lâminas durante a emboscada.

— Isso eu aprendi por iniciativa própria, para proteger a Rainha Sabran — disse Ead, aparentemente mantendo a calma, mas com o sangue disparando nas veias

— Entendo. — Combe soltou o ar com força pelo nariz. — Você é a vigilante da noite.

Ela revelara sua verdadeira natureza. Não havia mais volta.

— Eu não acredito em feitiçaria, Mestra Duryan. Talvez isso na sua mão seja produto da alquimia. O que acredito é que você não veio para cá pelo desejo de servir à Rainha Sabran, conforme afirmava. É mais provável que tenha sido plantada aqui pelo Embaixador uq-Ispad como espiã. Mais um motivo para eu mandá-la para bem longe da corte.

Ead deu um passo na direção dele. O Gavião Noturno não esboçou nenhuma reação.

— O que estou me perguntando é se não é você o Copeiro — disse Ead em um tom de voz baixo. — Se não orquestrou a vinda daqueles assassinos… para assustá-la a ponto de aceitar se casar com Lievelyn. Se é por isso que quer se livrar de mim. A pessoa que a protege. Afinal, o que é um copeiro senão um servidor leal à coroa que, quando bem entender, é capaz de envenenar o vinho?

Combe abriu um sorriso pesaroso.

— Como seria conveniente para você poder colocar a culpa de tudo o que acontece de errado em mim — murmurou ele. — O Copeiro está *mesmo* por perto, Mestra Duryan. Não tenho dúvida disso. Mas eu sou apenas o Gavião Noturno. — Ele se recostou na cadeira. — Uma carruagem está à sua espera nos portões do palácio.

— E para onde me levará?

— Para algum lugar onde eu possa ficar de olho em você. Até que todas as peças estejam em seu devido lugar — respondeu ele. — Você conhece o segredo mais bem guardado da Virtandade. Se der com a língua nos dentes, pode colocar Inys de joelhos.

— Então você vai me silenciar me mantendo encarcerada. — Ead fez uma pausa. — Ou pretende adotar uma solução mais definitiva?

Ele ergueu o canto da boca em um meio sorriso.

— Assim você me ofende. O assassinato não tem nada de cortês.

Ele a manteria em algum lugar onde nem Sabran nem o Priorado seriam capazes de encontrá-la. Ead não poderia entrar naquela carruagem, ou nunca mais voltaria a ver a luz do dia.

Dessa vez, eram muitos pares de mão sobre ela. O brilho se apagou de seus dedos enquanto ela era escoltada para fora.

Ead não tinha a menor intenção de se deixar aprisionar por Combe. Ou de terminar com uma faca encravada nas costas. Enquanto saíam da Torre Alabastrina, ela enfiou a mão dentro do manto e desamarrou as mangas. Os atendentes a conduziam na direção dos portões do palácio.

Rápida como uma flecha, ela livrou os braços da vestimenta. Antes que os atendentes pudessem agarrá-la, ela pulou o muro mais próximo, que dava acesso ao Jardim Privativo. Os gritos de surpresa se elevaram.

O coração se chocava contra as costelas. Havia uma janela aberta logo acima. A Torre da Rainha tinha uma parede externa lisa, impossível de escalar, mas era coberta de trepadeiras grossas o bastante para aguentar peso. Ead apoiou o pé em um emaranhado de galhos.

O vento soprava em seus cabelos sobre os olhos enquanto subia. As trepadeiras estalavam de forma assustadora. Um galho mais fino se partiu entre os dedos, e o estômago de Ead se contraiu, mas ela conseguiu encontrar outro apoio para as mãos e seguiu escalando. Por fim, entrou pela janela aberta, aterrissando em silêncio.

Passando por corredores desertos, subiu as escadas para os aposentos reais. Diante da Câmara da Presença às escuras havia uma fileira de atendentes armados vestindo tabardos pretos. Em cada um, estavam bordados os dois cálices da Duquesa da Justiça.

— Eu desejo ver a rainha — Ead falou, ofegante. — Imediatamente.

— Sua Majestade já se deitou, Mestra Duryan, e o turno da noite começou — respondeu uma mulher.

— Lady Roslain, então.

— As portas da Grande Alcova estão trancadas, e só serão abertas pela manhã — foi a resposta curta e grossa.

— Eu *preciso* ver a rainha — Ead insistiu, contrariada. — É um assunto da maior importância.

Os atendentes trocaram olhares. Por fim, um deles, visivelmente irritado, pegou uma vela e saiu andando na escuridão.

Com o coração disparado, Ead prendeu a respiração. Não sabia ao certo o que dizer a Sabran. Tudo que sabia era que precisava deixá-la consciente dos atos de Combe.

Uma Roslain com os olhos vermelhos de sono apareceu de camisola, com mechas de cabelo escapando das tranças.

— Ead — disse ela com um tom impaciente —, o que está acontecendo?

— Preciso falar com Sabran.

Franzindo os lábios, Roslain a puxou de lado.

— Sua Majestade está com febre. — Ela parecia preocupada. — O Doutor Bourn disse que o repouso vai resolver o problema, mas minha avó colocou os atendentes aqui para proporcionar uma proteção a mais.

— Você precisa falar para ela. — Ead a segurou pelo braço. — Roslain, Combe está me mandando para o exílio. Você precisa...

— Mestra Duryan!

Roslain se assustou. Atendentes usando o livro alado estavam no fim do corredor, com dois Cavaleiros do Corpo à sua frente.

— Peguem-na — gritou Sir Marke Birchen. — Ead Duryan, você está presa. Parada aí!

Ead abriu a porta mais próxima e correu para a escuridão da noite.

— Ead — Roslain gritou atrás dela, horrorizada. — Sir Marke, o que significa isso?

Uma fileira de varandas levou Ead até outra porta aberta. Ela correu às cegas pelo corredor até chegar à Cozinha Privativa, onde Tallys, a ajudante, estava agachada em um canto, comendo uma torta de creme de ovos. Quando Ead entrou às pressas, ela ofegou, asssustada.

— Mestra Duryan. — Ela parecia apavorada. — Mestra, eu só estava...

Ead levou um dedo aos lábios.

— Tallys, existe alguma forma de sair daqui?

A ajudante de cozinha assentiu de imediato. Ela pegou Ead pela mão e a conduziu até uma porta baixa e estreita, escondida atrás de uma cortina.

— Por aqui. A Escadaria da Criadagem — murmurou ela. — Está indo embora para sempre?

— Por ora, sim — disse Ead.

— Por quê?

— Eu não posso contar, criança. — Ead sustentou o olhar dela. — Não conte para ninguém que me viu. Jure por sua honra como dama, Tallys.

Tallys engoliu em seco.

— Eu juro.

Passos do lado de fora. Ead entrou pela porta, e Tallys a fechou logo em seguida.

Ela desceu a escada correndo. Para deixar o palácio, precisaria de uma montaria e um disfarce. Só havia uma pessoa que poderia lhe fornecer tal coisa.

Margret Beck estava de camisola em seus aposentos. Ela ergueu a cabeça, assustada, quando Ead entrou.

— Mas o que significa... — Ela ficou de pé. — Ead?

Ead fechou a porta atrás de si.

— Meg, eu não tenho tempo para explicar. Preciso...

Assim que essas palavras saíram de sua boca, uma batida metálica ressoou na porta, o som de dedos envoltos em uma manopla.

— Lady Margret.

Uma batida.

— Lady Margret, aqui é a Dama Joan Dale, dos Cavaleiros do Corpo. Mais uma batida.

— Milady, venho com assuntos urgentes. Abra a porta.

Margret apontou para a cama desfeita. Ead entrou debaixo do móvel e deixou que o dossel a escondesse. Ela ouviu os passos de Margret no piso de pedra.

— Perdão, Dama Joan. Eu estava dormindo — ela falou com uma voz lenta e rouca. — Algum problema?

— Lady Margret, o Secretário Principal ordenou a prisão da Mestra Ead Duryan. Você a viu?

— Ead? — Margret se sentou na cama, como se estivesse aturdida. — Impossível. Sob que acusação?

Ela era uma grande atriz. A voz oscilava entre o choque e a descrença.

— Não tenho permissão para me aprofundar no assunto.

Pés envoltos em armadura cruzaram o recinto.

— Se vir Mestra Duryan, ressoe o alarme imediatamente.

— Mas é claro.

A Cavaleira do Corpo saiu, fechando a porta atrás de si. Margret virou silenciosamente o trinco e puxou as cortinas antes de tirar Ead do esconderijo embaixo da cama.

— Pela donzelice, Ead, o que foi que você fez? — murmurou ela.

— Cheguei perto demais de Sabran. Assim como Loth.

— Não. — Margret a encarou. — Você costumava agir com tanta *cautela* nesta corte, Ead…

— Eu sei. E peço perdão. — Ela apagou as velas e deu uma olhada entre as cortinas. Havia guardas e escudeiros armados por toda parte. — Meg, preciso da sua ajuda. Tenho que voltar para o Ersyr, ou Combe vai me matar.

— Ele não ousaria fazer isso.

— Ele não pode me deixar sair viva do palácio. Não depois de saber que… — Ead a encarou mais uma vez. — Você vai ouvir coisas a meu respeito, que vão fazê-la duvidar de mim, mas saiba que eu amo a rainha. E tenho certeza de que ela corre grande perigo.

— Por causa do Copeiro?

— E de seus próprios Duques Espirituais. Acredito que eles pretendem se voltar contra ela — explicou Ead. — Combe tem participação nisso, tenho certeza. Você *precisa* ficar de olho em Sabran, Meg. Não saia de perto dela.

Margret perscrutou seu rosto.

— Até o seu retorno?

Ead se viu diante de olhos cheios de expectativa. Qualquer que fosse a promessa que fizesse a Margret naquele momento, talvez não fosse capaz de cumprir.

— Até o meu retorno — respondeu, por fim.

Aquilo pareceu encorajar Margret. Com o maxilar cerrado, ela foi até onde guardava as roupas e jogou um manto de lã, uma camisa bufante e um sobrevestido sobre a cama.

— Você não vai chegar muito longe vestida como uma cortesã — disse ela. — Sorte que temos a mesma altura.

Ead se despiu até ficar só de anágua e vestiu as roupas novas, agradecendo à Mãe pela existência de Margret Beck. Depois que o manto estava amarrado e com o capuz sobre a cabeça, Margret a levou até a porta.

— Lá embaixo há uma pintura de Lady Brilda Glade. Logo atrás, você vai encontrar uma escada que leva à casa da guarda. De lá, você pode contornar o Jardim Privativo até os estábulos. Leve Valentia com você.

O cavalo era a alegria e o orgulho de Margret.

— Meg — disse Ead, segurando as mãos dela —, assim saberão que você me ajudou.

— Que seja. — Ela colocou uma bolsinha de seda na mão de Ead. — Tome. É o bastante para pagar por sua travessia até Zeedeur.

— Eu me lembrarei da sua bondade, Margret.

Margret a abraçou com tanta força que Ead mal conseguia respirar.

— Eu sei que a chance é mínima — ela falou com a voz embargada —, mas se encontrar Loth no caminho...

— Eu sei.

— Eu amo você como se fosse minha irmã, Ead Duryan. Nós *vamos* nos encontrar de novo, tenho certeza. — Ela a beijou no rosto. — Que o Santo a acompanhe.

— Eu não reconheço Santo nenhum — respondeu Ead com sinceridade, e reparou na expressão confusa da amiga —, mas levo comigo a sua bênção, Meg.

Ela saiu do quarto e atravessou às pressas os corredores, evitando os guardas. Quando encontrou o retrato, desceu a escada e chegou a uma passagem com uma janela no final. Em seguida, saltou para a noite.

Nos Estábulos Reais, estava tudo às escuras. Valentia, um presente que Margret ganhara do pai no aniversário de 20 anos, era motivo de inveja para todos na corte que apreciavam montarias. Ele preenchia todo o espaço de sua baia com seus oito palmos de altura. Ead passou a mão enluvada pela pelagem castanha avermelhada.

Valentia bufou quando ela o selou. Se os rumores fossem verdadeiros, ele era mais veloz até mesmo que os cavalos de Sabran.

Ead apoiou a bota no estribo, montou e sacudiu as rédeas. Imediatamente, Valentia disparou de sua baia e saiu pelas portas abertas. Antes mesmo que Ead ouvisse o grito de alarme, já estava fora dos portões do Palácio de Ascalon, e a essa altura não havia mais como alcançá-la. Choveram flechas em seu encalço. Valentia relinchou, mas ela murmurou para ele em selinyiano, encorajando-o a seguir em frente.

Quando os arqueiros baixaram as armas, Ead olhou por cima do ombro para o lugar que tinha sido seu lar e sua prisão durante oito anos. Para o lugar onde conheceu Loth e Margret, duas pessoas com quem não esperava fazer uma amizade tão importante. Para o lugar onde aprendeu a gostar de uma descendente do Impostor.

Os guardas vieram atrás dela. Estavam perseguindo um fantasma, pois Ead Duryan já não existia mais.

Ela cavalgou vigorosamente durante seis dias e seis noites em meio ao gelo, parando apenas para que Valentia descansasse. Era preciso se manter à frente dos mensageiros. Combe já devia tê-los mandado espalhar a notícia de sua fuga por toda a nação.

Em vez de pegar a Passagem Sul, ela fez a travessia por trilhas e campos abertos. A neve recomeçou no quarto dia. A jornada a fez passar pelo rico condado das Terras Baixas, onde Lorde e Lady Honeybrook viviam na Corte de Dulcet, e pela cidade de Mata dos Corvos. Ela deu água para Valentia e encheu seu odre antes de retomar seu caminho sob a proteção da escuridão.

Ela se esforçou para não pensar em Sabran, mas até mesmo a cavalgada mais veloz deixava espaço para que seus pensamentos a atormentassem. Agora que estava doente, sua posição era ainda mais vulnerável do que antes.

Enquanto atravessava uma plantação, Ead praguejou contra sua própria tolice. A corte inysiana amolecera seu coração.

Ela não podia contar para a Prioresa a respeito de Sabran. Até mesmo Chassar poderia não entender. A própria Ead não compreendia direito. Só sabia que não podia deixar Sabran à mercê dos Duques Espirituais.

Ao raiar do sétimo dia, o mar apareceu no horizonte. Para um olho não treinado, os penhascos pareciam simplesmente desaparecer, e a terra mergulhava no mar de forma harmoniosa. Era possível contemplar a paisagem sem sequer desconfiar que havia uma cidade ali.

Naquele dia, era a fumaça que denunciava a presença dela. Uma nuvem espessa e escura subindo para o céu.

Ead a observou por um bom tempo. Não era só fumaça de chaminé. Ela cavalgou até a beirada dos penhascos e viu os telhados mais abaixo.

— Vamos, Valentia — murmurou ela, descendo da sela e o conduzindo pelo primeiro lance de degraus.

Poleiro estava um caos. Havia sangue nas pedras do calçamento. O cheiro de ossos carbonizados e carne derretida era levado pelo vento. Os vivos choravam sobre os restos mortais de seus entes queridos, ou estavam em um estado de total desorientação. Ninguém prestou atenção em Ead.

Uma mulher de cabelos escuros estava sentada diante dos escombros de uma padaria.

— Você aí — Ead a chamou. — O que aconteceu?

— Vamos ter que trazer o navio até a praia. O capitão vai querer ser recompensado por isso, e talvez até por levar você.

Ead jogou a bolsinha para ela. O dinheiro inysiano seria inútil no Sul.

— Eu não estou pedindo sua caridade, pirata.

Não levaria muito tempo para chegar a Mentendon. Ead se deitou na cabine reservada a ela e tentou dormir. Quando adormeceu, foi atormentada por sonhos inquietos com Sabran e o Copeiro sem rosto. Quando acordou, subiu para o convés e observou as estrelas cristalinas acima das velas, permitindo que acalmassem sua mente.

O capitão, Gian Harlowe, saiu da própria cabine para fumar seu cachimbo. Segundo boatos, o homem fora apaixonado pela Rainha Mãe. Olhos escuros, boca severa, pequenas cicatrizes na testa e nas bochechas, que pareciam ter sido entalhadas pelo vento do mar.

Eles trocaram olhares, cada um de seu lado do navio. Harlowe acenou com a cabeça, e Ead retribuiu o gesto.

Ao amanhecer, o céu estava tingindo de cinza, e Zeedeur apareceu no horizonte. Era lá que Truyde passara a infância, e onde colocara na cabeça suas ideias perigosas. E era onde a morte de Aubrecht Lievelyn fora escrita nas estrelas.

Estina Melaugo se juntou a Ead na proa.

— Muito cuidado por lá — disse ela. — É uma travessia difícil daqui até o Ersyr, e as montanhas estão cheias de wyrms.

— Eu não tenho medo de wyrm nenhum. — Ead fez um aceno de cabeça para ela. — Obrigada, Melaugo. Adeus.

— Adeus, Meg. — Melaugo abaixou a aba do chapéu e se afastou. — Boa viagem.

Localizado entre o mar e o Rio Hundert, o Porto de Zeedeur tinha a forma de uma flecha. Os canais se espraiavam pela parte norte, ladeada por casas elegantes e olmos. Ead passara por aquela cidade apenas uma vez, quando ela e Chassar embarcaram para Inys. As residências de lá eram construídas no estilo mentendônio tradicional, com campanários. A torre cogulhada do Santuário do Porto se elevava do coração da cidade.

Era o último santuário que ela veria durante um bom tempo.

Ead montou em Valentia e o esporeou por entre as barracas do mercado e dos vendedores de livros, em direção à rota comercial que a levaria à capital. Em alguns dias, estaria em Brygstad, de onde seguiria para o Ersyr — para bem longe da corte onde encenara sua farsa por tanto tempo. Para bem longe do Oeste.

E para longe de Sabran.

Personagens da trama

Os nomes do povo do Leste estão listados com o sobrenome primeiro. Os do Oeste, Norte e Sul, com o primeiro nome na frente.

✛

PROTAGONISTAS

❖ **Arteloth Beck, ou "Loth"**: Primeiro na linha de sucessão da próspera província dos Prados, no norte de Inys, e futuro herdeiro da propriedade de Goldenbirch. Filho mais velho de Lorde Clarent e Lady Annes Beck, irmão de Margret Beck, e amigo próximo de Sabran IX de Inys.

❖ **Eadaz du Zāla uq-Nāra**: (*também conhecida como* Ead Duryan): Uma iniciada do Priorado da Laranjeira, atualmente posando no papel de Dama de Câmara de Segunda Classe do Alto Escalão de Serviço de Sabran IX de Inys. Descendente de Siyāti uq-Nāra, melhor amiga de Cleolind Onjenyu.

❖ **Niclays Roos**: Anatomista e alquimista do Estado Livre de Mentendon e ex-amigo de Edvart II. Banido por Sabran IX de Inys para Orisima, o último entreposto comercial do Oeste em Seiiki.

❖ **Tané**: Órfã seiikinesa recrutada pelas Casas de Aprendizado para ser treinada para a Guarda Superior do Mar. Principal aprendiz da Casa do Sul.

- ❖ **Dranghien VI**: Imperador Perpétuo dos Doze Lagos, atual chefe da Casa de Lakseng. Como todos de sua linhagem, afirma ser descendente do Porta-voz da Luz, que os lacustres acreditam ter sido a primeira pessoa a fazer contato com um dragão quando caiu do céu.
- ❖ **Dumusa**: Principal aprendiz da Casa do Oeste, descendente do Clã Miduchi. Seu avô paterno foi um explorador sulino, executado por desafiar o Grande Édito.
- ❖ **Erudito Ivara**: Curandeiro e arquivista no Pavilhão da Veleta, na Ilha da Pluma.
- ❖ **General do Mar**: Comandante da Guarda Superior do Mar seiikinesa. Chefe do Clã Miduchi. Ginete de Tukupa, a Prateada.
- ❖ **Ghonra**: Herdeira da Frota do Olho de Tigre, filha adotiva da Imperatriz Dourada e capitã do *Corvo Branco*. Autodenominada "Princesa do Mar do Sol Dançante".
- ❖ **Governador de Cabo Hisan**: A autoridade encarregada de administrar a região seiikinesa de Cabo Hisan. Responsável por garantir que os colonos lacustres e mentendônios obedeçam às leis seiikinesas.
- ❖ **Governadora de Ginura**: Autoridade encarregada de administrar a capital seiikinesa de Ginura. É também a magistrada-chefe de Seiiki, um posto tradicionalmente ocupado por um membro da Casa de Nadama.
- ❖ **Grã-Imperatriz Viúva**: Membro da Casa de Lakseng através do matrimônio. Serviu como regente oficial para o neto, o Imperador Perpétuo dos Doze Lagos, até que atingisse a maioridade.
- ❖ **Imperatriz Dourada**: Líder da Frota do Olho de Tigre — a esquadra pirata mais temida do Leste, com uma força de 40 mil piratas — e capitã de seu maior navio, o *Perseguidor*. Ela comanda o comércio ilegal de carne, ossos e escamas de dragões.

- ❖ **Ishari**: Aprendiz da Casa do Sul. Divide o quarto nos alojamentos com Tané.
- ❖ **Kanperu**: Aprendiz da Casa do Oeste.
- ❖ **Laya Yidagé**: Intérprete da Imperatriz Dourada. Foi feita prisioneira pela Frota do Olho de Tigre enquanto tentava seguir seu pai aventureiro e chegar a Seiiki.
- ❖ **Moyaka Eizaru**: Médico de Ginura. Pai de Purumé. Amigo e antigo aluno de Niclays Roos.
- ❖ **Moyaka Purumé**: Anatomista e botânica de Ginura. Filha de Eizaru. Amiga e antiga aluna de Niclays Roos.
- ❖ **Muste**: Assistente de Niclays Roos em Orisima. Companheiro de Panaya.
- ❖ **Nadama Pitosu**: Líder Guerreiro de Seiiki e chefe da Casa de Nadama. Descendente do Primeiro Líder-Guerreiro, que pegou em armas para vingar a extinta Casa de Noziken.
- ❖ **Oficial-Chefe**: Responsável pela segurança do entreposto comercial mentendônio de Orisima.
- ❖ **Onren**: Principal aprendiz da Casa do Leste.
- ❖ **Padar**: Navegador do *Perseguidor*.
- ❖ **Panaya**: Residente de Cabo Hisan e intérprete dos colonos de Orisima. Companheira de Muste.
- ❖ **Susa**: Residente de Cabo Hisan e amiga de infância de Tané. Uma menina de rua que foi adotada pela dona de uma hospedaria.
- ❖ **Turosa**: Principal aprendiz da Casa do Norte. Descendente do Clã Miduchi, e famoso por sua habilidade com lâminas. Rival de longa data de Tané.
- ❖ **Vice-Rainha de Orisima**: Autoridade mentendônia que supervisiona o entreposto comercial de Orisima.

PESSOAS FALECIDAS E FIGURAS HISTÓRICAS DO LESTE

- ❖ **Donzela da Neve**: Uma figura quase lendária, cuidou de Kwiriki até que se recuperasse quando ele estava ferido e disfarçado como um pássaro. Como forma de agradecimento, Kwiriki entalhou o Trono do Arco-Íris e lhe deu o poder de governar Seiiki. Ela foi a fundadora da Casa de Noziken e a primeira imperatriz seiikinesa.
- ❖ **Menina-Sombra**: Figura das lendas, uma plebeia que sacrificou a vida para devolver à Dragoa da Primavera a pérola que lhe tinha sido roubada.
- ❖ **Neporo**: Autodeclarada Rainha de Komoridu. Pouco se sabe a seu respeito.
- ❖ **Noziken Mokwo**: Antiga Imperatriz de Seiiki. Chefe da Casa de Noziken durante seu reinado.

SUL

- ❖ **Chassar uq-Ispad**: Mago do Priorado da Laranjeira e seu principal ponto de contato com o mundo exterior. Para obter acesso a cortes estrangeiras, apresenta-se como embaixador do Rei Jentar e da Rainha Saiyma do Ersyr. Ajudou a criar Eadaz uq-Nāra depois da morte súbita de sua mãe biológica. Chassar tem o dom de domar aves, e muitas vezes se vale de Sarsun e Parspa para executar seu trabalho.
- ❖ **Jentar I** (o Esplêndido): Rei do Ersyr e chefe da Casa de Taumargam. Cônjuge da Rainha Saiyma e aliado do Priorado de Laranjeira.
- ❖ **Jondu du Ishruka uq-Nāra**: Amiga de infância e mentora de Eadaz uq-Nāra. Foi mandada para Inys para encontrar Ascalon. Assim como Eadaz, é descendente de Siyāti uq-Nāra.
- ❖ **Kagudo Onjenyu**: Alta Governante do Domínio da Lássia e chefe da Casa de Onjenyu. Descendente de Selinu, o Detentor do Juramento

por parte de pai, meio-irmão de Cleolind Onjenyu. Kagudo é aliada do Priorado da Laranjeira, protegida pelas Donzelas Vermelhas desde o dia em que nasceu.

❖ **Mita Yedanya**: Prioresa da Laranjeira, a antiga *munguna*, ou herdeira designada.

❖ **Nairuj Yedanya**: Donzela Vermelha do Priorado da Laranjeira e presumidamente, sua *munguna*.

❖ **Saiyma Taumargam**: Rainha consorte do Ersyr e cônjuge de Jentar I.

PESSOAS FALECIDAS E FIGURAS HISTÓRICAS DO SUL

❖ **Arauto do Fim**: Um profeta do antigo Ersyr. Entre outras previsões, afirmou que o sol se elevaria do Monte Temível e destruiria Gulthaga, que estava sendo solapada por uma violenta guerra civil.

❖ **Cleolind Onjenyu** (a Mãe, *ou* a Donzela): Princesa herdeira do Domínio da Lássia e filha de Selinu, o Detentor do Juramento. Fundadora do Priorado da Laranjeira. A religião das Virtudes da Cavalaria professa que ela se casou com Sir Galian Berethnet e se tornou a rainha consorte de Inys depois que ele derrotou o Inominado para salvá-la. Os membros do Priorado acreditam que foi Cleolind quem aprisionou a fera, e a maioria crê que ela não partiu com Galian. Cleolind morreu depois de deixar o Priorado em uma missão desconhecida, não muito tempo depois de sua fundação.

❖ **Rainha Borboleta**: Figura em parte mítica, era uma amada rainha consorte do Ersyr, mas morreu jovem, o que fez seu rei mergulhar em um luto sem fim.

❖ **Rei Melancólico**: Figura em parte mítica, que teria sido um antigo rei da Casa de Taumargam. Ele vagou pelo deserto seguindo uma miragem da esposa, a Rainha Borboleta, e morreu de sede. Os ersyrios usam sua história como um alerta, principalmente contra a insensatez causada pelo amor.

- ❖ **Selinu, o Detentor do Juramento**: Alto Governante da Lássia e chefe da Casa de Onjenyu quando o Inominado se instalou em Yikala. Ele organizou um sorteio de pessoas que seriam sacrificadas para aplacar a fera, uma prática interrompida apenas quando sua própria filha, Cleolind, foi sorteada como próximo sacrifício.
- ❖ **Siyāti uq-Nāra**: Amada amiga e dama de honra de Cleolind Onjenyu, que se tornou a Prioresa da Laranjeira depois que Cleolind morreu em terras distantes. Muitas irmãs e irmãos do Priorado são descendentes de Siyāti e seus sete filhos.
- ❖ **Zāla du Agriya uq-Nāra**: Irmã do Priorado da Laranjeira e mãe biológica de Eadaz du Zāla uq-Nāra. Foi envenenada quando Eadaz tinha 6 anos.

VIRTANDADE

- ❖ **Aleidine Teldan utt Kantmarkt**: Membro da próspera família Teldan, ingressou na nobreza por meio do matrimônio com Lorde Jannart utt Zeedeur, o futuro Duque de Zeedeur. É conhecida como a Duquesa Viúva de Zeedeur. Avó de Truyde.
- ❖ **Annes Beck** (Lady Goldenbirch): Filha do Barão e da Baronesa de Greensward. Condessa de Goldenbirch através do matrimônio com Lorde Clarent Beck. Mãe de Arteloth e Margret. Antiga Dama da Alcova de Rosarian IV de Inys.
- ❖ **Arbella Glenn, ou "Bella"** (Viscondessa de Suth): Uma das três Dama da Alcova de Sabran IX de Inys e Guardiã das Joias da Rainha. Foi também Dama da Alcova, ama de leite e Mestra dos Trajes da falecida Rosarian IV. Desde a morte de Rosarian, nunca mais emitiu uma palavra.

- **Aubrecht II** (o Príncipe Rubro): Alto Príncipe do Estado Livre de Mentendon, Arquiduque de Brygstad e chefe da Casa de Lievelyn. Sobrinho-neto do falecido Príncipe Leovart e sobrinho do falecido Príncipe Edvart. Irmão mais velho de Ermuna, Bedona e Betriese.
- **Bedona Lievelyn**: Princesa do Estado Livre de Mentendon. Irmã de Aubrecht, Ermuna e Betriese.
- **Betriese Lievelyn**: Princesa do Estado Livre de Mentendon. Irmã de Aubrecht, Ermuna e Bedona. É a mais nova da família, nascida pouco depois de Bedona, sua gêmea idêntica.
- **Calidor Stillwater**: Segundo filho de Nelda Stillwater, a Duquesa da Coragem. Companheiro de Lady Roslain Crest e pai de Lady Elain Crest.
- **Caudilho de Askrdal**: Nobre de posição mais elevada no antigo Ducado de Askrdal, em Hróth. Amigo de Lady Igrain Crest.
- **Clarent Beck** (Lorde Goldenbirch): Conde de Goldenbirch e Guardião dos Prados. Companheiro de Lady Annes Beck. Pai de Arteloth e Margret.
- **Elain Crest**: Filha de Lady Roslain Crest e Lorde Calidor Stillwater. Possível herdeira do Ducado da Justiça depois da mãe, a primeira na linha sucessória.
- **Ermuna Lievelyn**: Princesa herdeira do Estado Livre de Mentendon e Arquiduquesa de Ostendeur. Irmã de Aubrecht, Bedona e Betriese.
- **Estina Melaugo**: Contramestra do *Rosa Eterna*.
- **Gautfred Plume**: Quartel-mestre do *Rosa Eterna*.
- **Gian Harlowe**: Corsário inysiano e capitão do *Rosa Eterna*. Segundo boatos, foi amante de Rosarian IV, que o presenteou com o navio.
- **Grance Lambren**: Membro dos Cavaleiros do Corpo.
- **Gules Heath**: Membro mais antigo dos Cavaleiros do Corpo.
- **Hallan Bourn**: Médico Real de Sabran IX de Inys.
- **Helchen Roos**: Mãe de Niclays Roos. Distanciada do filho há décadas.

à Virtandade, renunciou às Virtudes da Cavalaria para prometer lealdade ao Inominado. Pai de Marosa Vetalda, sua filha com Sahar Taumargam.

- ❖ **Tallys**: Uma ajudante de cozinha do Baixo Escalão de Serviço de Sabran IX de Inys.
- ❖ **Tharian Lintley**: Capitão dos Cavaleiros do Corpo, a guarda pessoal de Sabran IX de Inys.
- ❖ **Thim**: Um desertor do *Pombo Preto* que se tornou canhoneiro no *Rosa Eterna*.
- ❖ **Triam Sulyard**: Antigo pajem no Baixo Escalão de Serviço de Sabran IX de Inys, mais tarde escudeiro de Sir Marke Birchen. Secretamente casado com Lady Truyde utt Zeedeur.
- ❖ **Truyde utt Zeedeur**: Primeira na linha de sucessão do Ducado de Zeedeur. Filha de Oscarde utt Zeedeur e de sua falecida companheira. Desempenha o papel de dama de companhia no Alto Escalão de Serviço de Sabran IX de Inys.
- ❖ **Wilstan Fynch**: Duque da Temperança, Lorde Almirante de Inys e príncipe consorte da falecida Rosarian IV de Inys. Tornou-se embaixador residente de Inys no reino de Yscalin depois da morte da companheira. Seu sobrinho, Lorde Lemand Fynch, ocupa sua posição no Conselho das Virtudes em sua ausência.

PESSOAS FALECIDAS E
FIGURAS HISTÓRICAS DA VIRTANDADE

- ❖ **Antor Dale**: Um cavaleiro que se casou com Rosarian I de Inys depois de uma disputa pública pelo amor da dama. O pai da noiva, Isalarico IV de Yscalin, concedeu permissão especial para o casamento, que agradava ao povo. Sir Antor é a encarnação dos ideais da cavalaria.

- **Brilda Glade**: Dama Primeira da Alcova de Sabran VII de Inys, que mais tarde tornou-se sua companheira.
- **Carnelian I** (a Flor de Ascalon): Quarta rainha da Casa de Berethnet.
- **Carnelian III**: Vigésima quinta rainha da Casa de Berethnet. Causou burburinho por se recusar a recrutar uma ama de leite para a filha, Princesa Marian. Apaixonou-se pelo Lorde Rothurt Beck, mas não pôde se casar com ele.
- **Carnelian V** (a Pomba Lamentosa): Trigésima terceira rainha da Casa de Berethnet, famosa pela linda voz e pelos períodos de tristeza. Bisavó de Sabran IX de Inys.
- **Edrig de Arondine**: Amigo fiel de Sir Galian Berethnet, que foi seu cavaleiro. Quando Galian foi coroado Rei de Inys, Edrig foi nomeado Guardião dos Lagos e recebeu o sobrenome *Beck*.
- **Edvart II**: Alto Príncipe do Estado Livre de Mentendon. Edvart e sua filha pequena morreram não muito depois de Jannart utt Zeedeur, durante o Terror de Brygstad, quando metade da corte mentendônia morreu por causa da doença do suor. Foi sucedido por seu tio, Leovart.
- **Galian Berethnet** (o Santo, *ou* Galian, o Impostor): O primeiro rei de Inys. Galian nasceu no vilarejo de Goldenbirch, em Inysca, mas tornou-se escudeiro de Edrig de Arondine. A religião das Virtudes da Cavalaria, que Galian criou usando como base o código de conduta dos cavaleiros, professa que ele derrotou o Inominado na Lássia, casou--se com a Princesa Cleolind da Casa de Onjenyu e, em conjunto, fundaram a Casa de Berethnet. Cultuado na Virtandade, mas vilipendiado em muitas partes do Sul, Galian é considerado por seus seguidores o governante de Halgalant, a corte celestial, onde ele aguarda pelos justos em sua Grande Távola.
- **Glorian II** (Glorian, a Temida dos Cervos): Décima rainha da Casa de Berethnet. Uma caçadora talentosa. Seu casamento com Isalarico IV de Yscalin foi o que trouxe a nação dele para a Virtandade.

- ❖ **Glorian III** (Glorian, a Defensora): Vigésima rainha da Casa de Berethnet, e talvez sua monarca mais conhecida e amada. Liderou Inys durante a Era da Amargura e, em um célebre episódio, levou a filha recém-nascida, Sabran VII, para o campo de batalha. Sua atitude inspirou os soldados a não desistirem e lutarem até o fim.
- ❖ **Haynrick Vatten:** Administrador em Exercício de Mentendon durante a Era da Amargura. Foi prometido em casamento a Sabran VII aos 4 anos de idade. Os Vatten, que governaram Mentendon durante séculos em nome da Casa de Hraustr, acabaram por serem destronados e exilados para Hróth, mas seus descendentes ainda detinham certo poder entre os mentendônios.
- ❖ **Isalarico IV** (o Benevolente): Rei de Yscalin e príncipe consorte de Inys. Converteu sua nação à Virtandade ao se casar com Glorian II de Inys.
- ❖ **Jannart utt Zeedeur**: O falecido Duque de Zeedeur, antigo Marquês de Zeedeur. Amigo próximo de Edvart II de Mentendon e companheiro de Lady Aleidine Teldan utt Kantmarkt. Jannart era um historiador apaixonado pelo ofício.
- ❖ **Jillian VI**: Trigésima quarta rainha da Casa de Berethnet. Avó materna de Sabran IX de Inys. Jillian tinha talento para a música, era tolerante em termos religiosos e pregava uma maior proximidade da Virtandade com o restante do mundo.
- ❖ **Leovart I**: Alto Príncipe do Estado Livre de Mentendon. Teoricamente não deveria ter sido entronado, mas convenceu o Conselho Privativo a ocupar a posição no lugar do sobrinho-neto, Aubrecht, que Leovart dizia ser pacato e inexperiente demais para governar. Tornou-se notório por pedir inúmeras mulheres da nobreza e da realeza em casamento.
- ❖ **Lorain Crest**: Um dos seis membros do Séquito Sagrado, amiga de Sir Galian Berethnet. Dama Lorain é lembrada em Inys como a Cavaleira da Justiça.

- ❖ **Rainha do Nunca**: Apelido da Princesa Sabran de Inys, filha de Marian IV. Foi a vigésima quarta na linhagem de realeza da Casa de Berethnet, mas morreu dando à luz a futura soberana Rosarian II antes de ser coroada.
- ❖ **Rosarian I** (a Menina de Todos os Olhos): Décima primeira rainha da Casa de Berethnet. Seu popular reinado integrou novas tradições vindas de Yscalin, o reino de seu pai, Isalarico IV.
- ❖ **Rosarian II** (a Arquiteta de Inys): Vigésima quarta rainha da Casa de Berethnet. Era uma arquiteta talentosa que fez longas viagens na juventude, enquanto ainda era princesa. Rosarian projetou pessoalmente muitas construções de Inys, inclusive a torre de relógio revestida em mármore do Palácio de Ascalon.
- ❖ **Rosarian IV** (a Rainha Sereiana): Trigésima quinta rainha da Casa de Berethnet, mãe de Sabran IX de Inys. Foi morta por um veneno embebido em um de seus vestidos.
- ❖ **Rothurt Beck**: Um dos condes de Goldenbirch. Carnelian III se apaixonou por ele, que já era casado.
- ❖ **Sabran V**: Décima sexta rainha da Casa de Berethnet. Seu reinado marcou o início do Século do Descontentamento, com três rainhas impopulares em sequência. Era famosa pela crueldade e pelo estilo de vida extravagante.
- ❖ **Sabran VI** (a Ambiciosa): Décima nona rainha da Casa de Berethnet. Ficou notória por integrar Hróth à Virtandade se casando por amor com Bardholt Hraustr. Sua coroação pôs fim ao Século de Descontentamento. Sabran e Bardholt foram mortos por Fýredel, o que forçou a filha do casal, Glorian III, a reinar durante a Era da Amargura.
- ❖ **Sabran VII:** Vigésima primeira rainha da Casa de Berethnet. Filha de Glorian III de Inys. Foi prometida em casamento a Haynrick Vatten, Administrador em Exercício de Mentendon, no dia em que nasceu.

Depois da morte dele, e de sua abdicação, Sabran casou-se com sua Dama Primeira da Alcova, Lady Brilda Glade.

- ❖ **Sahar Taumargam**: Princesa do Ersyr que se tornou rainha consorte de Yscalin ao se casar com Sigoso III. Irmã de Jentar I do Ersyr. Sua morte se deu sob circunstâncias suspeitas.
- ❖ **Wulf Glenn**: Amigo e guarda-costas de Glorian III de Inys. Um dos mais famosos cavaleiros da história inysiana, um ideal de coragem e galhardia. É um ancestral de Lady Arbella Glenn.

PERSONAGENS NÃO HUMANOS

- ❖ **Aralaq**: Um ichneumon, criado no Priorado da Laranjeira por Eadaz e Jondu uq-Nāra.
- ❖ **Dragoa Imperial**: Líder de todos os dragões lacustres, cuja eleição se deu por meios desconhecidos. A atual Dragoa Imperial é uma fêmea chocada no Lago das Folhas Douradas no ano 209 EC. A Dragoa Imperial tradicionalmente atua como conselheira da família real humana do Império dos Doze Lagos e escolhe qual de seus herdeiros é entronado.
- ❖ **Fýredel**: Líder do Exército Dragônico, leal ao Inominável e conhecido como sua *asa direita*. Liderou um ataque violento à humanidade no ano 511 EC. Alguns dizem que emergiu do Monte Temível na mesma época em que o Inominável, enquanto outros acreditam que tenha nascido junto de seus irmãos, durante a Segunda Grande Erupção.
- ❖ **Inominável**: Um wyrm vermelho gigantesco, criado pela proliferação de *siden* no núcleo terrestre. Acredita-se que foi a primeira criatura a emergir do Monte Temível. É o comandante supremo do Exército Dragônico, criado para ele por Fýredel. Pouco se sabe sobre o Inominável, mas supõe-se que seu maior objetivo é semear o caos e subjugar a humanidade. Seu confronto com Cleolind Onjenyu e

Galian Berethnet na Lássia no ano 2 AEC deu origem a religiões e lendas por todo o mundo.

❖ **Kwiriki**: Segundo os seiikineses, o primeiro dragão a aceitar ser montado por um humano, cultuado como uma deidade. Foi quem entalhou o Trono do Arco-Íris — que mais tarde foi destruído — utilizando seu próprio chifre. Os seiikineses acreditam que Kwiriki partiu para o plano celestial, de onde enviou o cometa que pôs um fim à Grande Desolação. As borboletas são suas mensageiras.

❖ **Nayimathun das Neves Profundas**: Dragoa lacustre que lutou na época da Grande Desolação. Nômade por natureza, tornou-se membro da Guarda Superior do Mar de Seiiki.

❖ **Norumo**: Dragão seiikinês, membro da Guarda Superior do Mar de Seiiki.

❖ **Orsul**: Um dos cinco Altaneiros do Oeste que lideraram o Exército Dragônico durante a Era da Amargura.

❖ **Parspa**: A última *hawiz* de que se tem conhecimento — uma espécie de ave herbívora gigante, nativa do Sul. Obedece apenas a Chassar uq-Ispad, que foi quem a domou.

❖ **Sarsun**: Um macho da espécie das águias das areias. Amigo de Chassar uq-Ispad e mensageiro do Priorado da Laranjeira.

❖ **Tukupa** (a Prateada): Dragoa seiikinesa anciã, descendente de Kwiriki. Tradicionalmente, é montada pelo General do Mar de Seiiki, mas também pode levar o Líder Guerreiro seiikinês e os membros de sua família.

❖ **Valeysa**: Uma Altaneira do Oeste, membro do grupo de cinco irmãos que liderou o Exército Dragônico durante a Era da Amargura.

Glossário

alabarda: Arma seiikinesa manipulada com as duas mãos, com uma lâmina larga e curvada na ponta.

anteface: Uma máscara de veludo com forro de seda. O usuário precisa morder uma conta para mantê-la no lugar, o que o impede de falar.

attifet: Adereço de cabeça usado pelas mulheres das províncias do norte de Inys. Tem um vinco no meio, o que lhe empresta um formato de coração.

bacamarte: Peixe que se alimenta de sedimentos no fundo do mar. Em inysiano, a palavra é usada como um insulto com diversos significados.

baldaquim: Um caramanchão ornamentado que fica sobre a *bossa* de um *santuário*.

barda: Armadura para cavalos.

bodmin: Felino selvagem que ronda os terrenos alagadiços de Inys. Sua pele é quente; em razão da raridade, seu custo é dispendioso.

bossa: O centro elevado de um escudo. Em Inys, é o nome dado à plataforma no coração de um *santuário*, onde um santário faz pregações e preside cerimônias.

broquel: Um pequeno escudo.

charamela: Instrumento de sopro feito de madeira.

cintilho: Uma corrente cravejada de pedras preciosas, presa em torno da cintura.

possuídos pelos espíritos de bebês natimortos, enquanto outros acreditam que seu canto pode provocar abortos espontâneos. Isso fez com que fossem periodicamente caçados ao longo da história seiikinesa.

pestilência: A peste bubônica. Em outros tempos, uma ameaça séria, mas já quase extinta.

Pomar das Divindades: O além-vida na religião politeísta predominante na Lássia.

priorado: Construção onde os cavaleiros das Ilhas de Inysca costumavam se reunir em tempos antigos. Foram sucedidos por *santuários*.

roedor-dos-carvalhos: Um esquilo.

rogatórias: Orações.

samito: Um material pesado e caro, usado em trajes e cortinas.

sangue-de-concha: Um corante azulado, extraído de caracóis do Mar do Sol Dançante. Usados em tintas e cosméticos seiikineses.

Santuário: Construção religiosa inysiana onde os adeptos das Seis Virtudes da Cavalaria podem rezar e ouvir ensinamentos. Os santuários surgiram a partir dos antigos *priorados*, onde os cavaleiros buscavam conforto e orientação. A câmara principal é redonda como um escudo, e seu centro é chamado de *bossa*. Em geral há um *solo sepulcral* anexo.

selinyiano: Um idioma antigo do Sul, possivelmente originado além do *Eria*. Com o passar dos anos, foi incorporado aos diversos dialetos lássios, mas ainda é falado em sua forma original pela Casa de Onjenyu e pelas damas de honra do Priorado da Laranjeira.

sereiano: Um termo do antigo idioma morguês para se referir ao povo que vivia no mar.

setial: Um assento estofado de madeira, não muito diferente de um sofá. Pode não ser estofado em residências mais desfavorecidas.

siden: Um outro nome para a magia terrena. Vem do Ventre de Fogo e é canalizada através das árvores de siden. É mantida sob controle pela *sterren*.

sidra de pera: Bebida fermentada feita com a famosa pera vermelha, oriunda da cidade de Córvugar, em Yscalin.

sobreveste: Peça longa utilizada por cima da camisola para proporcionar um aquecimento adicional, em geral sem mangas e amarrada com uma faixa.

sobrevestido: Uma peça única sem mangas. Pode ser usado sozinho sobre a anágua ou como uma camada extra em trajes mais formais.

sóis: A moeda corrente no Ersyr.

sol da meia-noite: Na escola de alquimia ensinada a Niclays Roos, o sol da meia-noite (também conhecido como céu vermelho ou Sol de Rosarian) representa o estágio final da Grande Obra. O sol branco, que precede o vermelho, é um símbolo da purificação depois do primeiro estágio, o da putrefação.

solo sepulcral: Local onde ossos são enterrados, em geral anexo a um *santuário*.

sterren: Outro nome para a magia sideral. Vem da Estrela de Longas Madeixas na forma de uma substância chamada "resíduo estelar".

trepadeira: Glicínias, florescem no verão.

Ventre de Fogo: O centro do mundo. É a fonte da *siden* e o local de nascimento do Inominável e seus seguidores, os Altaneiros do Oeste. A siden brota naturalmente do Ventre de Fogo através das árvores de siden como parte do equilíbrio universal, mas as abominações dragônicas — resultado de um desiquilíbrio — surgem do Monte Temível.

verdugada: Uma armação de saia enrijecida com osso de baleia, usado sob os vestidos inysianos e yscalinos para lhes conferir o formato de sino característico.

vidro de cobalto: Um material azulado profundo.

wyvernin: Um *wyvern* filhote ou pequeno.

wyvern: Uma criatura dragônica alada de duas pernas. Como os Altaneiros do Oeste, os wyverns vêm do Monte Temível. Fýredel os cruzou

960 EC: Niclays Roos chega à corte de Edvart II de Mentendon e conhece Jannart utt Zeedeur.

974 EC: A Princesa Rosarian Berethnet é coroada Rainha de Inys.

991 EC: A Rainha Rosarian IV morre. Sua filha, a Princesa Sabran, é coroada, e começa seu período de regência devido à minoridade. Tané inicia oficialmente sua educação e seu treinamento para a Guarda Superior do Mar.

993 EC: Jannart utt Zeedeur morre, deixando viúva sua companheira, Aleidine Teldan utt Kantmarkt. Edvart II de Mentendon e sua filha morrem da doença do suor alguns meses depois. Edvart é sucedido pelo tio, Leovart.

994 EC: A Rainha Sahar de Yscalin morre, deixando a Princesa Marosa Vetalda como única herdeira do Rei Sigoso.

995 EC: Terminam os anos de minoridade da Rainha Sabran. Niclays Roos se torna o alquimista da corte.

997 EC: Ead Duryan chega à corte. Tané conhece Susa.

998 EC: Niclays Roos é banido da corte para o entreposto comercial mentendônio de Orisima, em Cabo Hisan.

1000 EC: Celebração dos mil anos do governo da Casa de Berethnet.

1003 EC: Truyde utt Zeedeur chega à corte inysiana. Fýredel desperta sob o Monte Fruma e assume o controle de Cárscaro. Sob suas ordens, Yscalin declara lealdade ao Inominado.

1005 EC: Começam os acontecimentos narrados em *O Priorado da Laranjeira*. Tané tem 19 anos, Ead tem 26, Loth tem 30 e Niclays tem 64.